Los padres del sistema taoísta

Léon Wieger

Los padres del sistema taoísta
Lao Zi (Lao Tse), Lie Zi (Lieh Tzu) y Zhuang Zhou (Chuang Tzu)

Léon Wieger

Los padres del sistema taoísta
© y traducción 2022 por Daniel Bernardo

ANTIQUA SAPIENTIA

Traducido de:

Les pères du système taoiste

Léon Wieger

ISBN: 978-1-989586-81-5

Índice

Dao De Jing
(Tratado del Principio y su Acción)

Chongxu Zhenjing
(Tratado de la perfecta vacuidad)

Zhuangzi
(Tratado del Maestro Trascendente de *Nan Hua*)

Índice analítico

Prefacio

Este volumen contiene lo que ha llegado hasta nuestros tiempos de la obra de tres pensadores chinos, *Lao Zi, Lie Zi* y *Zhuang Zhou*, que vivieron entre los siglos VI y IV a.C.

Lao Zi, el Viejo Maestro, fue un contemporáneo de Confucio, unos veinte años mayor que él. Su vida abarcó probablemente el periodo 570-490 a.C. (las fechas de Confucio son 552-479 a.C.). Nada de este hombre es históricamente seguro. Según la tradición daoísta fue bibliotecario en la corte de *Zhou* y vio a Confucio una vez, alrededor del año 501 a.C. Cansado del desorden del imperio, lo abandonó y nunca más volvió. Cuando estaba a punto de cruzar el paso occidental, compuso para su amigo, el encargado del paso, *Yin Xi*, el famoso escrito traducido en este volumen. Esta también es una tradición daoísta. En la brevísima e insignificante nota que le dedicó hacia el año 100 a.C., *Sima Qian* dice que, según algunos, el apellido del Viejo Maestro era *Li*, su nombre de pila común *Er*, su nombre de pila noble *Baiyang*, y su nombre póstumo *Dan* (de ahí el apelativo póstumo *Lao Dan*). Pero, añade el famoso historiador, que era, como su padre, más que medio daoísta, "otros dicen lo contrario, y del Viejo Maestro sólo podemos asegurar esto, que habiendo amado la oscuridad por encima de todo, este hombre borró deliberadamente el rastro de su vida." (*Shi Ji*, cap. 63). — No explicaré aquí la leyenda de *Lao Zi*, ya que este volumen es histórico.

Se dice que *Lie Zi*, el maestro *Lie*, cuyo nombre era *Lie Yukou*, vivió, oscuro y pobre, en el principado de *Zheng*, durante cuarenta años. Fue expulsado por el hambre en el año 398 a.C. Se dice que sus discípulos escribieron lo esencial de su enseñanza en esa época. Estos datos, que se basan únicamente en la tradición daoísta, han sido atacados a menudo y con fuerza. Pero los críticos del índice bibliográfico *Sikucuan Shu*, juzgaron que la escritura debía mantenerse.

El maestro *Zhuang*, cuyo nombre es *Zhuang Zhou*, es apenas conocido por nosotros. Debió estar en el ocaso de su vida, alrededor del año 330 a.c. *Sima Qian* dice que era muy instruido (*Shi Ji*, apéndice), pasó su vida en la oscuridad y la pobreza, luchando con brío contra las teorías y los abusos de su tiempo.

Es, pues, entre los años 500-330 a.c. donde debemos situar la elaboración de las ideas contenidas en este volumen. Digo ideas, no escritos; he aquí la razón:

De *Lao Zi*, la tradición afirma formalmente que escribió. Un examen minucioso de su obra parece dar la razón a la tradición. Es, en efecto, un monólogo, toda de un tirón, retomada desde el principio, cuando el autor se ha desviado; una retahíla de puntos y máximas, más que un ensayo continuado; una declaración de un hombre que aclara y completa su pensamiento, no oscuro pero sí muy profundo, repitiendo, retocando, insistiendo. Al principio, no había división en libros y capítulos. La división se hizo más tarde, con bastante torpeza.

En cuanto a *Lie Zi* y *Zhuang Zhou*, un examen de los dos tratados que llevan sus nombres muestra claramente que estos dos hombres no escribieron. Los tratados consisten en una colección de notas, de fichas, recogidas por los oyentes a menudo con variantes y errores, cotejadas después, revueltas y reclasificadas por los copistas, interpoladas por manos tendenciosas no daoístas, de modo que, en el presente texto, hay algunas piezas diametralmente contrarias a la doctrina cierta de los autores. Los capítulos son obra de quienes cotejaron los centones. Se construyeron reuniendo lo que era más o menos lo mismo. Muchos de ellas se desordenaron por el accidente que empañó tantas escrituras chinas antiguas, la ruptura de la unión de un manojo de tablillas y la mezcla de las mismas. — Hay que señalar que estos tratados daoístas no se incluyeron en la destrucción de los libros en el año 213 a.C.

La doctrina de estos tres autores es una. *Lie Zi* y *Zhuang Zhou* desarrollan a *Lao Zi*, y afirman que sus ideas se remontan al emperador *Huang Di*, fundador del imperio chino. Estas ideas son, más o menos, las de la India en la época contemporánea, la de los *Upanishads*. Un panteísmo realista, no idealista.

En el principio sólo había un ser, no inteligente sino una ley fatal, no espiritual sino material, imperceptible a fuerza de tenue, al principio inmóvil, *Dao* el Principio, pues todo derivaba de él. Un día este Principio comenzó a emitir *De*, su Virtud, que actuando en dos modos alternativos *yin* y *yang*, produjo como por condensación el cielo, la tierra y el aire entre ellos, agentes no inteligentes de la producción de todos los seres sensibles. Estos seres sensibles van y vienen en una evolución circular, nacimiento, crecimiento, decadencia, muerte, renacimiento, etc. El Soberano más Alto de los Anales y las Odas no se niega expresamente, sino que se degrada, se anula, de modo que se niega indirectamente. El hombre no tiene otro origen que la multitud de seres. Tiene más éxito que los demás, eso es todo. Y eso, sólo por esta vez. Tras su muerte, entra en una nueva existencia de algún tipo, no necesariamente humana, ni siquiera necesariamente animal o vegetal. Transformismo, en el sentido más amplio de la palabra. El Sabio hace durar su vida, por la templanza, la paz mental, la abstención de todo lo que cansa o desgasta. Por eso se mantiene en el retiro y la oscuridad. Si es sacado a la fuerza, gobierna y administra según los mismos principios, sin cansarse ni desgastarse, haciendo lo menos posible, si es posible sin hacer nada, para no entorpecer la rotación de la rueda cósmica, la evolución universal. La apatía por la abstracción. Viendo todo desde tanta altura, desde tanta distancia, de modo que todo parece fundirse en uno, sin detalles, ni individuos; en consecuencia no hay interés, ni pasión. Sobre todo, no hay ningún sistema, ninguna regla, ningún arte, ninguna moral. No hay nada bueno o malo, no hay sanción. Sigue los instintos de tu naturaleza. Deja que el mundo siga día a día. Evoluciona con el gran todo.

Para la correcta comprensión del contenido de este volumen, resta señalar los siguientes puntos.

Muchos de los caracteres utilizados por los antiguos daoístas se toman en su sentido etimológico primitivo, un sentido que ha caído en desuso o se ha vuelto raro desde entonces. De ahí un lenguaje especial, propio de estos autores. Así, *Dao De Jing* no significa "Tratado sobre el Camino y su Virtud" (significados derivados de *Dao* y *De*), sino "Tratado sobre el Principio y su Acción" (significado antiguo).

Ninguno de los hechos alegados por *Lie Zi* y especialmente por *Zhuang Zhou* tiene valor histórico. Los hombres que mencionan no son más reales que las abstracciones personificadas que representan. Son dispositivos oratorios, nada más. Hay que cuidarse especialmente de tomar por verdaderas las afirmaciones de Confucio, todas inventadas a placer. Algunos autores mal informados han caído en este error en el pasado, y han imputado de buena fe al Sabio defectos que le prestó su enemigo *Zhuang Zhou*, para ridiculizarlo.

Confucio, el blanco de *Zhuang Zhou*, se presenta en tres posturas. — 1° Como autor del convencionalismo y destructor del naturalismo; por tanto como enemigo jurado del daoísmo. Esta es la nota real. Todos estos textos son auténticos. — 2° Como predicador, como converso, del daoísmo más o menos puro, a sus propios discípulos. Ficción a veces muy ingeniosamente conducida, para poner de manifiesto, a partir de los propios discursos del Maestro, la insuficiencia del confucianismo y las ventajas del daoísmo. Textos auténticos, pero que no deben ser imputados a Confucio. — 3° Algunos pocos textos, puramente confucianos, son interpolaciones. Tomaré nota de todos ellos.

Del mismo modo, los parangones del sistema confuciano, *Huang Di* (el Emperador Amarillo), *Yao*, *Shun*, el gran *Yu* y otros, se presentan en tres posiciones. — 1° Aborrecidos como autores o instigadores de la civilización artificial. Esta es la nota real. Textos auténticos. — 2° Alabados por un punto particular, común a confucianos y daoístas. Textos auténticos. — 3° Alabados en general, sin restricción. Algunas interpolaciones confucianas, que anotaré. — También creo que, en el texto, más de un *Yao*, o *Shun*, son errores de copistas, que han escrito un personaje por otro.

Se desconoce la fecha en la que la obra de *Lao Zi* se llamó *Dao De Jing*. El nombre aparece en *Huai Nan Zi*, en el siglo II a.C. — En el año 742, el emperador *Huan*

Zhong de la dinastía *Tang* dio al tratado de *Lie Zi* el título de *Chongxu Zhenjing*, "Tratado de la perfecta vacuidad"; y al tratado de *Zhuang Zhou* el título de *Nan Hua Chen Jing*, "Tratado del Maestro Trascendente de *Nan Hua*" (el nombre de un lugar donde se dice que *Zhuang Zhou* permaneció), habiendo recibido ambos autores el título de *Zhen Ren*, Hombres Trascendentes. El *Dao De Jing* también suele llamarse *Dao De Zeng Jing*, desde esa misma época.

Las notas aclaran los pasajes difíciles, ya sea en el propio texto o a pie de página. — Para todos los nombres propios, consúltese la tabla de nombres al final del volumen.

He procurado que mi traducción sea tan sencilla de leer como es posible, sin restarle precisión a la interpretación. Porque mi objetivo es poner a disposición de todos los lectores estos antiguos pensamientos, que desde entonces han sido repensados tantas veces por otros, y tomados por ellos como nuevos.

Xian Xian (*He Jian Fu*) 2 de abril de 1913

Dao De Jing[1]
(Tratado del Principio y su Acción)

Lao Zi

LIBRO I

Capítulo 1 (texto)

A. El principio que se puede enunciar no es el que siempre fue. El ser que puede ser nombrado no es el ser que siempre ha sido. Antes del tiempo, existía un ser inefable, innombrable.

B. Cuando aún era innombrable, concibió el cielo y la tierra. Después de haberse convertido en nombrable, dio a luz a todos los seres.

C. Estos dos actos son uno, con dos nombres diferentes. El acto generador único es el misterio del origen. Misterio de misterios. La puerta a través de la cual se abrieron todas las maravillas que llenan el escenario del universo.

D. El conocimiento que el hombre tiene del principio universal depende del estado de su mente. La mente habitualmente libre de pasiones, conoce su misteriosa esencia. La mente habitualmente apasionada, sólo conocerá sus efectos.

Resumen de los comentarios

Antes del tiempo, y desde todos los tiempos, había un ser existente por sí mismo, eterno, infinito, completo, omnipresente. Es imposible nombrarlo, hablar de él, porque los términos humanos sólo se aplican a los seres sensibles. Ahora bien, el ser

---

1   El *Dao De Jing*, previamente transliterado como "Tao Te Ching" (según la romanización Wade-Giles, actualmente en desuso), es atribuido a *Lao Zi*, también conocido como *Lao Tse* (Wade-Giles) (N. del T.).

primordial era primitivamente, y sigue siéndolo, esencialmente no sensible. Fuera de este ser, antes del origen, no había nada. Se llama wu, *sin forma,* huan, *misterio o* dao, *el Principio. La época en la que no había ningún ser sensible, cuando la esencia del principio existía sola, se llama* xian tian, *antes del cielo. Esta esencia poseía dos propiedades inmanentes, la concentración de* yin *y la expansión de* yang, *que se exteriorizaron un día, en las formas sensibles del cielo (*yang*) y la tierra (*yin*). Ese día fue el comienzo del tiempo. A partir de ese momento, el principio podría denominarse con el doble término cielo-tierra. El binomio cielo-tierra dio origen a todos los seres sensibles existentes. Llamamos* you, *ser sensible, a este binomio cielo-tierra que a mediante de, la virtud del Principio, genera todos sus productos, que llenan el mundo. Los tiempos posteriores a la exteriorización del cielo-tierra se denominan* hou tian, *después del cielo. El estado* yin *de concentración y reposo, de imperceptibilidad, que era el del principio antes del tiempo, es su propio estado. El estado* yang *de expansión y acción, de manifestación en los seres sensibles, es su estado en el tiempo, en cierto modo impropio. Estos dos estados del Principio se corresponden en la facultad de conocimiento del hombre con el reposo y la actividad, es decir, con el vacío y la plenitud. Cuando la mente humana produce ideas, está llena de imágenes, es movida por las pasiones, entonces sólo es capaz de conocer los efectos del Principio, los distintos seres sensibles. Cuando la mente humana, absolutamente detenida, está completamente vacía y tranquila, es un espejo puro y claro, capaz de reflejar la esencia inefable e innombrable del propio Principio. — Comparar con el capítulo 32.*

Capítulo 2 (texto)

A. Todos los hombres tienen la noción de lo bello, y por ella (por oposición) la de lo no bello (de lo feo). Todos los hombres tienen la noción de lo bueno, y por ella (por contraste) la de lo no bueno (de lo malo). Así, el ser y la nada, lo difícil y lo fácil, lo largo y lo corto, lo alto y lo bajo, el sonido y el tono, el antes y el después, son nociones correlativas, al ser conocida una de ellas, se revela la otra.

B. Siendo así, el Sabio sirve sin actuar, enseña sin hablar.

C. Permite que todos los seres lleguen a ser sin frustrarlos, que vivan sin monopolizarlos, que actúen sin explotarlos.

D. No se atribuye a sí mismo los efectos producidos y, en consecuencia, estos efectos permanecen.

Resumen de los comentarios

Los correlativos, los opuestos, los contrarios como el sí y el no, han entrado todos en este mundo por la puerta común, han salido todos del Principio Único (Cap. 1 C). No son ilusiones subjetivas de la mente humana, sino estados objetivos, que responden a los dos estados alternos del Principio, yin *y* yang, *concentración y expansión. La realidad profunda, el Principio, permanece siempre igual, esencialmente; pero la alternancia de su reposo y su movimiento, crea el juego de causas y efectos, un incesante ir y venir. El Sabio le da rienda suelta a este juego. Se abstiene de intervenir, ya sea con acciones físicas o con presión moral. Se abstiene de meter el dedo en el engranaje de las causas, en el movimiento perpetuo de la evolución natural, por temor a desvirtuar este complicado y delicado mecanismo. Todo lo que hace, cuando hace algo, es dejar ver su ejemplo. Deja a cada uno su lugar bajo el sol, su libertad, sus obras. No se atribuye a sí mismo el efecto general producido (buen gobierno), que pertenece a todas las causas. En consecuencia, este efecto (el buen orden), al no estar sujeto a los celos o a la ambición de los demás, es probable que dure.*

Capítulo 3 (texto)

A. Si no se enfatizara la habilidad, nadie se esforzaría más. Si no se premiaran los objetos raros, nadie robaría más. Si no se mostrara nada tentador, los corazones descansarían.

B. Por lo tanto, la política de los Sabios es vaciar las mentes de los hombres y llenar sus vientres, debilitar su iniciativa y fortalecer sus huesos. Su cuidado constante es mantener al pueblo en la ignorancia y la apatía.

C. Hacer que los inteligentes no se atrevan a actuar. Porque no hay nada que no pueda mejorarse mediante la práctica de la no acción.

Resumen de los comentarios

Toda emoción, todo desorden, toda perversión de la mente, proviene del hecho de que la mente se ha puesto en comunicación, a través de los sentidos, con objetos externos atractivos y seductores. La vista de la pompa de los ricos hace ambiciosos a los hombres. La vista de los objetos preciosos amontonados, hace que los hombres sean ladrones. Suprime todos los objetos capaces de tentar, o al menos su conocimiento, y el mundo disfrutará de una paz perfecta. Haz que los hombres sean bestias de trabajo productivas y dóciles; procura que estén bien alimentados y que no piensen; obstaculiza toda iniciativa, suprime toda empresa. Al no saber nada, los hombres no tendrán ninguna envidia, no requerirán ninguna supervisión y serán rentables para el Estado.

Capítulo 4 (texto)

A. El Principio abunda y produce, pero sin llenarse.

B. El abismo vacío, parece ser (es) el ancestro (origen) de todos los seres.

C. Es pacífico, sencillo, modesto, amigable.

D. Esparciéndose en olas, parece seguir (permanece) siempre igual.

E. No sé de quién es hijo (de quién o de donde viene). Parece que ha estado (estuvo) ante el Soberano.

Resumen de los comentarios

Este importante capítulo está dedicado a la descripción del Principio. Debido a la abstracción del tema, y quizás también por prudencia, ya que sus conclusiones chocan con las antiguas tradiciones chinas, Lao Zi utiliza tres veces el término atenuado "parecer", en lugar del término categórico "ser". — No se pronuncia sobre el origen del Principio, pero lo hace anterior al Soberano más Alto de los Anales y las Odas.

Este Soberano no puede ser, por tanto, para Lao Zi, un Dios creador del universo. Tampoco es un Dios que gobierna el universo, pues Lao Zi nunca le dará un lugar en su sistema como tal. Por tanto, la afirmación de que es posterior al Principio equivale prácticamente a su negación. — El Principio, en sí mismo, es como un inmenso abismo, como una fuente infinita. Todos los seres sensibles son producidos por su exteriorización, por su virtud de, que opera en el binomio cielo-tierra. Pero los seres sensibles, terminaciones del Principio, no añaden al Principio, no lo aumentan, no lo llenan, como dice el texto. Como no salen de él, no lo disminuyen, ni lo vacían, y el Principio sigue siendo siempre el mismo. — Se le atribuyen cuatro cualidades que luego se propondrán a menudo a imitación del Sabio (por ejemplo, en el capítulo 56). Estas cualidades están bastante mal definidas por los términos positivos pacífico, sencillo, modesto y amable. Los términos de Lao Zi son más complejos: suave, sin punta ni filo; no enredado ni complicado; no es deslumbrante, sino brilla con una luz templada, más bien apagada; comparte de buen grado el polvo, la bajeza del vulgo.

CAPÍTULO 5 (TEXTO)

A. El cielo y la tierra no son buenos con los seres que producen, sino que los tratan como perros de paja.

B. Al igual que el cielo y la tierra, el Sabio no es bueno con el pueblo que gobierna, sino que lo trata como perros de paja.

C. El intermedio del cielo y la tierra, la sede del Principio, el lugar desde el que actúa su virtud, es como un fuelle, como la bolsa de un fuelle del que el cielo y la tierra serían las dos planchas, que se vacía sin agotarse, que se mueve exteriormente sin cesar.

D. Esto es todo lo que podemos entender del Principio y su acción productiva. Intentar detallarlo con palabras y números, sería una pérdida de tiempo. Quedémonos con esta noción global.

Resumen de los comentarios

Hay dos clases de bondad: 1° la bondad del orden superior, que ama el todo, y ama las partes integrantes de este todo, sólo en cuanto son partes integrantes, no por sí mismas, ni por su propio bien; 2° la bondad del orden inferior, que ama a los individuos, en sí mismos y por su bien particular. El cielo y la tierra, que producen todos los seres por la virtud del Principio, los producen inconscientemente, y no son buenos para ellos, dice el texto. Son buenos para ellos, con bondad superior, no con bondad inferior, dicen los comentaristas. Es decir, los tratan con un frío oportunismo, considerando sólo el bien universal, no su bien particular; haciéndolos florecer si son útiles, suprimiéndolos cuando son inútiles. Este frío oportunismo se expresa con el término perro de paja. En la antigüedad, a la cabeza de los cortejos fúnebres se llevaban figuras de perros de paja, que se suponía que atrapaban todas las influencias malignas a su paso. Antes de los funerales, se les preparaba cuidadosamente y se les cuidaba bien, porque pronto serían útiles. Después del funeral, eran destruidos, porque se habían vuelto dañinos, rellenos como estaban de influencias nocivas, como nos enseña Zhuang Zhou en el capítulo 14 D. — En el gobierno, el Sabio debe actuar como el cielo y la tierra. Debe amar al Estado, no a los individuos. Debe favorecer los asuntos útiles y suprimir los inútiles, molestos o perjudiciales, según la conveniencia, sin ninguna otra consideración. La historia de China está llena de aplicaciones de este principio. Un ministro, largamente mimado, es repentinamente ejecutado porque la orientación política ha cambiado y sería un estorbo a partir de ahora, cualesquiera que hayan sido sus méritos anteriores; ha llegado su hora; en la revolución universal, el perro de paja es eliminado. No es necesario mostrar que estas ideas son diametralmente opuestas a las nociones cristianas de la Providencia, del amor de Dios por cada una de sus criaturas, de la gracia, de la bendición, etc. Esa es bondad de un orden inferior, dicen los sabios daoístas, con una sonrisa desdeñosa. — A esto le sigue la famosa comparación del fuelle universal, a la que los autores daoístas se refieren a menudo. Se desarrollará en el próximo capítulo. — En conclusión, esto es todo lo que se sabe sobre el Principio y su acción. Produce el universo hecho de seres; pero sólo le importa el universo, no ningún ser. Si se puede aplicar el término "importa" a un productor que realiza su trabajo sin saberlo. El Brahma de los hindúes al menos tiene algo de complacencia en las pompas de jabón que sopla; el Principio de los daoístas no.

Capítulo 6 (texto)

A. El poder expansivo trascendente que reside en el espacio medio, la virtud del Principio, no muere. Es siempre la misma, y actúa igual, sin disminución ni cese.

B. Es la misteriosa madre de todos los seres.

C. La puerta de esta madre misteriosa es la raíz del cielo y de la tierra, el Principio.

D. Proliferando, no se gasta. Actuando, no se cansa.

Resumen de los comentarios

No hay que olvidar que la obra de Lao Zi no estaba originalmente dividida en capítulos, y que la división, hecha posteriormente, es a menudo arbitraria, a veces torpe. Este capítulo continúa y completa los apartados C y D del capítulo 5. Trata de la génesis de los seres, en virtud del Principio, que reside en el espacio medio, en la bolsa del fuelle universal, del que todo emana. Los apartados A y B se refieren a la virtud del Principio; los apartados C y D al Principio en sí. El término puerta, la idea de dos puertas batientes, significa el movimiento alternativo, el juego del yin y el yang, la primera modificación del Principio. Esta obra fue la raíz, es decir, produjo el cielo y la tierra… En otras palabras, fue a través del Principio que el cielo y la tierra, las dos tablas del fuelle, se exteriorizaron. Del Principio emana la virtud productora universal, que opera a través del cielo y la tierra, entre el cielo y la tierra, en el espacio intermedio, produciendo a todos los seres sensibles sin agotamiento y sin fatiga.

Capítulo 7 (texto)

A. Si el cielo y la tierra duran para siempre, es porque no viven para sí mismos.

B. Siguiendo este ejemplo, el sabio, al retirarse, avanza; al descuidarse a sí mismo, se preserva. Como no busca su propio beneficio, todo se vuelve a su favor.

Resumen de los comentarios

Si el cielo y la tierra duran para siempre y no son destruidos por los celos, la envidia y los enemigos, es porque viven para todos los seres, haciendo el bien a todos. Si buscaran su propio interés, dice Wang Bi, *entrarían en conflicto con todos los seres, ya que un interés particular es siempre enemigo del interés general. Pero, como son perfectamente desinteresados, todos los seres acuden a ellos. — Asimismo, si el Sabio buscara su propio interés, no tendría más que problemas, y no tendría éxito en nada. Si es desinteresado como el cielo y la tierra, sólo tendrá amigos y tendrá éxito en todo. — Para perdurar exitosamente, uno debe olvidarse de sí mismo, dice* Jiang Hong Yang. *El cielo y la tierra no piensan en sí mismos, por lo que nada es más duradero. Si el Sabio no tiene amor propio, su persona perdurará y sus empresas tendrán éxito. Si no, será muy diferente. —* Wu Deng *nos recuerda, y con razón, que por cielo y tierra debemos entender el Principio que actúa a través del cielo y la tierra. Es, pues, el desinterés del Principio lo que se propone como ejemplo al Sabio en este capítulo.*

CAPÍTULO 8 (TEXTO)

A. La bondad trascendente es como el agua.

B. Al agua le gusta hacer el bien a todos los seres; no lucha por ninguna forma o posición definida, sino que se coloca en los lugares bajos que nadie quiere.

Al hacerlo, es la imagen del Principio.

C. Siguiendo su ejemplo, los que imitan el Principio, se rebajan, profundizan; son benéficos, sinceros, regulados, eficientes, y se ajustan a los tiempos. No luchan por sus propios intereses, sino que ceden. Por lo tanto, no sienten ninguna contradicción.

Resumen de los comentarios

Este capítulo es la continuación del anterior. Tras el altruismo del cielo y la tierra, se propone como ejemplo el altruismo del agua. Ge Zhanggeng *lo resume así: Rehuyendo las alturas, el agua busca las profundidades. No está ociosa, ni de día ni de noche. Por encima forma la lluvia y el rocío, por debajo los ríos. Dondequiera que riegue, purifica. Hace el bien y es útil para todos. Siempre obedece y nunca se resiste. Si la bloqueas, se detiene; si abres una compuerta, fluye. Además, se adapta a cualquier recipiente, ya sea redondo, cuadrado o de otro tipo. — La inclinación de los hombres es todo lo contrario. Naturalmente, aman su beneficio. Deben imitar el agua. Quien se inclina para servir a los demás será amado por todos y no tendrá adversarios.*

CAPÍTULO 9 (TEXTO)

A. Es imposible mantener un recipiente lleno sin que salga nada de él; habría sido mejor no llenarlo. Mantener una cuchilla extremadamente afilada, sin que su filo se embote, es imposible; hubiera sido mejor no afilarla tanto. Mantener una habitación llena de oro y piedras preciosas, sin que nada sea robado, es imposible; hubiera sido mejor no amasar este tesoro.

Ningún extremo puede mantenerse durante mucho tiempo. A todo apogeo sigue necesariamente una decadencia. Lo mismo sucede con el hombre…

B. Quien, habiéndose hecho rico y poderoso, se enorgullece de sí mismo, está preparando su propia ruina.

C. Retirarse, en la cima del mérito y la fama, es el camino al cielo.

Resumen de los comentarios

Un recipiente absolutamente lleno, se desborda al menor movimiento o pierde su contenido por evaporación. Una hoja extremadamente afilada, pierde su filo por el efecto de los agentes atmosféricos. Un tesoro será inevitablemente robado o confiscado. Cuando el sol está en su cenit, se pone; cuando está llena, la luna empieza a menguar. En una rueda giratoria, el punto que ha subido a la cima, vuelve a caer inmediatamente. Quien ha comprendido esta ley universal e ineludible de la disminución que sigue necesariamente al aumento, se resigna, se retira, en cuanto se da cuenta de que su fortuna está en su apogeo. Lo hace, no por miedo a la humillación, sino por preocupación por su propia conservación, y sobre todo para unirse perfectamente a la intención del destino… Cuando siente que ha llegado el momento, dice un comentarista, el Sabio corta sus ataduras, escapa de su jaula, deja el mundo de las vulgaridades. Como dicen las Mutaciones, ya no sirve a un príncipe, porque su corazón es más alto. Así lo hicieron muchos daoístas, que se retiraron a la vida privada, en el ápice de su fortuna, y acabaron en la oscuridad voluntaria.

Capítulo 10 (texto)

A. Mantiene tu cuerpo, y tu alma espermática estrechamente unidos, no separados.

B. Haz que el aire inspirado, convertido en alma aérea, anime este compuesto y lo conserve intacto como el niño que acaba de nacer.

C. Abstente de consideraciones demasiado profundas, para no desgastarte.

D. En cuanto al amor por el pueblo y la preocupación por el Estado, simplemente no actúes.

E. Deja que las puertas del cielo se abran y se cierren, sin querer hacer algo, sin interferir.

F. Conoce todo, está informado de todo y, sin embargo, permanece indiferente como si no se supieras nada.

G. Produce, cría, sin tomar crédito por lo que se has producido, sin exigir una retribución por tu acción, sin imponerte a tus gobernados.

Esta es la fórmula de la acción trascendente.

Resumen de los comentarios

El hombre tiene dos almas, un doble principio de vida. En primer lugar, pai, el alma derivada del esperma paterno, el principio de la génesis y el desarrollo del feto en el vientre de la madre. Cuanto más cerca esté esta alma del cuerpo, más sano y fuerte será el nuevo ser. Después del nacimiento, la absorción y la condensación del aire producen la segunda alma, el alma aérea, el principio del desarrollo posterior y especialmente de la supervivencia. La flexibilidad aquí significa vida, en contraposición a la rigidez de un cadáver. El niño recién nacido es, para los daoístas, la perfección ideal de la naturaleza todavía absolutamente intacta y sin ninguna mezcla. Más adelante, este niño será interpretado como un ser interior trascendente, el principio de la supervivencia. La enfermedad, los excesos, debilitan la unión del alma espermática con el cuerpo, trayendo así la enfermedad. El estudio, las preocupaciones, desgastan el alma aérea, acelerando así la muerte. El mantenimiento del compuesto corporal y del alma aérea, mediante una buena higiene, el descanso, la aeroterapia; éste es el programa de la vida del daoísta. — Para G, comparar el capítulo 2 C D.

Capítulo 11 (texto)

A. Una rueda está formada por treinta rayos perceptibles, pero es gracias al vacío central, no perceptible, del cubo, que gira.

B. Las vasijas están hechas de arcilla perceptible, pero lo que sirve es su hueco no perceptible.

C. Los agujeros no perceptibles de la puerta y las ventanas son la esencia de una casa.

D. Es de lo no perceptible de donde viene la eficacia, el resultado.

Resumen de los comentarios

Esto está relacionado con los apartados A y B del capítulo anterior. El hombre no vive de su cuerpo perceptible, sino de sus dos almas no perceptibles, la espermática y la aérea. Por lo tanto, el daoísta tiene especial cuidado con estas dos entidades invisibles. Mientras que el hombre común no cree en ellos, o no les presta atención, porque son invisibles. Lo que le preocupa es lo material, lo perceptible. Ahora bien, en muchos seres perceptibles, dice el texto, lo útil, lo efectivo, es lo que tienen de no perceptible, su hueco, su vacío, un agujero. Los comentaristas generalizan y dicen: toda eficacia proviene del vacío; un ser sólo es eficaz en la medida en que está vacío. — Parece que las ruedas antiguas tenían treinta rayos, porque el mes tiene treinta días.

Capítulo 12 (texto)

A. La visión de los colores ciega los ojos del hombre. Escuchar los sonidos le hace perder el oído. La degustación de sabores desgasta su gusto. La carrera y la caza, al desatar en él pasiones salvajes, hacen que su corazón se desborde. El amor por los objetos raros y difíciles de conseguir le empuja a esfuerzos que le perjudican.

B. Por lo tanto, el hombre sabio se preocupa por su estómago, no por sus sentidos.

C. Renuncia a esto, para abrazar aquello (Renuncia a lo que le desgasta, para abrazar lo que le preserva).

Resumen de los comentarios

Este capítulo está relacionado con el anterior. El vientre es el hueco, el vacío, y por tanto la parte esencial y efectiva del hombre. Es el vientre el que mantiene el compuesto humano y todas sus partes, a través de la digestión y la asimilación. Por lo tanto, es el objeto del cuidado juicioso del sabio daoísta. Es fácil entender por qué las barrigas son tan apreciadas en China, y por qué las grandes figuras daoístas son representadas muy a menudo con barriga. Por el contrario, el Sabio se abstiene cuidadosamente de la aplicación de los sentidos, el ejercicio de la mente, la curiosidad, toda la actividad y toda la pasión que desgastan las dos almas y el compuesto.

Capítulo 13 (texto)

A. El favor que se puede perder es una fuente de ansiedad. La grandeza que se puede arruinar es una fuente de vergüenza. ¿Qué significan estas dos frases?

B. La primera significa que tanto la dedicación para mantener los favores recibidos como el miedo a perderlos llenan la mente de ansiedad.

C. La segunda advierte que la ruina suele provenir de una preocupación demasiado grande por el propio engrandecimiento. El que no tiene ambición personal no tiene que temer la ruina.

D. A quien sólo se preocupa por la grandeza del imperio (y no por la suya propia), a quien sólo desea el bien del imperio (y no el suyo propio), que se le confíe el imperio (y estará en buenas manos).

Resumen de los comentarios

Continuación del capítulo anterior. Otras causas de desgaste, otras precauciones a tomar para evitarlo. Para los que son favorecidos, que ocupan posiciones, la preocupación por mantenerse desgasta el alma y el cuerpo. Porque en el fondo están apegados a sus favores, a su posición. Muchos sabios daoístas fueron honrados con el favor de los grandes, ocuparon altos cargos, sin ningún inconveniente para ellos, desprendidos como estaban de todo afecto por su situación; deseando, no mantenerse, sino ver aceptada su renuncia. Hombres de esta clase pueden ser príncipes, emperadores o ministros, sin perjuicio para ellos mismos, y sin perjuicio para el imperio, que gobiernan con el más alto y entero desinterés. — El texto de este capítulo es defectuoso en muchas ediciones modernas.

Capítulo 14 (texto)

A. Al mirar, no se ve, porque no es visible. Cuando se escucha, no se oye, porque es silente. Al tocarlo, no lo sentimos, porque no es palpable. Estos tres atributos no deben distinguirse, pues designan al mismo ser.

B. Este ser, el Principio, no es luminoso por arriba y oscuro por abajo, como los cuerpos materiales opacos, tan tenue es. Se desenvuelve (existencia y acción continuas). No tiene nombre propio. Se remonta a la época en la que no había más seres que él mismo. Superlativamente desprovisto de forma y figura, es indeterminado. No tiene partes; de frente no tiene cabeza, de espaldas no tiene cuartos traseros.

C. Es este Principio primordial, que gobierna a todos los seres, incluso a los actuales. Todo lo que es, desde el origen antiguo, es el desenvolvimiento del Principio.

Resumen de los comentarios

Los primeros trece capítulos forman una serie. Aquí el autor comienza desde el principio. Una nueva descripción del Principio, tan tenue que no es perceptible; la nada de la forma; el ser infinito indefinido; que era antes de todo; que era la causa de todo. Descripción pintoresca de "de", su acción productiva continua y variada, por la metáfora ji, *desenrollar una bobina de hilo. El significado es claro: los diversos productos del Principio son las manifestaciones de su virtud; la cadena infinita de estas manifestaciones de la virtud del Principio puede llamarse el devanado del Principio. — Este importante capítulo no presenta ninguna dificultad.*

CAPÍTULO 15 (TEXTO)

A. Los sabios de la antigüedad eran sutiles, abstractos y profundos hasta un punto que las palabras no pueden expresar. Por lo tanto, utilizaré comparaciones pictóricas para hacerme entender.

B. Eran circunspectos como quien cruza un arroyo sobre el hielo; prudentes como quien sabe que sus vecinos tienen los ojos puestos en él; reservados como un invitado ante su anfitrión. Eran indiferentes como el hielo que se derrite (que es hielo o agua, que no es ni hielo ni agua). Eran rústicos como el tronco (cuya corteza rugosa esconde el excelente corazón). Estaban vacíos como el valle (en comparación con las montañas que lo forman). Se acomodaban como el agua limosa (ellos, el agua clara, no repelen el barro, no se niegan a vivir en contacto con el vulgo, no so egoístas).

C. (Buscar la pureza y la paz en la separación del mundo es una exageración. Se pueden obtener en el mundo). La pureza se obtiene en la perturbación (de este mundo), a través de la calma (interior), siempre que uno no se aflija por la impureza del mundo. La paz se obtiene en el movimiento (de este mundo), por aquel que sabe tomar su parte en este movimiento, y que no se irrita deseando que se detenga.

D. El que guarda esta regla de no consumirse en deseos infructuosos de un estado quimérico, vivirá voluntariamente en la oscuridad, y no pretenderá renovar el mundo.

Resumen de los comentarios

Zhang Hongyang *explica el último párrafo D, bastante oscuro por su extrema concisión, de la siguiente manera: Él permanecerá fiel a las enseñanzas de los antiguos y no se dejará seducir por las nuevas doctrinas. Esta explicación parece difícil de apoyar.*

CAPÍTULO 16 (TEXTO)

A. Aquel que haya alcanzado el máximo de la vacuidad (indiferencia), estará firmemente fijado en el descanso.

B. Los innumerables seres salen (del no-ser), y los veo volver a él. Pululan, luego todos vuelven a sus raíces.

C. Volver a la raíz es entrar en el estado de reposo. De este descanso salen, a un nuevo destino. Y así, continuamente, sin fin.

D. Reconocer la ley de esta continuidad inmutable (de los dos estados de vida y muerte) es sabiduría. Ignorarla es provocar locamente la desgracia (por su inoportuna interferencia).

E. El que sabe que esta ley pesa sobre los seres es justo (trata a todos los seres según su naturaleza, con equidad), como debe hacer un rey, como hace el cielo, como hace el Principio. Y por eso perdura, y vive hasta el fin de sus días, sin haber hecho enemigos.

Resumen de los comentarios

La inmutabilidad es un atributo propio del Principio. Los seres participan en ella, en proporción a su semejanza adquirida con el Principio. El sabio daoísta absolutamente indiferente, siendo de todos los seres el que más se parece al Principio, es el más inmutable en consecuencia. — Salvo el Principio, todos los seres están sometidos a la continua alternancia de los dos estados de vida y muerte. Los comentaristas llaman a esta alternancia el ir y venir de la lanzadera en el telar cósmico. Zhang Hongyang lo compara con la respiración, la inhalación activa que responde a la vida, la exhalación pasiva que responde a la muerte, el fin de una es el comienzo de la otra. El mismo hombre utiliza la revolución lunar como término de comparación, la luna llena es la vida, la luna nueva es la muerte, con dos períodos intermedios de crecimiento y decadencia. Todo esto es clásico, y se repite en todos los autores daoístas.

CAPÍTULO 17 (TEXTO)

A. En los primeros tiempos (cuando todo se ajustaba todavía a la acción del Principio en las cosas humanas), los súbditos apenas sabían que tenían un príncipe (tan discreta era su acción).

B. Más tarde el pueblo amó y halagó al príncipe (por sus beneficios). Después lo temieron (por sus leyes), y lo despreciaron (por sus injusticias). Se volvieron desleales, porque fueron tratados injustamente, y perdieron la confianza, recibiendo sólo promesas, que nunca se cumplían.

C. Qué delicado era el toque de los antiguos gobernantes. Mientras todo prosperaba gracias a su administración, su pueblo se imaginaba que había hecho su propia voluntad en todo.

Resumen de los comentarios

El significado es oblicuo, y los comentaristas están todos de acuerdo. Esta utopía de gobierno imperceptible, sin castigo y sin recompensa, todavía rondaba los cerebros de los eruditos chinos no hace mucho tiempo.

CAPÍTULO 18 (TEXTO)

A. Cuando la acción conforme al Principio se marchitó (cuando los hombres dejaron de actuar espontáneamente con bondad y equidad), se inventaron los principios artificiales de bondad y equidad; y los de prudencia y sabiduría, que pronto degeneraron en política.

B. Cuando los padres ya no vivían en la antigua armonía natural, se intentó suplir este déficit inventando principios artificiales de piedad filial y afecto paterno.

C. Cuando los Estados cayeron en el desorden, se inventó el tipo de ministro fiel.

Resumen de los comentarios

Los principios y los preceptos, en una palabra la moral convencional, inútiles en la época del bien espontáneo, se inventaron cuando el mundo cayó en la decadencia, como remedio para esa decadencia. El invento fue bastante desafortunado. El único remedio real habría sido volver al Principio primitivo. — Esta es la declaración de guerra de Lao Zi contra Confucio. Todos los autores daoístas, Zhuang Zhou en particular, se han declarado en contra de la bondad y la equidad artificiales, la consigna del confucianismo.

CAPÍTULO 19 (TEXTO)

A. Rechaza la sabiduría y la prudencia (artificial, convencional, política, para volver a la primitiva rectitud natural), y el pueblo será cien veces más feliz.

B. Rechaza la bondad y la equidad (la piedad filial y paternal artificial y convencional), y el pueblo volverá (por su bien, a la bondad y equidad naturales) a la piedad filial y paternal espontánea.

C. Rechaza el arte y el lucro, y los malhechores desaparecerán (con la simplicidad primordial, se volverá a la honestidad primordial).

D. Renuncia a estas tres categorías artificiales, pues lo artificial no sirve para nada.

E. Esto es lo que debes procurar: ser sencillo, ser natural, tener pocos intereses especiales y pocos deseos.

Resumen de los comentarios

Este capítulo es una continuación del anterior. Está perfectamente claro. Los comentaristas están de acuerdo. Tema desarrollado ampliamente por Zhuang Zhou.

Capítulo 20 (texto)

A. Renuncia a toda la ciencia y estarás libre de toda preocupación. ¿Cuál es la diferencia entre "quizás" y "sin duda"? (sobre la cual los retóricos tienen tanto que decir). ¿Cuál es la diferencia entre el bien y el mal? (sobre la cual los críticos no se ponen de acuerdo) (Estas son trivialidades, que impiden tener una mente libre. Sin embargo, la libertad de espíritu es necesaria para entrar en relación con el Principio).

B. Sin duda, entre las cosas que los hombres vulgares temen, hay algunas que también se deben temer; pero no como ellos lo hacen, con perturbación de la mente, hasta el punto de perder el equilibrio mental.

C. Tampoco hay que dejarse desequilibrar por el placer, como les ocurre a ellos, cuando han comido una buena comida, cuando han contemplado el paisaje desde lo alto de una torre en primavera (con el acompañamiento del vino, etc.).

D. Yo (el Sabio) soy como incoloro e indefinido; tan neutro como un niño que aún no ha experimentado su primera emoción; como sin propósito y sin meta.

E. El vulgo abunda (en diversos conocimientos), mientras que yo soy pobre (habiéndome librado de toda inutilidad), y parezco ignorante, tanto me he purificado. Ellos parecen estar llenos de luz, yo parezco estar oscuro. Ellos buscan y escudriñan, yo sigo concentrado en mí mismo. Floto, indeterminado, como la inmensidad de las aguas. Ellos están llenos de talentos, mientras que yo parezco terco e inculto.

F. Me diferencio así del vulgo, porque venero e imito a la madre nutridora universal, el Principio.

Resumen de los comentarios

El texto de este capítulo varía en las distintas ediciones; debe haber sido mutilado o retocado. Los comentarios también difieren mucho entre sí. La oscuridad proviene, creo, del hecho de que Lao Zi, *hablando de sí mismo y proponiéndose como modelo para los discípulos del Principio, no quiso hablar más claramente. Me parece que* Zhang Hongyang *ha interpretado mejor su pensamiento.*

Capítulo 21 (texto)

A. Todos los seres que desempeñan un papel en la gran manifestación en el teatro cósmico se derivan del principio, por su virtud (su desenvolvimiento).

B. El Principio es indistinto e indeterminado. ¡Oh, cuan indistinto e indeterminado! — En esta indistinción e indeterminación hay tipos. ¡Oh, qué indistinto e indeterminado es! — En esta indistinción e indeterminación, hay seres en potencia. ¡Oh, qué misterioso y oscuro es! — En este misterio, en esta oscuridad, hay una esencia, que es la realidad. — Este es el tipo de ser que es el Principio.

C. Desde la antigüedad hasta ahora, su nombre (su ser) sigue siendo el mismo, de él han surgido todos los seres.

D. ¿Cómo sé que ese fue el origen de todos los seres? Por esto (por la observación objetiva del universo, que revela que los seres contingentes deben haber venido del absoluto).

Resumen de los comentarios

Este elevado capítulo no es oscuro, y los comentaristas están de acuerdo. Todas estas nociones ya son conocidas por nosotros. Este es el tercer capítulo dedicado a la definición del Principio y su Virtud; más claro que los anteriores; como si Lao Zi, *al volver a él, hubiera aclarado sus ideas.*

CAPÍTULO 22 (TEXTO)

A. Los antiguos decían: lo incompleto se completará, lo curvo se enderezará, lo hueco se llenará, lo gastado se renovará; la simplicidad triunfa, la multiplicidad extravía.

B. Por lo tanto, el Sabio que se aferra a la unidad es el modelo del imperio (del mundo, el hombre ideal). Brilla, porque no presume. Se impone, porque no pretende tener razón. Encontramos el mérito en él, porque no se jacta. Crece constantemente, porque no se presiona a sí mismo. Como no se opone a nadie, nadie se opone a él.

C. ¿No están llenos de significado los axiomas de los antiguos citados anteriormente? Sí, todo fluye espontáneamente hacia quien es perfecto (que no hace nada por atraerlo).

Resumen de los comentarios

El significado es claro. Aferrarse a la unidad es, dice Zhang Hongyang, *olvidarse de uno mismo y de todas las cosas, para concentrarse en la contemplación de la unidad original.*

CAPÍTULO 23 (TEXTO)

A. Hablar poco y actuar sólo sin esfuerzo, ésa es la fórmula.

B. Un viento impetuoso no se mantiene durante una mañana, una lluvia torrencial no dura un día. Y sin embargo, estos efectos son producidos por el cielo y la tierra (los más poderosos de todos los agentes. Pero son efectos forzados, exagerados, por lo que no se pueden mantener). Si el cielo y la tierra no pueden sostener una acción forzada, cuánto menos el hombre.

C. Quien se ajusta al Principio, ajusta sus principios a ese Principio, su acción a la acción de ese Principio, su no acción a la inacción de ese Principio. Así, sus principios, sus acciones, sus inacciones (especulaciones, intervenciones, abstenciones), le darán siempre el placer del éxito (pues, pase lo que pase o no pase, el Principio evoluciona, por lo tanto está contento).

D. (Esta doctrina de la abnegación de las propias opiniones y acciones es del gusto de pocos). Muchos creen en ella sólo un poco, otros no creen en absoluto.

Resumen de los comentarios

El significado es claro, y los comentaristas están de acuerdo. El texto de este capítulo es muy incorrecto en las ediciones modernas, al haber sido editado de forma poco inteligente.

Capítulo 24 (texto)

A. Si te pones de puntillas, pierdes el equilibrio. Si intentas dar pasos demasiado largos, no avanzas. Si presumes, pierdes tu reputación. Si te impones, pierdes tu influencia. Si te jactas, pierdes tu reputación. Si te presionas, dejas de crecer.

B. A la luz del Principio, todas estas formas de actuar son odiosas, repugnantes. Porque son el exceso, la superfluidad; lo que la indigestión es para el estómago, lo que un tumor es para el cuerpo. Quien tiene principios (de acuerdo con el Principio), no actúa así.

Resumen de los comentarios

Este capítulo es una continuación de los dos anteriores. El significado es claro. Los comentaristas están de acuerdo. El exceso destruye la simplicidad natural.

Capítulo 25 (texto)

A. Es un ser de origen desconocido, que existió antes del cielo y de la tierra, imperceptible e indefinido, único e inmutable, omnipresente e inalterable, madre de todo lo que es.

B. No conozco un nombre apropiado para él. Yo lo llamo Principio. Si hubiera que nombrarlo, podría llamarse el Grande, gran avance, gran distancia, gran retorno (el principio de la inmensa evolución cíclica del cosmos, del devenir y del fin de todos los seres).

C. El nombre de Grande es adecuado (proporcionalmente) para cuatro seres (superpuestos): el emperador, la tierra, el cielo (tríada clásica china) y el Principio. El emperador debe su grandeza a la tierra (su teatro), la tierra debe su grandeza al cielo (que la fecunda), el cielo debe su grandeza al Principio (del que es el agente principal). (Grandeza prestada, como podemos ver. Mientras que) el Principio debe su grandeza esencial a su esencialidad.

Resumen de los comentarios

Capítulo famoso; comparar con el capítulo 1. Los comentaristas serios están de acuerdo, los verborreicos balbucean. El Principio es llamado la madre de todo lo que es, como la fuente del ser de todo lo que es. No se puede nombrar, ya que es la nada sin forma, que está desprovista de cualquier accidente al que se le pueda asignar un calificativo. Ser Indefinido, o Principio Universal, son los únicos términos propiamente aplicables a él.

Capítulo 26 (texto)

A. Lo pesado es la base (raíz) de lo ligero, el reposo es el sostén (príncipe) del movimiento. (Estas cosas deben estar siempre unidas en un temperamento justo).

B. Por eso un príncipe sabio, cuando viaja (en su carro ligero), nunca se separa de los pesados carros que llevan su equipaje. A través de los bellos paisajes que atraviesa, sólo se aloja en lugares tranquilos.

C. Ay, ¿cómo podría un emperador haber dado al imperio el espectáculo de una conducta loca, perdiendo a fuerza de frivolidad toda la autoridad, y a fuerza de libertinaje todo el reposo?

Resumen de los comentarios

Alusión histórica al emperador You Wang, *o a otro, no lo sabemos exactamente. Los comentaristas opinan que este capítulo es sólo una exhortación a una conducta regulada.*

Capítulo 27 (texto)

A. El buen caminante no deja huellas, el buen orador no ofende a nadie, el buen contador no necesita anotar nada, el experto en cerraduras hace cerraduras que nadie puede abrir, el experto en nudos, los hace de tal forma que nadie puede desatarlos. (Todos los especialistas tienen así su especialidad, que es su gloria, de la que se benefician).

B. Del mismo modo, el Sabio (político confuciano), el salvador profesional de los hombres y las cosas, tiene sus propios procedimientos. Se considera el amo nato de otros hombres, a los que considera el material de su profesión.

C. Pero esto es cegarse (velar la luz, los principios daoístas). No querer gobernar, no apropiarse de los demás, aunque sea sabio, aparentando ser tonto (persistir en vivir en el retiro), esta es la verdad esencial.

Resumen de los comentarios

Traducido según Zhang Hongyang, *que señala con razón que casi todos los comentaristas se han equivocado en su interpretación de este capítulo. Clara oposición del confuciano y el daoísta. El primero sólo sueña con una función que le da autoridad sobre los hombres. El segundo evita como puede tales puestos.*

Capítulo 28 (texto)

A. Ser consciente de la propia potencia viril (saberse gallo), y sin embargo mantenerse voluntariamente en el estado inferior de la hembra (de la gallina); mantenerse voluntariamente en el punto más bajo del imperio… Comportarse así es mostrar que se conserva la virtud primordial (desinterés absoluto, participación del Principio).

B. Saberse iluminado y pasar voluntariamente por ignorante; ser voluntariamente el escabel de todos… Comportarse así es demostrar que en uno mismo la virtud primordial no ha flaqueado, que uno sigue unido al primer Principio.

C. Saberse digno de la gloria, y permanecer voluntariamente en la oscuridad; ser voluntariamente el valle (el punto más bajo) del imperio… Comportarse así es demostrar que uno todavía posee intacta la abnegación original, que todavía está en el estado de simplicidad natural.

D. (El Sabio, por tanto, rechazará el cargo de gobernante. Si se ve obligado a aceptarlo, debe recordar que) de la unidad primordial surgieron los múltiples seres por dispersión. (Que no se ocupe nunca de estos diversos seres), sino que gobierne como el jefe (primer motor), aplicado sólo al gobierno general, sin preocuparse de los detalles.

Resumen de los comentarios

Este capítulo está relacionado con el párrafo C, el final del capítulo anterior. Describe bien el gobierno olímpico, tal como lo entienden los daoístas. El capítulo 29 prosigue desarrollando este tema.

Capítulo 29 (texto)

A. Para el que tiene el imperio, querer manipularlo (actuar positivamente, gobernar activamente), en mi opinión, es querer el fracaso. El imperio es un mecanismo extremadamente delicado. Tienes que dejarlo por sí mismo. No debes tocarlo. Si lo tocas, se vuelve loco. Quien quiera apropiarse del mismo, lo perderá.

B. Cuando gobierna, el Sabio deja actuar a todos los seres (y al imperio que es su suma), según sus diversas naturalezas; los ágiles y los lentos; los apáticos y los ardientes; los fuertes y los débiles; los duraderos y los efímeros.

C. Se limita a reprimir las formas de exceso que serían perjudiciales para todos los seres, como el poder, la riqueza y la ambición.

Resumen de los comentarios

Zhang Hongyang llama a esta represión de los excesos, la única intervención *permitida al daoísta, la acción en la no acción.*

Capítulo 30 (texto)

(De todos los excesos, el más dañino, el más condenable, es el de las armas, la guerra).

A. Que los que ayudan a un príncipe con sus consejos, se guarden de intentar hacer sentir a un país la fuerza de las armas. (Porque tal acción llama a la venganza, siempre se paga cara.) Donde se quedan las tropas, las tierras abandonadas por los labradores, sólo producen espinas. Donde han pasado grandes ejércitos, siguen años de desgracia (hambre y bandolerismo).

B. Por ello, el buen general se contenta con hacer lo necesario (lo menos posible; represión moral más que material), y se detiene inmediatamente, cuidando de no explotar al máximo sus fuerzas. Hace justo lo necesario (para restablecer la paz), no para su propia gloria y ventaja, sino por necesidad y con desgana, sin intención de aumentar su poder.

C. Porque a la cima de todo poder siempre le sigue la decadencia. Hacerse poderoso, por tanto, es contrario al Principio, (la fuente de la duración). Quien falla en el Principio en este punto, pronto perece.

Comentarios literales. No hay controversia.

Capítulo 31 (texto)

A. Las armas mejor hechas son instrumentos malignos, que todos los seres aborrecen. Por lo tanto, los que se ajustan al Principio, no las utilizan.

B. En tiempo de paz, el príncipe pone a su izquierda (el lugar de honor) al ministro civil al que honra; pero incluso en tiempo de guerra, pone al comandante militar a su derecha (no el lugar de honor, incluso mientras está en el ejercicio de sus funciones).

Las armas son instrumentos malignos, que un príncipe sabio utiliza sólo a regañadientes y por necesidad, prefiriendo siempre una paz modesta a una victoria gloriosa.

No conviene que una victoria se considere un bien. Quien lo hace demuestra que tiene el corazón de un asesino. No sería apropiado que un hombre así gobernara el imperio.

C. Según los ritos, ponemos a la izquierda los seres buenos y a la derecha los malos. (Ahora bien, cuando el emperador recibe a los dos generales juntos), el general sustituto (que sólo actúa en ausencia del titular y es, por tanto, menos perjudicial) se coloca a la izquierda, mientras que el general al mando se coloca a la derecha, es decir, en el primer lugar según los ritos funerarios (el lugar del conductor del luto, el plañidero principal). Porque al que ha matado a muchos hombres, le corresponde llorarlos, con lágrimas y lamentos. El único lugar que realmente le corresponde a un general victorioso es el de plañidero principal, (dirigiendo el luto de aquellos cuya muerte ha causado).

Comentarios literales. No hay controversia.

Capítulo 32 (texto)

A. El Principio no tiene nombre propio. Es la naturaleza. Esta naturaleza, tan invisible, es más poderosa que cualquier otra cosa. Si los príncipes y el emperador la cumplen, todos los seres se convertirán espontáneamente en sus colaboradores; el cielo y la tierra actuando en perfecta armonía, esparcirán un dulce rocío (el signo más espléndido posible); el pueblo se regulará, sin ser forzado.

B. Cuando, en el principio, en este mundo visible, el Principio por su transmisión produjo los seres que tienen nombres (sensibles), no se transmitió infinitamente, ni de manera que se agotara (sino sólo como por extensiones tenues, permaneciendo su masa intacta). Es el caso del Principio en relación con los diversos seres que llenan el mundo, como el de la masa de los grandes ríos y mares en relación con los arroyos y arroyuelos.

Resumen de los comentarios

Cada ser existe a través de una extensión del Principio en su interior. Estas extensiones no se desprenden del Principio, que por tanto no disminuye al transmitirse. La extensión del Principio en un ser es la naturaleza de ese ser. El Principio es la naturaleza universal, siendo la suma de todas las naturalezas individuales, sus extensiones.

Capítulo 33 (texto)

A. Conocer a los demás es sabiduría; pero conocerse a uno mismo es una sabiduría superior (la propia naturaleza es la más profunda y oculta). — Imponer la propia voluntad a los demás es fuerza, pero imponerla a uno mismo es una fuerza superior (las propias pasiones son las más difíciles de domar). Estar satisfecho (contentarse con lo que el destino ha dado) es la verdadera riqueza; dominarse (plegarse a lo que el destino ha dispuesto) es el verdadero carácter.

B. Permanecer en el lugar de uno (natural, el que el destino ha dado), hace que uno dure mucho tiempo. Después de la muerte, el no dejar de ser, es la verdadera longevidad (que es compartida por aquellos que han vivido de acuerdo con la naturaleza y el destino).

Resumen de los comentarios

Muerte y vida, dos formas de ser. En B, se trata de la supervivencia consciente después de la muerte.

Capítulo 34 (texto)

A. El gran Principio se extiende en todas las direcciones. Se presta complacientemente a la génesis de todos los seres (sus participantes). Cuando una obra ha llegado a ser, no la atribuye a sí mismo. Él alimenta benévolamente a todos los seres, sin imponerse a ellos como amo (por haberlos alimentado; dejándolos libres; no exigiendo de ellos ninguna devolución degradante). Debido a su constante desinterés, podría pensarse que disminuiría. Pero no es así; todos los seres hacia los que es tan liberal, acuden a él. Así se engrandece (por esta confianza universal).

B. El Sabio imita esta conducta. Él también se hace pequeño (por su desinterés y delicada reserva), y así adquiere la verdadera grandeza.

Nada más en los comentarios.

Capítulo 35 (texto)

A. Porque se asemeja al gran prototipo (el Principio, por su devoción desinteresada), todos acuden al Sabio. Los acoge a todos, les hace el bien, les da descanso, paz y felicidad.

B. La música y la buena comida retienen a un invitado de paso sólo durante una noche (los placeres sensuales son fugaces y nada permanece). Mientras que la exposición del gran principio de la devoción desinteresada, simple y sin adornos, que no encanta ni a los ojos ni a los oídos, agrada, se graba y es inagotablemente fructífera en aplicaciones prácticas.

Nada más en los comentarios.

Capítulo 36 (texto)

A. El comienzo de la contracción sigue necesariamente al clímax de la expansión. El debilitamiento sigue a la fuerza, la decadencia a la prosperidad, la indigencia a la opulencia. Esta es la luz sutil (que muchos no quieren ver). Todo el poder y la superioridad anteriores son expiados por la debilidad e inferioridad posteriores. Más lleva a menos, el exceso acarrea el déficit.

B. Que el pez no salga de las profundidades (donde vive ignorado pero seguro, para mostrarse en la superficie donde será arponeado). Que un Estado no muestre sus recursos (si no quiere que todo el mundo se vuelva contra él y lo aplaste).

Resumen de los comentarios

Permanecer pequeño, humilde, oculto; no llamar la atención; éste es el secreto de vivir bien y mucho tiempo.

Capítulo 37 (texto)

A. El Principio es siempre no actuante (no actúa activamente) y, sin embargo, todo es hecho por él (sin que parezca participar).

B. Si el príncipe y los señores pudieran gobernar de esta manera (sin intervenir), todos los seres se volverían espontáneamente perfectos (por retorno a la naturaleza).

C. Entonces sólo habría que suprimir cualquier inclinación que pudieran tener para salir de este estado (actuando, llamándoles cada vez a la naturaleza innata de la simplicidad primordial del Principio). En este estado de naturaleza innata, no hay deseos. Cuando no hay deseos todo está en paz, y el estado se gobierna a sí mismo.

Los comentarios no aportan nada. Comparar con el capítulo 3.

LIBRO II

CAPÍTULO 38 (TEXTO)

A. Lo que es superior a la Virtud del Principio (el Principio mismo considerado en su esencia), no actúa, sino que conserva en sí mismo la Virtud en estado de inmanencia. Todo lo que es inferior a la Virtud del Principio (reglas artificiales de conducta), es sólo un paliativo para la pérdida de la Virtud; un paliativo que no tiene nada en común con ella.

B. Lo que es superior a la Virtud (el Principio), no actúa en detalle. Lo que es inferior a la Virtud (las reglas artificiales), sólo existe para la acción en detalle.

C. Lo que está por encima de la bondad (artificial confuciana, por encima de la cual está el Principio), no actúa en detalle. Lo que está por encima de la equidad (artificial, la bondad está por encima de ella) actúa en detalle. Lo que está por encima de los ritos (equidad) lucha con las inclinaciones de los distintos seres, de ahí los ritos y las leyes.

En otras palabras, tras el olvido de la naturaleza con sus buenos instintos naturales, vinieron los principios paliativos artificiales de este déficit; que son, en orden descendente, la bondad, la equidad, los ritos y las leyes.

Los ritos no son más que un pobre recurso para encubrir la pérdida de la rectitud y la franqueza originales. Son una fuente de desorden (etiqueta, rúbricas) más que de orden.

Finalmente, el último término de esta evolución descendente, la sabiduría política, fue el principio de todos los abusos.

D. El verdadero hombre se atiene a la rectitud natural y al sentido común, despreciando los principios artificiales. Usando el discernimiento, rechaza esto (lo falso), para abrazar eso (lo verdadero).

Resumen de los comentarios

Este capítulo está dirigido contra el confucianismo. El sentido común natural general es la unidad. Los preceptos morales artificiales son multiplicidad. El próximo capítulo mostrará que la multiplicidad arruina, la unidad salva.

CAPÍTULO 39 (TEXTO)

A. Estos son los seres que participan de la simplicidad primitiva. El cielo, que debe su luminosidad a esta sencillez. La tierra, que le debe su estabilidad. La acción generadora universal, que le debe su actividad. El espacio intermedio, que le debe su fecundidad. La vida común de todos los seres. El poder del emperador y de los príncipes (La vida y el poder son emanaciones del Principio).

B. Lo que los hace tales es la simplicidad (primitiva) de la que participan. Si el cielo la perdiera, caería. Si la tierra la perdiera, se tambalearía. Si la acción generadora la perdiera, cesaría. Si el espacio intermedio la perdiera, se agotaría. Si la vida la perdiera, todos los seres desaparecerían. Si el emperador y los príncipes la perdieran, su dignidad también se perdería.

C. Toda elevación, toda nobleza, se basa en el abajamiento y la sencillez (las características propias del Principio). Por tanto, es con razón que el emperador y los príncipes, los más exaltados de los hombres, se designan a sí mismos con los términos, solo, único, incapaz, sin degradarse por esto.

D. (Aplicando el mismo principio de simplicidad en su gobierno), que reduzcan las multitudes de sus súbditos a la unidad, considerándolos como una masa indivisa con serena imparcialidad, sin estimar a unos como preciosos como el jade y a otros como viles piedras.

Resumen de los comentarios

Este capítulo ofrece una perspectiva global, como desde una distancia infinita, no siendo visibles los individuos ni los detalles, y completa el anterior.

CAPÍTULO 40 (TEXTO)

A. El movimiento hacia atrás (hacia el Principio), es la forma de movimiento característica de los que se ajustan al Principio. La atenuación es el efecto que produce en ellos su conformidad con el Principio.

B. Considerando que todo lo que es, nace del simple ser, y que el ser nace del no-ser sin forma, ellos tienden, disminuyéndose constantemente, a volver a la simplicidad primordial.

Los comentarios no añaden nada al significado, que es claro.

CAPÍTULO 41 (TEXTO)

A. Cuando un erudito de nivel superior ha oído hablar del retorno al Principio, se aplica a él con celo. Si es un estudioso de nivel medio, se aplica a él con indecisión. Si es un erudito de nivel inferior, no le importa. Y es una marca de la verdad de esta doctrina que a este tipo de personas no les importa. El hecho de que no lo entiendan, demuestra su trascendencia.

B. Se dice, como en el proverbio: los que han comprendido el Principio, parecen cegados; los que tienden hacia él, parecen desorientados; los que lo han alcanzado, parecen vulgares. Esto se debe a que la gran virtud se ahueca como un valle, la gran luz se vela voluntariamente en la oscuridad, la vasta virtud hace creer que es defectuosa, la sólida virtud parece ser incapaz, y el Sabio oculta sus cualidades bajo apariencias bastante desagradables.

C. Estaría muy engañado quien creyera en estas apariencias. ¡Como un cuadrado tan grande que sus esquinas son invisibles (infinitas), como un gran vaso nunca finalizado, como un gran significado en un sonido débil, como un gran modelo, pero inasible! El Sabio se parece al Principio. — Ahora el Principio está latente y no tiene nombre, pero por su suave transmisión todo se produce. Es lo mismo, en proporción, para el Sabio.

Nada más en los comentarios.

Capítulo 42 (texto)

A. Habiendo emitido el Principio su única virtud, ésta comenzó a evolucionar en dos modos alternados. Esta evolución produjo (o condensó) el aire intermedio (la materia tenue). A partir de la materia tenue, bajo la influencia de las dos modalidades *yin* y *yang*, se produjeron todos los seres sensibles. Saliendo del *yin* (poder), pasan al *yang* (acto), a través de la influencia de las dos modalidades sobre la materia.

B. Lo que no les gusta a los hombres es estar solos, ser únicos, incapaces (oscuridad y abajamiento), y sin embargo los emperadores y los príncipes se refieren a sí mismos con estos términos (humildad que no los envilece). Los seres se disminuyen a sí mismos queriendo aumentarse a sí mismos, y se aumentan a sí mismos disminuyéndose a sí mismos.

C. Hablando así, repito la enseñanza tradicional. Los hombres fuertes y arrogantes no mueren de buena gana. Hago de este axioma la base de mi enseñanza.

Nada más en los comentarios.

En A, no se menciona la Trinidad. Comparar A y B con el capítulo 39 C.

Capítulo 43 (texto)

A. En todas partes y siempre, es lo blando lo que desgasta lo duro (el agua desgasta la piedra). El no-ser penetra incluso donde no hay grietas (los cuerpos más homogéneos, como el metal y la piedra). De ello deduzco que la no acción es supremamente eficaz.

B. ¡Silencio e inacción! Pocos hombres pueden entender su eficacia.

Nada más en los comentarios.

Capítulo 44 (texto)

A. ¿No es el cuerpo más importante que la fama? ¿No es la vida más importante que la riqueza? ¿Es prudente exponerse a grandes pérdidas por una pequeña ventaja?

B. El que ama mucho, usa mucho (su corazón). El que recoge mucho, va a la gran ruina (saqueo o confiscación). Mientras que la persona modesta no incurre en desgracia, el moderado no perece sino que perdura.

Nada más en los comentarios.

Capítulo 45 (texto)

A. Cumplido, bajo apariencias imperfectas, y dando sin desgastarse. Lleno, sin parecerlo, y derramando sin vaciarse. Muy recto, bajo un semblante encorvado; muy hábil, bajo apariencias torpes; muy astuto, con la apariencia exterior de un hombre avergonzado; este es el Sabio.

B. El movimiento triunfa sobre el frío (calienta), el reposo rebaja el calor (enfría). La vida retirada del Sabio, rectifica todo el imperio (supera su depravación).

Observaciones: Intensa influencia, bajo la apariencia de inacción.

CAPÍTULO 46 (TEXTO)

A. Cuando el Principio reina, (la paz es perfecta), los caballos de guerra trabajan en los campos. Cuando se olvida el Principio, (la guerra está a la orden del día), se crían caballos de guerra incluso en los suburbios de las ciudades.

B. Ceder a las propias lujurias, (y la manía de la guerra es una de ellas), es el peor de los crímenes. No saber limitarse es el peor de los males. El peor defecto es querer adquirir más y más. Los que saben decir "basta" son siempre felices.

Nada más en los comentarios.

CAPÍTULO 47 (TEXTO)

A. Sin salir por la puerta, se puede conocer el mundo entero; sin mirar por la ventana, se pueden realizar los caminos del cielo (principios que rigen todas las cosas). — Cuanto más se avanza, menos se aprende.

B. El Sabio llega a la meta sin haber dado un paso para alcanzarla. Conoce, antes de haber visto, por los principios superiores. Completa, sin haber actuado, por su influencia trascendente.

Comentario: El conocimiento global superior es el del Sabio.
El conocimiento de los detalles es indigno de él.

CAPÍTULO 48 (TEXTO)

A. Mediante el estudio, uno multiplica cada día (las nociones particulares inútiles y perjudiciales en su memoria); mediante la concentración en el Principio, uno las disminuye cada día. Llevada hasta el final, esta disminución conduce a la no acción (como resultado de la ausencia de nociones particulares).

B. Ahora no hay nada que la no acción (dejar ir) no supere. Es por no actuar que uno gana el imperio. De actuar para ganarlo, no lo consigue.

Nada más en los comentarios.

CAPÍTULO 49 (TEXTO)

A. El Sabio no tiene una voluntad fija; se acomoda a la voluntad del pueblo. Trata por igual a los buenos y a los malos, lo cual es una verdadera bondad práctica. También confía en los sinceros y en los no sinceros; lo que es una verdadera confianza práctica.

B. En este mundo mixto, el Sabio no tiene emociones, y tiene los mismos sentimientos para todos. Todos los hombres fijan sus ojos y oídos en él. Los trata a todos como niños, (benevolencia daoísta, algo despectiva).

Nada más en los comentarios.

CAPÍTULO 50 (TEXTO)

A. Los hombres salen a la vida y vuelven a la muerte.

B. De diez hombres, tres prolongan su vida (por la higiene), tres aceleran su muerte (por sus excesos), tres comprometen su vida por el apego que tienen a ella, (sólo uno de cada diez conserva su vida hasta el final, porque se desprende de ella).

C. El que está desprendido de su vida no se aparta para evitar el encuentro con un rinoceronte o un tigre; se lanza a la refriega sin armadura y sin armas, y eso sin experimentar ningún daño, pues es a prueba del cuerno del rinoceronte, de las garras del tigre y de las armas de los combatientes. ¿Por qué? Porque, exteriorizado por su indiferencia, no se rinde ante la muerte.

Resumen de los comentarios

Cuando el alma es transportada fuera del cuerpo por el éxtasis, el cuerpo no puede ser golpeado. La idea parece ser que, para que sea mortal, un golpe debe alcanzar la unión del cuerpo y el alma. Esta unión cesa temporalmente, en el éxtasis.

Capítulo 51 (texto)

A. El Principio da vida a los seres; luego su Virtud los alimenta, hasta que su naturaleza es completa, hasta que sus facultades son perfectas. Por lo tanto, todos los seres veneran el Principio y su Virtud.

B. La eminencia del Principio y su Virtud, no ha sido conferida por nadie; la tienen desde siempre, naturalmente.

C. El Principio da vida; su Virtud crece, protege, perfecciona, madura, mantiene, cubre (a todos los seres). Cuando nacen, no los monopoliza; los deja actuar libremente, sin explotarlos; los deja crecer, sin tiranizarlos. Esta es la Virtud trascendente.

Los comentarios no aportan nada.

Capítulo 52 (texto)

A. Lo que era antes del mundo se convirtió en la madre del mundo. Quien ha alcanzado a la madre (la materia, el cuerpo), conoce a través de ella a su hijo (el espíritu vital encerrado en el cuerpo). Aquel que conoce al hijo (su espíritu vital) y conserva a la madre (su cuerpo), llegará al final de sus días sin accidentes.

B. Si mantiene la boca cerrada y las fosas nasales cerradas (para evitar la evaporación del principio vital), llegará al final de sus días sin haber experimentado la decadencia. En cambio, si habla mucho y se preocupa mucho, se desgastará y acortará su vida.

C. Limitar las consideraciones a los asuntos pequeños, y las preocupaciones a los asuntos de poca importancia, hace que la mente sea clara y el cuerpo fuerte. Concentrar sus rayos intelectuales en su mente, y no dejar que la aplicación mental dañe su cuerpo, es velar (su mente) para hacer (su vida) duradera.

Resumen de los comentarios

Texto oscuro, pero los comentaristas están de acuerdo. Es la base de la aeroterapia daoísta.

CAPÍTULO 53 (TEXTO)

A. Quien tiene algo de sabiduría, debe atenerse al gran Principio, evitando por encima de todo la chanza pomposa. Pero en lugar de este camino ancho, se prefieren los caminos estrechos. (Son pocos los hombres que caminan por la senda del oscuro desinterés. Prefieren los caminos de su vanidad, su ventaja. Así lo hacen los príncipes de esta época).

B. Cuando los palacios están demasiado bien cuidados, las tierras están sin cultivar y los graneros están vacíos (pues los labradores son requisados para el trabajo pesado).

C. Vestirse magníficamente, llevar una espada afilada en la cintura, atiborrarse de comida y bebida, amasar una riqueza tal que no se sabe qué hacer con ella (como hacen los príncipes de este tiempo), es parecerse a un bandolero (que disfruta ostentosamente de su botín). Esta conducta se opone al Principio.

Los comentarios no aportan nada.

CAPÍTULO 54 (TEXTO)

A. La obra del que construye sobre el desinterés, no será destruida. El que conserva con desinterés, no perderá lo que tiene. Sus hijos y nietos le harán ofrendas sin interrupción (es decir, le sucederán y disfrutarán del fruto de sus obras).

B. En primer lugar, hay que haberse conformado perfectamente al Principio; entonces esta conformidad se extenderá espontáneamente de uno mismo a su familia, a su distrito, al principado, al imperio; (foco central; radio cada vez más vasto).

C. Por su propia naturaleza, uno conoce la naturaleza de otros individuos, y de todas las colecciones de individuos, familias, distritos, principados, imperio.

D. ¿Cómo se puede conocer la naturaleza de todo un imperio? Por esto (por su propia naturaleza), como se ha dicho anteriormente).

Los comentarios no aportan nada.

CAPÍTULO 55 (TEXTO)

A. Aquel que contiene en sí mismo la Virtud perfecta (sin lujuria ni ira), es como un niño pequeño, al que el escorpión no pica, al que el tigre no devora, al que el buitre no rapta, al que todos respetan.

B. Los huesos del niño son débiles, sus tendones son débiles, pero agarra los objetos con fuerza (como su alma y su cuerpo se agarran con fuerza). Todavía no tiene idea del acto de la generación y, por tanto, conserva su virtud seminal completa. Gime todo el día, sin que su garganta se vuelva ronca, tan perfecta es su paz.

C. La paz es duradera; quien entiende esto está iluminado. Mientras que todas las excitaciones, especialmente la lujuria y la ira, se desgastan, Por lo tanto, a la virilidad (de la que el hombre abusa) le sigue la decadencia. La vida intensa es contraria al Principio, y por tanto prematuramente mortal.

Resumen de los comentarios

Este capítulo condena la lujuria y la ira como las causas más destructivas de todas.

Capítulo 56 (texto)

A. El que habla (mucho, demuestra con ello que) no conoce (el Principio).

B. El que conoce (el Principio), no habla. Cierra la boca, contiene la respiración, embota su actividad, se libera de toda complicación, templa su luz, se funde con el vulgo. Esta es la misteriosa unión (con el Principio).

C. Nadie puede atraer a un hombre así (con favores), ni puede repelerlo (con malos tratos). Es insensible a la ganancia y a la pérdida, a la exaltación y a la humillación. Como tal, es lo más noble del mundo.

Resumen de los comentarios

Superior a todo lo que aparece, él conversa con el autor de los seres, el Principio. Zhang Hongyang.

Capítulo 57 (texto)

A. Con rectitud se puede gobernar, con habilidad se puede hacer la guerra, pero es la no acción la que gana y mantiene el imperio.

B. ¿Cómo sé que esto es así? Lo que voy a decir lo explica: Cuanto más regulaciones hay, menos se enriquece la gente. Cuantas más fuentes de ingresos haya, menos orden habrá. Cuantos más inventos ingeniosos haya, menos objetos serios y útiles habrá. Cuanto más detallado es el código, más abundarán los ladrones. La multiplicación lo arruina todo.

C. El programa del Sabio es, por tanto, lo contrario. No actúes y el pueblo se reformará. Quédate callado, y el pueblo se rectificará a sí mismo. Si haces nada, el pueblo se enriquecerá. Si no quieres nada, la gente volverá a su espontaneidad natural.

Los comentarios no aportan nada.

Capítulo 58 (texto)

A. Cuando el gobierno es sencillo, el pueblo abunda en virtudes. Cuando el gobierno es político, el pueblo carece de virtud.

B. El mal y el bien, se suceden, se alternan. ¿Quién discernirá los clímaxes? (de este movimiento circular, del mal y el bien). Es muy delicado, un exceso o un defecto que cambia la entidad moral). Muchos carecen de la medida adecuada. En algunos, la rectitud exagerada degenera en manía, en otros la bondad exagerada se convierte en extravagancia. (Las opiniones varían en consecuencia.) Los hombres han estado muy locos durante mucho tiempo.

C. (El Sabio los toma como son.) Amonestándolos, no es tajante. Recto, no es duro. Iluminado, no humilla.

Los comentarios no aportan nada.

Capítulo 59 (texto)

A. Para cooperar con el cielo en el gobierno de los hombres, lo esencial es atemperar la propia acción.

B. Esta moderación debe ser la primera preocupación. Proporciona una eficiencia perfecta, que tiene éxito en todo, incluso en el gobierno del imperio.

C. Quien posee esta madre del imperio (la sabia moderación), durará mucho tiempo. Es lo que se ha llamado la raíz primaria, el tronco sólido. Es el principio de la perpetuidad.

Los comentarios no aportan nada.

Capítulo 60 (texto)

A. Para gobernar un gran Estado, hay que hacerlo como quien cocina un pez muy pequeño (con mucha delicadeza, de lo contrario se deshace).

B. Cuando un Estado es gobernado según el Principio, los fantasmas no aparecen allí para dañar al pueblo, porque el Sabio que gobierna no daña al pueblo,

C. El mérito de esta doble tranquilidad (por parte de los muertos y los vivos), por lo tanto, pertenece al Sabio.

Resumen de los comentarios

Los fantasmas no son las almas de los muertos. Son, en armonía moral, lo que un vórtice es en la atmósfera física en reposo. Este trastorno se produce por el movimiento de las pasiones, odios y similares sentimientos. No se produce cuando las mentes están en calma.

Capítulo 61 (texto)

A. Si un gran Estado se rebaja, como esas hondonadas en las que desembocan las aguas, todo el mundo acudirá a él. Será como la hembra universal (capítulos 8 y 28).

B. En su aparente pasividad e inferioridad, la mujer es superior al hombre (pues es ella quien da a luz). — A condición de que sepa rebajarse, el gran Estado ganará a los pequeños Estados, que, rebajándose, buscarán su protectorado. Una vez que se haya rebajado, los demás serán recibidos. Básicamente, el Estado grande desea proteger a los demás, los Estados pequeños sólo quieren reconocer su protectorado.

C. Para que este deseo común se cumpla, sólo hace falta una cosa (rebajarse), pero es imprescindible (Si son orgullosos y duros, no hay esperanza).

Nada más en los comentarios.

Capítulo 62 (texto)

A. El Principio es la salvaguarda de todos los seres. Es el tesoro de los buenos (aquello por lo que es bueno), y la salvación de los malos (aquello que les impide perecer).

B. A él hay que agradecerle las palabras amorosas y la conducta noble de los buenos. Es por su causa que los malvados no deben ser rechazados.

C. Es para este propósito (para la preservación y desarrollo de la parte del Principio que está en los seres), que el emperador y los grandes ministros son instituidos. No para que se deleiten con su cetro y su cuadriga. Pero para que mediten en el Principio (avancen en su conocimiento y lo desarrollen en otros).

D. ¿Por qué los antiguos hacían tanto caso al Principio? ¿No era porque es la fuente de todo bien y el remedio de todos los males? ¡Lo más noble del mundo!

Los comentarios no aportan nada.

Capítulo 63 (texto)

A. Actuar sin actuar; ocuparse sin ocuparse; saborear sin degustar; ver de la misma forma a los grandes, a los pequeños, a los muchos, a los pocos; hacer el mismo caso a los reproches y los agradecimientos; así es como lo hace el Sabio.

B. Ataca las complicaciones difíciles sólo en sus detalles sencillos, y se aplica a los grandes problemas sólo en sus débiles comienzos.

C. El Sabio nunca emprende nada grande, por eso hace cosas grandes. El que promete mucho no puede cumplir su palabra. El que se preocupa por demasiadas cosas, aunque sean fáciles, no consigue nada.

D. El Sabio evita las dificultades, por lo que nunca tiene dificultades.

Los comentarios no aportan nada.

Capítulo 64 (texto)

A. Lo que es pacífico es fácil de contener; lo que aún no ha aparecido es fácil de impedir; lo que es débil es fácil de romper; lo que es pequeño es fácil de dispersar. Hay que tomar medidas antes de que algo suceda, y proteger el orden antes de que el desorden haya estallado.

B. Un árbol que apenas pueden abrazar dos brazos nació de una raíz tan delgada como un cabello; una torre de nueve pisos se levanta de un montón de tierra; un viaje de mil estadios comenzó con un solo paso.

C. Los que se exceden, estropean su negocio. Los que aprietan demasiado, acaban soltando. El Sabio que no actúa, no estropea ningún negocio. Como no le importa nada, nada se le escapa.

D. Cuando el vulgo hace un trato, suele fallar justo cuando está a punto de tener éxito (la embriaguez de su éxito inicial le hace perder los nervios y cometer errores). Es necesario, para tener éxito, que la circunspección del comienzo, dure hasta la finalización.

E. El sabio no se apasiona por nada. No toma ningún objeto, porque es raro. No se adhiere a ningún sistema, sino que aprende de los defectos de los demás. Para cooperar en la evolución universal, no actúa, sino que se deja llevar.

Los comentarios no aportan nada.

Capítulo 65 (texto)

A. En la antigüedad, los que se ajustaban al Principio no buscaban hacer al pueblo inteligente, sino que pretendían mantenerlo simple.

B. Cuando un pueblo es difícil de gobernar, es porque sabe demasiado. Quien pretende hacer el bien difundiendo la educación, se equivoca y arruina el país. Mantener al pueblo en la ignorancia, logra la salvación de un país.

C. Esta es la fórmula de una acción misteriosa, de gran alcance y de gran trascendencia. No es del agrado de las personas (los curiosos); pero, gracias a ella, todo llega a buen puerto pacíficamente.

Comparar con el capítulo 3 B. Nada más en los comentarios.

Capítulo 66 (texto)

A. Por qué los ríos y los océanos son los reyes de todos los valles (vertederos generales, recibiendo en tributo todas las corrientes). Porque son voluntariamente los inferiores de todos los valles (respecto al nivel). Por eso todas las aguas fluyen hacia ellos.

B. Siguiendo este ejemplo, el Sabio que quiere llegar a ser superior al vulgo, se coloca por debajo de él con sus palabras (habla muy humildemente de sí mismo), si quiere llegar a ser el primero, se pone en el último lugar (y siga haciéndolo, después de haber sido exaltado). Entonces podrá ser elevado a la cúspide, sin que el pueblo se sienta oprimido por él; podrá ser el primero, sin que el pueblo se queje de él. Todo el imperio le servirá con alegría, sin cansarse. Porque como no se opone a nadie, nadie se opondrá a él.

Comparar con el capítulo 8. Los comentarios no añaden nada.

Capítulo 67 (texto)

A. Todo el imperio dice que el Sabio es noble, a pesar de su aire vulgar; un aire que se da a sí mismo, precisamente porque es noble (para velar su nobleza y no atraer la envidia). Todo el mundo sabe, por el contrario, que los que se hacen pasar por nobles son hombres de poco valor.

B. El hombre sabio toma tres cosas y se aferra a ellas: caridad, sencillez y humildad. Siendo caritativo, será valiente (dentro de los límites adecuados, sin crueldad). Al ser sencillo, será liberal (dentro de los límites adecuados, sin despilfarros). Siendo humilde, gobernará a los hombres sin tiranía.

C. Los hombres de hoy olvidan la caridad, la sencillez y la humildad. Se dedican a la guerra, a la pompa, a la ambición. Esto es querer perecer. Esto es querer no tener éxito.

D. El agresor caritativo es el que gana la batalla (no el agresor bárbaro); el defensor caritativo es el que es inexpugnable (no el luchador despiadado). A los que el cielo les desea el bien, los hace caritativos.

Resumen de los comentarios

La sencillez y la humildad se tratan en otro lugar, en los capítulos 75, 77 y 78.

Capítulo 68 (texto)

A. Que el que manda no piense que la táctica, el valor y el esfuerzo, dan la victoria.

B. Es poniéndose al servicio de los hombres como se doma a los hombres. Este es el verdadero proceso, que a veces se formula así: el arte de no pelear (de acomodarse, de ganar haciéndose todo para todos); el poder de manejar a los hombres; acción conforme a la del cielo. Todas estas fórmulas designan lo mismo, que es la grandeza de los Antiguos.

Los comentarios no añaden nada.

Capítulo 69 (texto)

A. Más bien lo defensivo que lo ofensivo, más bien retroceder un pie que avanzar una pulgada, son principios comunes en el arte militar. Ceder es mejor que triunfar. Prevenir mediante la diplomacia es aún mejor.

B. Este es el significado de ciertas fórmulas abstrusas del arte militar, como: avanzar sin marchar; defenderse sin agitar las armas; mantener el statu quo sin luchar; conservar sin armas, y otras.

C. No hay mayor azote que una guerra iniciada con ligereza (buscada deliberadamente, empujada más allá de lo necesario). El que hace esto expone su propiedad a la pérdida, y causa mucho dolor.

Continuación del capítulo anterior. Los comentarios no aportan nada.

Capítulo 70 (texto)

A. Lo que enseño (habla Lao Zi), es fácil de entender y practicar, y sin embargo el mundo no quiere entenderlo ni practicarlo.

B. Mis preceptos y procedimientos se derivan de un principio y procedimiento superior, el Principio y su virtud.

C. El mundo no reconoce el Principio que me dirige, por lo tanto no me conoce. Muy pocos me entienden. Esta es mi gloria. Me pasa como al Sabio, que no es conocido por el común de los mortales por su tosca vestimenta, aunque tenga el pecho lleno de piedras preciosas.

Los comentarios no aportan nada.

Capítulo 71 (texto)

A. Saber todo y creer que no se sabe nada es el verdadero conocimiento (la ciencia superior). No saber nada y creer que se sabe todo es el mal común de los humanos.

B. Ver este mal como un mal, lo preserva a uno. El Sabio está libre de la fatuidad, porque teme la fatuidad. Este miedo lo preserva de ella.

Resumen de los comentarios

El no conocimiento forma parte de la no acción, porque conocer es un acto, dicen los daoístas, que rechazan las teorías, las generalizaciones y las clasificaciones, admitiendo sólo la aprehensión objetiva de los casos particulares.

Capítulo 72 (texto)

A. Se pierden los que no temen, cuando deberían temer (que se exponen al peligro, por curiosidad, amor al lucro, ambición).

B. No encuentres tu casa natal demasiado estrecha, no te disgustes con la condición en la que naciste (Sigue siendo lo que eres y quédate donde estás. El esfuerzo de buscar algo mejor tal vez te lleve a perderte). Uno no se disgusta, siempre que no quiera disgustarse (La repugnancia es siempre voluntaria, ya que proviene del hecho de que uno ha comparado su situación con la de otro, y ha preferido a éste).

C. El Sabio conoce su valor, pero no lo muestra (no siente la necesidad de mostrar su valor). Se ama a sí mismo, pero no busca ser estimado. Discierne, adoptando esto y rechazando aquello (según las luces de su sabiduría).

Los comentarios no aportan nada.

Capítulo 73 (texto)

A. El valor activo (valor bélico) trae la muerte. El valor pasivo (paciencia, resistencia) preserva la vida. Por lo tanto, hay dos tipos de valor, uno perjudicial y otro provechoso.

B. (La paciencia y el sufrimiento son siempre mejores que la acción incisiva, incluso en el gobierno, en la política). Si el cielo daña a un hombre o una nación. ¿A qué se debe? ¿Quién lo sabe? — Así que el sabio siempre se siente avergonzado (dudando, decidiendo con dificultad sobre la intervención contundente).

C. Porque el camino del cielo (su conducta constante) es no intervenir positivamente. Conquista sin luchar. Se hace obedecer sin dar órdenes. Hace que la gente venga sin llamarla. Lleva todo a una conclusión, aunque parezca descuidar todo.

D. La red del cielo lo encierra todo. Sus mallas son amplias, pero nadie escapa a ellas.

Resumen de los comentarios

En D, si el Sabio ha dejado escapar a un culpable de la red de la ley humana por bondad, la red celestial lo prenderá. El Sabio, por tanto, confía en el cielo y actúa menos en lugar de más, para no actuar en contra de las intenciones del cielo o invadir sus derechos.

CAPÍTULO 74 (TEXTO)

A. Si el pueblo no teme a la muerte, ¿de qué sirve intentar contenerlo con el miedo a la muerte? Si temieran a la muerte, entonces tomar y matar a los que causan problemas, lograría que los demás no hicieran lo mismo.

B. (Se equivocan, pues, los Legistas, que prodigan la pena de muerte, y creen que así todo funcionará). Aquel que está a cargo de la muerte (el cielo), mata (Dejémoslo hacer. No hagamos su trabajo. Sólo él es capaz de hacerlo).

C. Al hombre que quiere matar, le pasará como al que juega con el cincel del carpintero. Son raros los que no se cortan los dedos en este juego.

Resumen de los comentarios

Para obtener algo de los hombres, es mejor tratarlos con benignidad. — Contra la escuela de los Legistas de Fa Jia, *que sólo sabe de tormentos. Es un hecho de la experiencia, dicen los comentaristas, que la gente teme menos a la muerte que a los trabajos forzados, por ejemplo; y que, después que se desenfrenan, pierden todo temor.*

CAPÍTULO 75 (TEXTO)

A. Si el pueblo tiene hambre, es porque el príncipe devora sumas excesivas (que les extorsiona).

B. Si el pueblo está inquieto, es porque el príncipe actúa demasiado, (lo indispone con sus innovaciones).

C. Si la gente se expone con liviandad a la muerte (en empresas arriesgadas), es porque ama demasiado la vida (amor al bienestar, al disfrute, a la gloria).

D. El que no hace nada para vivir es más sabio que el que se esfuerza por vivir.

Resumen de los comentarios

Que el príncipe y el pueblo cultiven la sencillez, y todo irá bien. Este capítulo continúa el capítulo 67. El significado de D es: El que no se preocupa por la riqueza y la gloria es más sabio que el que se cansa y se pone en peligro por la riqueza y la gloria.

CAPÍTULO 76 (TEXTO)

A. Cuando un hombre acaba de nacer, es blando y débil (pero lleno de vida); cuando se ha hecho fuerte y poderoso, entonces muere.

B. Lo mismo ocurre con las plantas, son delicadas (herbáceas) cuando nacen, leñosas cuando mueren.

C. El que es fuerte y poderoso, está marcado para la muerte; el que es flexible y débil, está marcado para la vida.

D. El gran ejército será derrotado. El gran árbol será cortado.

E. Todo lo que es fuerte y grande está en una peor situación. Los blandos y débiles siempre tienen la ventaja.

Como "El roble y la caña" de La Fontaine.

CAPÍTULO 77 (TEXTO)

A. El cielo actúa (con respecto a los hombres), como el arquero que, doblando su arco, deprime las convexidades y hace abultar las concavidades (que su arco presentaba en estado de reposo), disminuyendo lo que sobra y aumentando lo que falta (bajando lo que se eleva, y elevando lo que se baja). Quita a los que tienen en abundancia y añade a los que les falta.

B. Mientras que los hombres (príncipes malvados que defraudan al pueblo), hacen todo lo contrario, tomando de los que carecen (el pueblo), y añadiendo a los que tienen en abundancia (sus favoritos)... Mientras que todo lo superfluo debe volver al imperio (el pueblo)... Pero sólo quien posee el Principio es capaz de hacer esto.

C. El Sabio se ajusta al Principio. Influye, sin atribuirse el resultado. Cumple, sin apropiarse de su obra. No reclama el título de Sabio, (pero se mantiene voluntariamente en la oscuridad).

Nota: el arco chino invierte su forma al ser tensado, lo que produce exactamente el efecto descrito en A.

CAPÍTULO 78 (TEXTO)

A. En este mundo, nada es tan suave y débil como el agua; sin embargo, ningún ser, por muy fuerte y poderoso que sea, resiste su acción (corrosión, desgaste, choque de las olas); y ningún ser puede prescindir de ella (para beber, crecer, etc.).

B. ¿Está suficientemente claro que la debilidad es mejor que la fuerza, que la flexibilidad es mejor que la rigidez? Todo el mundo está de acuerdo; pero nadie lo pone en práctica.

C. Los Sabios dicen: Quien no es repelido ni por la suciedad moral ni por la infelicidad política es capaz de ser el gobernante de la tierra y el gobernante del imperio (Aquel que es lo suficientemente flexible para acomodar todo esto; no el hombre rígido y sistemático).

D. Esta es una afirmación muy cierta, aunque ofende a los oídos de muchos.

Este capítulo y el anterior están relacionados con el capítulo 67.

CAPÍTULO 79 (TEXTO)

A. Después de que se haya resuelto lo principal de una disputa, siempre quedan agravios incidentales, y las cosas no vuelven al estado en que se encontraban antes (resentimientos).

B. (Por eso el Sabio nunca discute, a pesar de su derecho). Aunque tiene su contrato escrito, no exige la ejecución (de lo que está escrito).

C. El que sabe conducirse según la Virtud del Principio, deja dormir sus contratos. Quien no sabe comportarse así, exige lo que le corresponde.

D. El cielo es imparcial. (Si fuera capaz de cualquier parcialidad,) favorecería a las personas buenas (las que hacen lo que se dice en C. Él los colmaría, porque no piden nada).

Los comentarios no aportan nada.

Capítulo 80 (texto)

A. Si yo fuera rey de un estado pequeño, de un pueblo pequeño, tendría cuidado de no utilizar (poner a cargo) las pocas docenas de hombres capaces que hubiera en ese estado.

B. Impediría a mis súbditos viajar, haciéndoles temer la muerte por un posible accidente, tanto que no se atreverían a subir a un barco o a un carro.

C. Prohibiría el uso de las armas.

D. Les obligaría a volver a las cuerdas anudadas, para la escritura y las ciencias.

E. Entonces encontrarían su comida sabrosa, sus ropas hermosas, sus casas tranquilas, sus hábitos y costumbres agradables.

F. (Impediría la curiosidad y la comunicación, hasta el punto de que,) si mis súbditos oyeran desde sus casas los gritos de los gallos y los perros del Estado vecino, morirían de viejos antes de haber cruzado la frontera y tener relaciones con los del Estado vecino.

El ratón en su queso, ideal daoísta.

Capítulo 81 (texto)

A. (He terminado. Es posible que mi discurso resulte algo burdo, poco sutil, apenas aprendido). Y es que la franqueza nativa no lleva ropajes, la rectitud natural no tiene reparos, el sentido común no necesita erudición artificial.

B. El hombre sabio no acumula, sino que da. Cuanto más actúa para los hombres, más puede hacer; cuanto más les da, más tiene. El cielo hace el bien a todos, no hace el mal a ninguno. El hombre sabio lo imita, actuando por el bien de todos y sin oponerse a nadie.

Los comentarios no añaden nada.

Chongxu Zhenjing[1]
(Tratado de la perfecta vacuidad)
LIE ZI

CAPÍTULO 1 - GÉNESIS Y TRANSFORMACIÓN

A. *Lie Zi* vivió en una casa de campo en el principado de *Zheng*, durante cuarenta años, sin que nadie se fijara en él; sin que el príncipe, sus ministros y oficiales, vieran en él algo más que un hombre común. Cuando la hambruna llegó al país, se preparó para emigrar a *Wei*. Entonces sus discípulos le dijeron:

— Maestro, te vas a ir, y no está claro si volverás y cuándo. Por favor, enséñanos, antes de que te vayas, lo que has aprendido de tu maestro *Lin* de *Hu Zi*.

Lie Zi sonrió y dijo:

— ¿Qué he aprendido de mi maestro? Cuando él le enseñaba a *Bo Hun Wu Ren*[2], capté algo, que trataré de relatarles. Dijo que hay un productor que no se ha producido, un transformador que no se ha transformado. Este productor no-producido, ha producido todos los seres, este no-transformado transforma todos los seres. Desde el principio de la producción, el productor no puede dejar de producir; desde el principio de las transformaciones, el transformador no puede dejar de transformar. Por lo tanto, la cadena de producciones y transformaciones es ininterrumpida, con el productor y el transformador produciendo y transformando constantemente. El productor es el *Yin-yang* (el Principio en su modalidad de doble alternancia); el transformador es el ciclo de las cuatro estaciones (revolución del binomio cielo-tierra). El productor es inmóvil, el transformador va y viene. Lo móvil, y lo inmóvil, durarán siempre.

---

1   El *Chongxu Zhenjing* es atribuido a *Lie Zi*, o *Lieh-tzu* (según la romanización Wade-Giles, actualmente en desuso) (N. del T.).

2   Un compañero de estudios. Humildad ritual. No hay que darse a conocer como discípulo de un hombre ilustre, para no avergonzarlo.

B. En los escritos de *Huang Di* (El Emperador Amarillo), se dice[3]: El poder expansivo trascendente que reside en el espacio medio (la virtud del Principio) no muere. Es la madre misteriosa (de todos los seres). Su puerta es la raíz del cielo y la tierra (el Principio). Proliferando, no pasa. Actúa sin cansarse... Es decir, el productor no se produce, el transformador no se transforma. El productor-transformador produce y se transforma, se hace sensible, toma figuras, alcanza la inteligencia, adquiere energías, actúa y dormita, permaneciendo siempre él mismo (unicidad del cosmos, sin distinción real). Decir que los seres distintos se producen y se transforman, se vuelven sensibles, toman figuras, alcanzan la inteligencia, adquieren energías, actúan y duermen, es errar.

C. *Lie Zi* dijo:

— Analizando la producción del cosmos por el Principio bajo su doble modalidad *Yin* y *yang*, la eclosión de lo sensible a partir de lo no sensible, el germen de la acción generadora pacífica del cielo y la tierra, los antiguos Sabios distinguieron las siguientes etapas en ella: gran mutación, gran origen, gran comienzo, gran flujo[4]. La gran mutación es la etapa anterior a la aparición de la materia tenue (giro de las dos modalidades, en el ser indefinido, en la nada de la forma, en el Principio, fuera de su inmovilidad absoluta). El gran origen es el escenario de la materia tenue. El gran comienzo es la etapa de la materia palpable. El gran flujo es el estadio de la materia plástica, de las sustancias corpóreas, de los seres materiales reales. — El estado primitivo, cuando la materia era todavía imperceptible, se llama también *Hun Lun*, lo que significa que, en ese momento, todos los seres que vendrán en el futuro estaban contenidos como en un oleaje confuso, indiscernible, incognoscible. Su nombre ordinario es *Yi*, mutación, porque de ella sale todo por la vía de la transformación. — Desde el estado no sensible y no diferenciado, comenzando por el uno, la progresión a través del siete, pasa al nueve[5]; la regresión devuelve todo a la unidad. — La unidad fue el punto de partida de la génesis de los seres sensibles. Ocurrió así: la materia más pura y ligera, habiendo ascendido, se convirtió en el cielo; la materia menos pura y más pesada, habiendo descendido, se convirtió en la tierra; de la materia mejor templada, permaneciendo en el vacío medio, surgieron los hombres. La esencia de todos los seres fue primero parte del cielo y de la tierra, de los que todos los seres surgieron sucesivamente por medio de la transformación.

D. *Lie Zi* dijo:

— Tomados aisladamente, el cielo y la tierra no tienen todas las capacidades, un Sabio no tiene todos los talentos, un ser no tiene todas las propiedades. El cielo da vida y cubre, la tierra proporciona materia y soporta, el Sabio enseña y corrige,

---

3   Textualmente, el capítulo 6 de *Lao Zi*.

4   Más correctamente, "gran desenvolvimiento". El curso regular de las cosas, tal como son, en el mundo tal como es.

5   Siete puede indicar una alusión a la génesis de los siete cuerpos celestes, los siete rectores de la filosofía china. Nueve, es el último de los números simples, después del cual hay infinitos múltiplos.

los seres tienen cada uno sus propias cualidades limitadas. El cielo y la tierra tienen sus respectivos déficits que compensan recíprocamente, el Sabio tiene sus defectos que le obligan a recurrir a otros, todos los seres deben ayudarse mutuamente. El cielo no puede sustituir a la tierra, la tierra no puede sustituir al Sabio, el Sabio no puede cambiar la naturaleza de los seres, los seres específicos no pueden ir más allá de su nivel. La acción del cielo y la tierra consiste en la alternancia del *yin* y el *yang*, la influencia del Sabio consiste en inculcar la bondad y la equidad, la naturaleza de los seres es activa o pasiva; todo esto es natural e inmutable. — Porque hay productos, hay un productor de estos productos. Hay un autor, formas corporales, sonidos, colores, sabores. Los productos son mortales, su productor no. El autor de las formas corporales no es corpóreo, el autor de los sonidos no es perceptible para el oído, el autor de los colores no es visible para el ojo, el autor de los sabores no es percibido por el gusto. Excepto por su infinidad e inmortalidad, el productor, el autor (el Principio), es indeterminado, capaz de convertirse, en los seres, en *yin* o *yang*, activo o pasivo; contraído o extendido, redondo o cuadrado, agente de vida o de muerte, caliente o frío, ligero o pesado, noble o vil, visible o invisible, negro o amarillo, dulce o amargo, apestoso o fragante. Desprovisto de todo conocimiento intelectual y poder intencional, lo sabe todo y lo puede todo (pues es inmanente a todo lo que sabe y puede, que es, dice el comentario, el conocimiento y el poder supremos).

E. Cuando *Lie Zi*, que se dirigía al principado de *Wei*, estaba comiendo al lado del camino, uno de los que le acompañaban, al ver una vieja calavera allí tirada, la recogió y se la mostró. *Lie Zi* la miró y luego le dijo a su discípulo *Bai Feng*:

— Él y yo sabemos que la distinción entre la vida y la muerte es sólo imaginaria, él por experiencia, yo por razonamiento. Él y yo sabemos que aferrarse a la vida y temer a la muerte no es razonable, ya que la vida y la muerte son sólo dos fases fatalmente sucesivas. Todo pasa, según el tiempo o las circunstancias, por estados sucesivos, sin cambiar esencialmente. Así, las ranas se convierten en codornices y las codornices en ranas, según el entorno sea húmedo o seco. El mismo germen se convertirá en una mata de lentejas de agua en un estanque, o en una alfombra de musgo en una colina. Cuando se fertiliza, el musgo se convierte en la planta *Wu zu*, cuyas raíces se convierten en gusanos y cuyas hojas en mariposas. Estas mariposas producen una especie de larva, que se aloja bajo los fogones, y se llama *Qu tuo*. Después de mil días, este *Qu tuo* se convierte en el pájaro *Qian yu gu*, cuya saliva da origen al insecto *Si mi*. Este último se transforma en *Shi xi*, en *Mu rui*, en *Fu kuan* (todas las formas sucesivas de un mismo ser, dice el comentario). El hígado de la oveja se convierte en *Di gao*. La sangre de los caballos se convierte en la voluntad de los magos. La sangre humana se convierte en duendes. El cernícalo se convierte en halcón, luego en buitre y el ciclo vuelve a empezar. La golondrina se convierte en una concha, y luego en una golondrina de nuevo. El ratón de campo se convierte en codorniz y luego vuelve a ser ratón de campo. La calabaza, al pudrirse, produce pescado. Los puerros viejos se convierten en liebres. Las cabras viejas se convierten en monos. Del desove de los peces salen los saltamontes en tiempos de sequía. El cuadrúpedo *lei* de las montañas *Tan Yüan* se fertiliza a sí mismo. El pájaro *Yi* se vuelve fértil mirando al agua. Los insectos *Da yao* son todos hembras y se reproducen sin la intervención de un macho; las avispas *Zhi fong* son todas machos y se reproducen sin la intervención de una hembra. *Hou ji* nació de la huella de un gran pie, *Yi yin* de una morera hueca. El insecto *Kui zhao* nace del agua, y el *Xi ji* del vino. Las plantas *Yang xi* y *Bu sun*, son dos formas alternas. De los viejos bambúes surge el insecto *Qing ning*, que se convierte en leopardo, luego en caballo y después en hombre. El hombre entra en el telar (es decir, para él, el ir y venir de la lanzadera, la serie de transformaciones comienza de nuevo). Todos los seres salen del gran telar cósmico, para volver a él[6].

F. En los escritos de *Huang Di* se dice: la sustancia que se proyecta, no produce una nueva sustancia, sino una sombra; el sonido que resuena, no produce un nuevo sonido, sino un eco; cuando la nada informe se mueve, no produce una nueva nada, sino un ser sensible. Toda sustancia tendrá un final. El cielo y la tierra, al ser sustancias, llegarán a su fin como yo; si, no obstante, se puede llamar fin a lo que es sólo un cambio de estado. Pues el Principio, del que emanan todas las cosas, no tendrá fin, ya que no tuvo principio, y no está sujeto a las leyes de la duración. Los seres pasan sucesivamente por los estados de ser vivo y no vivo, de ser material y no material. El estado de no-vida no es producido por la no-vida, sino que sigue al estado de vida (como su sombra, como fue mencionado anteriormente). El estado de inmaterialidad no es producido por la inmaterialidad, sino que sigue al estado de materialidad (como su eco, como ya fue mencionado). Esta alternancia sucesiva es fatal, inevitable. Todo ser vivo dejará necesariamente de vivir, y entonces dejará necesariamente de ser no vivo, volverá necesariamente a la vida. Por eso, querer que la vida dure y escapar de la muerte es querer lo imposible. — En el compuesto humano, el espíritu vital es la contribución del cielo, el cuerpo es la contribución de la tierra. El hombre comienza por la agregación de su espíritu vital con los elementos groseros terrestres, y termina por la unión del mismo espíritu con los elementos celestiales puros. Cuando el espíritu vital abandona la materia, cada uno de los dos componentes vuelve a su origen. De ahí que la pronunciación de las palabras para "muerto" y *retornado* sea la misma: *gui*. En efecto, han regresado a su propia morada (el cosmos). *Huang Di* dijo: el espíritu vital vuelve por su puerta (en el Principio, véase *Lao Zi*, cap. 6 C y otros), el cuerpo vuelve a su origen (la materia), y la personalidad se acaba.

G. La vida de un hombre, desde el nacimiento hasta la muerte, comprende cuatro grandes períodos, el tiempo de la infancia, la juventud robusta, los años de la vejez, la muerte. Durante la infancia, al estar concentradas todas las energías,

---

6   De este pasaje, que parece resumir ciertas leyendas exóticas, el comentario dice muy bien: Desorden aparente, pero en realidad, se recorren todas las formas de transformación; partenogénesis, generación alterna, transformación en la misma clase (plantas), transformación en dos o más clases (plantas, animales, etc.), transformación de seres inanimados en vivos, transformación con o sin muerte intermedia.

la armonía del complejo es perfecta, nada puede perjudicarle ya que su funcionamiento es preciso. Durante la robusta juventud, la sangre y los espíritus bullen, la imaginación y la lujuria abundan, la armonía del complejo ya no es perfecta, las influencias externas hacen que su funcionamiento sea defectuoso. Durante los años de la vejez, a medida que la imaginación y la lujuria se apaciguan, el cuerpo se tranquiliza y los seres externos dejan de tener influencia sobre él; aunque no se vuelve a la perfección de la niñez, sin embargo, hay un progreso sobre el período de la juventud. Finalmente, mediante el fin de la existencia, a través de la muerte, el hombre llega al descanso, vuelve a su cima (a su perfección integral, a la unión con el cosmos).

H. Confucio, de camino a visitar el monte *Tai Shan*, se encontró con un tal *Rong Qi* en la llanura de *Cheng*, vestido con una piel de ciervo, ceñido con una cuerda, tocando la cítara y cantando.

— Maestro —le preguntó—, ¿qué es lo que te alegra?

— Tengo —dijo *Rong Qi*—, mucho de qué alegrarme. De todos los seres, el hombre es el más noble; y yo he tenido un cuerpo de hombre para mi suerte; ese es mi primer motivo de alegría. El sexo masculino es más noble que el femenino, y yo he tenido como premio un cuerpo masculino; éste es mi segundo motivo de alegría. Cuántos hombres, después de su concepción, mueren antes de ver la luz, o mueren en pañales antes de que despierte su razón; pero a mí no me ha ocurrido nada de eso; he vivido noventa años; ése es mi tercer motivo de alegría… ¿Y por qué debería estar triste? ¿Por mi pobreza? Esa es la suerte ordinaria de los sabios. Ese es el fin de toda la vida.

Confucio dijo a sus discípulos:

— Este hombre sabe consolarse a si mismo.

I. Un tal *Lin Lei*, de más de cien años, aún vestido con una piel en la época de la cosecha del trigo (porque no tenía otra ropa para esta temporada cálida), estaba espigando espigas mientras cantaba. Confucio, que se dirigía a *Wei*, habiéndose encontrado con él en el campo, le dijo a sus discípulos:

— Intenten conversar con este anciano, tal vez nos enseñe algo.

Por lo tanto, *Zi Gong* fue a *Lin Lei*, lo saludó y le dijo con compasión:

— Maestro, ¿no te arrepientes de nada, que cantas así, haciendo este trabajo de mendigo?

Lin Lei siguió espigando y tarareando, sin prestar atención a *Zi Gong*. Pero este siguió insistiendo; finalmente *Lin Lei* lo miró y le dijo:

— ¿De qué debería arrepentirme?

— Deberías arrepentirte —dijo *Zi Gong*— por no haberte aplicado con más diligencia en tu juventud y en tu edad madura, para alcanzar alguna fortuna; por haber permanecido soltero, llegando así a la vejez sin esposa ni hijos; por tener que morir pronto, sin ayuda y sin ofrendas. Habiendo creado tal condición para ti mismo, ¿cómo puedes cantar, haciendo este trabajo de mendigo?

— Porque —dijo *Lin Lei*, riendo— he puesto mi felicidad en cosas que están al alcance de todos y que todos odian (la pobreza, la oscuridad, etc.). Sí, no he sido diligente ni ingenioso; esto ha evitado que me desgaste, y he vivido hasta la edad que tengo. Sí, he permanecido soltero, y por eso la perspectiva de la muerte no me entristece, ni tampoco a la viuda y los huérfanos que no dejaré.

— Pero —dijo *Zi Gong*—, todo hombre ama la vida y teme la muerte. ¿Cómo puedes despreciar así la vida y amar la muerte?

— Porque —dijo *Lin Lei*—, la muerte es a la vida lo que el viaje de vuelta es al viaje de ida. Cuando muera aquí, ¿no renaceré en otro lugar? Y si vuelvo a nacer, ¿no será en otras circunstancias? Puesto que sólo tengo que ganar con el intercambio, sea cual sea, ¿no sería insensato por mi parte temer la muerte, por la que obtendré más de lo que tengo?

Zi Gong, que no entendió bien el significado de estas palabras, se las comunicó a Confucio.

— Tenía razón al pensar —dijo Confucio—, que podíamos aprender algo de este hombre. Sabe algo, pero no todo (ya que se detiene en la sucesión de existencias, sin pasar a la unión con el Principio, que es el fin).

J. *Zi Gong*, aburrido de estudiar, le dijo a Confucio:
— ¡Por favor, dame un poco de descanso!
— No hay lugar de descanso entre los vivos —dijo Confucio.
— Entonces —dijo *Zi Gong*—, dame descanso, sin lugar.
— Encontrarás —dijo Confucio—, descanso sin lugar, en la muerte.
— Entonces —dijo *Zi Gong*—, ¡viva la muerte, el descanso del Sabio, a quien los necios temen muy equivocadamente!
— Has sido iniciado —dijo Confucio—. Sí, la gente común habla de las alegrías de la vida, de los honores de la vejez, de los dolores de la muerte. La realidad es que la vida es amarga, que la vejez es decadencia, que la muerte es descanso.

K. *Yen Zi* dijo:
— Los antiguos son quienes mejor han entendido lo que es la muerte, el descanso deseado por los buenos, el destino temido por los malvados. La muerte es el retorno. Por eso llamamos a los muertos, los retornados. Lógicamente, deberíamos llamar a los vivos, los que han vuelto. — Caminar sin saber a dónde se uno se dirige es un acto de los que se han extraviado, de los que nos reímos. Por desgracia, ahora la mayoría de los hombres están perdidos, sin saber a dónde van en la muerte, y nadie se ríe de ellos. Si un hombre se desentiende de sus asuntos y vaga sin rumbo, se le llamará necio. Lo mismo digo de quienes, olvidando el Más Allá, se sumergen en riquezas y honores; aunque, a éstos, el mundo los juzga sabios. No, están equivocados. Sólo los sabios saben a dónde van.

L. Alguien le preguntó a *Lie Zi*:
— ¿Por qué estimas tanto el vacío?

— El vacío —dijo *Lie Zi*—, no puede ser estimado por sí mismo. Es estimable por la paz que se encuentra en él. La paz en el vacío es un estado indefinible. Uno consigue establecerse allí. No se toma ni se da. En el pasado, nos esforzábamos por conseguirlo. Ahora se prefiere el ejercicio de la bondad y la equidad, que no da el mismo resultado.

M. *Yu Xiong* solía decir:

— El transporte de los seres difuntos, bajo la acción del cielo y de la tierra, es imperceptible. El ser que perece aquí renace en otra parte; el ser que se suma aquí se resta en otra parte. La decadencia y la prosperidad, el devenir y el final, las idas y venidas se suceden, sin que el hilo de esta secuencia pueda ser captado. Tan imperceptible es la llegada de los que vienen y la partida de los que se van que el universo presenta siempre el mismo aspecto. Al igual que los cambios de un organismo humano, en la cara, la piel, y el pelo, desde el nacimiento hasta la muerte, son diarios, pero no se pueden ver de un día para otro.

N. En la tierra de *Qi*, un hombre estaba atormentado por el temor de que el cielo cayera sobre su cabeza y la tierra se derrumbara bajo sus pies. El miedo a este gran cataclismo le obsesionaba hasta el punto de hacerle perder el sueño y el apetito.

Un amigo se conmovió por su estado y se comprometió a animarlo.

— El cielo —dijo—, no es sólido. Allí arriba sólo hay vapores que van y vienen, expandiéndose y contrayéndose, formando el aliento cósmico. No puede caer.

— Que así sea —dijo el tembloroso—, pero el sol, la luna, las estrellas…

— Estos cuerpos celestes —dijo el amigo— también están hechos sólo de gases luminosos. Si cayeran, no tendrían suficiente masa para hacer siquiera una herida.

— ¿Y si la tierra se derrumbara? —preguntó el tembloroso.

— La tierra es un bulto demasiado grande —dijo el amigo— para que las pisadas de los hombres la desgasten; y está demasiado bien suspendida en el espacio para que sus sacudidas la agiten.

Tranquilizado, el tembloroso se echó a reír; y el amigo, complacido por haber logrado tranquilizarlo, se rió también.

Sin embargo, *Chang Lu Zi*, al oír esta historia, criticó tanto al tembloroso como a su amigo, diciendo:

— Que el cielo y los cuerpos celestes están hechos de vapores ligeros, y que la tierra que lo lleva todo está hecha de materia sólida, es cierto. Pero estos vapores y esta materia son compuestos. ¿Quién puede garantizar que estos compuestos no se descompongan nunca? Dada esta incertidumbre, especular sobre la posibilidad de la ruina del cielo y la tierra es razonable. Pero vivir en la continua expectativa de esa ruina no es razonable. Dejemos los lamentos sobre el gran colapso a los que serán sus contemporáneos.

Lie Zi, tras escuchar esta solución, dijo:

— Afirmar que el cielo y la tierra se arruinarán, sería ir demasiado lejos; afirmar que no se arruinarán, también sería ir demasiado lejos. Es imposible saber con certeza lo que será, si sucederá o si no sucederá. Concluyo esto con una analogía. Los vivos no saben nada de su futuro estado de muerte, los muertos no saben nada de su futuro estado de nueva vida. Los que vienen (los vivos) no saben cómo será su partida (la muerte), y los que se han ido (los muertos) no saben cómo volverán (vivos). Incapaces de darse cuenta de las fases de su propia evolución, ¿cómo podrían los hombres darse cuenta de las crisis del cielo y de la tierra?

O. *Shun* le preguntó a *Zheng*:

— ¿Se puede poseer el Principio?

— Ni siquiera posees tu cuerpo —dijo *Zheng*—; entonces, ¿cómo podrías poseer el Principio?

— Si no poseo mi cuerpo —dijo *Shun* sorprendido—, ¿de quién es entonces?

— Del cielo y la tierra, de los que forma parte —respondió *Zheng*—. Tu vida es un átomo de la armonía cósmica. Tu naturaleza y su destino son un átomo del acuerdo universal. Tus hijos y tus nietos no son tuyos, sino del gran conjunto del que son hijos. Caminas sin saber qué te empuja, te paras sin saber qué te arregla, comes sin saber cómo asimilas. Todo lo que eres es un efecto de la irresistible emanación cósmica. ¿Y qué tienes?

P. En el país de *Qi*, un tal *Guo* era muy rico. En el país de los *Song*, un tal *Xiang* era muy pobre. El pobre fue a preguntarle al rico cómo se había enriquecido.

—Robando —dijo el hombre rico—. Cuando empecé a robar, al cabo de un año tenía lo necesario, al cabo de dos años tenía la abundancia, al cabo de tres años había alcanzado la opulencia, y entonces me convertí en un hombre grande.

Entendiendo mal el término "robar", *Xiang* no le preguntó nada más. En el colmo de la alegría, se despidió e inmediatamente se puso a trabajar, trepando o perforando las paredes, agarrando todo lo que le convenía. Pronto fue arrestado, tuvo que renunciar a su botín, y volvió a perder lo poco que tenía antes, pero estaba feliz por haberse librado sin mayores problemas. Convencido de que *Guo* le había engañado, fue a reprocharle amargamente.

— ¿Cómo lo has hecho? —le preguntó *Guo*—, asombrado.

Cuando *Xiang* le habló de sus métodos, *Guo* dijo: — ¡Ah! pero no fue mediante ese tipo de robo que me hice rico. Yo, según los tiempos y las circunstancias, robé las riquezas del cielo y de la tierra, de la lluvia, de las montañas y de las llanuras. Me he apropiado de lo que han hecho crecer y madurar, de los animales salvajes de las praderas, de los peces y las tortugas de las aguas. Todo lo que tengo lo robé de la naturaleza, pero antes de que fuera de nadie; mientras que tú robaste lo que el cielo ya había dado a otros hombres.

Xiang se marchó descontento, convencido de que *Guo* lo seguía engañando. Se reunió con el maestro del suburbio oriental y le contó su caso.

— Sí —dijo este último—, toda apropiación es un robo. Incluso el ser, la vida, es un robo de una parte de la armonía del *yin* y el *yang*; cuánto más cualquier apropiación de un ser material es un robo a la naturaleza. Pero hay que distinguir entre hurto y robo. Robar a la naturaleza es el robo común que todo el mundo comete y que no se castiga. El robo a los demás es el robo privado que cometen los ladrones y que se castiga. Todos los hombres viven robando del cielo y de la tierra, sin ser ladrones.

Capítulo 2 - Simplicidad natural

A. Huang Di había reinado durante quince años, disfrutando de su popularidad, preocupándose por su salud, dando placer a sus sentidos, hasta el punto de estar demacrado. Cuando hubo reinado durante treinta años, realizando continuos esfuerzos intelectuales y físicos para organizar el imperio y mejorar la suerte del pueblo, se encontró aún más delgado y cansado. Entonces se dijo a sí mismo con un suspiro: debo haber exagerado. Si no soy capaz de hacerme el bien a mí mismo, ¿cómo podré hacer el bien a todos los seres?

Con ello, *Huang Di* abandonó las preocupaciones del gobierno, dejó el palacio, se deshizo de su séquito, se privó de toda música, se redujo a una dieta frugal y se confinó en un apartamento aislado, donde durante tres meses se dedicó únicamente a regular sus pensamientos y a contener su cuerpo. Durante esta reclusión, un día, durante la siesta, soñó que caminaba por el país de *Hua Xu*.

Este país está al oeste de *Yen Zhou*, al norte de *Tai Zhou*, a no sé cuántos miles de estadios de este país de *Qi*. No se puede ir allí, ni en barco ni en carro; sólo el vuelo del alma lo alcanza. En este país no hay ningún líder; todo funciona espontáneamente. La gente no tiene deseos ni lujuria, sino sólo su instinto natural. Nadie ama la vida, nadie teme la muerte; todos viven hasta el final. No hay amistades ni odios. No hay ganancias ni pérdidas. Sin intereses y sin miedos. El agua no los ahoga, el fuego no los quema. Ningún arma puede herirlos, ninguna mano puede dañarlos. Se elevan en el aire como si subieran escalones, y se tumban en el vacío como en una cama. Las nubes y las nieblas no interceptan su vista, el sonido del trueno no afecta a su oído, ninguna belleza, ninguna fealdad conmueve su corazón, ninguna altura, ninguna profundidad impide su curso. El vuelo del alma los lleva a todas partes.

Cuando se despertó, una luz de paz iluminó la mente del emperador. Llamó a sus principales ministros, *Tian Lao, Li Mu* y *Tai Shan Ji*, y les dijo:

— Durante tres meses de retiro, regulé mi mente y domé mi cuerpo, pensando en cómo podría gobernar sin cansarme. En el estado de vigilia no encontré la solución; me llegó mientras dormía. Ahora sé que el Principio Supremo no se alcanza mediante esfuerzos positivos (sino mediante la abstracción y la inacción). La luz se hace en mi mente, pero no puedo explicar mejor el asunto.

Después de este sueño, *Huang Di* reinó durante otros veintiocho años, (aplicando el método de dejar pasar todas las cosas). Así, el imperio se volvió muy próspero, casi tanto como el país de *Hua Xu*. Entonces el emperador subió a las alturas. Dos siglos después, el pueblo (que le echaba de menos) aún le recordaba.

B. El monte *Gu ye* está situado en la isla de *He Zhou*. Está habitada por hombres trascendentes, que no utilizan alimentos, sino que respiran el aire y beben el rocío.

Sus mentes son tan claras como el agua de manantial, su cutis tan fresco como el de una joven. Algunos están dotados de facultades extraordinarias, otros sólo son muy sabios, sin amor, sin miedo, viven tranquilos, sencillos, modestos, teniendo lo que necesitan sin necesidad de obtenerlo. Entre ellos, el *yin* y el *yang* están constantemente en armonía, el sol y la luna se iluminan sin interrupción, las cuatro estaciones son regulares, el viento y la lluvia llegan en el momento adecuado, la reproducción de los animales y la maduración de las cosechas son puntuales. No hay miasmas mortales, ni bestias malignas, ni fantasmas que provoquen enfermedad o muerte, ni apariciones o ruidos extraordinarios (fenómenos que siempre indican un defecto en el equilibrio cósmico).

C. *Lie Zi* aprendió de su maestro *Lao Shang*, y de su amigo *Bo Gao Zi*, el arte de cabalgar sobre el viento (paseos extáticos). Cuando *Yin Sheng* se enteró de esto, fue a quedarse con él, con la intención de aprender este arte de él, y asistió a sus éxtasis que le privaban de todo sentido durante un tiempo considerable. Varias veces pidió la receta, pero fue rechazado en todas las ocasiones. Insatisfecho, pidió su baja. *Lie Zi* no le respondió. *Yin Sheng* se fue. Pero, aún impulsado por el mismo deseo, al cabo de unos meses regresó a *Lie Zi*. Este último le preguntó:

— ¿Por qué te fuiste? ¿Por qué volviste?

Yin Sheng respondió:

— Rechazaste todas mis peticiones; me disgustaste y me marché; ahora que mi resentimiento se ha extinguido, he vuelto.

Lie Zi dijo:

— Creí que tenías un alma mejor que esta; ¿puede ser que te hayas hecho tan vil? Te diré cómo fui entrenado por mi maestro. Entré en su casa con un amigo. Pasé tres años enteros en su casa, ocupado en frenar mi corazón y mi boca, sin que me honrara con una sola mirada. A medida que avanzaba, después de cinco años me sonrió por primera vez. A medida que avanzaba, después de siete años me hizo sentarme en su estera. Tras nueve años de esfuerzo, finalmente perdí toda noción de sí y no, de ventaja y desventaja, de la superioridad de mi maestro y de la amistad de mi compañero. Entonces el uso específico de mis diversos sentidos fue sustituido por un sentido general; mi mente se condensó, mientras que mi cuerpo se enrareció; mis huesos y mi carne se licuaron (se eterizaron); perdí la sensación de que pesaba sobre mi asiento, de que me apoyaba en mis pies (levitación); finalmente, me fui, al capricho del viento, hacia el este, hacia el oeste, en todas las direcciones, como una hoja muerta arrastrada, sin darme cuenta de si era el viento el que me llevaba, o si era yo quien montaba el viento. Esto es lo que tuve que pasar para llegar al éxtasis. Y tú, que acabas de entrar en la casa de un maestro, que eres todavía tan imperfecto que te impacientas y te enfadas; tú, que empujas el aire y tienes un cuerpo tosco y pesado que la tierra debe sostener, ¿pretendes elevarte sobre el viento en el vacío?

Yin Sheng se retiró confuso, sin atreverse a responder nada.

D. *Lie Zi* le preguntó a *Guan Yin Zi*:

— El hombre superior pasa por donde no hay abertura, atraviesa el fuego sin quemarse, se eleva muy alto sin experimentar vértigo; dime, por favor, ¿cómo lo consigue?

— Conservando —dijo *Guan Yin Zi*—, su naturaleza perfectamente pura; no mediante ningún proceso erudito o ingenioso. Te lo explicaré. Todo lo que tiene forma, figura, sonido y color, todo eso son seres. ¿Por qué deberían oponerse estos seres? ¿Por qué debería haber otro orden entre ellos que la prioridad en el tiempo? ¿Por qué debería cesar su evolución con la deposición de su forma actual? Comprender esto a fondo es la verdadera ciencia. Quien haya comprendido esto, teniendo una base firme, abarcará toda la cadena de los seres, unificará sus poderes, fortalecerá su cuerpo, retraerá sus energías y se comunicará con la evolución universal. Su naturaleza conservará su perfecta integridad, su espíritu conservará su completa libertad, nada externo tendrá control sobre él. Si este hombre, en estado de embriaguez, se cae de un carro, no será herido mortalmente. Aunque sus huesos y articulaciones sean como los de otros hombres, el mismo traumatismo no tendrá el mismo efecto en él; porque su mente, al ser íntegra, protege su cuerpo. La inconsciencia actúa como una envoltura protectora. Nada puede apoderarse del cuerpo cuando la mente no se mueve. Ningún ser puede dañar al Sabio, envuelto en la integridad de su naturaleza, protegido por la libertad de su mente.

E. *Lie Zi* tensó el arco en presencia de *Bo Hun Wu Ren*, con una copa con agua atada a su codo izquierdo. Tensaba el arco al máximo, con la mano derecha, efectuaba el disparo, colocaba otra flecha, y volvía a disparar; y así, con la impasibilidad de una estatua, sin que el agua de la copa se tambaleara.

Bo Hun Wu Ren le dijo:

— Tu tiro es el tiro de un arquero completamente ocupado con su tiro (tiro artificial), no el tiro de un arquero indiferente a su tiro (tiro natural). Ven conmigo a alguna montaña alta, al borde de un precipicio, y veremos si aún conservas esa presencia de ánimo.

Los dos hombres lo hicieron. *Bo Hun Wu Ren* acampó al borde del precipicio, de espaldas a la sima, con los talones sobresaliendo en el vacío (nótese que el arquero debe inclinarse hacia atrás para poder disparar), luego saludó a *Lie Zi* según los ritos, antes de comenzar a disparar. Pero *Lie Zi*, mareado, ya estaba tirado en el suelo, con el sudor cayéndole hasta los talones. *Bo Hun Wu Ren* le dijo:

— El hombre superior hunde su mirada en las profundidades del cielo, en los abismos de la tierra, en la lejanía del horizonte, sin que su mente se conmueva. Me parece que tus ojos están demacrados, y que, si dispararas, no alcanzarías la meta.

F. Un miembro del clan *Fan*, llamado *Zi Hua*, muy ávido de popularidad, se había vinculado estrechamente con la gente del principado de *Jin*. El príncipe de *Jin* le había convertido en su favorito, y le escuchaba con más gusto que a sus ministros, repartiendo honores y reprimendas a su instigación. Los mendigos también hacían cola a la puerta de *Zi Hua*, y éste se divertía haciéndoles hacer alardes de ingenio ante él, e incluso les hacía pelear, sin molestarse lo más mínimo por los accidentes que ocurrían en estas justas. La moral pública del principado de *Jin* se vio afectada por estos excesos.

Un día *He Sheng* y *Zi Bo*, que regresaban de visitar a la familia *Fan*, pasaron la noche, a una jornada de distancia de la ciudad, en una posada regentada por un tal *Shang Qiu Kai* (un daoísta). Comentaron lo que acababan de ver. Este *Zi Hua*, decían, es todopoderoso; salva y pierde a quien quiere; enriquece o arruina a su antojo.

Shang Qiu Kai, que no podía dormir por el hambre y el frío, escuchó esta conversación a través del umbral. Al día siguiente, llevando algunas provisiones, fue a la ciudad y se presentó en la puerta de *Zi Hua*. Los que asediaban esta puerta eran todos gente de buena posición, ricamente vestidos y montados en carruajes, engreídos y arrogantes. Cuando vieron a este anciano, de rostro cetrino, mal vestido y mal peinado, todos lo miraron con desprecio, luego lo menospreciaron y finalmente se burlaron de él en todos los sentidos. Dijeran lo que dijeran, *Shang Qiu Kai* permanecía impasible, sonriendo prestándose a su juego con una sonrisa.

Mientras tanto, *Zi Hua*, habiendo llevado a toda la banda a una terraza alta, dijo:

— Le prometo cien onzas de oro a quien salte.

Los reidores de antes tenían miedo. *Shang Qiu Kai* saltó de inmediato, descendió suavemente como un pájaro volador y aterrizó en el suelo sin romperse ningún hueso.

— Esto es un efecto de la casualidad —dijo la banda.

Entonces *Zi Hua* los condujo a todos a la orilla del río, a un recodo que producía un profundo remolino.

— En este lugar —dijo—, en el mismo fondo, hay una perla rara; ¡quien la saque, puede quedarse con ella!

Shang Qiu Kai se sumergió de inmediato y sacó la rara perla del fondo del abismo. Entonces el grupo empezó a sospechar que se trataba de un ser extraordinario.

Zi Hua le hizo vestirse y se sentaron juntos a la mesa. De repente, se produjo un incendio en una tienda de la familia *Fan*.

— ¡Le daré —dijo *Zi Hua*— todo lo que pueda recuperar, a quien entre en este infierno.

Sin que su rostro se alterara, *Shang Qiu Kai* entró inmediatamente en el fuego y salió sin quemarse ni chamuscarse.

Convencidos por fin de que este hombre poseía dotes trascendentales, la banda se disculpó con él.

— No lo sabíamos —dijeron—, por eso te faltamos el respeto. No nos prestaste más atención que un sordo o un ciego, confirmando con este estoicismo tu trascendencia. Por favor, dinos tu fórmula.

— No tengo ninguna fórmula —dijo *Shang Qiu Kai*—. Voy como me lleva mi instinto natural, sin saber por qué ni cómo. He venido a verte, porque dos de mis anfitriones me hablaron de ti, la distancia no es grande. Creía perfectamente todo lo que me decías, y quería hacerlo, sin ningún motivo ulterior relacionado con mi persona. Por lo tanto, actué bajo el impulso de mi completo e indivisible instinto natural. Ningún ser se opone a quien actúa así (siendo esta acción en la dirección del movimiento cósmico). Si no me hubieras dicho esto, nunca habría sospechado que te estabas burlando de mí. Ahora que lo sé, estoy algo conmovido. En este estado, no me atrevería a enfrentarme al agua y al fuego como antes, porque no lo haría impunemente.

Después de esta lección, los clientes de la familia *Fan* ya no insultan a nadie. Bajan de sus carros para saludar incluso a los mendigos y veterinarios del camino.

Zai Wo le relató toda esta historia a Confucio.

— No hay duda al respecto —dijo este último—. ¿No sabes que un hombre que es absolutamente simple doblega a todos los seres por esta simplicidad, toca el cielo y la tierra, y propicia a los espíritus, de modo que en las seis regiones del espacio nada se le opone, nada le es hostil, y el fuego y el agua no le hacen daño? Si su simplicidad no ilustrada protegió a *Shang Qiu Kai*, ¿cuánto más me protegerá mi sabia rectitud? ¡Recuerda esto! (Revelación del jefe de la escuela).

G. El administrador de las tierras de pastoreo del emperador *Xuan* de la dinastía *Zhou*, tenía a su servicio a un empleado llamado *Liang Yang*, dotado de un extraordinario poder sobre los animales salvajes. Cuando entraba en su recinto para darles de comer, los más rebeldes, tigres, lobos, águilas pescadoras, se sometían obedientemente a su voz. Podía enfrentarse impunemente a ellos en las situaciones más críticas, durante el celo o el periodo de lactancia, o cuando había especies enemigas. Cuando el emperador se enteró de esto, creyó que estaba utilizando algún amuleto, y le ordenó al oficial *Mao Qiu Yuan* que lo investigara. *Liang Yang* dijo:

— Yo, un pequeño empleado, ¿cómo podría poseer un amuleto? Si poseyera uno, ¿cómo podría atreverse a ocultarlo al emperador? En pocas palabras, este es mi secreto: Todos los seres que tienen sangre en sus venas experimentan atracciones y repulsiones. Estas pasiones no se encienden espontáneamente, sino por la presencia de su objeto. Es en este principio en el que me baso en mi trato con las bestias feroces. Nunca le doy a mis tigres una presa viva, para no despertar su pasión por matar; ni una presa entera, para no excitar su apetito por desgarrar. Juzgo cuáles deben ser sus disposiciones, según el grado de hambre o saciedad. El tigre tiene esto en común con el hombre, que ama a los que lo alimentan y acarician, y sólo mata a los que lo provocan. Por lo tanto, procuro no irritar nunca a mis tigres, y me esfuerzo, por el contrario, en complacerlos. Esto es difícil para los hombres de temperamento inestable. Mi estado de ánimo es siempre el mismo. Felices conmigo, mis animales me miran como uno de los suyos. Olvidan, en mi zoológico, sus profundos bosques, sus vastos pantanos, sus montañas y valles. Es el simple efecto de un tratamiento racional.

H. *Yen Hui* le dijo a Confucio:

— Un día que cruzaba los rápidos de *Shang*, admiré la extraordinaria destreza del barquero, y le pregunté: ¿se puede aprender este arte? — Sí —dijo—. Cualquiera que sepa nadar puede aprenderlo. Un buen nadador lo aprende rápidamente.

Un buen buceador lo sabe sin haberlo aprendido. — No me atreví a decirle al barquero que no entendía su respuesta. Por favor, explícamelo.

— Ah —dijo Confucio—, te lo he dicho muchas veces con otras palabras, y todavía no lo entiendes. ¡Escucha y recuerda esta vez! Cualquiera que sepa nadar puede aprenderlo, porque no tiene miedo al agua. Un buen nadador lo aprende rápidamente, porque ni siquiera piensa en el agua. Un buen buceador lo sabe sin haberlo aprendido, porque el agua, al haberse desarrollado en su elemento, no le provoca la menor emoción. Nada obstaculiza el ejercicio de las facultades de alguien cuyo interior está libre de toda perturbación… Cuando la apuesta es un fragmento de cerámica, los jugadores están listos. Cuando se trata de dinero, se ponen nerviosos. Cuando es oro, pierden la cabeza. Siendo la habilidad adquirida la misma, son más o menos incapaces de desplegarla, el afecto de un objeto externo les distrae más o menos. Cualquier atención prestada a una cosa externa, perturba o altera el interior.

I. Un día que Confucio estaba admirando la cascada de *Lu Liang*, un salto de doscientos cuarenta pies, que produce un torrente que burbujea a lo largo de treinta estadios, tan rápido que ni el caimán ni la tortuga ni el pez pueden remontarlo, vio a un hombre nadando entre los remolinos. Creyendo que se trataba de un hombre desesperado que buscaba la muerte, le pidió a sus discípulos que bordearan la orilla, para que si se ponía a su alcance, pudieran sacarlo. Ahora, a unos cientos de pasos río abajo, este mismo hombre salió del agua, se desató el pelo para secarlo y comenzó a seguir la orilla, al pie de la presa, canturreando. Confucio se unió a él y le dijo:

— Cuando te vi nadando en este arroyo, pensé que querías acabar con tu vida. Entonces, al ver la facilidad con la que salías del agua, te tomé por un ser trascendente. Pero no, tú eres un hombre, de carne y hueso. Dime, por favor, la forma de jugar así en el agua.

— No conozco el modo —dijo el hombre—. Cuando empecé, me apliqué; con el tiempo, la cosa se me hizo fácil; finalmente lo hice de forma natural, inconscientemente. Me dejé absorber por el embudo central del remolino y luego fui arrojado por el remolino periférico. Sigo el movimiento del agua, sin hacer ningún movimiento. Eso es todo lo que puedo decirte al respecto.

J. Confucio se dirigía al reino de *Chu*. En un claro vio a un jorobado que derribaba cigarras voladoras, como si las atrapara con las manos.

— Eres muy inteligente —le dijo—, cuéntame tu secreto.

— Este es mi secreto –dijo el jorobado—. Practiqué durante cinco o seis meses, haciendo equilibrios con unas bolas sobre un palo. Cuando logré equilibrar dos de ellas, sólo se me escapaban unas pocas cigarras. Cuando logré equilibrar tres, sólo fallaba una de cada diez veces. Cuando logré balancear cinco bolas, atrapaba las cigarras al vuelo, con mi bastón, tan seguramente como con mi mano. Ni mi cuerpo, ni mi brazo, sienten ya ningún temblor nervioso espontáneo. Mi atención ya no se distrae con nada. En este inmenso universo lleno de tantos seres, sólo veo la cigarra a la que apunto, por lo que nunca la pierdo.

Confucio miró a sus discípulos y dijo:

— La concentración de la voluntad en un solo objeto produce una perfecta cooperación del cuerpo con la mente.

El jorobado, a su vez, le preguntó a Confucio:

— Pero tú, erudito, ¿con qué propósito me has preguntado esto? ¿Por qué preguntas sobre cosas que no son de tu incumbencia? ¿No tienes ninguna intención maliciosa?

Un joven que vivía junto al mar era muy aficionado a las gaviotas. Todas las mañanas se acercaba a la orilla del mar para saludarlas, y las gaviotas bajaban de a cientos para jugar con él. Un día el padre del joven le dijo:

— Ya que las gaviotas te son tan familiares, coge algunas y tráemelas, para que yo también pueda jugar con ellas.

Al día siguiente, el joven fue a la playa como de costumbre, pero con la secreta intención de obedecer a su padre. Su exterior traicionaba su interior. Las gaviotas desconfiaron. Jugaban en el aire por encima de su cabeza, pero ninguna bajó.

El mejor uso de la palabra es el silencio. La mejor acción es no actuar. Querer abarcar todo lo que es conocible, sólo produce una ciencia superficial.

K. Al frente de una marcha de cien mil personas, *Zhao Xiang Zi* estaba cazando en las montañas de *Zhung Shan*. Para expulsar a las fieras de sus guaridas, prendió fuego a la maleza. El resplandor del fuego era visible a cien estadios de distancia. En medio de este incendio, se vio a un hombre salir de una roca, revoloteando entre las llamas, jugando con el humo. Todos los espectadores juzgaron que sólo podía tratarse de un ser trascendente.

Cuando pasó el incendio, el hombre se acercó a ellos, como si no hubiera pasado nada. Sorprendido, *Zhao Xiang Zi* lo retuvo y lo examinó con tranquilidad. Era un hombre constituido como cualquier otro. Habiéndole preguntado *Zhao Xiang Zi* su secreto para penetrar en las rocas y permanecer en el fuego, este hombre dijo:

— ¿Qué es una roca? ¿Qué es el fuego?

Zhao Xiang Zi le respondió:

— Aquello de donde saliste es una roca; lo que atravesaste era el fuego.

— Ah —dijo el hombre—, no sabía nada de eso.

El marqués *Wen* de *Wei*, tras escuchar esta historia, le preguntó a *Zi Xia* qué pensaba de este hombre.

— He oído decir a mi maestro (Confucio) —dijo *Zi Xia*—, que quien ha alcanzado la unión perfecta con el cosmos ya no es dañado por ningún ser; que penetra en el metal y la piedra a voluntad; que camina a voluntad sobre el agua y el fuego.

— ¿Tu posees —preguntó el marqués— ese don?

— No —dijo *Zi Xia*—, pues aún no he logrado deshacerme de mi inteligencia y de mi voluntad; todavía soy sólo un discípulo.

— Y tu maestro Confucio, ¿posee este don?

— Sí—dijo *Zi Xia*—, pero no lo demuestra.

El marqués *Wen* se sintió edificado.

L. Un adivino muy trascendente, llamado *Ji Xian*, originario del principado de *Qi*, establecido en el de *Zheng*, siempre predecía las desgracias y la muerte, especificando el día exacto, de forma infalible. Así que los habitantes de *Zheng*, que no querían saber tanto, huían en cuanto lo veían acercarse.

Lie Zi fue a verle y se quedó asombrado de lo que vio y oyó. Cuando regresó, le dijo a su maestro *Hu Zi*:

— Hasta ahora he considerado su doctrina como la más perfecta, pero ahora he encontrado una superior.

Hu Zi dijo:

— Es que no conoces toda mi doctrina, habiendo recibido de mí sólo la enseñanza exotérica, y no la esotérica. Tus conocimientos se parecen a los huevos que ponen las gallinas sin gallo; falta lo esencial (el germen). Y luego, cuando uno discute, debe tener una fe firme en su opinión, de lo contrario, si uno vacila, el oponente notará su debilidad. Esto es lo que te debe de haber pasado. Te habrás traicionado a ti mismo, y habrás confundido el don natural de *Ji Xian* con la adivinación trascendental. Tráeme a este hombre, y verás como sigue el experimento.

Al día siguiente, *Lie Zi* llevó al adivino a casa de *Hu Zi*, con el pretexto de una consulta médica. Cuando salió, el adivino le dijo a *Lie Zi*:

— ¡Ay! Tu maestro es un hombre muerto. Su vida acabará en unos días. Cuando lo examiné tuve una extraña visión, como de cenizas húmedas, un presagio de muerte.

Cuando despidió al adivino, *Lie Zi* regresó llorando e informó a *Hu Zi* de lo que le acababan de contar. *Hu Zi* dijo:

— Es que me manifesté a él bajo la figura de una tierra inerte y estéril, con todas mis energías detenidas (aspecto que el vulgo presenta sólo en las proximidades de la muerte, pero que el contemplativo presenta a voluntad). Eso lo bloqueó. Tráelo en otra ocasión y verás lo que pasa.

Al día siguiente, *Lie Zi* trajo de vuelta al adivino. Cuando salió, le dijo a *Lie Zi*:

— Es una suerte que tu maestro haya acudido a mí; ya hay una mejora; las cenizas están reviviendo; he visto signos de energía vital.

Lie Zi informó de estas palabras a *Hu Zi*, quien dijo:

— Es que me manifesté a él bajo el aspecto de una tierra fecundada por el cielo, la energía que surge de las profundidades bajo el influjo de lo alto. Vio bien, pero interpretó mal, (tomando por natural el resultado de su contemplación). Tráelo de nuevo, para que podamos continuar el experimento.

Al día siguiente, *Lie Zi* trajo de vuelta al adivino. Después de haber hecho su examen, le dijo:

— Hoy he encontrado a tu señor con un aspecto vago e indeterminado, del que no puedo extraer ningún pronóstico; cuando su estado se defina más claramente, podré decirte de qué se trata.

Lie Zi informó de estas palabras a *Hu Zi*, quien dijo:

— Es que me manifesté a él en la figura del gran caos aún no diferenciado, con todos mis poderes en estado de equilibrio neutro. De hecho, no pudo sacar nada en claro de esta figura. Un remolino en el agua puede ser causado igualmente por el retozo de un monstruo marino, por un arrecife, por la fuerza de la corriente, por un chorro, por una cascada, por la unión de dos arroyos, por una presa, por una desviación o por la rotura de un dique; efecto idéntico de nueve causas distintas (por lo tanto es imposible inferir directamente del remolino la naturaleza de su causa; es necesario que un examen posterior determine ésta). Tráelo una vez más y verás lo que pasa.

Al día siguiente, el adivino volvió, se detuvo sólo un momento frente a *Hu Zi*, no entendió nada, perdió los nervios y huyó.

— Corre tras él —dijo *Hu Zi*.

Lie Zi obedeció, pero no pudo alcanzarlo.

— No volverá —dijo *Hu Zi*—. Es porque me manifesté como surgiendo del principio primordial antes del tiempo, un movimiento en el vacío sin forma aparente, un hervidero de poder inerte. Esto fue demasiado para él, así que huyó.

Al ver que aún no entendía nada de la doctrina esotérica de su maestro, *Lie Zi* se recluyó en su casa durante tres años consecutivos. Cocinaba para su mujer, servía a los cerdos como si fueran hombres (para destruir los prejuicios humanos en su interior). Perdió el interés por todo. Abandonó todo lo que había en él de cultura artificial, volviendo a la primitiva simplicidad natural. Se volvió tan burdo como un terrón de tierra, ajeno a todos los acontecimientos y accidentes, y así permaneció concentrado en uno hasta el final de sus días.

M. Cuando el maestro *Lie Zi* se dirigía a *Qi*, de repente volvió sobre sus pasos. *Bo Hun Wu Ren*, a quien conocía, le preguntó:

— ¿Por qué regresas de esta manera?

— Porque tengo miedo —dijo *Lie Zi*.

— ¿Miedo a qué? —preguntó *Bo Hun Wu Ren*.

— He estado en diez restaurantes —dijo *Lie Zi*—, y cinco veces me han servido primero. Mi perfección interior debe haber sido perceptible para esas personas, para que atendieran a clientes más ricos o mayores que yo después de mí. Por eso temía que si llegaba hasta la capital de *Qi*, conociendo también mi mérito, el príncipe descargaría sobre mis hombros el gobierno que tanto lo agobia.

— Esto está bien pensado —dijo *Bo Hun Wu Ren*—. Has escapado de un patrón principesco; pero me temo que pronto tendrás amos en casa.

Algún tiempo después, *Bo Hun Wu Ren* fue a visitar a *Lie Zi* y vio varios zapatos delante de su puerta (un indicio de la presencia de muchos visitantes). Al detenerse en el patio, pensó durante mucho tiempo, con la barbilla apoyada en el extremo de su bastón, y luego se marchó sin decir una palabra. Sin embargo, el portero había advertido a *Lie Zi*. Este último cogió rápidamente sus sandalias y, sin tomarse el tiempo de ponérselas, corrió tras su amigo. Cuando lo alcanzó en la puerta exterior, le dijo:

— ¿Por qué te vas así, sin dejarme ningún consejo útil?

— ¿De qué serviría ahora? —dijo *Bo Hun Wu Ren*—. ¿No te lo he dicho? Ahora tienes patrones en tu casa. Sin duda tu no los atrajiste, pero tampoco supiste repelerlos. ¿Qué influencia tendrás sobre ellos ahora? Sólo se puede influir a alguien si se mantiene la distancia. No puedes decir nada a los que te han conquistado. Aquellos con los que estás conectado, no puedes rechazarlos. Las palabras de la gente vulgar son venenosas para el hombre perfecto. ¿De qué sirve conversar con gente que no oye ni entiende?

N. *Yang Zhu* estaba yendo a *Pei* y *Lao Zi* iba a *Qin*. Los dos se encontraron en *Liang*. Al ver a *Yang Zhu*, *Lao Zi* levantó los ojos al cielo y dijo con un suspiro:
— Esperaba poder instruirte, pero veo que no hay manera.
Yang Zhu no respondió nada. Cuando los dos viajeros llegaron a la posada en la que iban a pasar la noche, *Yang Zhu* llevó primero todos los artículos de aseo necesarios. Entonces, cuando *Lao Zi* se instaló en su habitación, habiendo dejado sus zapatos en la puerta, *Yang Zhu* entró caminando de rodillas y le dijo a *Lao Zi*:
— No entendí lo que dijiste de mí, mirando al cielo y suspirando. Como no quería retrasar tu jornada, no te pedí explicaciones entonces. Pero ahora que estás libre, por favor, explícame el significado de tus palabras.
— Tú tienes —dijo *Lao Zi*—, un aire altivo que repele; mientras que el Sabio parece confundido, por más intachable que sea, y se considera inadecuado, por más perfecto que sea.
— Tu lección me servirá mucho —dijo *Yang Zhu*, muy mortificado.
Aquella misma noche *Yang Zhu* se humilló tanto que el personal de la posada, que le había atendido con respeto por la noche cuando llegó, ya no le respetó por la mañana cuando se marchó (en China, el respeto de los sirvientes es proporcional a la altivez del viajero).

O. *Yang Zhu*, de paso por el principado de *Song*, recibió hospitalidad en un hotel. El posadero tenía dos mujeres, una hermosa y otra fea. La fea era amada, la bella era odiada.
— ¿Por qué? —preguntó *Yang Zhu* a un pequeño sirviente.
— Porque —dijo el niño— la mujer hermosa siempre exhibe su belleza, lo que la hace desagradable para nosotros; mientras que la mujer fea sabe que es fea, lo que nos hace olvidar su fealdad.
— ¡Recordad esto, discípulos! —dijo *Yang Zhu*—. Ser sabio, pero no hacerse pasar por sabio; ese es el secreto para ser amado en todas partes.

P. Hay, en este mundo, solo hay dos caminos; el de la subordinación, la deferencia; y el de la insubordinación, la arrogancia. Sus partidarios han sido definidos por los antiguos de esta manera: los arrogantes sólo sienten simpatía por los que son más pequeños que ellos, los deferentes también aman a los que son superiores a ellos. La arrogancia es peligrosa, porque atrae a los enemigos; la deferencia es segura, porque sólo consigue amigos. Todo es exitoso para el deferente, tanto en la vida privada como en la pública; mientras que el arrogante sólo obtiene fracasos. Por lo tanto, *Yu Zi* dijo que el poder siempre debe ser atemperado por la condescendencia; porque es la condescendencia la que hace que el poder sea duradero; y que esta regla hace posible predecir con certeza si un individuo o un Estado en particular prosperará o fracasará. La fuerza no es sólida, mientras que nada iguala la solidez de la dulzura. Por eso *Lao Dan* dijo: "El poder de un estado lo lleva a la ruina, como la grandeza de un árbol llama al hacha. La debilidad trae la vida, la fuerza trae la muerte".

Q. El hombre sabio se alía con los que tienen los mismos sentimientos internos que él, el hombre vulgar se alía con los que le agradan por su exterior. Ahora bien, en un cuerpo humano puede estar escondido un corazón de bestia; un cuerpo de bestia puede contener un corazón humano. En ambos casos, juzgar por el exterior será engañoso.

Fu Xi, Nü Gua, Shen Nong, Yu el Grande, tenían una cabeza humana sobre un cuerpo de serpiente, o una cabeza de buey, o un hocico de tigre; pero, bajo estas formas animales, eran grandes Sabios. Mientras que *Jie* el último de los *Xias, Zhou* el último de los *Yin*, el duque *Huan* de *Lu*, y el duque *Mu* de *Chu*, eran bestias con forma humana. — Cuando *Huang Di* luchó contra *Yen Di* en la llanura de *Fan Quan*, bestias feroces formaban su frente de batalla y aves de rapiña eran su infantería ligera. Había unido estos animales a sí mismo por su ascendencia. — Cuando *Yao* puso a *Kui* a cargo de la música, los animales vinieron corriendo y bailando, encantados por los tonos musicales.

¿Puede decirse, después de esto, que hay alguna diferencia esencial entre los animales y los hombres? No cabe duda de que sus formas y lenguajes difieren de los de los hombres, pero ¿no hay forma de llevarse bien con ellos a pesar de ello? Los mencionados Sabios, que lo sabían todo y extendían su preocupación a todos, también sabían cómo ganarse a los animales. Hay mucho en común entre los instintos de los animales y los hábitos de los hombres. También ellos viven en pareja, los padres aman a sus hijos. Ellos también buscan lugares seguros para vivir. También prefieren las regiones templadas a las frías. Ellos también se reúnen en grupos, caminan en orden, los pequeños en el centro, los grandes alrededor. Ellos también se indican unos a otros los lugares adecuados para beber o pastar. — En los primeros tiempos, los animales y los hombres vivían y viajaban juntos. Cuando los hombres se dieron emperadores y reyes, surgió la desconfianza y eso provocó la separación. Más tarde, el miedo alejó a los animales cada vez más del hombre. Sin embargo, incluso ahora, la distancia no es insalvable. En el Este, entre los *Jie* la gente todavía entiende su lenguaje, al menos de los animales domésticos. Los antiguos Sabios comprendían el lenguaje y penetraban en los sentimientos de todos los seres, y se comunicaban con todos como con su pueblo humano, tanto con los *Kui, Shen, Li,* y *Mei* (seres trascendentes), como con las aves, los cuadrúpedos y los insectos. Partiendo del principio de que los sentimientos de los seres que tienen la misma sangre y respiran el mismo aire no pueden diferir mucho, trataban a los animales como a los humanos, con éxito.

Un criador de monos del principado de *Song* había conseguido entender a los monos y hacerse entender por ellos. Los trataba mejor que a los miembros de su familia, sin negarles nada. Sin embargo, cayó en apuros. Obligado a racionar a sus monos, se le ocurrió la siguiente manera de hacer que aceptaran el racionamiento.

— A partir de ahora, les dijo, tendréis cada uno tres raíces de taro por la maña-na y cuatro por la tarde; ¿está bien?

Todos los monos se levantaron, muy enfadados. Entonces les dijo:

— A partir de ahora, cada uno de vosotros tendrá cuatro raíces de taro por la mañana y tres por la tarde; ¿os parece bien?

Satisfechos de que su descontento había sido tenido en cuenta, todos los monos volvieron a la cama, muy contentos… Así es como se ganan los animales. El Sabio vence a los humanos tontos de la misma manera. No importa que los medios utili-zados sean reales o aparentes; siempre que se consiga satisfacer, no irritar[7].

Otro ejemplo de la estrecha analogía entre los animales y los hombres: *Ji Xing Zi* entrenó a un gallo de pelea para el emperador *Xuan* de los *Zhou*. Al cabo de diez días, cuando le preguntaron por él, dijo:

— Todavía no está en condiciones de luchar; aún es vanidoso y testarudo.

Diez días después, al ser interrogado de nuevo, respondió:

— Todavía no; aún responde al cacareo de otros gallos.

Diez días después dijo:

— Todavía no; aún está nervioso y apasionado.

Diez días después dijo:

— Ahora está listo; ya no presta atención al cacareo de sus compañeros; no se conmueve, a la vista de ellos más que si fuera de madera. Todas sus energías están unificadas. Ningún otro gallo podrá enfrentarlo.

R. Cuando *Hui Ang*, pariente de *Hui Shu*, y sofista como él, se presentó frente al rey *Kang* de *Song*, éste tropezó y tosió con impaciencia al verle, y le dijo volu-blemente

— Amo la fuerza y la valentía; la bondad y la equidad son temas que no me dicen nada; estás avisado; ahora dime lo que tengas que contarme.

— Uno de mis temas favoritos es explicar por qué los golpes de los valientes y los fuertes a veces quedan sin efecto —dijo *Hui Ang*—; ¿te gustaría escuchar este discurso?

— Lo escucharé gustosamente —dijo el rey.

— Quedan sin efecto —dijo el sofista— cuando no los ejecutan. ¿Y por qué no los ejecutan? Ya sea porque no se atreven o porque no quieren. Este es otro de mis temas favoritos… Digamos que es porque no quieren. ¿Por qué no quieren hacer-lo? Porque no habrá ningún beneficio. Ese es otro de mis temas favoritos… Ahora bien, supongamos que hubiera una forma de obtener todas las ventajas, de ganarse el corazón de todos los hombres y mujeres del imperio, de estar a salvo de todos los problemas, ¿no te gustaría saber cuál es esa forma?

— ¡Oh, sí! —dijo el rey.

— Bien —dijo el sofista— es la doctrina de Confucio y *Mo Zi*, de la que no quisisteis oír hablar antes. Confucio y *Mo Zi*, esos dos príncipes sin tierra, esos

---

7   Compárese el capítulo 2 C de *Zhuang Zhou*, una aplicación algo diferente del mismo tema.

nobles sin títulos, son la alegría y el orgullo de los hombres y mujeres de todo el imperio. Si tú, príncipe, que tienes tierras y títulos, abrazas la doctrina de estos dos hombres, todos se entregarán a ti, y llegarás a ser más famoso que ellos, teniendo además poder[8].

El Rey de los *Song* no supo como responderle. *Hui Ang* salió triunfante. Ya estaba lejos, cuando el rey de los *Song* le dijo a sus cortesanos:

— ¡Pero digan algo! ¡Este hombre me ha dejado sin palabras!

CAPÍTULO 3[9] - ESTADOS PSÍQUICOS

A. En la época del emperador *Mu* de los *Zhou*, llegó a la corte de este emperador un mago de un país situado en el lejano oeste. Este hombre entraba impunemente en el agua y en el fuego, atravesaba el metal y la piedra, hacía que los torrentes volvieran a su fuente, cambiaba la ubicación de las murallas de las ciudades, se sostenía en el aire sin caer, penetraba en los sólidos sin resistencia, adoptaba todas las formas a voluntad, mantenía su inteligencia humana en la forma de un objeto inanimado, etc. El emperador *Mu* lo adoraba como a un genio, le servía como a su amo y le daba lo mejor de su riqueza en cuanto a alojamiento, comida y mujeres. Sin embargo, el mago encontró el palacio imperial inhabitable, la cocina imperial incomible y las mujeres del harén indignas de su afecto. Así que el emperador hizo construir un palacio especial para él. Los materiales y la mano de obra fueron exquisitos. Los costes agotaron el tesoro imperial. El edificio terminado se elevó a una altura ocho mil pies. Cuando el emperador lo dedicó, lo calificó como una torre que toca el cielo. Lo pobló con personas elegidas, llamadas de los principados de *Zheng* y *Wei*. Instaló allí baños y un harén. Acumulaba objetos preciosos, telas finas, maquillaje, perfumes y baratijas. Hizo que se interpretaran allí las sinfonías más famosas. Cada mes ofrecía un suministro de ropas magníficas, cada día una profusión de comida exquisita... Nada de esto tuvo efecto alguno. El mago no encontró nada de su gusto, vivía en su nueva casa sin disfrutarla y se ausentaba con frecuencia.

Un día, durante una fiesta, el mago le dijo al emperador:

— Ven conmigo.

El emperador agarró la manga del mago, que inmediatamente lo elevó al espacio, al palacio de los hombres trascendentes, situado en medio del cielo. Este palacio estaba hecho de oro y plata, adornado con perlas y jade, más alto que la región del nimbo lluvioso, sin cimientos aparentes, flotando en el espacio como una nube. En este mundo supra-terrenal, las vistas, las armonías, los olores, los sabores, nada era como en el mundo de los hombres. El emperador comprendió que estaba en la ciudad del Soberano celestial. Visto desde arriba, su palacio terrenal le parecía un

---

8   *Hui Ang* no era un discípulo de Confucio. Pero el triunfo de los sofistas consistía en poner a su adversario en un punto donde es imposible defender su propia tesis. Habiendo declarado de antemano, el Rey de los *Song*, que le disgustaba el confucianismo, *Hui Ang* le demuestra, sin creerlo él mismo, que es la mejor de las doctrinas.

9   Realidad, memoria, imaginación, sueño, éxtasis, locura, etc.

diminuto montón de terrones y ramitas. Se habría quedado allí durante años, sin acordarse de su imperio; pero el mago le invitó a seguirle más arriba... Esta vez lo llevó aún más arriba, más allá del sol y la luna, fuera de la vista de la tierra y el mar, dentro de una luz cegadora, una armonía ensordecedora. Presa del terror y el vértigo, el emperador pidió bajar. El descenso se realizó con la velocidad de una aerolito cayendo en el vacío.

Cuando volvió en sí, el emperador se encontró sentado en su silla, rodeado de sus cortesanos, con la copa a medio llenar y el guiso a medio comer.

— ¿Qué me ha pasado? —preguntó a su entorno.

— Parece que usted se recogió en sí mismo por momento —dijo su gente.

El emperador sintió que había estado fuera por lo menos tres meses.

— ¿Qué fue esto? —le preguntó al mago.

— Oh, nada sería más simple —dijo este último—. Elevé tu espíritu. Tu cuerpo no se movió. O mejor dicho, ni siquiera moví tu espíritu. Todas las distinciones, de lugar y tiempo, son ilusorias. La representación mental de todas las posibilidades se realiza sin movimiento y abstraída del tiempo.

Es de este episodio, que data el disgusto del emperador *Mu* por el gobierno de su imperio, por los placeres de su corte, y su gusto por los paseos. Fue entonces cuando, con sus ocho famosos caballos, todos de diferente pelaje, con *Zao Fu* como conductor de su carro, *Qi He* sirviendo como su escudero, *Shen Bai* conduciendo el carromato con *Ben Rong* como su ayudante, emprendió su famoso viaje a través de las fronteras occidentales. Tras recorrer mil estadios, llegó a la tribu de los *Ju Sou*, que le ofrecieron sangre de cisne para que la bebiera y le lavaron los pies con *kumis* (dos fortificadores). La noche siguiente la pasaron a orillas del arroyo rojo. Al amanecer, el emperador subió al monte *Kun Lun*, visitó el antiguo palacio de *Huang Di* y erigió un mojón en recuerdo de su paso. Luego visitó a *Xi Wang Mu*[10], y fue agasajado por él (o ella) cerca del lago verde. Intercambiaron brindis, y el emperador no ocultó que le dolía tener que volver. Tras contemplar el lugar donde el sol se pone al final de su viaje diurno de diez mil estadios, se dirigió de nuevo hacia el imperio. En definitiva, volvió desilusionado, sin haber encontrado nada parecido a su visión.

— La posteridad dirá de mí que he sacrificado el deber al placer.

Y, en efecto, habiendo buscado sólo la felicidad presente, no fue un buen emperador, ni llegó a alcanzar la perfección espiritual, sino que sólo consiguió vivir una larga vida, y murió a los cien años.

B. *Lao Cheng Zi* entró en la escuela del maestro *Yin Wen* (*Guan Yin Zi*), para aprender de él el secreto de la fantasmagoría universal. Durante tres años enteros su maestro no le enseñó nada. *Lao Cheng Zi* atribuía esa frialdad a que su maestro lo juzgaba poco capaz y le ofreció retirarse. El maestro *Yin Wen*, tras saludarle (una muestra de extraordinaria estima), le condujo a su habitación, y allí, sin testigos (para divulgar en secreto el conocimiento esotérico), le dijo

---

10   Probablemente un rey, del que la leyenda ha hecho una mujer. Quizás hacia el Pamir.

— Una vez, cuando *Lao Dan* fue a Occidente[11], me resumió su doctrina con estas palabras: "El espíritu vital, y el cuerpo material, son fantasmagorías. Los términos vida y muerte designan la génesis inicial de un ser por la acción de la virtud generadora, y su transformación final por la influencia de los agentes naturales. La sucesión de estas génesis, de estas transformaciones, cuando el número es pleno, bajo la influencia del motor universal, es fantasmagoría. El primer Principio de los seres es demasiado misterioso, demasiado profundo, para ser descifrado. Sólo podemos estudiar el devenir y el cesar del cuerpo, que son visibles y manifiestos. Comprender que la evolución cósmica consiste prácticamente en la sucesión de los dos estados de vida y muerte es la clave de la inteligencia de la fantasmagoría. Estamos sujetos a esta vicisitud, tú y yo, y podemos ver sus efectos en nosotros mismos".

Después de recibir esta instrucción, *Lao Cheng Zi* regresó a su casa, meditó sobre ella durante tres meses y encontró el secreto del misterio, de modo que se convirtió en maestro de la vida y la muerte, podía cambiar las estaciones a voluntad, producir tormentas en invierno y hielo en verano, transformar las aves en cuadrúpedos y viceversa. No enseñó a nadie la fórmula, que nadie ha encontrado desde entonces, Además, dice *Lie Zi*, para aquellos que poseen la ciencia de las transformaciones, sería mejor mantenerla en secreto, es mejor no usarla. Los antiguos soberanos no debían su fama a extraordinarias muestras de ciencia o valor. Se les agradecía haber actuado por el bien de la humanidad sin ostentación.

C. La aplicación de la mente tiene ocho efectos, a saber: la deliberación, la acción, el éxito, el fracaso, la tristeza, la alegría, la vida y la muerte; todos ellos relacionados con el cuerpo. La abstracción de la mente tiene seis causas, a saber: la voluntad, la aversión, el pensamiento intenso, el sueño, el arrebato y el terror; todas ellas son de la mente[12]. Los que no conocen el origen natural de las emociones, se preocupan por su causa, cuando han experimentado una. Los que saben que el origen de las emociones es natural, no se preocupan por ello, ya que conocen la causa. Todo en el cuerpo de un ser, la plenitud y el vacío, el gasto y el aumento, todo está en armonía, en equilibrio, con el estado del cielo y de la tierra, con todos los seres que habitan el cosmos. Un predominio de *yin*, hace soñar con vadear el agua, con una sensación de frescura. Un predominio de *yang* hace que se sueñe con cruzar el fuego, con una sensación de ardor. Un exceso simultáneo de *yin* y *yang* hace soñar con peligros y riesgos, con esperanza y con miedo. En el estado de saciedad, se sueña con dar; en el estado de ayuno, se sueña con tomar. Los espíritus ligeros sueñan que se elevan en el aire, los espíritus solemnes sueñan que se hunden en el agua. Irse a la cama ceñido con un cinturón hace que uno sueñe con serpientes; la visión de pájaros con pelo hace que uno sueñe con volar. Antes de un duelo, se sueña con fuego; antes de una enfermedad, se sueña con comer. Después de beber mucho, uno tiene sueños tristes; después de bailar demasiado, uno llora en sueños.

---

11   Si es auténtico, es el texto más antiguo que habla de esta salida.
12   Compárese el Ritual de los *Tcheou*, libro 24.

Lie Zi dijo:

— El sueño es un encuentro realizado por la mente; la realidad (percepción objetiva) es un contacto con el cuerpo. Los pensamientos diurnos y los sueños nocturnos también son impresiones. Por eso, los que tienen la mente sana, piensan y sueñan poco, y dan poca importancia a sus pensamientos y sueños. Saben que tanto el pensamiento como el sueño no tienen la realidad que aparentan, sino que son reflejos de la fantasmagoría cósmica. Los antiguos sabios pensaban poco cuando estaban despiertos, soñaban poco cuando estaban dormidos, y no hablaban ni de sus pensamientos ni de sus sueños, porque creían tan poco en los unos como en los otros. En la esquina suroeste de la tierra cuadrada hay un país cuyas fronteras desconozco. Se llama *Gu Mang*. Las alternancias del *yin* y el *yang* no se sienten allí, por lo que no tiene estaciones; el sol y la luna no lo iluminan, por lo que no tiene días ni noches. Sus habitantes no comen ni se visten. Duermen casi continuamente y sólo se despiertan una vez cada cincuenta días. Mantienen como realidad lo que han experimentado durante el sueño, y como ilusión lo que han vivido en el estado de vigilia. — En el centro de la tierra y de los cuatro mares se encuentra el reino central (China), asentado sobre el río Amarillo, que se extiende desde el país de *Yue* hasta el monte *Tai Shan*, con una anchura este-oeste de más de diez mil estadios. La alternancia del *yin* y el *yang* produce estaciones frías y calientes, la alternancia de la luz y la oscuridad produce días y noches. Entre sus habitantes, hay sabios y tontos. Sus productos naturales e industriales son numerosos y variados. Tiene sus príncipes y funcionarios, sus ritos y leyes. Se habla y se actúa mucho. Los hombres miran y duermen allí por turnos, teniendo como real lo que han experimentado en el estado de vigilia, y como vano lo que han experimentado en el estado de sueño. En la esquina noreste de la tierra cuadrada se encuentra el país de *Fu Lao*, cuyo suelo está constantemente abrasado por los rayos del sol y no produce grano. Se alimentan de raíces y frutos que comen crudos. Son brutales y valoran más la fuerza que la justicia. Están casi constantemente en movimiento, rara vez descansan. Están despiertos la mayor parte del tiempo y duermen poco. Toman como real lo que han experimentado en el estado de vigilia.

D. Un tal *Yin*, oficial de los *Zhou*, vivía lujosamente. Sus sirvientes no tenían descanso desde el amanecer hasta la noche. Un viejo sirviente, maltrecho y enfermo, no era menos maltratado que los demás. Ahora, después de trabajar duro todo el día, cada noche este hombre soñaba que era un príncipe, sentado en un trono, gobernando un país, disfrutando de todos los placeres. Cuando se despertaba, encontraba que era un sirviente, y trabajaba como tal durante todo el día. Cuando sus amigos lo compadecían, él les decía:

— No soy tan digno de lástima. La vida de los hombres se divide por igual en el día y la noche. Durante el día soy un criado y trabajo; pero por la noche soy un príncipe y me divierto mucho. Lo paso bien la mitad del día; ¿por qué iba a quejarme?

Sin embargo, el amo de este criado, después de un día de placer, soñaba cada noche que era un criado, sobrecargado de trabajo, regañado y castigado. Se lo contó a un amigo. Este último le dijo:

— Debe ser que excedes, durante el día, el la cantidad de placeres que el destino te ha asignado; el destino compensa esto con el sufrimiento de tus noches.

El oficial creyó a su amigo, moderó su lujo, trató mejor a su gente y salió bien parado (Como resultado, el viejo ayuda de cámara también perdió su placer nocturno, que el destino le había asignado en compensación por el exceso de su fatiga diurna).

E. Un leñador de *Zheng* que estaba recogiendo leña, se encontró con un ciervo extraviado, al que mató y escondió en una zanja bajo unas ramas, con la intención de volver y llevárselo en secreto. Cuando no pudo encontrar el lugar, pensó que había estado soñando, y contó la historia. Uno de sus oyentes, siguiendo sus instrucciones, encontró el ciervo y se lo llevó a casa. — El sueño de este leñador era real —dijo a la gente de su casa—. Real para ti —le respondieron—, ya que eras quien consiguió el ciervo.

Sin embargo, la noche siguiente, el leñador tuvo una revelación en su sueño de que su ciervo había sido encontrado por cierta persona, que lo había escondido en su casa. Cuando fue allí por la mañana temprano, descubrió el ciervo y acusó a fulano ante el jefe de la aldea. Este último le dijo al leñador:

— Si mataste a este ciervo estando despierto, ¿por qué dijiste que lo habías matado en un sueño? Si matas un ciervo en un sueño, no puede ser el ciervo real. Por lo tanto, como él no discute que tu mataste al animal, no puedo adjudicárselo. Por otro lado, ya que tu adversario lo encontró a partir de las indicaciones de tu sueño, y tú lo encontraste como resultado de otro sueño, compártanlo entre los dos.

El juicio del jefe de la aldea fue puesto en conocimiento del príncipe de *Zheng*, quien lo remitió a su ministro para que lo examinara. El ministro dijo:

— Sólo *Huang Di* y Confucio están capacitados para decidir qué es un sueño y qué no lo es, y cuál es la ley en materia de sueños. Como en la actualidad no tenemos a ninguno de ellos para decidir esta disputa, creo que debemos aceptar el laudo arbitral del jefe de la aldea.

F. En *Yang Li*, en el principado de *Song*, un cierto *Hua Zi* de mediana edad sufrió una enfermedad que le quitó completamente la memoria. Ya no recordaba por la noche si había hecho tal o cual compra por la mañana; al día siguiente no sabía si había hecho uno u otro gasto el día anterior. Fuera de su casa, se olvidaba de caminar, en su casa, no pensaba en sentarse. Todo recuerdo del pasado se desvanecía para él gradualmente.

Un erudito del principado de *Lu* se ofreció a tratar este caso de amnesia. La familia de *Hua Zi* le prometió la mitad de su fortuna si tenía éxito. Dijo el académico:

— Contra esta enfermedad, los conjuros, las oraciones, los medicamentos y la acupuntura, no surten efecto. Sólo se curará si consigo reformar su mente.

Tras observar experimentalmente que el paciente seguía pidiendo ropa cuando estaba desnudo, comida cuando tenía hambre y luz cuando estaba oscuro, dijo a la familia:

— Hay esperanza de recuperación. Pero mi procedimiento es secreto; no lo comunicaré a nadie.

Entonces se encerró a solas con el paciente, que, al cabo de siete días, se curó de esa amnesia de muchos años. Pero, ¡oh sorpresa! en cuanto recuperó la memoria, *Hua Zi* se enfadó mucho, hizo sangrientos reproches a su familia, tomó una lanza y puso en fuga al erudito.

Lo agarraron y le preguntaron el motivo de esa furia.

— ¡Ah! —dijo—- era tan feliz, cuando ni siquiera sabía si hay un cielo y una tierra! Ahora tendré que volver a grabar en mi memoria los éxitos y los fracasos, las alegrías y las penas, lo bueno y lo malo del pasado, y preocuparme por ellos para el futuro. ¿Quién me devolverá, aunque sea por un momento, la felicidad de la inconsciencia?

Cuando *Zi Gong* escuchó esta historia, se sorprendió mucho y pidió a Confucio una explicación.

— Tú no eres capaz de entender esto (una mente demasiado práctica), dijo Confucio; *Yen Hui* (el contemplativo abstracto) lo entenderá mejor.

G. Un cierto *Pang* del principado de *Qin* tenía un hijo. Cuando era muy joven, este niño parecía inteligente. Pero cuando creció, su mentalidad se volvió muy extraña. El canto le hacía llorar, el blanco le parecía negro, los perfumes le parecían apestosos, el azúcar amargo, el mal bueno. En una palabra, en los pensamientos y las cosas, en todo y para todo, era lo contrario de los demás hombres.

Un tal *Yang* le dijo a su padre:

— Este caso es bastante extraordinario, pero los eruditos de *Lu* son muy doctos; pídeles consejo.

Por ello, el padre del desequilibrado acudió a *Lu*. Al pasar por *Chen*, se encontró con *Lao Dan* y le contó el caso de su hijo. *Lao Dan* le respondió:

— ¿Es por esto que crees que está loco? Pero los hombres de esta época son todos así. Todos toman el mal por el bien, manteniendo su beneficio como norma de la moral. La enfermedad de tu hijo es la enfermedad común; no hay nadie que no la sufra. Un loco por familia, una familia de locos por pueblo, un pueblo de locos por principado, un principado de locos en el imperio, esto sería tolerable, en el mejor de los casos. Pero ahora todo el imperio está loco, de la misma locura que tu hijo; o mejor dicho, el que está loco eres tú, que piensas diferente a todos los demás. ¿Quién va a definir la regla de los sentimientos, los sonidos, los colores, los olores, los sabores, el bien y el mal? No sé si soy sabio, pero desde luego sé que los literatos de *Lu* (que dicen definir estas cosas), son los peores sembradores de locura. ¡Y es a ellos a quienes pedirás que curen a tu hijo! Créeme, ahórrate el gasto de un viaje inútil y vuelve a casa por el camino más corto.

H. Un niño nacido en el principado de *Yen* (en el extremo norte) fue trasladado y criado en el reino de *Chu* (en el extremo sur del imperio), donde pasó toda su vida. Al llegar a la vejez, regresó a su país natal. A mitad de camino, al acercarse a la ciudad principal de *Jin*, sus compañeros de viaje le dijeron, burlándose:

— Esta es la ciudad principal de *Yen*, tu tierra natal.

Nuestro hombre les creyó, se puso pálido y se puso triste. Entonces, mostrándole un montículo del genio de la tierra, le dijeron:

— Este es el montículo de tu pueblo natal.

El hombre suspiró dolorosamente. Entonces le mostraron una casa y le dijeron:

— Este es el hogar de tus ancestros.

El hombre rompió a llorar. Entonces le mostraron unas tumbas y le dijeron:

— Y estas son sus tumbas.

Ante estas palabras, nuestro hombre estalló en lamentos. Entonces sus compañeros, riéndose de él, descubrieron su engaño.

— Te hemos engañado", dijeron. Esto es *Jin*; esto no es *Yen*.

Nuestro hombre estaba muy confundido, y en lo sucesivo refrenó sus sentimientos. Por eso, cuando llegó a *Yen*, y vio realmente su ciudad principal, el montículo de su pueblo, el hogar de sus antepasados y sus tumbas, apenas sintió emoción alguna[13].

Capítulo 4 - Extinción y unión

A. Confucio estaba meditando en su retiro. Zi Gong entró a servirle y lo encontró triste. Como no se atrevió a preguntarle lo que le aflige, salió y se lo contó a Yen Hui (el discípulo favorito). Este último tomó su cítara y comenzó a cantar. Confucio lo escuchó, lo llamó y le preguntó:

— ¿Por qué eres tan feliz?

— ¿Y por qué estás triste? —preguntó *Yen Hui*.

— Primero dime por qué eres feliz —dijo Confucio.

Yen Hui dijo:

— Antes me enseñaste, que complacer al cielo y someterse al destino, alejaba toda tristeza. Yo hago esto. De ahí mi alegría.

Confucio, con aspecto sombrío, meditó un momento y luego dijo:

— Es cierto que he dicho estas palabras, pero no las has entendido bien. Yo mismo he tenido que cambiar mi interpretación de ellas desde entonces. Las has tomado en el sentido limitado del trabajo de superación personal, de la paciencia en la pobreza y las vicisitudes, del descanso de tu mente en todas las situaciones. Al haberlo conseguido, sientes alegría... Yo mismo las he entendido en un sentido más amplio. Quise, cooperando con el cielo y el destino, enmendar con mis doctrinas el principado de *Lu*, todo el imperio, el tiempo presente y las edades venideras. Pero los príncipes no me ayudaron. Mis doctrinas no fueron aceptadas. Habiendo fracasado en el presente, aplicándolas a un sólo principado, ¿qué esperanza puedo tener de tener éxito en el futuro, aplicándolas al imperio? Al principio me apenaba este fracaso de mis doctrinas, juzgándolo contrario a las opiniones del cielo y a los decretos del destino. Pero desde entonces lo he visto más claro. He comprendido

---

13 Para los daoístas, el sentimiento es un error, la emoción es una falta.

que había malinterpretado los textos antiguos, tomándolos literalmente. La intención del cielo, los decretos del destino, son todas formas de expresión, figuras del lenguaje. Siendo así, no hay nada que valga la pena amar, desear, lamentar o hacer. Ya no me importa el éxito o el fracaso de mis doctrinas.

Yen Hui saludó a Confucio y dijo:

— Maestro, pienso como usted.

Luego, al salir, le contó todo a *Zi Gong*, quien casi perdió la cabeza. Dejó a Confucio, regresó a su casa, meditó durante siete días y siete noches sin dormir ni comer, y quedó tan delgado como un esqueleto. Sin embargo, *Yen Hui* fue a hablar con él y sacudió su fe en el significado literal de los textos antiguos, pero sin conseguir que se elevara hasta alcanzar la indiferencia daoísta. *Zi Gong* volvió a Confucio, y repitió las Odas y los Anales sin creerlos durante el resto de su vida.

B. Un oficial de *Chen* en una misión en el principado de *Lu*, vio en particular a cierto *Shu Sun*, quien le dijo:

— Tenemos a un sabio aquí.

— ¿No es *Kong Qiu* (Confucio)? —preguntó el oficial.

— Es él —dijo *Shu Sun*.

— ¿Cómo sabes que es realmente un sabio?

— Porque —dijo *Shu Sun*— escuché de su discípulo *Yen Hui*, que *Kong Qiu* piensa con su cuerpo.

— Entonces —dijo el oficial—, también tenemos un sabio, *Geng Sang Zi*, discípulo de *Lao Dan*, que ve con sus oídos y oye con sus ojos.

Esta declaración del oficial de *Chen* fue comunicada al príncipe de *Lu*, éste se sintió muy intrigado y envió a un ministro de mayor rango para que le llevara a *Geng Sang Zi* ricos regalos y lo invitara a su corte. *Geng Sang Zi* aceptó la invitación. El príncipe lo recibió con el mayor respeto. En seguida *Geng Sang Zi* le dijo:

— Os han informado mal, diciendo que veo con los oídos y oigo con los ojos; un órgano no puede servir en lugar de otro.

— Eso no importa —dijo el príncipe—; quiero conocer tu doctrina.

— Mi cuerpo está íntimamente unido a mi mente; mi cuerpo y mi mente están íntimamente unidas a la materia y la fuerza cósmicas, que están íntimamente unidas a la nada primordial de la forma, al ser infinito indefinido, al Principio. Como resultado de esta íntima unión, cualquier disonancia o consonancia que se produzca en la armonía universal, ya sea a distancia infinita o cercana, es percibida por mí, pero sin que pueda decir por qué órgano la percibo. ¡Lo sé, sin saber cómo lo supe[14]!

Esta explicación agradó mucho al Príncipe de *Lu*, que la comunicó a Confucio al día siguiente. Éste sonrió sin decir nada[15].

---

14   Conocimiento daoísta perfecto; consonancia de dos instrumentos afinados en el mismo tono, el cosmos y el individuo, percibidos por el sentido íntimo, el sentido global.

15   Sonrisa de aprobación. También él, convertido en daoísta, no tenía nada que decir, dice el comentario.

C. El ministro de *Song* se encontró con Confucio y le preguntó:

— ¿Eres realmente un Sabio?

— Si lo fuera —respondió Confucio—, no diría que lo soy. Así que sólo diré que he estudiado y aprendido mucho.

— ¿Fueron sabios los tres primeros emperadores?

— Gobernaban bien, eran prudentes y valientes; no sé si eran Sabios —respondió Confucio.

— ¿Y los cinco emperadores que les sucedieron?

— Aquellos, dijo Confucio, también gobernaban bien; eran buenos y justos; no sé si eran Sabios.

— ¿Y los tres emperadores que siguieron?

— Aquellos —dijo Confucio—, también gobernaban bien, según los tiempos y las circunstancias; no sé si eran Sabios.

— Pero entonces —dijo el ministro con gran asombro—, ¿a quién consideras sabio?

Confucio parecía muy serio, pensó un momento y luego dijo:

— Entre los hombres de Occidente[16], hay algunos de los que se dice que mantienen la paz sin gobernar, que inspiran confianza sin hablar, que hacen que todo funcione sin interferir, de forma tan imperceptible, tan impersonal, que la gente ni siquiera los conoce por su nombre. Creo que estos son los Sabios, si es que los hay, como se dice.

El ministro de *Song* no pidió más. Después de pensarlo, dijo:

— *Kong Qiu* me aleccionó.

D. *Zi Xia* preguntó a Confucio:

— ¿Vale la pena *Yen Hui*?

— En la bondad —dijo Confucio— me supera.

— ¿Y *Zi Gong*? —preguntó *Zi Xia*.

— En lo que respecta al discernimiento —dijo Confucio—, *Zi Gong* es mejor que yo.

— ¿Y *Zi Lu*? —preguntó *Zi Xia*.

— En cuanto a la valentía —dijo Confucio— *Zi Lu* me supera.

— ¿Y *Zi Zhang*? —preguntó *Zi Xia*.

— En cuanto a tenacidad —dijo Confucio— *Zi Zhang* me supera.

Zi Xia se asombró, se levantó y preguntó:

— Pero entonces, ¿por qué estos cuatro hombres siguen en tu escuela?

— Esta es la razón —dijo Confucio—. *Yen Hui*, tan bueno, no puede resistirse. *Zi Gong*, tan clarividente, no sabe ceder. *Zi Lu*, tan valiente, carece de prudencia. *Zi Zhang*, tan digno, no tiene habilidades interpersonales. Si cada uno me supera en alguna cualidad, todos son inferiores a mí debido a algún defecto. Es por este defecto que permanecen en mi escuela, y que acepto tratarlos como discípulos.

---

16   Ficción, dice el comentario. Confucio alecciona al ministro, al elogiar a Sabios imaginarios, para que haga todo lo contrario de lo que él hizo. Este texto no tiene ningún significado geográfico ni histórico.

E. Convertido en maestro por derecho propio, *Lie Zi*, discípulo del maestro *Lin* de *Hu Qiu*, amigo de *Bo Hun Wu Ren*, vivía en el suburbio del sur (donde también vivía el famoso daoísta, cuyo nombre sólo se conoce como *Nan Guo Zi*, maestro del suburbio del sur). *Lie Zi* discutía todos los días con cualquiera que se presentara, sin siquiera molestarse en saber con quién estaba tratando. En cuanto a *Nan Guo Zi*, fue su vecino durante veinte años sin visitarlo, y a menudo se encontraba con él en la calle sin mirarlo.

Los discípulos concluyeron que los dos maestros eran enemigos. Un recién llegado de *Chu* preguntó ingenuamente a *Lie Zi* ¿por qué? *Lie Zi* le dijo:

— No hay enemistad entre *Nan Guo Zi* y yo. Este hombre esconde la perfección del vacío bajo una apariencia corpórea. Sus oídos ya no oyen, sus ojos ya no ven, su boca ya no habla, su mente ya no piensa. Ya no es capaz de ningún interés; por lo tanto, es inútil tratar de tener alguna relación con él. Si así lo quieres, lo probaremos.

Seguido por unos cuarenta discípulos, *Lie Zi* se dirigió a *Nan Guo Zi*. Este último estaba de hecho tan perdido en la abstracción que era imposible establecer ninguna conversación con él. Lanzó una vaga mirada a *Lie Zi*, sin dirigirle una palabra; luego, dirigiéndose a el último de los discípulos, le dijo

— Te felicito por tu valiente búsqueda de la verdad.

Eso fue todo. Los discípulos volvieron muy sorprendidos. *Lie Zi* les dijo:

— ¿Por qué les sorprende? Quien ha obtenido lo que buscaba, no habla más. Lo mismo ocurre con el Sabio, que guarda silencio cuando ha encontrado la verdad. El silencio de *Nan Guo Zi* es más significativo que cualquier palabra. Su aire apático cubre la perfección de la ciencia. Este hombre ya no habla ni piensa, porque lo sabe todo. ¿Por qué les sorprende?

F. Una vez, cuando *Lie Zi* era discípulo, tardó tres años en desaprender a juzgar y calificar con palabras; entonces su maestro *Leo Shang* le honró por primera vez con una mirada. Después de cinco años, ya no juzgaba ni calificaba ni siquiera mentalmente; entonces *Leo Shang* le sonrió por primera vez. Después de siete años, cuando ya había olvidado la distinción entre sí y no, entre ventaja y desventaja, su maestro le hizo sentarse en su estera por primera vez. Al cabo de nueve años, cuando había perdido toda noción de lo correcto y lo incorrecto, del bien y del mal, para sí mismo y para los demás; cuando se había vuelto absolutamente indiferente a todo, entonces él alcanzó una comunicación perfecta entre el mundo exterior y su propio interior. Dejó de usar sus sentidos, (pero conocía todo por la ciencia superior universal y abstracta). Su mente se solidificó al tiempo que su cuerpo se disolvía; sus huesos y su carne se licuaron (se eterizaron); perdió toda sensación del asiento en el que se sentaba, del suelo en el que descansaban sus pies; perdió toda la inteligencia de las ideas formuladas, de las palabras pronunciadas; alcanzó ese estado en el que la mente ya no se altera por nada.

G. Cuando era un joven discípulo, a *Lie Zi* le gustaba salir a pasear. Su maestro *Hu Zi*, le preguntó:

— ¿Qué te gusta de la caminata?

Lie Zi dijo:

— En general, es un descanso reparador; muchos buscan en ella el placer de contemplar el paisaje; yo encuentro en ella el placer de meditar; hay caminantes y paseantes; me diferencio del común de la gente.

— No tanto como crees —dijo *Hu Zi*—; pues, como los demás, te diviertes. Ellos se divierten visualmente, tú te diviertes mentalmente. Hay una gran diferencia entre la meditación externa y la contemplación interna. El meditador obtiene el placer de los seres, el contemplador lo obtiene de sí mismo. Tomarlo de uno mismo es el camino perfecto; tomarlo de los seres es el camino imperfecto.

Después de esta instrucción, *Lie Zi* pensó que estaba haciendo lo correcto al dejar de caminar por completo.

— No es así como lo entiendo —dijo *Hu Qiutzeu*—; camina, pero perfectamente. El caminante perfecto camina sin saber a dónde va, mira sin darse cuenta de lo que ve. Ir a todas partes y mirar todo en esta disposición mental (abstracción total, visión global, nada en detalle), eso es el paseo y la contemplación perfecta. No te he prohibido que salgas a pasear; te he aconsejado que salgas a pasear perfectamente.

H. *Long Shu* dijo al doctor *Wen Zhi*:

— Eres un hábil diagnosticador. Estoy enfermo. ¿Puedes curarme?

— Si el destino lo permite, podré —dijo *Wen Zhi*—. Dime de qué estás sufriendo.

— Sufro —dijo *Long Shu*— de un extraño mal. La alabanza me deja frío, el desprecio no me afecta; la ganancia no me deleita, la pérdida no me entristece; miro con la misma indiferencia la muerte y la vida, la riqueza y la pobreza. No me importan más los hombres que los cerdos, ni yo mismo que los demás. Me siento tan extraño en mi casa como en una hostería, y en mi distrito natal como en un país bárbaro. Ninguna distinción me atrae, ningún tormento me asusta; la fortuna o la desgracia, la ventaja o la desventaja, la alegría o la pena, todo me es igual. Siendo así, no me atrevo a servir a mi príncipe, a tratar con mis parientes y amigos, a vivir con mi esposa e hijos, a cuidar de mis sirvientes. ¿Qué es esta enfermedad? ¿Con qué remedio se puede curar?

Wen Zhi le pidió a *Long Shu* que descubriera su torso. Luego, habiéndolo colocado de tal manera que el sol brillara sobre su espalda desnuda, se colocó frente a su pecho, para examinar sus vísceras, por transparencia.

— ¡Ah! —dijo de repente—. Veo tu corazón, como un pequeño objeto vacío, del tamaño de un pulgar. Seis orificios ya están perfectamente abiertos, el séptimo se abrirá. Estás obteniendo la sabiduría de los Sabios. ¿Qué pueden hacer mis pobres remedios contra semejante mal?[17]

---

17   *Long Shu* es un daoísta indiferente casi perfecto. Sólo le queda deshacerse de la ilusión de confundir su sabiduría con una enfermedad y querer curarla.

I. No tener ninguna causa y vivir para siempre es un camino, (el del Principio solo)[18]. Nacer de un ser vivo, no dejar de ser después de mucho tiempo, es una permanencia (la de los genios). Después de la vida, dejar de ser, sería la gran desgracia. — Habiendo tenido una causa, estar siempre muerto, sería el otro camino. Haber muerto de una muerte, dejar de ser pronto, sería la otra permanencia (la de la nada). Después de la muerte, volver a vivir, es la gran felicidad. — No actuar, y vivir, es un camino. Vivir largamente es la permanencia. — Actuar y morir es el otro camino. Conseguir por ello no ser más, es la otra permanencia. — Cuando *Ji Liang* murió, *Yang Zhu* fue a su casa y cantó (porque *Ji Liang* había vivido felizmente hasta el final de sus días). Cuando *Sui Wu* murió, *Yang Zhu* acarició su cadáver y lloró (como si quisiera consolarle, porque después de una vida dura, *Sui Wu* había muerto prematuramente). Duele en ambos casos, que todo cambie después de la muerte. Sobre las vidas y las muertes, el vulgo canta o llora, sin saber por qué, equivocadamente y sin razón. — Para durar mucho tiempo, no hay que hacer nada, no hay que llevar nada al extremo. Es un hecho de la experiencia que, poco antes de extinguirse, la vista se agudiza por un tiempo, lo que la desgasta. Oír el vuelo de los mosquitos es señal de que uno se va a quedar sordo (la misma razón). Lo mismo ocurre con el sabor y el olor. La agitación excesiva precede y trae la parálisis. La penetración excesiva precede e introduce la locura. Todo clímax exige la ruina.

J. En el principado de *Zheng*, en *Bu Ze* había muchos pensadores (teóricos), en *Dong Li* había muchos hombres de talento (practicantes). Un tal *Bai Feng Zi de Bu Ze* (teórico) que pasaba por *Dong Li* con sus discípulos, se encontró con *Deng Xi* (practicante) con los suyos. Este último dijo a sus discípulos:

— ¿Y si nos divertimos con ellos?

— ¡Hagámoslo! —dijeron los discípulos.

Dirigiéndose a *Bai Feng Zi*, *Deng Xi* le dijo:

— Sobre la cría… los perros y los cerdos se crían para su uso. ¿Con qué propósito estás criando a tus discípulos?

Uno de los discípulos que acompañaba a *Bai Feng Zi* respondió inmediatamente:

— En los países de *Qi* y *Lu*, abundan los hombres de su escuela, con talento. Hay artistas de la arcilla, la madera, el metal, el cuero; músicos, escritores, matemáticos; tácticos, ceremonialistas y muchos más. Lo único que falta son los pensadores para dirigir a este pueblo. Esto es a lo que estamos destinados. Sin teóricos, los practicantes son inútiles.

Deng Xi no encontró nada que responder. Con los ojos hizo una señal a sus discípulos para que se callaran, y se retiró tímidamente.

K. *Gong Yi* era famoso por su fuerza. Un gran señor, *Tang Xi*, lo elogió ante el emperador *Xuan* de los *Zhou*. El emperador le invitó a ir a su corte. *Gong Yi* tuvo

---

18   Algunas partes de este párrafo, insertados sólo por paralelismo, son tonteras. El significado general es que hay dos estados, el de la vida y el de la muerte; que la inacción hace durar la vida, que la acción es un suicidio. Lo sabemos.

que obedecer. Pero tenía un aspecto más bien enclenque. El emperador se sorprendió y le dijo:

— ¿Qué eres capaz de hacer?

Gong Yi dijo:

— Puedo romper la pata de un saltamontes, y rasgar el ala de una cigarra.

El emperador no estaba complacido.

— Yo —dijo—, llamo fuerte a un hombre que puede rasgar la piel de un búfalo, o retener a nueve bueyes tirando de ellos por la cola. Si sólo eres capaz de las hazañas que acaba de mencionar, ¿por qué alaban tu fuerza?

— Es una pregunta sabia –dijo *Gong Yi*, suspirando y retrocediendo modestamente—, así que te responderé con franqueza. Yo fui un discípulo de *Shang Qiu Zi* (un daoísta), que no tenía igual en fuerza en el imperio, pero que era ignorado incluso por su familia, porque nunca la exhibía. Asistí a mi maestro en su muerte. Me dejó esta instrucción: "Los que buscan la fama, la obtienen sólo con acciones extraordinarias. Haciendo sólo cosas ordinarias, uno ni siquiera se hace famoso en su familia. Sin embargo, este es el curso de acción que he juzgado como el mejor, y te aconsejo que me imites…" Ahora bien, si un gran señor ha podido presumir de mi fuerza ante vuestra Majestad, es porque, al no cumplir con las supremas recomendaciones de mi señor moribundo, he dado una muestra de ella. El hecho de que me haya traicionado a mí mismo demuestra que no tengo fuerza. Porque el que sabe ocultar su fuerza es más fuerte que el que sabe ejercerla.

L. El príncipe *Mou* de *Zhung Shan* era el hombre fuerte de *Wei*. Le gustaba hablar con gente inteligente, se preocupaba poco por la administración y sentía un afecto declarado por *Gong Sun Long*, el sofista de *Zhao*. Esta debilidad hizo reír al maestro de música *Zi Yu*. *Mou* le preguntó:

— ¿Por qué te ríes de mi afecto por *Gong Sun Long*?

Zi Yu dijo:

— Ese hombre no reconoce a ningún maestro, no es amigo de nadie, rechaza todos los principios recibidos, combate todas las escuelas existentes, sólo ama las ideas singulares y sólo habla con palabras extrañas. Lo único que se propone es confundir a la gente y avergonzarla. Al igual que *Han Tan* (un sofista desconocido) y su calaña en el pasado.

Disgustado, el príncipe *Mou* dijo:

— ¿No exageras? Mantente dentro de los límites de la verdad.

Zi Yu le respondió:

— Juzga tu mismo. Esto es lo que dijo *Gong Sun Long* a *Kong Chuan*:

— Un buen arquero —le dijo—, debe ser capaz de lanzar flecha tras flecha, tan rápido y tan certero, que la punta de cada flecha sucesiva se hunda en la cola de la anterior, las flechas ensartadas formarán una línea desde la cuerda del arco hasta la meta. — Viendo que *Kong Chuan* estaba asombrado, *Gong Sun Long* continuó diciendo:

— *Hong Chao*, el alumno de *Peng Meng*, lo ha hecho mejor que esto. Queriendo asustar a su mujer, que le había hecho enfadar, sacó su mejor arco y disparó su mejor flecha con tanta precisión que le afeitó las pupilas sin pestañear, y cayó al suelo sin levantar polvo. ¿Son estas las palabras de un hombre razonable?

El Príncipe *Mou* dijo:

— A veces las palabras de los Sabios, no son entendidas por los tontos. Todo los que acabas de citar puede explicarse razonablemente.

— Tú fuiste alumno de *Gong Sun Long* —dijo *Zi Yu*—, por eso crees que debes elogiarlo. Yo, que no tengo tus razones, seguiré denigrándolo. He aquí algunas muestras de las paradojas que desarrolló en presencia del rey de *Wei*:

"Se puede pensar sin intención; se puede tocar sin alcanzar; lo que es, no puede terminar; una sombra no puede moverse; un pelo puede soportar treinta mil libras; un caballo no es un caballo; un ternero huérfano puede tener una madre; y otras paparruchas".

El Príncipe *Mou* dijo:

— Tal vez seas tú quien no entienda estas profundas palabras[19]. Pensar sin intención, puede entenderse como la concentración de la mente unida al Principio; tocar sin alcanzar, se entiende como el contacto universal preexistente; que lo que es no puede terminar, decir que una sombra no puede moverse, sirve para introducir la discusión de las nociones de cambio y movimiento; decir que un cabello soporta treinta mil libras, sirve para introducir la cuestión de lo que es continuo y lo que es gravedad; decir que un caballo blanco no es un caballo, llama a la discusión de la identidad o diferencia de la sustancia y los accidentes; un ternero huérfano puede tener madre, si no es huérfano; etc.

— Has —dijo *Zi Yu*—, aprendido a silbar la única nota de *Gong Sun Long*. Otros tendrán que enseñarte a utilizar los demás agujeros de tu flauta intelectual.

Al principio, el príncipe guardó silencio ante esta impertinencia. Cuando se recuperó, despidió a *Zi Yu*, diciéndole:

— Espera a que te invite a comparecer ante mí de nuevo.

M. Después de cincuenta años de reinado, *Yao* quería saber si su gobierno había tenido efectos felices y si el pueblo estaba satisfecho con él. Por ello, interrogó a sus asesores ordinarios, a los de la capital y a los de fuera, pero ninguno pudo darle una respuesta positiva. Así que *Yao* se disfrazó y fue a vagar por las calles. Allí escuchó a un niño tararear este estribillo:

"En la multitud del pueblo, ya no hay villanos, todo está en su mejor momento. Sin que se lo digan, sin darse cuenta, todos se ajustan a las leyes del emperador".

Lleno de alegría, *Yao* le preguntó al chico quién le había enseñado ese estribillo.

— Mi maestro —dijo.

Yao le preguntó al maestro quién había compuesto este estribillo.

— Viene de los ancianos —dijo el maestro.

(Feliz de que su reinado hubiera preservado el antiguo statu quo, de que su gobierno hubiera sido tan inactivo que los gobernados ni siquiera lo hubieran no-

---

19   Compárese *Zhuang Zhou*, capítulo 33 G.

tado), *Yao* se apresuró a abdicar y entregar su trono a *Shun* (para que su gloria no se viera empañada antes de su muerte).

N. *Guan Yin Xi* (*Guan Yin Zi*) dijo:

— A quien permanece en la nada (de forma interior, estado indeterminado), todos los seres se manifiestan. Es sensible a su impresión como el agua tranquila; la refleja como un espejo; la repite como un eco. Unido al Principio, está en armonía a través de él, con todos los seres, lo conoce todo por las razones generales superiores, y en consecuencia ya no utiliza sus diversos sentidos para conocer en particular y en detalle. La verdadera razón de las cosas es invisible, inasible, indefinible, indeterminable. Sólo la mente, restaurada a un estado de perfecta simplicidad natural, puede vislumbrarla confusamente en la contemplación profunda. Después de esta revelación, no querer nada más y no hacer nada más es la verdadera ciencia y el verdadero talento. Qué más querría, qué más haría, a quien se le ha revelado la nada de toda voluntad y toda acción. Si se limitara a recoger un terrón de tierra, si se limitara a amontonar polvo, aunque esto no sea realmente hacer nada, seguiría faltando a sus principios, pues habría actuado.

Capítulo 5 - El continuo cósmico

A. El emperador Tang de la dinastía Yin le preguntó a Xia Ji:

— En el pasado, en el principio, ¿había seres?

Xia Ji dijo:

— Si no los hubo, ¿cómo podrían existir ahora? Si dudamos de que los hubo en el pasado, los hombres del futuro podrían dudar de que los haya ahora (nuestro presente tendría que ser su pasado un día), lo que sería absurdo.

— Entonces —dijo *Tang*–, ¿hay división o continuidad en el tiempo? ¿Qué determina la anterioridad y la posterioridad?

Xia Ji dijo:

— Hablamos, desde el principio, de fines y principios de los seres. Al final, ¿hay realmente principio y fin, o una transición sucesiva y continua, quién puede saberlo? Siendo externo a otros seres, y anterior a mis propios estados futuros, ¿cómo puedo saber (si los finales, las muertes, son ceses o transformaciones)?

— En cualquier caso –dijo *Tang*—, dices que el tiempo es infinito. ¿Qué piensas del espacio? ¿Es también infinito?

— No lo sé —dijo *Xia Ji*.

Ante la insistencia de *Tang*, *Xia Ji* dijo:

— El vacío es infinito, pues al vacío no se le puede añadir vacío; pero en cuanto a los seres existentes se les puede añadir otros seres, si el cosmos es finito o infinito, no lo sé.

Tang continuó:

— ¿Hay algo más allá de los cuatro mares (del espacio terrestre conocido)?

Xia Ji dijo:

— Me dirigí al este, a *Ying*, y pregunté, más allá de este lugar ¿qué hay? Me dijeron que lo que hay más allá es igual… Entonces me dirigí al oeste, a *Pinn*, y pregunté, más allá de eso ¿qué hay? Me dijeron que más allá es como aquí… De esta experiencia concluí que los términos, cuatro mares, cuatro regiones, cuatro polos, quizás no sean absolutos. Porque, al final, sumando siempre, llegamos a un valor infinito. Si nuestro cosmos (cielo-tierra) es finito, ¿no se continúa sin fin con otros cosmos vecinos (cielo-tierra)? ¿Quién sabe si nuestro mundo (cielo-tierra) es más que una unidad en el infinito? Una vez *Nü Gua* cerró con piedras de los cinco colores el hueco que quedaba en el horizonte entre el borde del casquete celeste y la meseta terrestre (delimitando así este mundo). Inmovilizó a la tortuga (que lleva la tierra), cortándole las cuatro patas, con lo que la posición de los cuatro polos (puntos cardinales) quedó fijada. Así, todo en este mundo estaba en equilibrio estable. Pero más tarde, en su lucha contra el emperador *Zhuan Xu*, *Gong Gong* rompió la columna celestial (del noroeste), y rompió los lazos de la tierra (con el firmamento del sureste). Como resultado, el cielo se inclinó hacia el noroeste y la tierra se inclinó hacia el sureste. Desde entonces, el sol, la luna, las constelaciones, todo se desliza hacia el oeste (su puesta); todos los ríos (de China) fluyen hacia el este.

B. *Tang* preguntó de nuevo:

— ¿Los seres son naturalmente grandes o pequeños, largos o cortos, similares o diferentes?

Pero, continuando su desarrollo, *Xia Ji* dijo:

— Muy al este (sureste) del Mar de China, (donde el cielo se levanta de la tierra), hay un inmenso abismo sin fondo, que se llama la confluencia universal, donde todas las aguas de la tierra, y las de la Vía Láctea (el río colector de las aguas celestes), fluyen sin aumentar ni disminuir nunca su contenido. Entre este abismo y China, hay (había) cinco grandes islas, *DaiYu, Yüan Jiao, Fang Hu, Jing Zhou* y *Peng Lai*[20]. — En su base, estas islas miden cada una treinta mil estadios de circunferencia. Sus cimas planas tienen una circunferencia de nueve mil estadios. Todas están a setenta mil estadios de distancia. Los edificios que cubren estas islas son todos de oro y jade; los animales no temen al hombre; la vegetación es maravillosa; las flores son fragantes; los frutos que se comen preservan de la vejez y la muerte. Los habitantes de estas islas son todos unos genios, unos sabios. Todos los días se visitan, volando por el aire. Originalmente las islas no estaban fijadas al fondo, sino que flotaban en el mar, subiendo y bajando con la marea, vacilando al choque de los pies. Molestos por su inestabilidad, los genios y los sabios se quejaron al Soberano. Temiendo que un día encallasen en las tierras occidentales, el Soberano ordenó al Genio del Mar del Norte que pusiera remedio a este peligro. Este último encargó a unas tortugas monstruosas que sostuvieran las cinco islas sobre sus espaldas, tres por isla. Debían ser reemplazadas cada sesenta mil años. Así que las islas ya no se tambalean. Pero un día uno de los gigantes del país de *Long Bai* (en el norte), llegó a estas regiones por el aire, y lanzó su línea. Cogió seis de las quince tortugas, se

---

20   Probablemente este sea el texto más antiguo, sobre las islas de los Genios.

las puso a la espalda, volvió como había venido y preparó sus caparazones para la adivinación. Como resultado, las dos islas, *Dai Yu* y *Yüan Jiao* (sostenidas por estas seis tortugas), se hundieron en el océano, (y las islas de los genios se redujeron a las tres de la leyenda). El Soberano estaba muy irritado por esta aventura. Redujo el tamaño del país de *Long Bai* y la gigantesca estatura de sus habitantes. Sin embargo, en la época de *Fu Xi* y *Shen Nong*, todavía tenían varias decenas de tallas de altura. — Cuatrocientos mil estadios al este de China, en el país de *Jiao Yao*, los hombres miden un pie y cinco pulgadas. — En la esquina noreste de la tierra, los *Zheng Ren* sólo miden nueve pulgadas. — Estas son las medidas estándar.

C. Hablemos ahora de la duración. En el sur de China crece el árbol *Ming Ling*, cuyo período de foliación (primavera y verano) es de cinco siglos, y cuyo período de desnudez (otoño e invierno) es también de cinco siglos, (por consiguiente el ciclo dura mil años). En la antigüedad, el gran árbol *Chun* tenía un ciclo de dieciséis mil años. En el estercolero crece una seta que, nacida por la mañana, muere por la tarde. En verano, las moscas de mayo nacen durante la lluvia y mueren en cuanto aparece el sol. En el extremo norte, en las aguas negras del lago celeste, hay un pez de miles de estadios de ancho, y largo en proporción, que se llama *Kun*; y un pájaro llamado *Peng*, cuyas alas extendidas oscurecen el cielo como nubes, siendo sus otras dimensiones proporcionales. Conocemos a estos animales por el gran *Yu*, que los vio, por *Bo Yi* que los nombró, y por *Yi Jian* que los clasificó… Al borde de las aguas nacen los *Jiao Ming*, tan pequeños que muchos pueden posarse sobre las antenas de un mosquito, sin que éste se dé cuenta; invisibles incluso para los ojos de *Li Zu* y *Zi Yu*. Pero *Huang Di*, después de su ayuno de tres meses en el monte *Kong Tong* en compañía de *Rong Chen Zi*, cuando su mente estaba como apagada y su cuerpo como muerto, los vio con su mirada trascendente tan claramente como el monte *Song*, los oyó con su oído más íntimo tan claramente como un trueno. En los países de *Wu* y *Chu* (en el sur), crece un gran árbol, el *Yu Bi*, que en invierno produce frutos rojos de sabor ácido; trasplantado al norte del *Huai*, se transforma en un matorral espinoso y estéril (*Citrus spinosa*). El tordo no cruza el río *Ji*, el tejón ya no puede vivir al sur del *Wen*. Dado que la naturaleza de los lugares parece ser la misma, la vida de algunos se adapta a ellos, mientras que la de otros no, sin que podamos descubrir por qué. Si no podemos darnos cuenta de estas cosas concretas, ¿qué quieres que te diga de las cosas abstractas, como lo grande y lo pequeño, lo largo y lo corto, las semejanzas y las diferencias? (retorna a la pregunta formulada en B).

D. El macizo de las montañas *Tai Xing* y *Wang Wu* tenía una extensión de setecientos estadios cuadrados y ochenta mil pies de altura[21]. A un nonagenario de *Bei Shan* le desagradaba, porque interceptaba las comunicaciones entre el Sur y el Norte. Habiendo convocado a la gente de su casa, les dijo:

---

21   Es decir, a la manera china, la distancia que había que recorrer para llegar a la cima.

— ¡Manos a la obra! ¡Nivelemos esta altura! ¡Pongamos el Norte en comunicación con el valle de Han!

— Vamos a trabajar, dijeron a coro…

Pero la anciana del nonagenario objetó: — ¿Dónde pondrás la tierra y las piedras de estas montañas?

— Las arrojaremos al mar —dijeron a coro…

Así comenzó el trabajo. Bajo la dirección del anciano, su hijo y sus nietos, capaces de cargar con algo, atacaron las rocas, cavaron la tierra y llevaron los escombros cesta a cesta hasta el mar. Su entusiasmo se extendió a todo el barrio. Incluso el hijo de la viuda de un funcionario, un niño pequeño en proceso de dentición, corría con los trabajadores cuando no hacía demasiado calor o demasiado frío.

Sin embargo, un hombre de *He Qiu* que se consideraba sabio, intentó detener al nonagenario diciéndole

— Lo que estás haciendo aquí no es razonable. Con las fuerzas que te quedan, no podrás superar estas montañas…

El nonagenario dijo:

— Sois vosotros los que no sois razonables; menos que el niño de la viuda. Yo moriré pronto, es cierto; pero mi hijo seguirá, luego vendrán mis nietos, luego los hijos de mis nietos, y así sucesivamente. Se multiplicarán sin cesar, mientras que nunca más se añadirá nada a la masa finita de esta montaña. Así que eventualmente la aplanarán.

La constancia del nonagenario asustó al genio de las serpientes, que rogó al Soberano que impidiera que sus protegidos fueran expropiados por este obstinado anciano. Éste ordenó a los dos gigantes, hijos de *Kua Er*, que separaran las dos montañas *Tai Xing* y *Wang Wu*. Así se produjo la brecha que une las llanuras del norte con la cuenca del *Han* (la moral es que hay que contar con el efecto del tiempo).

E. Una vez el padre de los dos gigantes mencionados, pretendiendo correr una carrera con el sol, corrió hacia el valle del *Yu*. Alterado, bebió el río y luego se tragó el *Wei*. Esto no fue suficiente, así que corrió hacia el gran lago, pero no pudo alcanzarlo, muriendo de sed en el camino. Su cadáver y su bastón se convirtieron en el bosque *Deng*, que se extiende por varios miles de estadios.

F. El gran *Yu* dijo:

— En las seis regiones, entre los cuatro mares, iluminados por el sol y la luna, regulados por el curso de las estrellas, ordenados por la sucesión de las estaciones, gobernados por el ciclo duodenario de Júpiter, los seres viven en un orden que el Sabio puede penetrar.

Xia Ji dijo:

— Otros seres viven en otras condiciones de las que el Sabio no tiene la clave. Por ejemplo, cuando el gran *Yu* encauzaba las aguas para desecar la tierra, se desvió, rodeó el mar del norte y llegó, muy lejos, en el mismo norte, a un país sin viento ni lluvia, sin animales ni plantas de ningún tipo, una alta meseta bordeada de escarpados acantilados, con una montaña cónica en el centro. De un agujero sin fondo en la cima del cono brota un agua de olor picante y sabor vinoso, que fluye en cuatro arroyos hasta el fondo de la montaña y riega todo el país. La región es muy salubre, sus habitantes son amables y sencillos. Todos viven juntos, sin distinción de edad o sexo, sin jefes, sin familias. No cultivan la tierra, ni se visten. Muy numerosos, estos hombres no conocen las alegrías de la juventud, ni la tristeza de la vejez. Les encanta la música y cantan juntos todo el día. Aplacan su hambre bebiendo el agua del maravilloso géiser, y reparan sus fuerzas bañándose en esas mismas aguas. De este modo, todos viven exactamente cien años y mueren sin haber estado nunca enfermos. Una vez, en su viaje hacia el norte, el emperador *Mu* de los *Zhou* visitó este país y permaneció allí durante tres años. Cuando regresó, el recuerdo que conservaba le hizo encontrar insípido su imperio, su palacio, sus fiestas, sus mujeres y todo lo demás. Después de unos meses, lo dejó todo para volver. *Guan Zhong*, siendo ministro del duque *Huan* de *Qi*, casi había decidido conquistar ese país. Pero *Xi Peng* reprochó al duque que abandonara *Qi*, tan vasto, tan poblado, tan civilizado, tan bello, tan rico, para exponer a sus soldados a la muerte y a sus feudatarios a la tentación de desertar, y todo ello por el capricho de un anciano, el duque *Huan* renunció a la empresa, y le contó a *Guan Zhong* las palabras de *Xi Peng*. *Guan Zhong* dijo: Las ideas *Xi Peng* son distintas de las mías, está tan absorbido con *Qi* que no ve nada más allá.

Los hombres del sur se cortan el pelo y van desnudos; los del norte se envuelven la cabeza y el cuerpo con pieles; los chinos tienen su propio estilo de peinado y ropas. En cada país, según sus circunstancias particulares y condiciones naturales, los habitantes han ideado lo mejor en cuanto a cultura, comercio, pesca, vestimenta, medios de comunicación, etc.

Sin duda hay prácticas irracionales o bárbaras en algunos pueblos; pero éstas son artificiales; debemos tratar de reformarlas, pero no escandalizarnos por ellas.

Así, al este de *Yue*, los *Che Mu* devoran a todos los primogénitos, por el bien, dicen, de los niños que vendrán después. Cuando su abuelo ha muerto, expulsan a la abuela porque, dicen, al ser la esposa de un muerto, les traería desgracias.

En el sur de *Chu*, los *Yen Ren* raspan la carne de sus familiares muertos y la tiran, y luego entierran devotamente sus huesos. Cualquiera de ellos que no lo hiciera no sería considerado un hijo piadoso.

Al oeste de *Qin*, entre los *Yi Chu*, en el país de *Wen Kang*, se queman los familiares muertos para que asciendan al cielo con el humo. Cualquiera que no lo hiciera sería considerado impío.

G. Seamos reservados en nuestros juicios, pues incluso el Sabio ignora muchas cosas, incluso las que se ven cada día... Confucio, viajando por el este, vio a dos muchachos discutiendo, y les preguntó el motivo de su disputa. El primero dijo:

— Sostengo que cuando el sol sale está más cerca, y que al mediodía está más lejos.

El segundo dijo:

— Digo que cuando el sol sale, está más lejos, y al mediodía está más cerca.

El primero dijo:

— Cuando el sol sale, parece grande; al mediodía, parece pequeño; por eso está más cerca por la mañana, y más lejos al mediodía; porque la distancia hace que los objetos sean más pequeños.

El segundo dice:

— Al salir, el sol está fresco; al mediodía es ardiente; por eso está más lejos por la mañana, y más cerca al mediodía; pues la distancia de un foco disminuye su calor.

Confucio no encontró nada que decir para decidir esta cuestión, en la que nunca había pensado. Los dos chicos se rieron de él y dijeron:

— Entonces, ¿por qué dicen de ti que eres un erudito?

H. El continuo (la continuidad) es la mayor ley del mundo. Es distinta de la cohesión, del contacto. Tomemos un pelo. Colgamos pesas en él. Se rompe. Lo que se rompe es el pelo, no el continuo. El continuo no se puede romper. Algunas personas no lo creen. Les demostraré, con ejemplos, que lo continuo es independiente del contacto.

Zhan He pescaba con un sedal hecho de un solo hilo de seda natural[22], una aguja curva le servía de anzuelo, una palo de caña y medio grano de trigo como cebo. Con este rudimentario dispositivo, sacó enormes peces de un profundo abismo, sin que se le rompiera el sedal, sin que se le deformara el anzuelo, sin que se le doblara su caña. Cuando el rey de *Chu* escuchó esto, le pidió una explicación. *Zhan He* le dijo: "En el pasado el famoso arquero *Pu Ju Zi*, con un arco muy débil y una flecha lanzada con un simple hilo, alcanzaba las grullas grises en las nubes, gracias a su aplicación mental que establecía la continuidad de su mano hacia el objeto. Llevo cinco años intentando conseguir el mismo resultado en la pesca con caña. Cuando lanzo el anzuelo, mi mente, completamente vacía de cualquier otro pensamiento, va directamente al pez, a través de mi mano y mis avíos, estableciendo una continuidad, y el pez es capturado sin desafío ni resistencia. Y si tú, oh rey, aplicaras el mismo procedimiento al gobierno de tu reino, el resultado sería el mismo…" "Gracias", dijo el rey de *Chu*… *De modo que la voluntad establece la continuidad, entre la mente y su objeto.*

I. *El corazón crea la continuidad, entre el hombre y su familia.*

Gong Hu de *Lu*, y *Qi Ying* de *Zhao*, estando enfermos, pidieron a *Pian Qiao*, el famoso médico, que los curara. Así lo hizo, y luego les dijo:

— Esto fue sólo una crisis temporal; la predisposición constitucional permanece, exponiéndolos a ciertas recaídas; se necesitaría algo más que medicamentos, para eliminar ésta.

— ¿Qué se necesita? —preguntaron los dos hombres.

— Tú —dijo *Pian Qiao* a *Gong Hu*, "tienes un corazón fuerte y un cuerpo débil, y en consecuencia te agotas en proyectos impracticables. Tú, *Qi Ying*, tienes un

---

22   Como los que produce el gusano de seda; hay que unir varios de estos filamentos para hacer un hilo.

corazón débil y un cuerpo fuerte, y en consecuencia te agotas en esfuerzos irreflexivos. Si yo intercambiara el corazón de ustedes dos, vuestros cuerpos estarían
en buenas condiciones.

— ¡Hazlo! —dijeron los dos hombres.

Pian Qiao, tras hacerles beber vino que contenía una droga que les privaba de
todo conocimiento durante tres días, les abrió los dos pechos, les extrajo los dos
corazones, los cambió y cerró las dos incisiones con su famoso ungüento. Cuando
despertaron, ambos hombres estaban perfectamente sanos.

Pero cuando se despidieron, *Gong Hu* fue directamente a la casa de *Qi Ying* y
se instaló con su mujer y sus hijos, que no le reconocieron. *Qi Ying* también fue directamente a la casa de *Gong Hu* y se instaló con su mujer y sus hijos, que tampoco
le reconocieron. Las dos familias estuvieron a punto de llegar a una disputa. Pero
cuando *Pian Qiao* les explicó el misterio, se calmaron.

J. *La música crea la continuidad entre el hombre y el conjunto de la naturaleza.*

Cuando *Pao Ba* tocaba su cítara, los pájaros bailaban y los peces saltaban. Deseando adquirir el mismo talento, *Shi Wen* (que más tarde se convertiría músico en
jefe de *Zheng*) dejó a su familia para unirse a *Shi Xiang*. Al principio pasó tres años
enteros practicando la digitación y el toque, sin tocar ninguna melodía. Juzgando
que no era muy capaz, *Shi Xiang* finalmente le dijo:

— Podrías volver a casa…

Dejando su cítara, *Shi Wen* dijo con un suspiro:

— No, no soy incapaz; pero tengo una meta, un ideal más elevado que la interpretación musical clásica ordinaria; todavía no tengo lo que se necesita para
comunicar la influencia de mi corazón a los seres externos; por eso no me atrevo a
hacer sonar mi cítara; todavía no haría los sonidos que pretendo. Como debo irme,
me iré; pero sólo será una ausencia temporal; pronto nos veremos.

De hecho, no mucho después, *Shi Wen* volvió a *Shi Xiang*.

— ¿Como vas con tu cítara?

— He alcanzado mi ideal —dijo *Shi Wen*—, ya verás…

Era entonces plena primavera. *Shi Wen* tocó el tono *Shang*, que responde al
tubo *Nan*[23] y a la estación de otoño; inmediatamente sopló un viento fresco y la
fruta maduró. Cuando, en otoño, tocó el tono *Jiao*, que responde a la campana *Jia*
y a la estación primaveral, sopló un viento cálido y las plantas florecieron. Cuando,
en verano, tocaba el tono *You*, que responde a la campana *Huang* y la estación de
invierno, empezó a caer nieve y se congelaron los ríos. Cuando, en invierno, tocó
el tono *Zheng*, que responde al tubo *Rui Pin*, y la época estival, relampagueó y el
hielo se derritió. Finalmente, cuando tocó los cuatro tonos simultáneamente, produciendo el acorde perfecto, una suave brisa sopló, graciosas nubes flotaron en el
aire, dulce rocío cayó del cielo, y manantiales vinícolas fluyeron de la tierra…

Golpeando su pecho y saltando (marcas de arrepentimiento), *Shi Xiang* dijo:

---

23   Los antiguas flautas de los chinos se hacían con 12 tubos de bambú, uno por cada
tono (N. del T.).

— ¡Qué gran ejecución! Iguala o supera en potencia a la de *Shi Kuang* y *Zi Yen*. En tu presencia, estos maestros deben dejar la cítara y tomar el flautín, para acompañarte.

K. *Otro ejemplo de la misteriosa correspondencia que establece la música.* Cuando *Xue Tan* estaba aprendiendo a cantar con *Qin Qing*, se desanimó y le dijo a su maestro que se iba. *Qin Qing* no le pidió que se quedara; pero, en la acostumbrada merienda de despedida, le cantó un lamento tan conmovedor que *Xue Tan*, se arrepintió, se disculpó por su inconstancia y pidió que se le permitiera quedarse.

Entonces *Qin Qing* le contó a su amigo la siguiente historia:

Una vez *Er Han*, al ir a *Qi* y haber agotado su comida, cantó en una posada en *Yong Men* para ganarse la comida. Después de su partida, las vigas y los cabrios de la posada donde había cantado siguieron repitiendo su canción durante tres días enteros, de modo que la gente vino corriendo, creyendo que no se había ido, sin querer creer al posadero que los despedía… Cuando *Er Han* cantó un lamento, jóvenes y ancianos se angustiaron tanto que no comieron durante tres días. Entonces, *Er Han* les cantó un alegre estribillo, y en un momento de la ronda, jóvenes y ancianos, olvidando su pena, bailaron de alegría y colmaron al cantante con sus regalos. Aún hoy, los habitantes de *Yong Men* expresan su alegría o su dolor de una manera especialmente elegante. Lo aprendieron de *Er Han*.

L. *Otro ejemplo del continuo místico.* Cuando *Bo Ya* tocó su cítara, *Zhong Zi Qi* percibió la intención que tenía al tocar. Así, una vez *Bo Ya* trató de expresar la idea de una alta montaña con sus acordes:

— Bueno, bueno —dijo *Zhong Zi Qi*—; se eleva, como el Monte *Tai Shan*…

En otra ocasión, mientras *Bo Ya* intentaba representar el flujo del agua:

— Bueno, bueno —dijo *Zhong Zi Qi*—; fluye como el *Jiang* o el *Río*…

Sea cual fuera la idea que *Bo Ya* formara en su interior, *Zhong Zi Qi* la percibía al escuchar su cítara. Un día, cuando los dos amigos pasaban al norte del monte *Tai Shan*, les sorprendió un chaparrón y se refugiaron bajo una roca. Para aliviar la molestia de la espera, *Bo Ya* tocó su cítara y trató de representar, primero, el efecto de un aguacero y, después, el derrumbe de una roca. *Zhong Zi Qi* adivinó inmediatamente estas dos intenciones sucesivas… Entonces *Bo Ya* dejó su cítara, suspiró y dijo:

— Tu oído es maravilloso. Todo lo que pienso en mi corazón se traduce en una imagen en tu mente. ¿Dónde voy a ir cuando quiera guardar un secreto?

M. *Otro ejemplo de continuidad por la intención.*

El emperador *Mu* de los *Zhou* fue al oeste a cazar, cruzó las montañas de *Kun Lun*, llegó hasta el monte *Yen* y luego regresó a China. A su regreso, le presentaron a un inventor llamado *Yen Shi*.

— ¿Qué puedes hacer? —le preguntó el emperador.

— Se lo mostraré si su majestad me lo permite —dijo el inventor.

— Te daré un día —dijo el emperador.

Cuando llegó el día, *Yen Shi* se presentó ante el emperador con una escolta.

— ¿Quiénes son estos? —preguntó el emperador.

— Son mis criaturas —dijo *Yen Shi*—; saben cómo actuar.

El emperador los miró con asombro. Los autómatas de *Yen Shi* caminaban, levantaban y bajaban la cabeza y se movían como hombres de verdad. Cuando se les tocaba en la barbilla, cantaban, y muy correctamente. Cuando les cogían las manos, bailaban al ritmo. Hacían todo lo que se pudiera imaginar.

El emperador decidió hacer un espectáculo de ellos ante su harén. Pero ahora, mientras actuaban, los autómatas guiñaban el ojo a las damas. Furioso, el emperador iba a mandar matar a *Yen Shi*, creyendo que había introducido fraudulentamente a hombres reales. Entonces *Yen Shi* abrió sus autómatas y mostró al emperador que eran de cuero y madera pintada y barnizada. Sin embargo, todas las vísceras estaban formadas, y *Yen Shi* enseñó al emperador que (de acuerdo con la fisiología china), cuando a un autómata se le quitaba el corazón, su boca se volvía muda; cuando se le quitaba el hígado, sus ojos ya no podían ver; cuando se le quitaban los riñones, sus pies ya no podían moverse[24].

— Es maravilloso, dijo el emperador calmado; eres casi tan hábil como el Principio autor de todas las cosas;

Y ordenó que los autómatas fueran cargados en un carromato y llevados a su capital.

Desde entonces, no se ha visto nada similar. Los discípulos de *Ban Shu*, el inventor de la famosa torre de aproximación utilizada en los asedios, y de *Mo Zi*, el filósofo que inventó el halcón automático, instaron en vano a estos dos maestros a que repitieran lo que había hecho *Yen Shi*. Pero ni siquiera se atrevieron a intentarlo (al carecer de fuerza de voluntad para producir una continuidad efectiva).

N. *Otro ejemplo de continuidad por la intención.*

Cuando *Gan Ying*, el famoso arquero, tensaba su arco, las bestias y los pájaros acudían a él sin esperar su flecha. Su discípulo fue *Fei Wei*, que lo superó. *Fei Wei* tomó como discípulo a *Ji Chang*, y comenzó diciéndole:

— Primero aprende a no parpadear, luego te enseñaré a tensar el arco.

Ji Chang pensó en la siguiente manera. Cuando su mujer tejía, él se tumbaba de espaldas bajo el telar, observando cómo se entrecruzaban los hilos y cómo pasaba la lanzadera de un lado a otro. Después de dos años de este ejercicio, sus ojos se volvieron tan fijos que un punzón podía tocarlos sin hacerlos parpadear. Entonces *Ji Chang* fue a ver a *Fei Wei* y le dijo que estaba listo.

— Todavía no —dijo *Fei Wei*—. Todavía tienes que aprender a concentrarte en un punto. Cuando lo veas ampliado (por la fuerza de tu intención) hasta el punto de no poder fallar, entonces vuelve y te enseñaré a tensar el arco.

Ji Chang colgó de su ventana un largo pelo de yak, en el que hizo trepar a un piojo, y luego practicó mirando al piojo, cuando el sol, al pasar por detrás del ob-

---

24   Los autómatas eran movidos por la voluntad de *Yen Shi*, por continuidad mental. Por lo tanto, fue él quien hacía los guiños. Su demostración de las vísceras fue un engaño, para salvar su vida.

jeto, le hacía resplandecer. Día a día, el piojo parecía más grande. Al cabo de tres años de práctica, lo vio enorme y distinguió su corazón. Cuando consiguió atravesar el corazón del piojo sin que la flecha cortara el pelo, se dirigió a *Fei Wei*.

— Ahora —dijo *Fei Wei*—, ya sabes cómo tensar el arco; no tengo nada más que enseñarte.

Ji Chang, sin embargo, se dijo que no tenía más rival en el mundo que su maestro, y resolvió deshacerse de él (en uno de esos combates de habilidad, como los que libraban los arqueros en aquella época).

Al encontrarse en una llanura, los dos hombres tomaron sus posiciones y se dispararon simultáneamente, determinando el número de flechas. En cada disparo, las dos flechas chocaban a mitad de camino y caían muertas, sin levantar polvo. Pero *Ji Chang* había puesto una flecha más en su carcaj, que disparó en último lugar, con la intención de atravesar a su desarmado maestro. *Fei Wei* paró la flecha con una rama espinosa (que tuvo tiempo de recoger, y no sospechó la perfidia).

Luego, tras dejar sus arcos, los dos hombres se saludaron en el campo, llorando de emoción y prometiendo ser el uno para el otro como padre e hijo. También se juraron, con el derramamiento de su sangre, no revelar a nadie el secreto de su arte (continuidad mental).

O. *Otro ejemplo de la eficacia de la voluntad. Zao Fu* aprendió de *Tai Dou* el arte de conducir un carro. Cuando entró en la casa de su maestro como discípulo, comenzó sirviéndole muy humildemente. Durante tres años, *Tai Dou* no le habló. *Zao Fu* redobló su sumisión. Finalmente *Tai Dou* le dijo:

— Según un antiguo adagio, el aprendiz de arquero debe ser tan flexible como un mimbre, y el aprendiz de fundidor tan flexible como una piel. Ahora tienes más o menos lo que necesitas. Mira lo que te voy a mostrar. Cuando sepas hacer lo mismo, podrás llevar las riendas de un carro de seis caballos.

— Bien —dijo *Zao Fu*.

Entonces *Tai Dou*, habiendo colocado un poste en posición horizontal, apenas lo suficientemente ancho como apoyar el pie sobre el mismo, comenzó a caminar paso a paso, tranquilamente, desde un extremo del poste hasta el otro, yendo de un lado a otro sin dar un solo paso en falso.

Tres días después, *Zao Fu* hizo lo mismo. Sorprendido, *Tai Dou* le dijo:

— ¡Qué inteligente eres! ¡Qué rápido has triunfado! Ahora posees el secreto de conducir un carro. La concentración de tus facultades internas en el movimiento de tus pies te ha permitido caminar sobre el poste con tanta seguridad como lo haces. Concentra igualmente con intensidad tus facultades en las riendas de tu carruaje. Deja que tu mente actúe sobre los bocados de tus caballos, y tu voluntad sobre las suyas, a través de tu mano. Entonces podrás describir circunferencias perfectas y dibujar ángulos rectos perfectos, para hacer funcionar tu carro sin agotarlos. De nuevo, deja que tu mente sea una con las riendas y los bocados; ese es el secreto. Una vez hecho esto, no necesitarás usar los ojos ni el látigo. Como el carruaje está enteramente en tu poder, los veinticuatro cascos de tus seis caballos aterrizarán en cadencia, y sus movimientos serán matemáticamente precisos; pasarás con seguridad, donde el camino sólo sea tan ancho como la distancia entre tus ruedas, donde el camino apenas sea suficientemente ancho para los cascos de tus caballos. No tengo nada más que enseñarte; ya sabes tanto como yo[25].

P. *Hei Luan* de *Wei* asesinó a traición a *Qiu Bingzhang*; el hijo de éste, *Lai Dan*, intentó vengar la muerte de su padre. *Lai Dan* era valiente pero estúpido. *Hei Luan* era un coloso, que no temía a *Lai Dan* más que a un pollito.

Shen Tuo, un amigo de *Lai Dan*, le dijo:

— Estás resentido con *Hei Luan*; pero es tan superior a ti; ¿qué puedes hacer al respecto?

— Aconséjame —dijo *Lai Dan*—, rompiendo a llorar.

— He oído —dijo *Shen Tuo*—, que en el principado de *Wei*, en la familia *Kong Zhou*, hay tres espadas maravillosas que pertenecieron al último emperador de los *Yin*, y con las que un niño podría detener un ejército. Pídelas prestadas.

Lai Dan, después de haber ido a *Wei*, se dirigió a *Kong Zhou*, se ofreció a él como esclavo con su mujer e hijos, y luego le dijo lo que esperaba a cambio.

— Te prestaré una espada —dijo *Kong Zhou*—, ¿cuál de las tres quieres? La primero lanza un rayo. La segunda es invisible. La tercera lo atraviesa todo. Durante trece generaciones estas tres espadas han permanecido sin uso en poder de mi familia. ¿Cuál quieres?

— La tercera —dijo *Lai Dan*.

Así que *Kong Zhou* aceptó a *Lai Dan* como cliente de su clan. Al cabo de siete días, habiendo dado un banquete en su honor, le entregó la espada deseada, que *Lai Dan* recibió postrado. Armado con esta arma, *Lai Dan* buscó a *Hei Luan*. Tras encontrarlo durmiendo ebrio, lo acuchilló tres veces, desde el hombro hasta la cintura, sin que se despertara. Cuando salió, se encontró con el hijo de *Hei Luan*, y también lo acuchilló tres veces. Todos sus golpes atravesaron los cuerpos, sin experimentar más resistencia que en el aire; pero los cortes se cerraban tras el paso de la hoja.

Al ver que su maravillosa espada no mataba, *Lai Dan* huyó angustiado. Sin embargo, *Hei Luan*, tras despertarse, regañó a su mujer por no haberle cubierto mejor durante el sueño.

— Estoy resfriado —dijo— y tengo el cuello y la espalda como entumecidos.

Mientras tanto, su hijo entró y dijo:

— *Lai Dan* también habrá pasado por aquí. Me dio tres golpes fuera, que produjeron precisamente el mismo efecto en mí[26].

Q. Durante su viaje a Occidente, los *Rong*, una tribu de esas regiones, ofrecieron al emperador *Mu* de los *Zhou*, una extraordinaria espada y unas telas de

---

25   Comentario: Cualquier vacilación, una ausencia, un vértigo, proviene del hecho de que la mente no es dueña del miembro o instrumento que actúa. Hay un defecto de continuidad. El fluido intencional no pasa.

26   La maravillosa propiedad de esta espada era que atravesaba la materia, sin dividir ni la cohesión ni la continuidad.

amianto. La espada de dieciocho pulgadas de largo atravesaba el jade como si fuera barro. Cuando el paño se ensuciaba, al ser puesto en el fuego, salía blanco como la nieve. Se ha intentado poner en duda estos hechos, pero son ciertos.

CAPÍTULO 6 - FATALIDAD

A. La Energía le dijo a la Fatalidad:

— Tú no vales tanto como yo.

— ¿Por qué no? —preguntó la Fatalidad.

— Porque —dijo la Energía—, yo soy quien da longevidad, éxito, nobleza y riqueza a los hombres.

— Ah —dijo la Fatalidad—, si eso fuera así, ¿tendrías realmente motivos para presumir de ello? *Peng Zu* vivió durante ocho siglos, mucho más que *Yao y Shun*, sin tener más mérito que ellos. *Yen Yuan*, tan sabio, murió a los treinta y dos años, mientras que muchos tontos llegan a una edad avanzada. *Zhong Ni*, que valía tanto como los príncipes de su tiempo, sufrió una gran desgracia en *Chen y Cai*. El emperador *Zhou* de los *Yin* no estaba a la altura de los tres parangones *Wei Zi*, *Ji Zi* y *Bi Gan*, y sin embargo ocupaba un trono, mientras que ellos eran desgraciados. *Ji Zha de Wu*, que habría merecido los mayores honores, no obtuvo ninguno; mientras que *Tian Heng*, absolutamente indigno, obtuvo el reino de *Qi*. *Bo Yi y Shu Qi*, tan nobles, murieron de hambre en *Shou Yang*, mientras que *Ji Shi* se enriqueció en *Zhan Qin*. Si fuiste tú quien hizo estos repartos, por qué los hiciste como si estuvieras ciega.

— Si no fui yo —dijo la Energía—, entonces fuiste tú, Fatalidad, quien los hizo, y la culpa recae sobre ti.

— Lo siento —dijo la Fatalidad—; yo no hago nada. Empujo (hago girar la rueda) y luego la suelto. Fatalmente uno vive mucho y el otro no, fatalmente uno tiene éxito y el otro no, fatalmente uno se hace famoso y el otro no, fatalmente uno es rico y el otro pobre. Yo no hago nada de esto; ni siquiera sé nada al respecto; es algo natural.

B. *Bei Gong Zi* le dijo a *Xi Men Zi*:

— Yo nací en la misma época y de la misma estirpe que tú; en cuanto a la cara, el habla y el modo de andar, apenas hay diferencia entre los dos; y, sin embargo, tú triunfas, eres honrado, eres amado, eres querido, eres alabado, mientras que a mí me sucede todo lo contrario. Hemos utilizado los mismos medios para probar nuestra fortuna; tú has tenido éxito en todo, y yo en nada. Estoy mal vestido, mal alimentado, mal alojado, y voy a todos lados caminando; mientras que tú vives en el lujo y la abundancia, y sales sólo en cuadriga. Tanto en la vida privada como en la vida pública eres tan superior a mí, que no me atrevo a compararme contigo.

— Supongo —dijo *Xi Men Zi*—, que la diferencia en nuestras condiciones se debe a la diferencia en nuestra conducta. Te habrás portado peor que yo.

Muy humillado, *Bei Gong Zi* no supo qué responder y se marchó desconcertado. En la calle se encontró con el señor del suburbio oriental, que le preguntó:

— ¿A dónde vas, a ese paso y con esa mirada?

Bei Gong Zi le contó su malestar:

— Volvamos juntos, dijo el Maestro; yo corregiré esta afrenta.

Cuando llegaron a casa de *Xi Men Zi*, el Maestro le preguntó:

— ¿Qué mal le hiciste a *Bei Gong Zi*?

— Le dije —dijo *Xi Men Zi*— que consideraba que la diferencia en nuestras condiciones debía provenir de la diferencia en nuestra conducta.

— No es así —dijo el Maestro—. Así es como debe explicarse. *Bei Gong Zi* está bien dotado y tiene un mal destino. Tú, *Xi Men Zi*, estás mal dotado, pero tienes un buen destino. Tu éxito no se debe a tus cualidades; sus fracasos no se deben a su incapacidad. No eres tú quien se ha convertido en lo que eres; es el destino el que te ha convertido en lo que eres. Por lo tanto, si tú, el afortunado, lo has humillado; si él, el bien dotado, se ha avergonzado de ello, es porque ambos no son conscientes de lo que les ocurre.

— No digas nada más, maestro —dijo *Xi Men Zi*—; no lo volveré a hacer.

Cuando *Bei Gong Zi* regresó a su casa, encontró que su túnica de tela gruesa era más cálida que la piel de zorro o de tejón; su comida burda le parecía deliciosa; su choza le parecía un palacio, y su cortina una carroza. Iluminado interiormente, no prestó más atención a las distinciones sociales hasta que murió.

El maestro del suburbio oriental, al enterarse de esto, dijo:

— Después de un sueño muy largo (ignorancia), una palabra fue suficiente para despertar a este hombre, y cambiarlo de manera duradera.

C. *Guan Zhong* y *Bao Shu Ya*, ambos de *Qi*, eran amigos íntimos. *Guan Zhong* siguió al príncipe *Jiu*, *Bao Shu Ya* siguió al príncipe *Xiao Bo*. Como consecuencia de la preferencia otorgada por el duque *Xi* de *Qi* a *Wu Zhi*, hijo de una concubina favorita, estalló una revolución cuando la sucesión del duque fallecido tuvo que ser dispuesta. *Guan Zhong* y *Shao Hu* huyeron a *Lu* con el príncipe *Jiu*, mientras que *Bao Shu Ya* huyó a *Ju* con el príncipe *Xiao Bo*. Entonces, estos dos príncipes, convertidos en competidores por el trono, se declararon la guerra mutuamente, *Guan Zhong* luchó del lado de *Jiu* cuando éste marchó sobre *Ju*, y disparó una flecha a *Xiao Bo* que le habría matado, si no se hubiera clavado en la hebilla de su cinturón. Luego que venció, *Xiao Bo*, exigió a los de *Lu* que dieran muerte a su rival *Jiu*, lo que hicieron complacientemente. *Shao Hu* pereció y *Guan Zhong* fue encarcelado.

Entonces *Bao Shu Ya* le dijo a su protegido *Xiao Bo*, que se convirtió en el duque *Huan*:

— *Guan Zhong* es un político extremadamente inteligente.

— Lo sé bien —dijo el duque—, pero odio a ese hombre que casi me mata.

Bao Shu Ya continuó:

— Un príncipe sabio debe saber reprimir sus resentimientos personales. Los inferiores deben hacer esto continuamente con respecto a sus superiores; un superior debe hacerlo a veces con uno de sus inferiores. Si pretendes convertirte en el gobernante supremo, *Guan Zhong* es el único hombre que puede hacer que tu plan tenga éxito. Debes darle la amnistía.

Así que el duque llamó a *Guan Zhong*, supuestamente para darle muerte. Los de *Lu* lo enviaron atado. *Bao Shu Ya* salió a su encuentro en el suburbio y le quitó las ataduras. El duque *Huan* lo invistió con la dignidad de primer ministro. *Bao Shu Ya* se convirtió en su subordinado. El duque trataba a *Guan ZHong* como a un hijo y él lo llamaba su padre. *Guan Zhong* convirtió al duque en el gobernante supremo. A menudo decía con un suspiro:

— Cuando, en mi juventud, comercié con *Bao Shu Ya*, y tomé la parte buena, *Bao Shu Ya* me excusó, a causa de mi pobreza. Cuando, más tarde, en la política, triunfó y le superé, *Bao Shu Ya* pensó que aún no había llegado mi hora y no dudó de mí. Cuando huí al ser derrotado el príncipe *Jiu*, *Bao Shu Ya* no me juzgó cobarde, sino que me excusó alegando que aún tenía a mi vieja madre, por la que debía preservarme. Cuando me encarcelaron, *Bao Shu Ya* mantuvo su estima por mí, sabiendo que para mí sólo hay una deshonra, la de permanecer ocioso sin trabajar por el bien del Estado. ¡Ah! si le debo mi vida a mis padres, le debo más a *Bao Shu Ya* que entendió mi alma.

Desde entonces, es costumbre admirar la amistad desinteresada de *Bao Shu Ya* por *Guan Zhong* y alabar al duque *Huan* por su magnanimidad y su discernimiento de los hombres. En realidad, en este asunto, no hay que hablar ni de amistad ni de discernimiento. La verdad es que no hubo ni intervención de los actores, ni cambio de fortuna. Todo era un juego del destino ciego. Si *Shao Hu* pereció, fue porque tenía que perecer. Si *Bao Shu Ya* fue condescendiente con *Guan Zhong*, fue porque tenía que hacerlo. Si el duque *Huan* perdonó a *Guan Zhong*, fue porque tenía que perdonarlo. Necesidad fatal, y nada más.

Lo mismo ocurrió al final de la carrera de *Guan Zhong*. Cuando *Guan Zhong* tuvo que guardar cama, el duque fue a visitarlo y le dijo:

— Padre *Zhong*, estás muy enfermo; debo aludir a lo que no se nombra (la muerte); si tu enfermedad se agrava (hasta el punto de llevarte), ¿a quién tomaré como ministro en tu lugar?

— Quien tu quieras —dijo el moribundo.

— ¿Sería *Bao Shu Ya* adecuado? —preguntó el Duque.

— No —dijo *Guan Zhong*—; su ideal es demasiado elevado; desprecia a quienes no lo alcanzan, y nunca olvida una falta cometida. Si lo tomaras por ministro, tanto tú como el pueblo saldrían mal parados. No podrás soportarlo por mucho tiempo.

— Entonces, ¿a quién debo tomar? —dijo el duque.

— Si tengo que contestarte —dijo *Guan Zhong*—, toma a *Xi Peng*, él servirá. Es igualmente flexible con los superiores e inferiores. Está absorbido por el fantasioso deseo de igualar la virtud de *Huang Di*. La mirada trascendente es la característica de los Sabios de primer orden, la visión práctica es la característica de los Sabios de segundo rango. Hacer sentir la sabiduría propia indispone a los hombres, hacerla olvidar los hace amar. *Xi Peng* no es un Sabio de primer orden; tiene, como Sabio de segundo rango, el arte de la auto-exigencia. Además, tanto su persona como su familia son desconocidas. Por eso considero que es apto para el cargo de Primer Ministro. — ¿Qué podemos decir sobre esto? *Guan Zhong* no recomendó a *Bao Shu Ya*, porque no debía ser recomendado; patrocinó a *Xi Peng*, porque debía patrocinarlo. La fortuna primero y la desgracia después, la desgracia primero y la fortuna después, en todas las vicisitudes del destino, nada es del hombre (querido, hecho por él); todo es ciega fatalidad.

D. *Deng Xi* sabía discutir los pros y los contras de una cuestión con un sinfín de palabras. Habiendo elaborado un nuevo código para el principado de *Zheng*, *Zi Chan* fue criticado por muchos y *Deng Xi* se burló de él. *Zi Chan* reprimió a sus críticos y mandó matar a *Deng Xi*. En esto no actuó, sino que sirvió al destino. *Deng Xi* tenía que morir así. *Deng Xi* debía burlarse de *Zi Chan*, y así provocar su muerte. Nacer y morir a su tiempo, estas dos cosas son felicidades. No nacer y no morir en su momento, estas dos cosas son desgracias. Estos diferentes destinos les ocurren a unos y a otros, no por su propia acción, sino a causa de la fatalidad. Son imprevisibles. Por eso, al hablar de ellos, utilizamos las expresiones, misterio sin regla, camino del cielo que sólo se conoce a sí mismo, oscuridad inescrutable, ley del cielo que se mueve por sí misma, y otras análogas. Esto significa que el cielo y la tierra, que la ciencia de los Sabios, que los espíritus y los duendes, no pueden hacer nada contra la fatalidad. Según su capricho, destruye o construye, aplasta o acaricia, retrasa o impide.

E. *Ji Liang*, un amigo de *Yang Zhu*, siete días después de caer enfermo, se encontró al final de su vida. Su hijo, entre lágrimas, corrió a ver a todos los médicos de los alrededores. El enfermo le dijo a *Yang Zhu*:

— Intenta hacer entrar en razón a mi insensato hijo.

Yang Zhu recitó entonces el verso a su hijo:

— Lo que el cielo no conoce (el futuro), ¿cómo pueden los hombres adivinarlo? No es cierto que el cielo bendiga, ni que nadie esté maldito. Tú y yo sabemos que el destino es ciego e ineludible. ¿Qué pueden hacer los médicos y los magos?

Pero el hijo no se rindió y trajo a tres médicos, un *Jiao*, un *Yu* y un *Lu*. Los tres examinaron al paciente, uno tras otro. El *Jiao* dijo:

— En tu caso, el frío y el calor están desequilibrados, el vacío y la plenitud son desproporcionados; has comido demasiado, has disfrutado demasiado, has pensado demasiado, te has cansado demasiado; tu enfermedad es natural y no el efecto de alguna influencia maligna; aunque es grave, es curable.

— Este está recitando los libros; ¡que se le despache sin más! —dijo *Ji Liang*.

Yu le dijo al paciente:

— Aquí está tu caso. Saliste del vientre de tu madre con una vitalidad defectuosa, y luego chupaste más leche de la que podías digerir. El origen de tu enfermedad se remonta a esa época. Como es inveterada, difícilmente puede curarse por completo.

— Este habla bien —dijo *Ji Liang*—. ¡Deberíamos invitarlo a cenar!

El *Lu* le dijo al paciente:

— Ni el cielo, ni un hombre, ni un espectro, son la causa de tu enfermedad. Nacido con un cuerpo compuesto, estás sujeto a la ley de la disolución, y debes comprender que el tiempo se acerca; ninguna medicina hará nada.

— Tiene espíritu —dijo *Ji Liang*—; que se le pague generosamente.

Ji Liang no tomó ningún medicamento y se recuperó perfectamente (destino). El cuidado de la vida no la alarga, la falta de cuidado no la acorta. El aprecio por el cuerpo no lo mejora, el desprecio no lo deteriora. Las consecuencias, en este asunto, no se corresponden con las acciones realizadas. Incluso a menudo parecen diametralmente opuestas, sin serlo realmente. Porque el destino no tiene opuesto. Vivimos o morimos, porque teníamos que vivir o morir. El cuidado o descuido de la vida, del cuerpo, no hace nada para cambiar esto, ni en una dirección ni en la otra. Por eso *You Xiong* le dijo a al rey *Wen*: "El hombre no puede sumar ni restar a su estatura; todos sus cálculos no pueden hacer nada al respecto.

En la misma línea, *Lao Dan* le dijo a *Guan Yin Zi*:

— Es mejor callar que intentar averiguar las intenciones del cielo, adivinar el esplendor y la maldad (cálculos vanos, todo se rige por una fatalidad ciega, imprevisible, ineluctable).

F. *Yang Bu*, el hermano menor de *Yang Zhu*, dijo a su hermano mayor:

— Hay hombres que son completamente iguales en edad, en el exterior, en todos los dones naturales, pero que difieren absolutamente, en duración de vida, en fortuna y en éxito. No me explico este misterio.

Yang Zhu le respondió:

— Nuevamente olvidas el dicho de los antiguos que te he repetido tantas veces: "el misterio que no se puede explicar es la fatalidad. Se compone de oscuridades impenetrables, de complicaciones inextricables, de acciones y omisiones que se suman día a día. Los que están convencidos de la existencia de este destino ya no creen en la posibilidad de conseguir, con esfuerzo, prolongar su vida, tener éxito en sus empresas, evitar la desgracia. Ya no confían en nada, sabiendo que son los juguetes de un destino ciego. Son rectos y honestos, ya no tienden en ninguna dirección; ya no se afligen ni se alegran por nada; ya no actúan, sino que dejan pasar todo."

Las siguientes frases de *Huang Di* resumen bien la conducta que debe seguir el hombre iluminado: "Que el hombre superior permanezca inerte como un cadáver, y se mueva sólo pasivamente, porque está siendo movido. Que no razone sobre su inercia, sobre sus movimientos. Que nunca se preocupe por las opiniones de los hombres, y que nunca cambie sus sentimientos según los de ellos. Que siga el camino, su camino personal. Porque nadie puede perjudicarle" (el destino es el único que dispone de él).

G. Cuatro hombres vivieron juntos toda su vida sin tener en cuenta los sentimientos del otro. Otros cuatro pasaron su vida sin comunicarse ningún propósito entre ellos. Otros cuatro, sin mostrar nada a los demás. Otros cuatro, sin llegar a hablar. Otros cuatro, sin siquiera mirarse… Todos marcharon como corresponde a los hombres gobernados por el destino[27]. — Lo que parecía favorable, finalmente

---

27   Introducción absurda; un ejercicio de oraciones paralelas.

revela ser desastroso. Lo que parecía fatal, luego se descubre que ha sido favorable. Cuántos hombres gastan su vida en esfuerzos insensatos por discernir confusas apariencias, por penetrar misteriosas oscuridades. ¿No sería mejor no temer la desgracia, no desear la felicidad, moverse o quedarse quieto según la necesidad, con la profunda convicción de que la razón no tiene entendimiento y que la voluntad no puede hacer nada al respecto? Quien ha entendido bien esto, debe aplicarlo a los demás como a sí mismo. Si gobierna a los hombres según principios diferentes, será un ciego y un sordo obstinado, que se arrojará con ellos a una zanja.

Recapitulemos: La vida y la muerte, la fortuna y la desgracia, dependen del destino, del horóscopo. Quien se queja de tener que morir joven, de ser pobre o afligido, demuestra que ignora la ley. Quien mira la muerte a la cara sin miedo y soporta la miseria sin quejarse, demuestra que conoce la ley. Las conjeturas de los llamados sabios, sobre el más y el menos, sobre la plenitud y el vacío, sobre la suerte y la mala suerte, nunca dan ninguna certeza; después de todos sus cálculos, el resultado será positivo o negativo, sin que se sepa por qué. Tanto si se calcula como si no, ocurrirá lo mismo. La salvación y la ruina no dependen del conocimiento previo. Uno se salva porque tenía que salvarse, otro perece porque tenía que perecer.

H. El Duque *Jing* de *Qi* había ido a dar un paseo al norte del monte *Ni Shan* y regresaba a su capital. Cuando la vio de lejos, conmovido hasta las lágrimas, gritó:

— ¡Oh! mi hermosa ciudad, tan bien poblada! ¿Por qué se acerca poco a poco el momento en que debo dejarla? ¡Ah, si los hombres no tuvieran que morir!

Shi Kong y *Liang Qiu Ju*, de la escolta del duque, también lloraron, para complacerlo, y dijeron:

— Si para nosotros, que sólo somos escuderos, hombres de condición muy modesta, el pensamiento de la muerte es doloroso, ¡cuánto más debe serlo para ti, Señor!

El erudito *Yen Zi*, que también acompañaba al duque, se echó a reír. El duque lo vio. Secándose las lágrimas, miró fijamente a *Yen Zi* y le preguntó:

— Cuando estoy llorando, y estos dos hombres lloran conmigo, ¿de qué puedes reírte?

— Creo —dijo *Yen Zi*—, que si, de acuerdo con tu deseo, los hombres no murieran, los sabios duques *Tai* y *Huan*, los valientes duques *Zhuang* y *Ling*, tus antepasados, seguirían vivos. Si aún vivieran, el mayor ocuparía el trono, y tú, su lejano descendiente, estarías sin duda ocupado en la vigilancia de alguna granja. ¿No debes el trono al hecho de que, habiendo muerto, tus antepasados ya no están aquí? Por su sucesiva desaparición, el trono ha llegado a ti. ¿No hay en tu pesar por la muerte de los hombres algo de ingratitud hacia los que os han hecho el servicio de morir? y ¿no son los dos escuderos que han llorado con vosotros para complaceros unos tontos aduladores? Fueron estos pensamientos los que me hicieron reír.

Avergonzado por su arrebato de sentimentalismo irracional, el duque se bebió un cuerno de vino completo como penitencia, y luego obligó a sus dos escuderos a que bebieran dos cuernos de vino cada uno.

I. En *Wei*, un tal *Dong Men Wu*, habiendo perdido a su hijo, no lo lloró. Alguien que vivía con él le dijo:

— Sin embargo, amabas a tu hijo; ¿cómo es que, ahora que ha muerto, no lo lloras?

Dong Men Wu dijo:

— Una vez, durante muchos años antes de que él naciera, viví sin este hijo, sin llorar. Ahora que está muerto, miro hacia atrás y pienso que nunca lo tuve, y ya no me aflijo. Además, ¿qué sentido tiene? Los agricultores se preocupan por sus cosechas, los comerciantes por su comercio, los artesanos por su oficio, los funcionarios por su trabajo. Pero todo esto depende de circunstancias que escapan a su control. El agricultor necesita lluvia, el comerciante necesita suerte, el artesano necesita trabajo, el funcionario necesita una oportunidad para distinguirse. Pero sólo del destino dependen las circunstancias y las oportunidades.

Capítulo 7 - *Yang Zhu*[28]

A. *Yang Zhu*, de viaje en el país de *Lu*, se alojó con la familia *Meng*. El señor *Meng* le preguntó:

— ¿No basta con ser un hombre (la más noble de las criaturas)?

— El renombre —dijo *Yang Zhu*—, llama a la fortuna.

— ¿Y entonces?

— Luego viene la nobleza.

— ¿Y entonces?

— Luego viene la muerte.

— ¿Así que sólo es para morir que nos inquietamos? —dijo el seño *Meng*.

— No —dijo *Yang Zhu*—, es para transmitir nuestra reputación, después de nuestra muerte, a nuestros descendientes.

— ¿Es seguro que la heredarán? —dijo el maestro *Meng*— ¿No ocurre que los que han trabajado y sufrido para ser famosos, no transmiten nada a sus descendientes; mientras que aquellos cuya vida ha sido mediocre o mala, sacan adelante a su familia? Así, *Guan Zhong*, ministro del duque de *Qi*, que sirvió a su señor con el mayor servilismo, hasta el punto de hacer suyos sus vicios, no dejó nada a su familia. Mientras que *Tieng Heng*, otro ministro de *Qi*, que siempre adoptó el punto de vista contrario al de su maestro, consiguió legar a sus descendientes el ducado que había usurpado. En estos dos casos paralelos, la merecida reputación de *Guan Zhong* no trajo a sus descendientes más que pobreza, mientras que la inmerecida reputación de *Tieng Heng* hizo la fortuna de su familia.

Con demasiada frecuencia, la fama va unida a una falsa suposición, a una falsa pretensión. Se glorifica a *Yao* y *Shun* por haber abdicado en favor de *Xu You* y *Shan Guan*. En realidad su abdicación fue una vana pretensión. Disfrutaron de las ventajas de la dignidad imperial hasta su muerte. Su gloria es una falsa gloria. — Mientras que *Bo Yi* y *Shu Qi*, que realmente renunciaron a su feudo paterno y mu-

---

28   Le debemos a *Lie Zi* y *Zhuang Zhou* lo que sabemos de este filósofo epicúreo egoísta, al que Mencio criticó mucho; suponiendo que haya algo de verdad en lo que cuentan de él.

rieron de hambre en el monte *Shou Yang* a causa de su lealtad, son compadecidos por algunos, burlados por otros y nadie los glorifica. ¿Quién distinguirá, en este asunto, lo verdadero de lo falso?

B. *Yang Zhu* dijo:

— De mil hombres, ni siquiera uno vive cien años. Pero digamos que de cada mil, hay un centenario. Una gran parte de su vida habrá transcurrido entre el desamparo de la primera infancia y la decrepitud de la extrema vejez. Gran parte se habrá consumido en el sueño de la noche o las distracciones del día. Una gran parte habrá sido esterilizada por la tristeza o el miedo. Queda una fracción relativamente pequeña para la acción y el disfrute. — Pero, ¿qué le hará decidirse a actuar? ¿Qué le hará disfrutar? ¿Será la belleza de las formas y los sonidos? Estas cosas o cansan o no duran… ¿Será la ley, con sus premios y castigos, sus distinciones y sus azotes? Estos motivos son demasiado débiles. ¿Es tan temible una reprimenda? ¿Es tan envidiable un título póstumo? ¿Hay alguna razón, por tan poco, para renunciar al placer de los ojos y los oídos, para aplicar el freno moral a su exterior e interior? ¿Pasar la vida de esta manera, con privaciones y restricciones, es menos duro que pasarla en la cárcel y con grilletes? No, no lo es. Así, los antiguos, que sabían que la vida y la muerte son dos fases alternativas y transitorias, dejaban que sus instintos se manifestaran libremente, sin coartar sus apetitos naturales, sin privar a sus cuerpos de sus placeres. No les importaba si eran alabados o culpados en vida o después de la muerte. Les otorgaban a su naturaleza sus satisfacciones, y dejaban que otros tuvieran las suyas.

C. *Yang Zhu* dijo:

— Los seres difieren en la vida, pero no en la muerte. En la vida, unos son sabios y otros necios, unos nobles y otros ruines; en la muerte, todos son lo mismo, una masa de carroña pútrida. Estas diferencias en la vida, esta igualdad en la muerte, son obra del destino. La sabiduría y la necedad, la nobleza y la vulgaridad, no deben ser consideradas como entidades reales, sino como modalidades distribuidas al azar sobre la masa de los hombres. Sea cual sea la duración y la forma de la vida, ésta termina con la muerte. Los buenos y los sabios, los malvados y los necios, todos mueren por igual. A la muerte de los emperadores *Yao* y *Shun*, de los tiranos *Jie* y *Zhou*, sólo quedaron cadáveres putrefactos, imposibles de distinguir. Por lo tanto, vive la vida presente, sin preocuparte por lo que seguirá a la muerte.

D. *Yang Zhu* dijo:

— Fue por exceso de lealtad, que *Bo Yi* se dejó morir de hambre; fue por exceso de continencia, que *Zhan Qin* extinguió su linaje. Aquí es donde la ignorancia de los verdaderos principios lleva a las mejores personas.

Yang Zhu dijo:

— *Yen Xian* era pobre en *Lu, Zi Gong* era rico en *Wei*. La pobreza de *Yen Xian* acortó su vida, la riqueza de *Zi Gong* lo agotó con preocupaciones. Pero entonces, si la pobreza y la riqueza son igualmente perjudiciales, ¿qué debemos hacer? Aquí está: vive feliz, trata bien a tu cuerpo, eso es lo que debes hacer. Al alegre, ni siquiera la pobreza puede hacerle daño (porque no se aflige). Al que trata bien su cuerpo, la riqueza tampoco le perjudicará (porque no se desgastará con las preocupaciones).

Yang Zhu dijo:

— "Ayudarse a uno mismo durante la vida, cesar en la muerte"; me gusta este dicho de los antiguos. Por ayuda, me refiero a proporcionar las comodidades de la vida, comida y calefacción, todas las necesidades de la vida. Por cesar en la muerte no me refiero a la supresión de las lamentaciones habituales, sino a la supresión de desechos como perlas o jade puestos en la boca del cadáver, ropas ricas, víctimas inmoladas, objetos ofrecidos a los muertos.

E. *Yen Pingzhong*, un discípulo de *Mo Zi*, preguntó a *Guan Zhong*, un político inclinado al daoísmo, cómo se debía tratar a los vivos:

— Debemos favorecer las inclinaciones naturales, no debemos obstaculizarlas.

— Por favor, entra en detalles —dijo *Yen Pingzhong*.

— Debes permitir la completa libertad para escuchar, mirar, oler y saborear —dijo *Guan Zhong*—; toda licencia para la facilidad del cuerpo y el descanso de la mente. Cualquier restricción impuesta a cualquiera de estas facultades, aflige a la naturaleza, es una tiranía. Estar libre de toda restricción, poder satisfacer todos los instintos, de día en día, hasta la muerte, eso es lo que yo llamo vivir. Estar constreñido, estar mortificado, estar en constante dolor, en mi opinión, no es vivir. Y ahora que te he dicho cómo tratar a los vivos, por favor, dime cómo tratar a los muertos.

— No importa como sean tratados los muertos —dijo *Yen Pingzhong*— (el cuerpo es sólo una prenda de vestir desgastada). Ya sea que se les queme, se les sumerja, se les entierre, se les exponga, se les ate con paja y se les arroje al río, o se les vista ricamente y se les coloque en un sarcófago o ataúd, todo es lo mismo.

Mirando a sus amigos que habían asistido a esta charla, *Guan Zhong* dijo:

— Él y yo entendemos lo que es el asunto de la vida y la muerte.

F. *Zi Chan*, siendo ministro del principado de *Zheng*, hizo innovaciones durante tres años, que fueron beneficiosas para el pueblo, pero que desagradaron mucho a la aristocracia. *Zi Chan* tenía dos hermanos, el mayor llamado *Chao*, y el menor llamado *Mu*. *Chao* era un borracho, *Mu* era un libertino. Se podía oler el vino y los posos a cien pasos de la puerta de *Chao*, cuya habitual borrachera le había hecho perder todo el sentido del pudor y la prudencia. El harén de *Mu* ocupaba todo un barrio, que su dueño poblaba por todos los medios, y del que apenas salía. *Zi Chan* estaba muy mortificado por la mala conducta de sus dos hermanos, que lo hacía el objeto de las burlas de sus enemigos, y consultó en secreto a *Deng Xi*.

— Temo —le dijo— que se diga de mí que, como no puedo reformar a mis hermanos, no tengo lo necesario para gobernar el Estado. Te ruego que me aconsejes.

— Deberías haber intervenido antes —dijo *Deng Xi*—. Hazles comprender el precio de la vida, la importancia del decoro y la moral.

Por ello, *Zi Chan* pronunció un discurso ante sus dos hermanos sobre los tres puntos siguientes: que lo que distingue al hombre de los animales son la razón, los ritos y la moral; que la complacencia de las pasiones bestiales desgasta la vida y arruina la reputación; que si se rehabilitaban, podrían recibir un cargo.

Lejos de conmoverse con estos argumentos, *Chao* y *Mu* replicaron:

— Todo esto lo sabemos desde hace mucho tiempo; también hace mucho tiempo que decidimos no tenerlo en cuenta. Dado que la muerte es el final inevitable de todo, lo importante, en nuestra opinión, es disfrutar de la vida. No estamos en absoluto dispuestos a convertir la vida en una muerte anticipada a través de restricciones rituales, morales y de otro tipo. Satisfacer los instintos, agotar todos los placeres, eso es realmente vivir. Sólo lamentamos que la capacidad de nuestros vientres sea menor que nuestro apetito, y que la fuerza de nuestros cuerpos no esté a la altura de nuestra lujuria. Qué nos importa, que los hombres hablen mal de nosotros, y que nuestras vidas se desgasten. No creas que somos hombres que pueden ser intimidados o convencidos. Tenemos gustos muy diferentes a los tuyos. Tu regulas el exterior, haciendo sufrir a los hombres, cuyas inclinaciones interiores están así comprimidas. Dejemos que todos los instintos corran libres, lo que hace a los hombres felices. Puedes conseguir imponer tu sistema por la fuerza en un principado. Nuestro sistema es aceptado espontáneamente por los príncipes y súbditos de todo el imperio. Gracias por tus consejos. Nos alegramos de que nos hayas dado la oportunidad de expresar nuestra opinión.

Zi Chan estaba completamente desconcertado y no encontró nada que responder. Consultó de nuevo a *Deng Xi*, que le dijo:

— Te equivocas al no entender que tus hermanos ven con más claridad que tú. ¿Cómo se pueden encontrar hombres que te admiren? ¿Qué bien puedes hacer por el principado de *Zheng*?

G. *Duan Mushu* de *Wei*, un rico contemporáneo de *Zi Gong*, utilizó la gran fortuna amasada por sus antepasados para complacerse a sí mismo y a los demás. Sus edificios, jardines, comida, trajes, música y su harén eclipsaban a los príncipes de *Qi* y *Chu*. Satisfacía, para sí mismo y para sus invitados, todos los deseos del corazón, los oídos, los ojos y la boca, trayendo para ello los objetos más raros de los países más lejanos. Viajaba con el mismo lujo y comodidad. Los invitados acudían a él por centenares, el fuego nunca se apagaba en sus cocinas, la música nunca dejaba de resonar en sus salones. Repartió el excedente de su riqueza entre sus familiares, sus conciudadanos y su país. Sostuvo este estilo de vida durante sesenta años. Entonces, sintiendo que le fallaban las fuerzas y que se acercaba la muerte, en un año distribuyó todas sus posesiones como regalos, sin dar nada a sus hijos. Se despojó tan bien, que en su última enfermedad le faltaron las medicinas necesarias, y después de su muerte faltó el dinero para su funeral. Los que se habían beneficiado de su generosidad contribuyeron entonces, lo enterraron y proporcionaron un ingreso para sus descendientes… ¿Qué debemos pensar de la conducta de este hombre? *Qin Gu Li* juzgó que se comportó como un loco y deshonró a sus antepasados. *Duan Gan Sheng* juzgó que se comportó como un hombre superior, y que era mucho más sabio que sus ahorrativos antepasados. Actuó en contra del sentido vulgar, pero de acuerdo con el sentido superior. Este pródigo fue más sabio que todos los príncipes de *Wei* que se mortificaron (Así juzga el epicúreo *Yang Zhu*).

H. *Men Sun Yang* le preguntó a *Yang Zhu*:

— ¿Puede un hombre que vela por su vida y cuida su cuerpo conseguir no morir nunca?

— Seguramente logrará vivir más tiempo —dijo *Yang Zhu*—. Pero, ¿merece la pena tomarse tantas molestias y hacer tantos esfuerzos para vivir más tiempo? El mundo siempre ha estado, y siempre estará, lleno de pasiones, peligros, males y vicisitudes. Uno oye y ve las mismas cosas una y otra vez; incluso los cambios no conducen a nada nuevo. Después de cien años de existencia, los que no han muerto de dolor mueren de aburrimiento.

— Entonces, dijo *Men Sun Yang*, según tu opinión, ¿lo ideal sería el suicidio?

— En absoluto —dijo *Yang Zhu*—. Hay que soportar la vida mientras dure, esforzándose por obtener todas las satisfacciones posibles. Debes aceptar la muerte cuando llegue, consolándote con el pensamiento de que todo acabará. Uno no puede prolongar su vida, pero tampoco debe acelerar su muerte.

I. *Yang Zhu* dijo:

— *Bo Cheng Zi Gao* no habría sacrificado uno de sus pelos, por amor a nadie. Abandonó la capital y se convirtió en labrador en un rincón desconocido. El gran *Yu*, en cambio, se gastó y se desgastó por los demás. — Los antiguos no le daban ni un pelo al Estado, y no habrían aceptado que uno se dedicara a ellos en nombre del Estado. Fue en aquellos días, cuando los individuos no hacían nada por el Estado, y el Estado no hacía nada por los individuos; que el Estado iba bien.

— Y tú —le preguntó *Qin Gu Li* a *Yang Zhu*— ¿sacrificarías un pelo de tu cuerpo por el bien del Estado?

— Un pelo —dijo *Yang Zhu*—, apenas le beneficiaría.

— Pero si le beneficiara, ¿lo sacrificarías? —insistió *Qin Gu Li*.

Yang Zhu no respondió[29]. — *Qin Gu Li* salió e informó a *Men Sun Yang* de la conversación que acababa de tener con *Yang Zhu*. — Tal vez no hayas comprendido el alcance de su pensamiento —dijo *Meng Sun Yang*—. Si te ofrecieran una gran suma por un trozo de tu piel, ¿la darías? Sí —dijo *Qin Gu Li*.

— Y si te ofrecieran un principado para uno de tus miembros, ¿lo darías?

Qin Gu Li dudó en responder, entonces *Meng Sun Yang* dijo:

— Un pelo es menos que un trozo de piel; un trozo de piel es menos que un miembro. Pero, sumados, muchos pelos valdrían un trozo de piel, muchos trozos de piel valdrían un miembro. Un cabello es una parte del cuerpo y, por tanto, algo precioso.

Qin Gu Li dijo:

---

29   De ahí la reputación de egoísmo de *Yang Zhu*. Su egoísmo es sólo un punto particular de su epicureísmo general.

— Maestro no soy lo suficientemente fuerte en la dialéctica, para poder responder a tu argumento; pero siento que, si les planteara nuestras proposiciones, *Lao Dan* y *Guan Yin Zi* aprobarían la tuya (y la de *Yang Zhu*), el gran *Yu* y *Mo Zi* aprobarían la mía.

Men Sun Yang cambió de tema.

J. *Yang Zhu* dijo:

— Sólo se cuenta lo bueno de *Shun, Yu, Zhou Gong* y Confucio; y sólo lo malo de *Jie* (último emperador de los *Xia*) y *Zhou* (último emperador de los *Yin*). *Shun* era un trabajador en *He Yang*, un alfarero en *Lie Zhai*, gastando su fuerza (un pecado daoísta), privando a su vientre, preocupando a sus padres, disgustando a sus hermanos y hermanas. A los treinta años se casó, sin permiso. Cuando *Yao* le entregó el imperio, era viejo y blando. Luego, al ser incapaz su hijo *Shang Jun*, tuvo que ceder el imperio a *Yu*, y terminó su vida en una lúgubre vejez; todo lo que evitan los hombres que viven según la naturaleza. — Al no poder hacer fluir las aguas, *Kun*, fue condenado a muerte en *Yu Shan*. Su hijo *Yu* sirvió bajo el que había tratado así a su padre, tanto que no volvió a casa para ver y nombrar a su hijo recién nacido. Trabajó y se afanó, tanto que su cuerpo se desgastó, de modo que sus manos y pies se cubrieron de callos. Finalmente, cuando *Shun* le cedió el imperio, brilló poco, y terminó en una vejez melancólica, que los hombres que viven según la naturaleza evitan. — Después de la muerte del emperador *Wu*, durante la juventud del emperador *Cheng*, *Zhou* (el duque de *Zhou*, hermano del difunto, tío del sucesor), que estaba a cargo de la regencia, no se llevó bien con el duque de *Shao*, fue fuertemente criticado, tuvo que desaparecer durante tres años, dio muerte a dos de sus hermanos, tuvo dificultades para preservar su propia vida y terminó en una vejez sombría, que los hombres que viven según la naturaleza evitan. — Confucio se dedicó a la tarea de ilustrar las enseñanzas de los antiguos emperadores y hacerlas aceptables para los príncipes de su tiempo. Como recompensa a sus esfuerzos, el árbol bajo el que se refugiaba fue cortado en *Song*, se vio obligado a huir de *Wei*, fue perseguido en *Shang* y en el estado de *Zhou*, y quedó bloqueado entre *Chen* y *Cai*. Fue ofendido por *Ji Shi*, ultrajado por *Yang Hu*, y finalmente murió en una vejez melancólica, de la que escapan los que viven según la naturaleza. — Estos cuatro sabios no tuvieron ni un solo día de verdadera satisfacción durante sus vidas. Después de su muerte, su reputación creció de edad en edad. ¿Es este vano renombre póstumo una compensación por los verdaderos placeres de los que fueron privados durante su vida? Ahora se les alaba y se les hacen ofrendas, sin que ellos sepan sobre eso más que una viga o un terrón de tierra. — Mientras que *Jie*, rico, poderoso, culto y temido, disfrutaba de todos los placeres, satisfacía todos sus apetitos, era glorioso hasta su muerte, tenía todo lo que desean los hombres que viven según la naturaleza. — *Zhou* también se burló de los ritos, y disfrutó hasta su muerte, un destino que prefieren los hombres que viven según la naturaleza. — Estos dos hombres tuvieron, durante su vida, todo lo que quisieron. Ahora, sin duda, se les llama tontos, malvados, tiranos; pero ¿qué les importa? no saben nada de eso, más que una viga o un terrón de tierra. — Los cuatro Sabios sufrieron todos los males, murieron tristemente, y tienen por toda compensación sólo su vana fama. Los dos Tiranos disfrutaron de todas las cosas buenas hasta la muerte, y su mala reputación no los hace sufrir ahora. (El epicureísmo de *Yang Zhu*.)

K. *Yang Zhu* fue recibido por el rey de *Liang* y le dijo que, con su receta, gobernar el imperio sería tan fácil como girar la mano. El rey de *Liang* le dijo:

— Maestro, tienes una esposa y una concubina, dos personas a las que no puedes callar; tienes tres hectáreas de jardín que no sabes cultivar; y te atreves a decirme que, con tu receta, gobernar el imperio sería tan fácil como girar la mano. ¿Quieres burlarte de mí?

Yang Zhu dijo:

— ¿Has visto alguna vez a un pastor guiando un rebaño de cien ovejas, caminando detrás tranquilamente con su látigo, y dejando que las ovejas vayan por donde quieran? (Este es mi sistema, dejando cada uno librado a su propio instinto.) Mientras que (con su sistema de coacción artificial) *Yao* tirando y *Shun* empujando, los dos no conseguirían hacer caminar a una sola oveja. Y en cuanto a mis asuntos domésticos (esposa y jardín) a los que acaba de aludir, sólo diré esto. En los barrancos no se encuentran peces tan grandes como un barco; los cisnes de potente vuelo no frecuentan los estanques. La campana fundamental y el tubo mayor no se utilizan para hacer música. A los que son aptos para gobernar grandes cosas no les gusta ocuparse de nimiedades. Creo que me habrás entendido.

L. *Yang Zhu* dijo:

— Las cosas de la más alta antigüedad han desaparecido tan completamente, que ya nadie podrá contar nada sobre ellas. Los asuntos de los tres Augustos están más o menos olvidados. Los de los cinco soberanos se confunden como un sueño. De los de los tres emperadores, conocemos la centésima parte. De los asuntos contemporáneos, conocemos la diezmilésima parte. De lo que uno mismo ha visto, conoce la milésima parte. ¡La alta antigüedad está tan lejos de nosotros! *Fu Xi* reinó hace más de trescientos mil años, y desde entonces, en el mundo, han habido sabios y tontos, cosas bellas y feas, éxitos y fracasos, el bien y el mal. Todo ello se sucede en una cadena continua, a veces más lenta, a veces más rápida. ¿Merece la pena cansar la mente y el cuerpo para obtener una reputación póstuma de buen príncipe, que durará unos cuantos siglos, y de la que uno ni siquiera será consciente? Cuesta el placer de una vida, y no refresca los huesos después de la muerte.

M. *Yang Zhu* dijo:

— El hombre toma del cielo y de la tierra. Hay algo de los cinco elementos en él. Es el más trascendente de todos los seres vivos. No tiene garras ni dientes para defenderse, ni piel impenetrable, ni pies ágiles para huir, ni pelo o plumas para protegerse de los elementos. Obtiene su sustento de otros seres, a los que domina no por su fuerza sino por su inteligencia. Es su inteligencia la que hace noble al hombre y su superioridad sobre los seres que son inferiores a él, aunque sean mucho más fuertes que él. En sentido estricto, su cuerpo no es suyo (no es un dominio absoluto); el hecho de que no pueda preservar su integridad lo demuestra. Tampoco los seres son suyos (en el mismo sentido); el hecho de que no pueda preservarse de los que le son perjudiciales, lo demuestra. El hombre depende de su cuerpo para vivir, y de los seres para mantener la vida. Es imposible que el hombre se dé a sí mismo la vida, y que los seres se den a sí mismos el ser. Quien esclaviza a los hombres y a los seres para su dominio o disfrute personal no es un Sabio. El que fraterniza con los hombres y los seres, buscando y dejando que cada uno busque su bien natural, es un hombre superior, el más elevado de todos los hombres.

N. *Yang Zhu* dijo:
— Cuatro deseos agitan a los hombres, hasta el punto de no dejarles descansar; a saber, el deseo de longevidad, el de reputación, el de dignidad y el de riqueza. Los que han obtenido estas cosas, temiendo que les sean arrebatadas, tienen miedo de los muertos, de los vivos, de los príncipes y de los tormentos. Siempre tiemblan, preguntándose si morirán o vivirán, porque no han entendido nada del destino, y creen que las cosas externas tienen poder sobre ellos. Hay, por el contrario, hombres que, confiando en el destino, no se preocupan por la duración de la vida; que desdeñan la reputación, las dignidades, las riquezas. Estos son los que siempre están satisfechos y disfrutan de una paz incomparable, porque han comprendido que, como todo está regido por el destino, nada tiene poder sobre ellos.

El ideal daoísta es la práctica de la agricultura en la oscuridad, produciendo lo necesario para vivir, no más. Los antiguos lo decían muy bien: el amor causa la mitad de los problemas del hombre, y el deseo de bienestar el resto. También es muy cierto el adagio de los *Zhou* de que los agricultores son, en su condición, los hombres más felices. Trabajan desde el amanecer hasta la noche, orgullosos de su resistencia. No encuentran nada más sabroso que sus burdas verduras. Sus cuerpos endurecidos no sienten la fatiga. Si se les obligara a pasar un solo día en el lujo y la buena comida de la gente del pueblo, caerían enfermos; mientras que un noble o un príncipe perecerían si tuvieran que vivir un día como un campesino. Los bárbaros, en cambio, descubren que nada en el imperio vale lo que ellos poseen y aman. La naturaleza se satisface cuando las necesidades están atendidas; todas las necesidades que exceden eso, son superfluas, una civilización artificial.

Una vez, en el principado de *Song*, un campesino, absolutamente ignorante de las cosas de la ciudad, había pasado el invierno con unos trapos apenas capaces de protegerle de las heladas. Cuando llegó la primavera, se los quitó para calentarse desnudo al sol. El calor le pareció tan bueno que le dijo a su mujer: "Tal vez se olvidaron de ofrecer esto a nuestro príncipe; si lo hiciéramos, podríamos obtener una buena recompensa". Un hombre rico del campo le dijo entonces: "Una vez un campesino ofreció berros a un príncipe. El príncipe los comió y se molestó mucho. El pobre campesino fue objeto de burlas por parte de algunos y de reprimendas por parte de otros. Ten cuidado de que no te ocurra una desgracia similar si enseñas al príncipe a calentarse desnudo al sol".

O. *Yang Zhu* dijo:

— Una vivienda lujosa, ropas finas, buena comida, mujeres hermosas, cuando uno tiene todo esto, ¿qué más desearía? quién pretendiera más, sería insaciable. Pero los insaciables desgastan su vida como la madera o el papel comido por los gusanos. No son leales a sus príncipes, ni buenos con los seres, ya que son egoístas y mal intencionados. Si parecen otra cosa, es sólo para simular lealtad o bondad en aras de su propia vanidad y reputación. — La enseñanza transmitida por los ancianos es la paz entre superiores e inferiores, y la concesión mutua de ventajas congruentes por parte de todos. — *Yu Zi* dijo: suprime el amor a la reputación, y no habrá más penas. *Lao Zi* dijo: La reputación no vale lo que la verdad, y sin embargo se corre tras ella más que tras la verdad. La reputación no debe buscarse ni evitarse. Porque los esfuerzos realizados para adquirirla nos desgastan, pero su pacífica posesión reconforta. La desgracia también nos desgasta, por la tristeza que engendra. Por lo tanto, no busques, no evites. Lo que hay que evitar es perjudicarnos a nosotros mismos, adquiriendo una falsa reputación, perdiendo la verdadera gloria. Sin duda, lo ideal sería ser igualmente insensible al honor y al deshonor; pero pocos alcanzan este ideal.

CAPÍTULO 8 - ANÉCDOTAS

A. Cuando Lie Zi era discípulo del maestro Lin de Hu Qiu, éste le dijo un día

— Cuando hayas comprendido lo que hay detrás de ti, te enseñaré a comprenderte a ti mismo.

— ¿Y qué hay detrás de mí? —preguntó *Lie Zi*.

— Tu sombra —dijo el maestro—, examínala.

Entonces *Lie Zi* examinó su sombra. Notó que cuando su cuerpo se inclinaba, la sombra se volvía curva; cuando su cuerpo se levantaba, la sombra se volvía recta. Se dijo que la sombra no era ni curva ni recta, sino que dependía totalmente de la forma del cuerpo. Y de esta consideración extrajo la consecuencia de que el hombre debe adaptarse en todo, ya que nada depende de él. Este es el significado de la fórmula "después de haber captado lo que está detrás, quédate quieto delante".

Guan Yin Zi le dijo a *Lie Zi*:

— Según el sonido sea bello o feo, el eco es bello o feo; cuando el objeto crece, su sombra crece; cuando el objeto disminuye, su sombra disminuye. La reputación es el eco del hombre, la conducta es la sombra del hombre. Dice el refrán, "cuida tus palabras y tu conducta, porque tus palabras se repetirán y tu conducta se imitará". El sabio juzga desde el interior por el exterior; esta es su manera de pronosticar. Imputa a un hombre lo que ha notado en sus modales. — Cada uno ama a quien lo ama, y odia a quien lo odia. Los emperadores *Tang* y *Wu* reinaron porque, habiendo amado a la gente del imperio, ésta les retribuyó. Los tiranos *Jie* y *Zhou* perecieron porque, habiendo odiado al pueblo del imperio, éste les retribuyó. Esta es la gran ley, el resumen de la historia. Desde *Shen Nong*, *Shun*, y las tres dinastías, todas las fortunas, todas las desgracias, han tenido estas dos razones.

Yen Hui dijo:

— ¿Qué sentido tienen tantas teorías? Creo que basta con aprovechar las oportunidades.

Lie Zi dijo:

— No acepto tu opinión. Si se tiene más que la oportunidad, si se tiene la cosa, se pierde por una conducta desordenada, como les ocurrió a *Jie* y *Zhou*. Los que se entregan a la gula no son mejores que las gallinas y los perros. Los que sólo saben luchar son animales. Nadie respeta a estos hombres, que no son hombres. Su deshonra es su perdición.

B. *Lie Zi*, deseando aprender a tensar el arco, se acercó a *Guan Yin Zi* y le pidió que le enseñara. Este último le preguntó:

— ¿Conoces el objetivo del tiro con arco?

— No —dijo *Lie Zi*.

— Entonces ve y apréndelo —dijo *Guan Yin Zi*—, y luego vuelve.

Tres años después, *Lie Zi* regresó.

— ¿Sabes cuál es el propósito? —preguntó *Guan Yin Zi*.

— Sí —dijo *Lie Zi*.

— Bien —dijo *Guan Yin Zi*—; guárdalo bien en tu memoria; cuídate de olvidarlo. Esta es la regla de todo progreso, que antes de emprender algo hay que saber por qué. El Sabio no calcula si tendrá éxito o fracasará, las probabilidades a favor y en contra. Establece el objetivo y luego se esfuerza por conseguirlo.

C. A los arrogantes y a los violentos se les hablaría del Principio en vano; no tienen lo necesario para entenderlo; sus vicios les impiden ser enseñados y ayudados. Para ser enseñable, uno debe creer que no lo sabe todo. Esta es la condición sine qua non. La edad no es un obstáculo, la inteligencia no es siempre un medio, la sumisión de la mente es lo esencial.

Un artista de *Song* tardó tres años en esculpir una hoja de morera de jade para su príncipe. Cuando *Lie Zi* se enteró, dijo:

— Si la naturaleza tardara lo mismo, habría muy pocas hojas en los árboles. Del mismo modo, para la propaganda doctrinal, el Sabio se apoya en el poder inherente a la verdad, no en el arte artificial.

D. *Lie Zi* era extremadamente pobre. Los sufrimientos del hambre se podían ver en su rostro demacrado. Un extranjero que vino a visitar al ministro *Zi Yang*, le dijo:

— *Lie Zi* es un Sabio; si lo dejas en esta miseria, se dirá que no valoras a los Sabios.

Zi Yang ordenó a un oficial que llevara grano a *Lie Zi*. Este último salió de su casa, vio al oficial, saludó, le dio las gracias y se negó. El oficial regresó, llevándose su grano.

Cuando *Lie Zi* regresó a su casa, su mujer le miró con tristeza, se golpeó el pecho de pena y dijo

— Pensé que la esposa y los hijos de un Sabio, tenían algún derecho a vivir felices. Ahora estamos agotados por la miseria. El príncipe ha sido indiferente durante mucho tiempo, pero ahora se ha acordado de ti, y tú has rechazado sus regalos. ¿Tendremos que morir de hambre?

— No —dijo *Lie Zi*, riendo—, el príncipe no se ha acordado de mí. Me concedió este regalo a petición de otros; al igual que me habría enviado a sus secuaces si alguien hubiera hablado mal de mí. No acepto un regalo dado por esa razón. (*Lie Zi* no quería deberle nada a *Zi Yang*. Este último fue masacrado por la gente de *Zheng* poco después).

E. Un tal *Shi* de *Lu* tenía dos hijos, uno culto y otro valiente. El ilustrado fue a ofrecerse al marqués de *Qi*, que lo aceptó y lo nombró tutor de sus hijos. El valiente fue a ofrecerse al rey de *Chu*, lo complació y fue nombrado general por él, enriquecido y ennoblecido.

Un vecino de *Shi*, llamado *Meng*, también tenía dos hijos, uno culto y otro valiente. Como era muy pobre, la fortuna de la familia *Shi* le tentó de envidia, y preguntó cómo lo habían hecho. *Shi* simplemente le contó.

Inmediatamente el docto *Meng* fue a ofrecerse al rey de *Qin*. Este último dijo:

— En este tiempo de guerras, sólo necesito soldados; este erudito que enseña la bondad y la equidad, perjudicará a mi reino… y ordenó que lo castraran, luego lo despidió.

El valiente *Meng* se ofreció al marqués de *Wei*. Este último dijo:

— Mi principado, pequeño y débil, tiene grandes y formidables vecinos, a los que debo cuidarme de disgustar. Debo mantener mi paz. Cualquier apariencia de inclinación bélica podría costarme el marquesado. No puedo emplear a este hombre hábil sin arriesgarme. Por otro lado, si lo despido sin haberlo dejado inválido, irá a ofrecerse a otro príncipe y me arruinará

Así que ordenó que le cortaran un pie y lo despidió.

Cuando el viejo *Meng* vio regresar a sus dos hijos mutilados, golpeándose el pecho de dolor, fue a reprochar al padre *Shi*. Este último le dijo:

— En la hora de la fortuna, uno tiene éxito; en la hora de la desgracia, sólo ocurre la desgracia. Tus hijos y los míos dieron exactamente los mismos pasos. El resultado fue absolutamente diferente. Esto sólo se debe al destino (la hora mala), y no a los procedimientos empleados. La fortuna y la desgracia no se rigen por reglas matemáticas. Lo que ayer tuvo éxito, hoy fracasará. Lo que hoy ha fracasado puede tener éxito mañana. El éxito viene de hacerlo en el momento adecuado, pero no hay reglas para determinar ese momento. Los más sabios a veces se equivocan. Incluso *Kong Qiu*, y *Lü Shang*, conocieron el fracaso.

Cuando recibieron estas explicaciones, *Meng* y sus hijos se calmaron y dijeron:

— ¡Gracias! No digas más, lo hemos entendido.

F. Cuando el duque *Wen* de *Jin* decidió atacar *Wei*, su hijo el príncipe *Chu* se puso a reír.

— ¿De qué te ríes? —preguntó el duque.

— Me río —respondió el príncipe— de la desgracia que le ha ocurrido a uno de mis vecinos. Este hombre iba a la ciudad a acusar a su mujer de infidelidad. En el camino se encontró con una mujer que le agradó, quien aceptó sus propuestas. Un momento después, comprendió que él había hecho lo mismo que su esposa, y comprobó que había algunos testigos. Le pagó a su mujer con la misma moneda. ¿No es risible esta historia?

El duque comprendió que su hijo le estaba advirtiendo que sería atacado mientras él atacaba a *Wei*. Abandonó su expedición, e hizo regresar a su ejército repentinamente. Todavía no había regresado a su capital cuando se enteró de que un enemigo ya había invadido su frontera norte.

Los ladrones abundaban en el principado de *Jin*. Un tal *Xi Yong*, dotado de un don especial de segunda vista, reconocía a los ladrones por sus rostros. El marqués le pidió que descubriera a los ladrones en su nombre, y de hecho *Xi Yong* hizo capturar a cientos de ellos. El marqués quedó muy satisfecho y le dijo a *Zhao Wen Zi*:

— Un solo hombre casi ha limpiado mi principado de los ladrones que lo infestaban…

— Creedme —respondió *Zhao Wen Zi*— que antes de que haya completado su limpieza, este hombre será asesinado…

Y de hecho, exasperados, los ladrones restantes se dijeron entre sí:

— Todos pereceremos, si no nos deshacemos de este *Xi Yong*…

Así que todos se reunieron y masacraron a *Xi Yong*. Cuando el marqués se enteró de esto, se puso muy nervioso, llamó a *Zhao Wen Zi* y le dijo

— Lo que has predicho, ha sucedido; *Xi Yong* ha sido asesinado; ¿cómo haré ahora, para atrapar al resto de los ladrones?

Zhao Wen Zi dijo:

— Recuerda el proverbio de los *Zhou*, "querer ver los peces en el fondo del agua es perjudicial, querer conocer las cosas ocultas trae la desgracia". Nunca hay que mirar demasiado de cerca. Para deshacerte de los ladrones, bastará con que pongas al frente a buenos funcionarios, que administren bien y que inculquen la buena moral al pueblo…

El marqués se rió, y pronto, convertido en objeto de reprobación pública, todos los ladrones que quedaban en sus estados huyeron al país de *Qin*.

G. Cuando regresaba de *Wei* a *Lu*, Confucio, se detuvo a contemplar la cascada de *He Liang*[30], que cayendo de doscientos cuarenta pies de altura, produce un torrente que burbujea a lo largo de noventa estadios, tan fuerte que ningún pez o reptil puede habitarlo. Ahora, ante los ojos de Confucio, un hombre cruzó estas aguas tumultuosas. Confucio hizo que sus discípulos lo felicitaran, y luego le dijo él mismo:

— Eres muy hábil; ¿tienes una fórmula que te permita confiarte a estas aguas de esta manera?

---

30   Compárese el capítulo 2 I.

— Antes de entrar en el agua —dijo el hombre—, examino si mi corazón es absolutamente recto y leal, y luego me dejo llevar. Mi rectitud une mi cuerpo con las olas. Como soy uno con ellas, no pueden hacerme daño.

— Recuerden esto —dijo Confucio a sus discípulos—. La rectitud conquista incluso el agua, cuánto más a los hombres.

H. El príncipe heredero *Jian*, hijo del rey *Ping* de *Chu*, habiendo sido calumniado por *Fei Wuji*, había huido a *Zheng*, donde fue asesinado. Su hijo *Bai Gong* planeó vengarlo. Le preguntó a Confucio:

— ¿Hay alguna posibilidad de que un complot no sea descubierto?

Confucio percibió su intención y no respondió. *Bai Gong* prosiguió:

— ¿Se puede descubrir una piedra arrojada al agua?

— Sí —dijo Confucio—, por un buzo del país de *Wu*.

— ¿Y se puede descubrir el agua mezclada con el agua?

— Sí —dijo Confucio—. *Yi Ya* discernió que había, en una mezcla, agua del río *Zi*, y agua del río *Sheng*.

— Entonces, en tu opinión —dijo *Bai Gong*—, ¿una conspiración no puede pasar desapercibida?

— No será percibida —dijo Confucio—, si no se habla de ella. Para tener éxito en la pesca y la caza, hay que ser silencioso. El discurso más eficaz es el que no se oye; la acción más intensa es la que no ve. El descuido y la agitación no producen nada bueno. Traicionas tus planes con tus discursos y tu actitud.

Bai Gong no hizo caso a esta advertencia, y provocó un motín en el que pereció.

I. Luego que *Zhao Xiang Zi* encargó a *Mu Zi*, el jefe de su jauría, atacar a los *Di* (un pueblo nómada), *Mu Zi* obtuvo una victoria y conquistó dos de sus tolderías en un día. *Mu Zi* envió la noticia a *Zhao Xian Zi*. Este último, al enterarse, durante su comida, se puso triste.

— ¿Qué te preocupa? —preguntaron los presentes—. Dos tolderías tomadas en un día, eso es una buena noticia. ¿Qué es lo que te angustia?

— Creo —dijo *Zhao Xiang Zi*— que las crecidas de los ríos sólo duran tres días, que las tormentas sólo duran una fracción del día. Mi casa está en la cúspide de su fortuna. Tal vez llegue su ruina[31].

Confucio, habiendo aprendido este dicho, dijo:

— El príncipe de *Zhao* prosperará.

En efecto, es la tristeza (con la prudencia que se deriva de ella) la que hace prosperar, mientras que la alegría (imprudente) arruina. Obtener una victoria es bastante fácil, pero conservar sus frutos es difícil, y sólo un gobernante sabio lo consigue. *Qi, Chu, Wu* y *Yue*, obtuvieron muchas victorias, sin conservar nada de la ventaja obtenida. Sólo un príncipe imbuido de sabias doctrinas conservará lo que ha conquistado. Es la sabiduría la que engrandece, no la fuerza… Confucio era tan fuerte que podía quitar él solo la enorme barra que cerraba la puerta de

---

31   Compárese el capítulo 9 de *Lao Zi*.

la capital de *Lu*, pero nunca mostró su fuerza. *Mo Zi*, que era muy versado en la construcción de máquinas de guerra defensivas y ofensivas, nunca hizo gala de este talento. La mejor manera de preservar lo que se ha adquirido es hacerse a un lado.

J. Un hombre de *Song* practicó la humanidad y la justicia. Así ha continuado haciéndolo su familia durante tres generaciones.

Un día, sin poder descubrir la causa, su vaca negra parió un ternero blanco. Nuestro hombre envió a preguntar a Confucio qué presagiaba este fenómeno.

— Esto es una gran cosa —dijo Confucio—, este ternero debe ser sacrificado al Soberano más Alto.

Al cabo de un año, sin causa conocida, el padre de familia se quedó ciego. Poco después, su vaca negra dio a luz a un segundo ternero blanco. El padre volvió a enviar a su hijo a preguntar a Confucio qué significaba esto para él. El hijo dijo:

— Después de la consulta anterior, perdiste la vista; ¿de qué sirve volver a empezar?

— Ve —dijo el padre—. Las palabras de los Sabios a veces parecen erradas, pero se verifican con el tiempo. Creamos que aún no ha llegado el momento. ¡Ve!

Así que el hijo le preguntó a Confucio, quien volvió a decir:

— Esto es algo grande, ofrécelo de nuevo al Soberano más Alto…

El hijo le informó la respuesta al padre, que le ordenó que la obedeciera.

Un año después, el hijo también se quedó ciego. Súbitamente, los *Chus* invadieron el país *Song* y sitiaron su capital. La hambruna llegó a ser tan grande que las familias intercambiaban a sus hijos para comérselos y trituraban los huesos de los muertos para hacer una especie de comida. Todos los hombres sanos debían defender la muralla. Más de la mitad de ellos murieron. En este extremo, los dos ciegos, al no poder prestar ningún servicio, fueron eximidos de cualquier cargo. Cuando se levantó el asedio, recuperaron repentinamente la vista. El destino los había dejado ciegos, para su salvación.

K. En *Song*, un aventurero le pidió al Príncipe *Yuan* que le dejara mostrarle sus habilidades. Una vez obtenido el permiso, comenzó a caminar sobre dos zancos más altos que su cuerpo, haciendo malabares con siete espadas, cinco de las cuales volaban en el aire, mientras sus manos recibían o lanzaban las otras dos. Lleno de admiración por su habilidad, el príncipe *Yuan* ordenó que se le recompensara generosamente. — Cuando otro aventurero se enteró de esto, también se presentó ante el príncipe. Este último se ofendió por su petición. "Este hombre sólo vino porque traté bien al anterior" —dijo—… y lo mantuvo cautivo y maltratado durante un mes[32].

L. El duque *Mu* de *Qin* dijo a *Bo Luo* su proveedor de caballos:

— Te estás haciendo viejo. ¿Tiene un hijo u otro familiar que pueda sustituirle en tu negocio?

---

32   Compárese con el párrafo anterior E. El mismo talento, no el mismo tiempo.

Bo Luo respondió:

— Un buen caballo puede ser reconocido por el examen de los huesos y los tendones, y mis hijos serían capaces de ello. Pero reconocer un caballo digno del príncipe es más difícil, y mis hijos no serían capaces de hacerlo. Pero entre mis palafreneros hay un tal *Gao* de *Jiu Fang*, que sabe tanto como yo. Prueba con este.

El duque *Mu* mandó llamar al mozo de cuadra y le encargó que le buscara un caballo de príncipe. *Gao* regresó después de tres meses, anunciando que el caballo había sido encontrado en *Sha Qiu*.

— ¿Qué caballo es éste? —preguntó el duque.

— Es una yegua castaña —dijo *Gao*.

El duque ordenó que le trajeran el animal, que resultó ser un semental bayo. El duque *Mu* no estaba contento. Habiendo enviado a buscar a *Bo Luo*, le dijo:

— Algo está mal. Aquel que envié siguiendo tu recomendación ni siquiera sabe distinguir el sexo y el pelaje de los caballos; ¿qué puede entender de sus cualidades? *Bo Luo* dijo:

— Todo el mundo sabe distinguir el sexo y el color. Este *Gao* siempre va directo al fondo de las cosas, sin preocuparse por los detalles incidentales. Sólo considera el interior, sólo lo que es importante, descuidando todo lo demás. Si ha elegido un caballo, es sin duda un animal de gran valor.

Cuando el caballo fue traído, resultó ser un caballo digno de un príncipe.

M. El rey *Zhuang* de *Chu* le preguntó a *Zhan He*:

— ¿Qué debo hacer para gobernar bien?

— Sólo sé como gobernarme a mí mismo, no al Estado —dijo *Zhan He*.

— Entonces —preguntó el rey— dime qué debo hacer para conservar el templo de mis antepasados, los túmulos del Patrón de la Tierra y del Patrón de la Cosecha. *Zhan He* respondió:

— El dominio del hombre bien ordenado, está siempre en buen orden; el del hombre desordenado, está siempre en desorden. La raíz es interna. Por favor, saca tus propias conclusiones.

El rey de *Chu* dijo:

— Has hablado bien.

N. *Hu Qiu Zhang Ren* le dijo a *Sun Shu Ao*:

— Tres cosas atraen la envidia, el odio y la desgracia; a saber, la alta dignidad, el gran poder y los ingresos considerables.

— No necesariamente —dijo *Sun Shu Ao*—. Cuanto más elevada fuera mi dignidad, más humilde me comportaba. Cuanto mayor fuera mi poder, más discreto he sido. Cuanto más hubiera aumentado mi riqueza, más generoso he sido. Así no incurrí ni en envidia, ni en odio, ni en desgracia.

Cuando *Sun Shu Ao* estuvo a punto de morir, le dijo a su hijo:

— El rey intentó varias veces que aceptara un feudo. Siempre me he negado. Después de mi muerte, probablemente te ofrecerá una asignación. Te prohíbo que aceptes cualquier tierra buena. Si tienes que aceptar algo, entre *Chu* y *Yue* está la colina de *Qin Qiu* de mala fama, donde los de *Chu* y *Yue* van a evocar a los muertos; pide esa tierra; nadie te envidiará.

De hecho, cuando *Sun Shu Ao* murió, el rey ofreció un hermoso feudo a su hijo, que le rogó que le diera en su lugar la colina de *Qin Qiu*. Sus descendientes siguen siendo los propietarios en la actualidad.

O. *Niu Que* fue un famoso erudito de *Shang Di*. Cuando bajó a *Han Dan*, en medio del campo, fue atacado por ladrones que le despojaron de todo, incluso de sus ropas, sin que él se defendiera. Luego se marchó sin mostrar ninguna tristeza. Un ladrón, sorprendido, corrió tras él y le preguntó por qué no estaba angustiado.

— Es porque el Sabio prefiere la vida a las posesiones —dijo *Niu Que*.

— Ah —dijo el ladrón—, eres un sabio.

Cuando se lo contó a los otros ladrones, le dijeron:

— Si es un Hombre Sabio, debe ir a ver al príncipe de *Zhao*. Nos acusará y nos perderá. Matémoslo sin perder tiempo…

Corrieron tras *Niu Que* y lo mataron. — Un hombre de *Yen*, al oír esta historia, reunió a sus parientes y les dijo

— Si alguna vez te encuentras con ladrones, no hagan lo que *Niu Que* de *Shang Di* hizo…

Algún tiempo después, el hermano menor de este hombre, que iba a *Qin*, se encontró con unos bandidos cerca de los pasos. Recordando la instrucción de su hermano mayor, se esforzó por resistir. Cuando los ladrones se marcharon, corrió tras ellos, exigiendo lo que le habían quitado, con muchos insultos. Esto fue demasiado.

— Te habíamos dejado con vida, en contra de la costumbre —le dijeron—. Pero como, al perseguirnos, nos expone a ser atrapados, debemos matarte. Cuatro o cinco personas que le acompañaban fueron asesinadas con él. Moraleja, no presumas; apártate.

P. Un tal *Yu*, un hombre rico de *Liang*, no sabía qué hacer con su riqueza. Tras construir una terraza cerca de la carretera principal, montó allí una orquesta y se dedicó a beber y jugar al ajedrez con invitados de todo tipo, en su mayoría aventureros o espadachines. Un día, cuando uno de estos invitados hizo una buena jugada en el juego, la *Yu* dijo, riendo y sin pensar en el daño:

— ¡Oh! ¡Un buitre ha recogido un ratón muerto! (esto es un golpe de suerte).

Los jugadores se lo tomaron mal. Esta *Yu*, decían entre ellos, ha sido rico durante demasiado tiempo. Eso lo hace arrogante. ¡Vamos a ponerlo en orden! Hemos sido insultados; lavemos nuestro honor. — Se tomaron el día, se reunieron en armas y destruyeron a la familia *Yu* con hierro y fuego. La moral, el lujo y la arrogancia llevan a la ruina.

Q. En Oriente, un tal *Yuan Xing Mu*, que estaba de viaje, se desmayó de hambre en el camino. Un ladrón de *Hu Fu*, llamado *Qiu*, que pasaba por allí, le puso comida en la boca. Después del tercer bocado, *Yuan Xing Mu* volvió en sí.

— ¿Quién eres? —preguntó.

— Soy *Qiu* de *Hu Fu*", dijo el otro.

— ¡Oh! —dijo *Yuan Xing Mu*—, ¿no eres un ladrón? ¿Y me hiciste comer tu comida? Soy un hombre honesto, ¡no la guardaré!

Y, apoyándose en sus dos manos, nuestro hombre comenzó a hacer esfuerzos tan violentos para vomitar que expiró en el acto. — Actuó como un tonto. Aunque *Qiu* de *Hu Fu* era un bandido, su comida no estaba contaminada por eso. Al aplicar a la comida lo que le correspondía al ladrón, este *Yuan Xing Mu* demostró que carecía de lógica.

R. *Zhu Li Shu* sirvió al Duque *Ao* de *Ju*. Al ver que éste lo trataba con demasiada frialdad, lo abandonó y se fue a vivir como ermitaño junto al mar, comiendo hierbas acuáticas en verano y bellotas y castañas en invierno. Cuando el duque *Ao* murió, *Zhu Li Shu* se despidió de sus amigos y declaró que iba a suicidarse. — Sus amigos le dijeron:

— Dejaste al Duque porque te trató fríamente, y ahora quieres suicidarte porque está muerto; te falta lógica.

— No es así —dijo *Zhu Li Shu*—. Dejé al duque porque me mostró muy poco favor. Me estoy suicidando porque nunca más podrá mostrarme su favor. Quiero enseñar a los maestros del futuro a tratar a sus oficiales como es debido, y dejar a los oficiales un ejemplo de devoción más que ordinario.

Zhu Li Shu realmente sacrificó su vida por un alto ideal.

S. *Yang Zhu* dijo:

— Cuando lo bueno se va, lo malo llega. Los sentimientos internos repercuten en el exterior. Por ello, los Sabios vigilan todo lo que emana de ellos.

T. El vecino de *Yang Zhu*, al perder una oveja, reunió a toda su gente e incluso llamó a los sirvientes de *Yang Zhu* para que le ayudaran a buscarla. *Yang Zhu* le dijo:

— Para una oveja, ¿es necesario tener tanta gente?

— Hay muchos caminos en las montañas —dijo el otro.

Cuando los buscadores regresaron, *Yang Zhu* preguntó:

— ¿Encontraron la oveja?

— No —dijeron.

— ¿Por qué no?

— Porque los caminos están infinitamente subdivididos y es imposible recorrerlos todos.

Yang Zhu se puso triste. Dejó de hablar y de reír. Después de varios días, asombrados por esta melancolía, los discípulos le dijeron

— Perder una oveja no es una gran pérdida; y además, no era tu oveja; ¿por qué te sientes tan mal?

Yang Zhu no respondió. Los discípulos no entendían nada. *Men Sun Yang* salió y le contó el asunto a *Xin Du Zi*. Unos días después, *Xin Du Zi* entró con *Meng Sun Yang* a ver a *Yang Zhu*, y le habló en estos términos:

— En el país de *Lu*, tres hermanos estudiaron la bondad y la equidad bajo el mismo maestro. Cuando volvieron a casa, su padre les preguntó:

— ¿Qué es la bondad y la equidad?

— Es —dijo el hijo más viejo— sacrificar la reputación propia por el bien de uno mismo.

— Es —dijo el más joven— sacrificarse para obtener una buena reputación.

— Es —dijo el más joven—, cuidar de uno mismo y de su buena reputación…

Así, estos tres alumnos del mismo erudito apoyaron tres tesis diferentes. ¿De quién fue la culpa? ¿Del maestro o de ellos?

Yang Zhu respondió:

— Muchos de los que viven a lo largo de los ríos son barqueros o encargados del transbordador. Estos hombres tienen aprendices, a los que enseñan a manejar barcas y transbordadores. Casi la mitad de estos aprendices se ahogan. ¿De quién es la culpa? ¿Del maestro o de ellos? ¿El maestro les enseñó a ahogarse?

Xin Du Zi se fue sin decir nada. Fuera, *Men Sun Yang* se disgustó y le dijo:

— ¿Por qué hablaste así? No sabemos más de lo que sabíamos antes.

— No entendiste nada —dijo *Xin Du Zi*—. ¿No ves que hice que el maestro contara su secreto? Las ovejas perdidas en los múltiples caminos de la montaña le habían hecho pensar en los discípulos perdidos en la infinita diversidad de escuelas. Es por las mentes perdidas por lo que se lamenta. En definitiva, la ciencia es una y verdadera, pero entre las muchas deducciones que se extraen de ella, algunas son erróneas. El maestro que se equivoca lleva a sus alumnos por el mal camino; los discípulos que se equivocan se extravían a pesar de su maestro.

U. *Yang Bu*, hermano de *Yang Zhu*, habiendo salido con ropa de tela blanca, se mojó por la lluvia, se cambió y volvió con ropa de tela negra. El perro de la casa que le había visto salir de blanco, le ladró cuando volvió de negro. Irritado, *Yang Bu* fue a golpearlo.

— No lo golpees —dijo *Yang Zhu*—. Has cambiado de blanco a negro. ¿Cómo podría reconocerte?

(Moraleja profunda: El cambio de un ser moral, por ejemplo de bueno a malo, rompe su relación habitual con los demás seres; ya no es el mismo).

V. *Yang Zhu* dijo:

— Aunque no lo pretenda, quien hace el bien a los demás, atrae la buena reputación, esta reputación atrae la fortuna, y la fortuna atrae a los enemigos. Por eso, los Sabios miran varias veces antes de hacer el bien a los demás.

W. Una vez alguien afirmó tener la receta para no morir. El príncipe de *Yen* envió a un delegado a pedírsela. Cuando el delegado llegó, el hombre con la receta estaba muerto. El príncipe se enfadó con el delegado por haber llegado demasiado tarde, y estaba a punto de hacer que lo castigaran, cuando uno de sus favoritos le dijo

— Si este hombre hubiera tenido realmente la receta para no morir, seguramente no se habría privado de utilizarla para sí mismo. Pero murió. Así que no tenía la fórmula. De modo que no te habría dado la inmortalidad...

El príncipe renunció a castigar al delegado.

Un tal *Qi*, que también tenía un gran deseo de no morir, se sintió igualmente afligido por la muerte de este hombre. Un tal *Fu* se burló de él, diciendo que, habiendo muerto el hombre, lamentar su ineficaz secreto era actuar sin razón. Un tal *Hu* dijo que *Fu* había hablado mal; pues, dijo, a veces sucede que quien posee un secreto no sabe usarlo; así como sucede que alguien produce tal o cual resultado (por azar o invención), sin haber tenido la fórmula.

Un hombre de *Wei* era un hábil encantador. Cuando estuvo a punto de morir, enseñó sus fórmulas a su hijo. Este último recitó las fórmulas perfectamente, pero no tuvieron ningún efecto. Se las enseñó a otro, que las recitó con el mismo efecto que su difunto padre... Ya que una persona viva era capaz de actuar eficazmente con la fórmula de un muerto, me pregunto (dijo *Lie Zi*) si los muertos no podrían actuar eficazmente con las fórmulas de los vivos... (La muerte y la vida son dos formas del mismo ser).

X. El día de Año Nuevo, los habitantes de *Han Dan* ofrecieron palomas a *Jian Zi*, quien las recibió con gusto y les pagó bien. Uno de sus invitados le preguntó por qué. Es para demostrar, liberándolas el día de Año Nuevo, lo bueno que soy. El anfitrión dijo:

— La gente las captura para que las dejes ir. Pero al capturarlas, matan a muchas. Si valuaras sus vidas, harías mejor en prohibir que las capturen. De este modo, mostrarías mucho mejor lo bueno que eres.

— Tienes razón —dijo *Jian Zi*.

Y. *Tian* de *Qi*, después de hacer ofrendas a sus antepasados, dio un gran banquete a mil invitados, que trajeron cada uno un regalo según la costumbre. Uno de los invitados ofreció pescado y gansos salvajes. Al verlos, *Tian* suspiró piadosamente y dijo:

— Mira qué bien trata el cielo a los hombres; no sólo hace crecer los diversos granos; también hace nacer peces y aves, para que los hombres los utilicen...

Todos los invitados corearon servilmente. Sólo el hijo de la familia *Bao*, un niño de doce años, se adelantó y dijo:

— Lo que acabas de decir no es correcto. Incluso el cielo y la tierra son seres como todos los seres. No hay seres superiores ni inferiores. Es un hecho que los más ingeniosos y fuertes se comen a los más tontos y débiles, pero esto no significa que estos últimos hayan sido hechos o nacidos para el uso de los primeros. El hombre come los seres que puede comer, pero el cielo no trajo estos seres a la existencia para que el hombre los comiera. De lo contrario, también habría que decir que el cielo hizo nacer a los hombres para que los mosquitos los picaran y los tigres y los lobos los devoraran.

Z. En el principado de *Qi* había un hombre pobre que siempre estaba mendigando en el mercado de la ciudad. Aburridos de sus súplicas, la gente del pueblo terminó por no darle nada más. Así que el pobre hombre se puso a trabajar para el veterinario de la familia principesca *Tian*, y así ganó lo suficiente para no morir de hambre. Le dijeron que servir a un veterinario era una vergüenza. Él respondió:

— Ser reducido a la mendicidad se considera la peor vergüenza. Pero yo era un mendigo. ¿Cómo puede ser vergonzoso para mí servir a un veterinario? Es un avance en la escala social.

Un hombre de *Song* encontró en la carretera la mitad de un contrato cortado, que su dueño había perdido. Lo guardó con cuidado, observando atentamente como había sido recortado y le dijo a su vecino que iba a conseguir una fortuna. Se equivocó al pensar que el destino, que le había dado la mitad de un contrato, debía darle también la otra mitad.

Un hombre tenía un árbol muerto en su jardín. Su vecino le dijo:

— Un árbol muerto es algo malo.

El hombre cortó el árbol. Entonces el vecino le pidió que le diera la madera. El hombre sospechó entonces que el vecino le había hecho cortar el árbol con esa intención, y se ofendió. Se equivocó. La solicitud que siguió al comentario inicial, no demuestra que hubiera ninguna intención previa.

Un hombre perdió su hacha y sospechó que el hijo de su vecino se la había robado. Cuanto más lo pensaba, más creía que así había sido. Cuanto más pensaba en ello, más le parecía que el andar del muchacho, su rostro, sus palabras y todas sus acciones eran las de un ladrón. Pero cuando vació su pozo de estiércol, encontró su hacha en él. Al día siguiente, cuando volvió a ver al hijo de su vecino, le pareció el chico más honesto que podía encontrar. (Autosugestión)

Cuando *Bai Gong* estaba tramando su venganza (en el párrafo anterior, H), sufrió una caída en la que el aguijón unido al mango de su látigo le atravesó la barbilla, sin que sintiera nada. Cuando la gente de *Zheng* se enteró de esto, dijeron:

— Si no sintió esto, ¿qué sentirá? ¡Debe estar absorto en sus planes de venganza, para no haber notado su caída y su herida! (Arrebato)

Un hombre de *Qi* ansiaba tanto tener oro que se levantó temprano por la mañana, se vistió, fue al mercado, se dirigió directamente a un puesto de cambio de moneda, cogió una pieza de oro y se fue. Los guardias lo agarraron y le preguntaron:

— ¿Cómo intentas robar en un lugar tan lleno de gente?

— Sólo vi el oro —dijo—, no vi el resto del mundo (Arrebato).

Zhuangzi[1]
(Tratado del Maestro Trascendente de *Nan Hua*)

ZHUANG ZHOU

CAPÍTULO 1 - HACIA EL IDEAL

A, B. Según las antiguas leyendas, en el océano del norte vive un enorme pez que puede adoptar la forma de un pájaro. Cuando este pájaro despega, sus alas se extienden en el cielo como nubes, rozando las olas vuela hacia el sur, una distancia de tres mil estadios, y luego se eleva con el viento hasta la altura de noventa mil estadios en el espacio de seis meses2.

¿Lo que vemos allá arriba en el cielo son tropas de caballos salvajes corriendo? ¿Es una materia pulverulenta que revolotea? ¿Son los alientos[3] que dan a luz a los seres? ¿Y el azul es el propio cielo? ¿O es sólo el color del lejano infinito, en el que se esconde el Cielo, el ser personal de los Anales y las Odas? ¿Y desde arriba vemos esta tierra? ¿Y bajo qué aspecto? ¡Misterios!

Sea como fuere, surgiendo del vasto océano, y arrastrado por la gran masa de aire, único soporte capaz de sostener su inmensidad, el gran pájaro planea a una altura prodigiosa.

Una cigarra recién salida del cascarón, y una paloma muy joven, al verlo, se rieron del gran pájaro y dijeron:

— ¿De qué sirve elevarse tan alto? ¿Por qué exponerse así? Nosotros, que nos contentamos con volar de rama en rama, sin dejar los arrabales; cuando caemos al

---

1   El *Zhuangzi* es atribuido a *Zhuang Zhou*, también conocido como *Chuang Tzu* (según la romanización Wade-Giles, actualmente en desuso) (N. del T.).

2   Alegoría análoga a la del ascenso y descenso anual del dragón. Nubes del Norte, condensadas en lluvia en el Sur. Vapores devueltos por el Sur al Norte. Un ciclo anual comprendido por dos períodos de seis meses.

3   Golpes del gran fuelle de la naturaleza. *Lao Zi*, cap. 5 C.

suelo, no nos hacemos daño; cada día, sin fatiga, satisfacemos nuestras necesidades. ¿Por qué ir tan lejos? ¿Por qué subir tan alto? ¿No aumentan las preocupaciones en proporción a la distancia y la altura?

Observaciones de dos fierecillas, sobre un tema que excede su competencia. Una mente pequeña no comprende lo que abarca una mente grande. Una experiencia corta no se extiende a hechos lejanos. La seta que sólo dura una mañana no sabe lo que es una lunación. El insecto que sólo vive un verano, no sabe nada de la sucesión de estaciones. No pidas a los seres efímeros información sobre la gran tortuga cuyo período es de cinco siglos, sobre el gran árbol cuyo ciclo es de ocho mil años. Incluso el viejo *Peng Zu*[4] no te dirá nada más allá de los ocho siglos que la tradición le atribuye. Cada ser tiene su propia fórmula de desarrollo[5].

C. Hay hombres que son casi tan estrechos de miras como las dos pequeñas bestias mencionadas anteriormente. Al no entender más que la rutina de la vida vulgar, sólo sirven para ser mandarines de un distrito, o señores de un feudo, como mucho.

El maestro *Rong* de *Song* era superior a esta especie, y más parecido al gran pájaro. Vivió, igualmente indiferente a las alabanzas y a las culpas. Se atenía a su propio criterio y no se dejaba influir por las opiniones de los demás. Nunca distinguió entre la gloria y la desgracia. Estaba libre de las ataduras de los prejuicios humanos.

El Maestro *Lie* de *Zheng* era superior al Maestro *Rong*, e incluso más parecido al gran pájaro. Su alma volaba en las alas de la contemplación, a veces durante quince días, dejando su cuerpo inerte e insensible. Estaba casi libre de las ataduras terrenales. Pero no del todo, pues tuvo que esperar al éxtasis; un remanente de dependencia.

Supongamos ahora un hombre enteramente absorbido por el inmenso giro cósmico, y moviéndose dentro de él en el infinito. Ya no dependerá de nada. Será perfectamente libre, en el sentido de que su persona y su acción estarán unidas a la persona y a la acción del gran Todo. Así, se dice con razón: el hombre superior ya no tiene su propio yo; el hombre trascendente ya no tiene su propia acción; el Sabio ya ni siquiera tiene nombre propio. Porque es uno con el Todo.

D. Una vez el emperador *Yao* quiso entregar el imperio a su ministro *Xu You*. Le dijo:

— Cuando el sol o la luna brillan, apagamos la antorcha. Cuando cae la lluvia, dejamos a un lado la regadera. Es gracias a ti que el imperio prospera. ¿Por qué debería permanecer en el trono? Por favor, tómalo.

— Gracias —dijo *Xu You*—, ¡por favor, quédate con él! Es, contigo gobernando, que el imperio ha prosperado. ¿Qué importancia tiene mi reputación personal? Una rama en el bosque es suficiente para que el pájaro se aloje. Un poco de agua

---

4   Según las leyendas, *Peng Zu* tenía 767 años en 1123 a.C.

5   Aquí, todo lo que precede al párrafo A se repite una segunda vez en B. El mismo fondo, la misma forma. Fragmento añadido a la primer parte, probablemente en la versión final.

tomada del río calma la sed de la rata. No tengo más necesidades que estos pequeños seres. Quedémonos en nuestros respectivos lugares, tu y yo.

Estos dos hombres llegaron al nivel del Maestro *Rong* de *Song*. El ideal daoísta
es más elevado que eso.

Un día *Jian Wu* le dijo a *Lian Shu*:

— He escuchado a *Jie Yu* decir algunas cosas exageradas y extravagantes...

— ¿Qué ha dicho? —preguntó *Lian Shu*.

— Dijo que en la lejana isla de *Gu She* viven hombres trascendentales, blancos
como la nieve, frescos como niños, que no comen ningún tipo de alimento, sino
que aspiran el viento y beben el rocío. Cabalgan por el espacio, con nubes como
carros y dragones como monturas. Por el influjo de su trascendencia, preservan a
los hombres de las enfermedades y hacen madurar la cosecha. Esto es obviamente
una locura. Así que no lo creí.

Lian Shu respondió:

— El ciego no ve, porque no tiene ojos. El sordo no oye, porque no tiene oídos. No has entendido a *Jie Yu*, porque no tienes mente. Los hombres superiores
de los que hablaba existen. Incluso poseen virtudes mucho más maravillosas que
las que acabas de describir. Pero les importan tan poco las enfermedades y las
cosechas que si el imperio cayera en la ruina y todo el mundo les pidiera ayuda,
no se molestarían, porque son tan indiferentes a todo... El hombre superior no se
ve afectado por nada. Un diluvio universal no lo abrumaría. Una conflagración
universal no lo consumiría[6]. Tan altos están por encima de todo. Podríamos hacer
Yaos y *Shuns*[7] con sus desechos. ¿Y estos hombres se ocuparían de asuntos menores, como la cosecha y el gobierno de un Estado? ¡Vamos! — Cada uno imagina el
ideal a su manera. Para la gente de *Song*, el ideal es ir bien vestido y bien peinado;
para la gente de *Yue*, el ideal es ir rapado y cubierto con tatuajes. El emperador
Yao se esmeró e imaginó que había gobernado idealmente bien. Después de haber
visitado a los cuatro Maestros en la remota isla de *Gu She*, reconoció que lo había
estropeado todo. El ideal es la indiferencia del hombre superior, que deja girar la
rueda cósmica.

E. Los príncipes vulgares no saben emplear a hombres de esta talla, que no se
destacan en los cargos pequeños, ya que su genio está encogido allí.

El maestro *Hui*[8], habiendo obtenido en su jardín enormes calabazas, las cortó
en dos mitades que utilizó como cuencas. Al encontrar estas cuencas demasiado
grandes, las cortó en dos cuartos cada una. Estos cuartos ya no se mantenían er-
guidos y no podían sostener nada. Los rompió.

— No eres más que un tonto —dijo *Zhuang Zhou*—. No has sabido aprovechar
estas raras calabazas. Deberían haber hecho flotadores con ellas, con los que po-

---

6   Frases alegóricas, que luego se tomaron literalmente.

7   Un golpe a los parangones confucianos, que son considerados seres inferiores por los
daoístas.

8   *Hui Zi*, ministro de *Liang*, sofista, perpetuo contradictor de *Zhuang Zhou*, y uno de
los recipientes usuales de sus burlas.

drías haber cruzado ríos y lagos. Al querer hacerlas más pequeñas, los dejas fuera de uso.

Con los hombres pasa lo mismo que con las cosas; todo depende del uso que se haga de ellos.

Una familia de *Song* que se dedicaba a la cría de gusanos de seda tenía la receta de un ungüento que evitaba que se agrietasen las manos de quienes desenrollaban los capullos en agua caliente. Vendieron su receta a un extranjero por cien monedas, y consideraron que habían obtenido un buen beneficio. Ahora el extranjero, que se había convertido en almirante del rey de *Wu*, ordenó una expedición naval contra *Yue*. Era invierno. Tras haber preservado, gracias a su ungüento, las manos de sus marineros de cualquier congelación, obtuvo una gran victoria, que le procuró un vasto feudo. Así, dos aplicaciones del mismo ungüento produjeron, una una pequeña suma y la otra una inmensa fortuna.

El que sabe usar el hombre superior, le saca mucho partido. El que no sabe, no consigue nada.

F. El maestro *Hui* le dijo al maestro *Zhuang*:

— Tus teorías tienen amplitud, pero no tienen valor práctico; por eso nadie las quiere. Es como el gran árbol ailanto,[9] cuya madera fibrosa no se puede cortar en tablas, cuyas ramas nudosas no sirven para nada.

— Bien por mí —dijo el maestro Zhuang—. Porque todo lo que tiene un uso práctico perece por esta razón. La marta puede utilizar mil estratagemas, pero al final perece, su piel es buscada. El yak, a pesar de ser tan poderoso, acaba siendo matado y su cola se utiliza para hacer estandartes. Mientras que el ailanto con el que me haces el honor de compararme, plantado en tierra estéril, crecerá todo lo que quiera, dará sombra al viajero y al durmiente, sin miedo al hacha, precisamente porque, como dices, no sirve para nada. ¿No es el hecho de no ser apto para nada un estado del que uno debería alegrarse?

CAPÍTULO 2 - ARMONÍA UNIVERSAL

A. El maestro Qi10 estaba sentado en una escalera de mano, con los ojos elevados al cielo, respirando débilmente. Su alma debía estar ausente11.

Asombrado, el discípulo *You*[12] que le servía, se dijo a sí mismo:

— ¿Qué es esto? ¿Puede ser que, sin estar muerto, un ser vivo se vuelva así, tan insensible como un árbol marchito, tan inerte como la ceniza apagada? Ya no es mi maestro.

---

9   El ailanto (*Ailanthus altissima*), árbol del cielo, árbol de los dioses, malhuele o falso zumaque, es un árbol ornamental muy utilizado en jardines públicos en el sur de Europa, originario de China (N. del T.).

10   *Qi*, el maestro de los suburbios del sur, donde vivía.

11   Comentario: su cuerpo parecía haber perdido a su compañera, el alma. Compárese con el capítulo 24 H.

12   Maestro *Yen You*, *Yen Cheng*, o *Yen Nou*.

— Sí —dijo *Qi*, volviendo de su éxtasis—, sigo siendo él. Sólo había perdido, por un tiempo, mi yo[13]. Pero, ¿qué puedes entender de esto, tú que sólo conoces los acuerdos humanos, ni siquiera los terrenales, y mucho menos los celestiales?

— Por favor, trata de hacerme entender con alguna comparación, dijo *You*.

— Que así sea, dijo el Maestro *Qi*. El gran aliento indeterminado de la naturaleza es el viento. Por sí mismo, el viento no tiene sonido. Pero cuando los mueve, todos los seres se vuelven para él como un conjunto de cañas. Las montañas, los bosques, las rocas, los árboles, cada rugosidad, cada grieta, resuenan como tantas bocas, suavemente cuando el viento es suave, fuertemente cuando el viento es fuerte. Son rugidos, estruendos, silbidos, órdenes, quejas, exabruptos, gritos, lágrimas. La llamada responde a la llamada. Es un conjunto, una armonía. Luego, cuando el viento se detiene, todos estos acentos se callan. ¿No has observado esto en un día de tormenta?

— Entiendo —dijo *You*—. Las cuerdas humanas son las de los instrumentos musicales fabricados por el hombre. Los acordes terrestres son los de las voces de la naturaleza. Pero los acordes celestiales, Maestro, ¿qué son?

B. El Maestro *Qi* dijo:

— Es la armonía de todos los seres, en su naturaleza común, en su devenir común. No hay contraste allí, porque no hay distinción. La gran ciencia abarca, las grandes palabras abarcan. La ciencia y las palabras de un orden inferior distinguen. Todo es uno. Durante el sueño, el alma no distraída se absorbe en esta unidad; durante la vigilia, distraída, distingue diversos seres. — ¿Y cuál es el motivo de estas distinciones? Lo que las provoca es la actividad, las relaciones, los conflictos de la vida. De ahí las teorías, los errores. Del tiro con ballesta se derivó la noción del bien y del mal. De los contratos se derivó la noción de correcto e incorrecto[14]. Se dio crédito a estas nociones imaginarias; incluso se atribuyeron al Cielo. Es imposible hacer que los humanos las abandonen. Y sin embargo, sí, la complacencia y el resentimiento, la pena y la alegría, los planes y los lamentos; la pasión y la razón, la indolencia y la firmeza, la acción y la pereza, todos estos contrastes, son tantos sonidos que vienen del mismo instrumento, tantos hongos nacidos de la misma humedad, modalidades fugaces del ser universal. Todo esto se ha presentado en el curso del tiempo. ¿De dónde viene? ¡Se desarrollado! Nació, entre una mañana y una tarde, de sí mismo, no como un ser real, sino como una apariencia. No hay seres reales distintos. Hay un *yo*, sólo en contraste con un *él*. Siendo él y *yo* sólo seres de razón, no existe tampoco, en realidad, ese algo más cercano que se llama *mío*, y ese algo más lejano que se llama *tuyo*. ¿Pero quién es el agente de este estado de cosas, el motor del gran conjunto? Todo sucede como si hubiera un gobernador real, pero cuya personalidad no se puede determinar. La hipótesis que explica los fenómenos es aceptable, siempre que no hagamos de este gobernador universal un

---

13   Comentario: El estado de quien está absorbido en el ser universal, en la unidad. Pierde la noción de seres distintos.

14   Acertar o no acertar el objetivo. Conformidad o disconformidad con la fuente.

ser material distinto[15]. Es una tendencia sin forma palpable, la norma inherente del universo, su fórmula evolutiva inmanente. Las normas de todo tipo, como la que hace que un cuerpo tenga muchos órganos[16], una familia muchas personas, un estado muchos sujetos, son todos participantes del gobernante universal así entendido. Estos participantes no lo aumentan ni lo disminuyen, pues son comunicados por él, no se desprenden de él. Como extensión de la norma universal, la norma de tal ser, que es su ser, no deja de ser cuando termina. Era antes de él, continuará después de él, inalterable, indestructible. El resto de él era sólo apariencia. De la ignorancia de este principio derivan todos los dolores de los hombres, la lucha por la existencia, el miedo a la muerte, la aprehensión del misterioso más allá. La ceguera es casi general, pero no universal. Todavía hay hombres, pocos, a los que el tradicionalismo convencional no ha seducido, que no reconocen más maestro que su razón, y que, por el esfuerzo de ésta, han deducido la doctrina anterior de sus meditaciones sobre el universo. Estos saben que no hay nada real sino la norma universal. El vulgo irreflexivo cree en la existencia real de todo. El error moderno ha ahogado la verdad antigua. Está tan arraigada, tan inveterada, que los mayores sabios del mundo, incluido *Yu* el Grande[17], han sido engañados por ella. Para apoyar la verdad, me encuentro casi solo.

C. Pero, si todo es uno, si todo se reduce a una sola norma, esta norma incluirá simultáneamente la verdad y el error, todos los opuestos; y si los hechos de los que hablan los hombres son irreales, el discurso humano es, por tanto, sólo un sonido vano, no más que el cacareo de una gallina. Respondo que no, que no hay error en la norma, sino para los de mente estrecha; sí, las distinciones de los discípulos de Confucio y *Mo Zi*, no son más que cacareos vanos. No hay, en realidad, ni verdad ni error, ni sí ni no, ni ninguna otra distinción en absoluto, siendo todo uno, incluso los opuestos. Sólo hay varios aspectos, que dependen del punto de vista. Desde mi punto de vista, lo veo así; desde otro punto de vista, lo vería de otra manera. Yo y los demás tenemos dos posiciones diferentes, que nos hacen juzgan y hablar de forma diferente. Así que hablamos de la vida y la muerte, de lo posible y lo imposible, de lo lícito y lo ilícito. Hay discusiones, algunos dicen que sí y otros que no. Errores subjetivos de aprehensión, debidos al punto de vista. El sabio, por el contrario, comienza por iluminar el objeto con la luz de su razón. Primero señala que esto es aquello, y que aquello es esto, que todo es uno. A continuación, señala que, sin embargo, hay un sí y un no, una oposición, un contraste. Concluye que la unidad es real, que la diversidad no es real. Su punto de vista es un punto, desde el cual esto y aquello, el sí y el no, siguen apareciendo sin distinguirse. Este punto es el pivote de la norma. Es el centro inamovible de una circunferencia, en cuyo contorno ruedan todas las contingencias, las distinciones y las individualidades; desde el cual sólo se ve un infinito, que no es ni esto ni aquello, ni sí ni no. Ver

---

15 Negación del Soberano más Alto de los Anales y las Odas. Compárese con *Lao Zi*, capítulo 4 E.

16 El alma humana entra en esta categoría.

17 Ataque a un parangón confuciano.

todas las cosas en la unidad primordial, aún no diferenciadas, o a una distancia tal que todas las cosas se funden en una, es la verdadera inteligencia. — Los sofistas se equivocan al pretender conseguirlo con argumentos positivos y negativos, mediante el análisis o la síntesis. Sólo llegan a formas subjetivas de ver, que, sumadas, forman opinión y pasan por principios. Al igual que un camino está formado por los muchos pasos de los transeúntes, las cosas acaban siendo calificadas por lo que muchos han dicho de ellas. Es así, dicen, porque es así; es un principio. — No es así, se dice, porque no es así; es un principio. ¿Es realmente así, en la realidad? En absoluto. Considerados en la norma, una paja y una viga, un feo y un bello, todos los opuestos son uno. La prosperidad y la ruina, los estados sucesivos, no son más que fases; todo es uno. Pero esto sólo lo pueden entender las grandes mentes. No nos preocupemos por distinguir, sino que veamos todo en la unidad de la norma. No discutamos para prevalecer, sino empleemos, con otros, el procedimiento del criador de monos. Este hombre dijo a los monos que criaba: "Les daré tres taros por la mañana y cuatro por la tarde". Todos los monos estaban disgustados[18]. "Entonces —dijo—, les daré cuatro taros por la mañana y tres por la noche". Los monos estaban todos contentos. Con la ventaja de haberlos satisfecho, este hombre les dio finalmente sólo los siete taros diarios que les había destinado en un principio. Así es como lo hace el Sabio. Dice sí o no, en aras de la paz, y permanece tranquilo en el centro de la rueda universal, indiferente a la dirección en la que gira.

D. Entre los antiguos, algunos pensaban que no había nada preexistente en el principio. Esta es una posición extrema. — Otros pensaban que había algo preexistente. Esta es la posición extrema opuesta. Otros pensaban que había algo indistinto, indiferenciado. Esta es la posición media, la verdadera. Este ser primordial indiferenciado es la norma. Cuando se imaginaron las distinciones, su noción se arruinó. Después de las distinciones vinieron las artes y los gustos, las impresiones subjetivas y las preferencias que no se pueden definir ni enseñar. Así, los tres músicos, *Zhao Wen*, *Kuang Zi* y *Hui Zi*, amaban su música, ya que era su propia música, que encontraban diferente a la de los demás, y superior, por supuesto. Nunca pudieron definir en qué consistía esta diferencia y superioridad; nunca pudieron enseñar a sus propios hijos a tocar como ellos. Porque lo subjetivo no se puede definir ni enseñar. El Sabio desprecia estas vanidades, se mantiene en la penumbra de la visión sintética, se contenta con el sentido común práctico.

E. Podría objetarse que no hay distinciones. Digamos que la distinción entre estos términos es sólo aparente. ¿Pero cómo se pueden reducir a la simple unidad los términos absolutamente opuestos? Así pues, cómo podemos conciliar estos términos: origen del ser, ser sin origen, origen del ser sin origen; y estos otros: ser y nada, ser antes de la nada, nada antes del ser. Estos términos se excluyen mutuamente; es sí o no. — Respondo: estos términos sólo se excluyen mutuamente si los conside-

---

18   Disgustados por tener que esperar hasta la noche para recibir la mitad fuerte de su pitanza. Comparar *Lie Zi*, cap. 2 Q.

ramos como existentes. Antes del devenir, en la unidad del principio primordial, no hay oposición. Considerado en esta posición, un cabello no es pequeño, una montaña no es grande; un niño que nace muerto no es joven, un centenario no es viejo. El cielo, la tierra y yo somos de la misma edad. Todos los seres, y yo, somos uno en origen. Puesto que todo es uno objetivamente y en la realidad, ¿por qué distinguir las entidades mediante palabras, que sólo expresan apreciaciones subjetivas e imaginarias? Si empezamos a nombrar y a contar, no nos detendremos, la serie de puntos de vista subjetivos es infinita. — Antes del tiempo, todo era uno, en principio cerrado como un pliegue sellado. Entonces, como lenguaje, sólo había un verbo general. Todo lo que se ha añadido desde entonces es subjetivo, imaginario. Como la diferencia entre derecha e izquierda, distinciones, oposiciones, deberes. Tantos seres de razón, que designamos con palabras, a los que nada responde en la realidad. Por lo tanto, el sabio estudia todo, en el mundo material y en el mundo de las ideas, pero sin pronunciarse sobre nada, para no añadir una opinión subjetiva más a las ya formuladas. Se calla, mientras el hombre vulgar parlotea, no por la verdad, sino por el espectáculo, dice el adagio. — ¿Qué se puede decir del ser universal, salvo que es? ¿Es para afirmar algo, para decir que el Ser es? ¿Enseña algo decir que la humanidad es humana, la modestia es modesta, la valentía es valiente? ¿No son frases vacías que no significan nada? Si se pudiera distinguir en el principio, y aplicarle atributos, no sería el principio universal. Saber detenerse donde falta la inteligencia y la palabra, eso es sabiduría. ¿De qué sirve buscar términos imposibles para expresar un ser inefable? Quien comprende que lo tiene todo en uno, ha conquistado el tesoro celestial, inagotable, pero también inescrutable. Tiene la iluminación integral, que ilumina el conjunto sin hacer aparecer los detalles. Es esta luz, superior a la de diez soles, la que *Shun* alabó una vez al viejo Yao[19].

F. — Todo en el mundo es personal y subjetivo —dijo *Wang Ni* a *Nie Que*—. Un hombre tumbado en el barro tendrá lumbago, mientras que una anguila no se sentirá mejor en ningún sitio que allí. Un hombre encaramado a un árbol se sentirá incómodo allí, mientras que un mono encontrará la posición perfecta. Algunos comen esto, otros aquello. Algunos buscan esto y otros aquello. Todos los hombres corrieron detrás de las dos famosas bellezas *Mao Qiang* y *Li Ji*; mientras que al verlas, los peces se sumergían horrorizados, los pájaros se refugiaban en el aire, y los antílopes huían a todo galope. No sabes qué efecto tiene esta cosa en mí, y no sé qué impresión causa en ti. Esta cuestión de sentimientos y gustos, al ser totalmente subjetiva, es principalmente insoluble. Sólo se puede dejar de lado. Los hombres nunca se pondrán de acuerdo en este punto.

— Los hombres vulgares, que así sea —dijo *Nie Que*—; ¿pero el hombre superior?

— El hombre superior —dijo *Wang Ni*—, está por encima de esas nimiedades. En su elevada trascendencia está por encima de todas las impresiones y emociones.

---

19   Anécdota imaginaria. Ataque a dos parangones confucianos.

En un lago hirviendo no siente el calor; en un río helado no siente el frío[20]. Si el rayo parte las montañas, si el huracán sacude el océano, no le importa. Cabalga sobre las nubes, cabalga sobre el sol y la luna, recorre el universo. ¿Qué interés puede tener en distinciones menores, para quien la vida y la muerte son un solo todo[21]?

G. El Maestro *Qu Qiao* dijo al Maestro *Qiu* de *Zhang Wu*: Se dice del Sabio que no se molesta por las cosas de este mundo; que no busca su propia ventaja y no se encoge ante el peligro; que no se aferra a nada; que no busca la aprobación; que se mantiene alejado del polvo y del barro...

— Lo definiré mejor, con menos palabras —dijo el maestro K'iou—. El Sabio se abstrae del tiempo y lo ve todo en uno. Se mantiene en silencio, guardando sus impresiones personales para sí mismo, absteniéndose de disertar sobre cuestiones oscuras e insolubles. Este recogimiento, esta concentración, le da, en medio del apasionado asunto de los hombres vulgares, un aire apático, casi tonto. En realidad, internamente, se aplica a la ocupación más elevada, la síntesis de todas las edades, la reducción de todos los seres a la unidad.

H. Y en cuanto a la distinción que más atormenta a los hombres, la de la vida y la muerte... ¿no es el amor a la vida una ilusión? ¿no es el miedo a la muerte un error? ¿Es realmente una desgracia esta partida? ¿No lleva, como la novia que deja la casa de su padre, a otra felicidad? En el pasado, cuando la bella *Qi* de *Li* fue secuestrada, lloró tanto que mojó su vestido. Cuando se convirtió en la favorita del rey de *Jin*, se dio cuenta de que se había equivocado al llorar. ¿No es éste el caso de muchos muertos? ¿No se han ido arrepentidos y ahora piensan que se equivocaron al amar la vida? ¿No es la vida un sueño? Algunos, despertándose de un sueño feliz, se lamentan; otros, liberados por el despertar de un sueño triste, se alegran. Ambos, mientras soñaban, creían en la realidad de su sueño. Después de despertar, se dijeron que sólo era un sueño vano. Lo mismo ocurre con el gran despertar, la muerte, después de la cual decimos de la vida que no ha sido más que un largo sueño. Pero pocos de los vivos lo entienden. Casi todos creen que están bien despiertos. Realmente, algunos se creen reyes, otros siervos. Todos estamos soñando, tú y yo. Yo, que te digo que estás soñando, también estoy soñando mi sueño. La identidad de la vida y la muerte parece increíble para muchas personas. Es poco probable que se les pueda convencer. Porque, en este asunto, no hay ninguna demostración evidente, ninguna autoridad decisiva, sólo un cúmulo de sentimientos subjetivos. Sólo la regla celestial resolverá esta cuestión. ¿Y qué es esta regla celestial? Es situarse, para juzgar, en el infinito... Es imposible resolver el conflicto de las contradicciones, decidir qué es verdadero y qué es falso. Así que situémonos fuera del tiempo, más allá del razonamiento. Consideremos la cuestión en el infinito, la distancia a la que todo se funde en un todo indeterminado.

---

20   Metáforas que fueron tomadas literalmente más tarde.
21   Dos fases alternativas de la existencia.

I. Las acciones de todos los seres que pertenecen al Todo no son libres, sino necesarias por sus leyes... Un día la penumbra le preguntó a la sombra: ¿por qué te mueves en tal dirección? No me muevo, dijo la sombra. Soy proyectada por algún cuerpo, que me produce y me orienta, según las leyes de la opacidad y del movimiento... Así ocurre con todos los actos.

J. No hay individuos reales, sino sólo extensiones de la norma... — Una vez — dijo *Zhuang Zhou*—, una noche fui una mariposa, revoloteando contenta con mi destino. Entonces me desperté, siendo *Zhuang Zhou*. ¿Quién soy realmente? ¿Una mariposa que sueña que es *Zhuang Zhou*, o *Zhuang Zhou* que imagina que era una mariposa? En mi caso, ¿hay dos individuos reales? ¿Hubo una verdadera transformación de un individuo en otro? — Ni lo uno ni lo otro, dice el comentario. Ha habido dos modificaciones irreales del ser único, de la norma universal, en la que todos los seres en todos sus estados son uno.

CAPÍTULO 3 - MANTENIMIENTO DEL PRINCIPIO VITAL

A. La energía vital es limitada. La mente es insaciable. Poner un instrumento limitado a la discreción de un amo insaciable es siempre peligroso, es a menudo fatal. El maestro desgastará el instrumento. Un esfuerzo intelectual prolongado y exagerado agotará la vida. — Matarse por hacer el bien por amor a la gloria, o perecer por un crimen a manos del verdugo, equivale a lo mismo; es la muerte, por exceso, en ambos casos. Quien quiera durar, debe moderarse, no ir hasta el final de nada, quedarse siempre a medio camino. De este modo, podrá conservar su cuerpo intacto, mantener su vida hasta el final, alimentar a sus padres hasta su muerte y durar él mismo hasta el final de su suerte.

B. El carnicero del príncipe *Hui* de *Liang* estaba descuartizando un buey. Sin esfuerzo, metódicamente, su cuchillo iba desprendiendo la piel, rebanando la carne, desuniendo las articulaciones.

— Eres realmente hábil —dijo el príncipe, que lo observaba.

— Todo mi arte —respondió el carnicero—, consiste en considerar únicamente el principio del corte. Cuando empecé, pensaba en la carne de vacuno. Después de tres años de práctica, empecé a olvidar el objeto. Ahora, cuando corto, sólo tengo en mente el principio. Mis sentidos ya no actúan; sólo mi voluntad está activa. Siguiendo las líneas naturales del buey, mi cuchillo penetra y divide, cortando la carne blanda, bordeando los huesos, haciendo su trabajo como si fuera natural y sin esfuerzo. Y lo hace sin desgastarse, porque no ataca las partes duras. Un principiante gasta un cuchillo al mes. Un carnicero mediocre gasta un cuchillo al año. He utilizado el mismo cuchillo durante diecinueve años. Ha matado a varios miles de bueyes sin ningún desgaste. Porque sólo lo dejo ir donde puede ir.

— Gracias —dijo el príncipe *Hui* al carnicero—; acabas de enseñarme cómo hacer que la vida dure, haciendo que sirva sólo para lo que no la desgasta.

C. La aflicción es otra causa de desgaste del principio vital. Omitiendo los temas menores de aflicción, *Zhuang Zhou* indica tres causas serias, comunes en su época de luchas feudales: mutilaciones, exilio y muerte.

Resignarse a la mutilación, como el secretario del príncipe de *Liang*, al que le habían cortado un pie, y que no reprochaba a su amo su mutilación, sino que se consolaba pensando que había sido querida por el cielo.

Resignarse al destierro, como el faisán de los pantanos, que vive contento en su existencia embobada e inquieta, sin desear la facilidad de una pajarera.

Resígnate a la muerte, porque sólo es un cambio, a menudo a mejor. Cuando *Lao Dan* murió, *Qin Shi*, tras ir a llorarle, sólo hizo los tres lamentos que el ritual exige a todos. Cuando hubo salido, los discípulos le preguntaron: ¿no eras tú el amigo de *Lao Dan*? — Lo era —dijo *Qin*-cheu. — Entonces —dijeron los discípulos—, ¿por qué no lloraste más? — Porque —dijo *Qin Shi*— este cadáver ya no es mi amigo. Todos estos plañideros que llenan la casa, gritando a voz en cuello, actúan por puro sentimentalismo, de manera irracional, casi condenable. La ley, olvidada por el hombre común, pero recordada por el Sabio, es que cada uno viene a este mundo en su propio tiempo, y lo deja en su propio tiempo. Por lo tanto, el Sabio no se alegra de los nacimientos, ni se apena de las muertes. Los antiguos han comparado al hombre con un fardo que el Señor hace (nacimiento) y deshace (muerte)[22]. Cuando la llama ha consumido un haz, pasa a otro, y no se apaga[23].

Capítulo 4 - El mundo de los hombres

A. Yen Hui, el discípulo favorito, pidió permiso a su maestro Confucio.

— ¿Para ir a dónde? —preguntó este último.

— A *Wei* —dijo el discípulo—. El príncipe de ese país es joven y voluntarioso. Gobierna mal, no acepta ninguna observación y hace morir a sus súbditos por poco. Su principado está sembrado de cadáveres. Su pueblo está sumido en la desesperación… Ahora te he oído decir muchas veces, que uno debe dejar un país bien ordenado, para ir a dar su cuidado al que está mal gobernado. Es a los enfermos a quienes va a ver el médico. Me gustaría dedicar lo que he aprendido de ti a la salvación del principado de *Wei*.

— No te vayas —dijo Confucio—. Estarás perdido. El gran principio es que uno no se complica con múltiples problemas. Los hombres superiores de la antigüedad nunca se preocuparon por los demás hasta el punto de perturbarse ellos mismos. No perdían el tiempo tratando de enmendar a un tirano brutal… No hay nada más

---

22   ¿De qué antiguos habla? ¿Chinos o indios? — ¿Qué Señor? ¿El Soberano más Alto chino de los Anales y las Odas, o el *Prajapati* védico, maestro de la vida y la muerte? El fardo recuerda al *skandhas* (*Skandhas* [sánscrito] significa "montones, agregados, colecciones, agrupaciones").

23   Concepto daoísta de la supervivencia, de la inmortalidad del alma. Comentario: estado de vida, estado de muerte; fardo atado, fardo desatado. Muerte y vida, sucesión de idas y venidas. El ser sigue siendo el mismo; el que es uno con el ser universal, dondequiera que vaya, mantiene su ser. El fuego es a la leña lo que el alma es al cuerpo; pasa a un nuevo cuerpo, como el fuego pasa a otro leño, así el fuego se extiende sin apagarse, la vida continúa sin cesar.

peligroso que hablar insistentemente de justicia y caridad a un hombre violento que se deleita en el mal. Sus asesores harán causa común con él y se unirán para intimidarte. Si dudas o vacilas, ellos triunfarán y el mal será peor. Si los atacas con fuerza, el tirano hará que te maten. Así es como el ministro *Guang Long Feng* fue asesinado por el tirano *Jie*, y el príncipe *Bin Gan* fue asesinado por el tirano *Zhou*. Ambos, por haberse puesto del lado del pueblo oprimido, contra los príncipes opresores. En el pasado, los grandes emperadores *Yao* y *Yu* no pudieron persuadir a los vasallos ávidos de gloria y riqueza; tuvieron que reducirlos por la fuerza de las armas… Ahora el actual príncipe de *Wei* es un hombre de la misma clase. ¿En qué tono vas a hablar con él, para impresionarlo?

— Hablaré con él —dijo *Yen Hui*— con modestia y franqueza.

— Perderás el tiempo —dijo Confucio—. Este hombre está lleno de sí mismo. Además es un consumado tramposo. El mal no le repugna, la virtud no le afecta. O te contradecirá abiertamente; o fingirá escucharte, pero no te creerá.

— Entonces —dijo *Yen Hui*—, conservando mi rectitud interior, me acomodaré a él exteriormente. Le explicaré la razón celestial, que tal vez lo conmueva, ya que es, como yo, un hijo del cielo. Sin tratar de complacerlo, le hablaré con la sencillez de un niño, como un discípulo del cielo. Con el respeto de que nadie pueda acusarme de haberle fallado en lo más mínimo, le explicaré suavemente la doctrina de los Antiguos. Si esta doctrina condena su conducta, no puede culparme a mí, ya que no es la mía. ¿No crees, Maestro, que puedo corregir al Príncipe de *Wei* de esta manera?

— No podrás corregirlo —dijo Confucio—. Este es el procedimiento didáctico conocido por todos los maestros, y no convierte a nadie. Al hablar de esta manera, puede que no sufras represalias, pero eso es todo lo que conseguirás.

— Entonces —preguntó *Yen Hui*—, ¿cómo se puede convertir a alguien?

— Preparándose para ello —dijo Confucio—, mediante la abstinencia.

— ¡Oh! —dijo *Yen Hui*—, eso ya lo sé. Mi familia es pobre. Pasamos meses sin beber vino ni comer carne.

— Esto —dijo Confucio—, es la abstinencia preparatoria de los sacrificios. No me refiero a eso, sino a la abstinencia del corazón.

— ¿Qué es eso? —preguntó *Yen Hui*.

— Concentra toda tu energía intelectual como en una masa —dijo Confucio—. No escuches con los oídos, ni con el corazón, sino sólo con la mente. Intercepta el camino de los sentidos, mantén puro el espejo del corazón; deja que la mente se ocupe, en el vacío interior, sólo de los objetos abstractos. La visión del principio requiere el vacío. Mantenerse vacío, esa es la abstinencia del corazón.

— ¡Ah! —dijo *Yen Hui*—, no lo sabía, por eso sólo soy *Yen Hui*. Si llegara a ese punto, ya no sería *Yen Hui*; me convertiría en un hombre superior. Pero, en la práctica, ¿puede uno vaciarse hasta ese punto?

— Es posible —dijo Confucio—, y yo te enseñaré cómo hacerlo. Para ello, sólo hay que permitir que entren en dominio del corazón, desde afuera, cosas que ya no tienen nombre; ideas abstractas, no casos concretos. El corazón sólo debe vibrar cuando entra en contacto con ellas (nociones objetivas), nunca de forma espontánea (emociones subjetivas). Hay que mantenerse cerrado, simple, naturalmente puro, sin ninguna mezcla de lo artificial. De este modo, uno puede mantenerse sin emociones, mientras que es difícil calmarse después de haberse emocionado; al igual que es más fácil no caminar que borrar las huellas de los pasos después de haber caminado. Todo lo artificial es falso e ineficaz. Sólo lo natural es verdadero y eficaz. Esperar un efecto de los procesos humanos es querer volar sin alas o entender sin inteligencia… Observa cómo la luz que entra desde el exterior a través de este agujero en la pared, se extiende en el vacío de este piso, y se desvanece tranquilamente, sin producir imágenes. Así, el conocimiento abstracto debe extenderse en paz, sin perturbarlo. Si el conocimiento que permanece concreto crea imágenes o se refleja, el hombre puede quedarse quieto, pero su corazón divagará locamente. El corazón vacío atrae a los espíritus, que hacen su hogar allí. Tiene un efecto omnipotente sobre los vivos. Sólo él es el instrumento de la transformación moral, siendo una parcela pura del Principio, el transformador universal. Así hay que explicar la acción que ejercieron *Yao* y *Shun* sobre los hombres, después de *Fu Xi, Ji Jiu* y muchos otros[24].

B. *Otro discurso de Confucio sobre la apatía daoísta…* Enviado como embajador por su señor el rey de *Chu* al príncipe de *Qi, Zi Gao* le pidió consejo a Confucio.

— Mi rey —le dijo—, me ha confiado una misión muy importante. Será agotadora; y me pregunto si tendré éxito. Temo por mi salud y por mi cabeza. La verdad es que estoy muy preocupado… Siempre he vivido con sobriedad, con un cuerpo sano y un corazón tranquilo. Sin embargo, desde el día en que fui nombrado embajador, mis entrañas arden tanto que tengo que beber agua helada por la noche para calmar mi fuego interior. Si estoy así antes de partir a mi misión, ¿cómo será después? Para tener éxito, tendré que pasar por innumerables preocupaciones. Y si no lo consigo, ¿cómo voy a salvar mi cabeza? Maestro, ¿qué consejo puedes darme?

— La piedad hacia los padres y la fidelidad al príncipe son los dos deberes naturales fundamentales —dijo Confucio—, los que nunca pueden dejarse de lado. Obedecer a los padres y servir al príncipe son los deberes del niño y del ministro. Y esto, en todas las cosas, y pase lo que pase. Por lo tanto, en este asunto debes desterrar toda consideración de dolor o placer, y considerar el deber en sí mismo, no como algo opcional, sino como algo fatal, por lo que debes dedicarte, si es necesario hasta el punto de sacrificar tu vida y aceptar la muerte. Siendo así, estás obligado a aceptar tu misión, y a dedicarte a su cumplimiento… Es cierto que el papel de un embajador, de un casamentero diplomático, es difícil y peligroso. Añadirle palabras agradables e indiscretas a un mensaje agradable; agregar palabras desagradables hirientes a un mensaje desagradable; posar, precipitarse, exagerar, sobrepasar el propio mandato; eso es lo que suele causar la desgracia de los embajadores. Cualquier exceso es desastroso. Por eso se dice en las Reglas del Discurso: "transmite el significado de lo que se te pide que digas, pero no los términos, si éstos son duros; con más razón, no añadas palabras hirientes gratuitas". Si lo haces,

---

24   En esta pieza, *Yen Hui* profesa el confucianismo. Confucio le enseña el daoísmo.

probablemente tu vida se salvará… Por lo general, es la pasión la que estropea las cosas. Los luchadores comienzan luchando según las reglas; luego, cuando se excitan, se golpean entre sí. Los bebedores comienzan bebiendo con moderación; luego, cuando se acaloran, se emborrachan. Los vulgares comienzan siendo educados; luego, con la familiaridad vienen las incivilidades. Muchos asuntos, en un primer momento, son exagerados: todo porque la pasión ha interferido. Lo mismo puede ocurrir con los portadores de mensajes. Ay de ellos si se acaloran con su tema. Si añaden sus propias palabras, será su culpa. Tal como sucede con el agua y el viento, que levanta las olas fácilmente, cuando el orador se excita los discursos se hinchan fácilmente. Nada es tan peligroso como las palabras producidas por la pasión. Pueden llegar a parecerse a la furia de la bestia caída en una trampa. Provocan la ruptura de las negociaciones, el odio y la venganza. Así que las Reglas del Discurso dicen: "No te excedas en tu mandato. No te esfuerces demasiado por el deseo de tener éxito. No intentes conseguir más de lo que debes pedir". De lo contrario, no harás nada bueno y te pondrás en peligro. Pero, evitando toda pasión, cumple con tu deber con un corazón claro. Pase lo que pase. Interrógate constantemente, preguntándote: ¿Cómo responderé a la bondad de mi príncipe? Por último, prepárate para hacer el sacrificio más difícil, el de tu vida, si es necesario. Este es mi consejo.

C. *Otra lección de moderación daoísta.* — El filósofo *Yen He*, de *Lu*, habiendo sido nombrado tutor del hijo mayor del duque *Ling* de *Wei*, pidió consejo a *Ju Boyu.*

— Mi alumno —dijo—, es tan malo como puede ser. Si lo dejo, arruinará su país. Si trato de contenerlo, puede costarme la vida. Ve los males de los demás, pero no los suyos propios. ¿Qué puedo hacer con un discípulo así?

Ju Boyu dijo:

— Primero sé circunspecto, sé correcto, no te prestes a la crítica. Entonces buscarás ganártelo. Adáptate a él, sin condescender a actuar mal con él, pero también sin tomarlo demasiado en serio. Si tiene un carácter joven, hazte joven con él. Si no le gustan las restricciones, no le molestes. Si no le gusta la dominación, no intentes imponérsela. Sobre todo, no te pongas en su contra, no hagas que se enfade contigo… No intentes luchar con él por la fuerza. Eso sería imitar a la estúpida mantis, que intentó detener un carro y fue aplastada… Sólo trata con él cuando está bien dispuesto. Ya sabes lo que hacen los criadores de tigres con sus peligrosos pupilos. Nunca les dan una presa viva, porque la satisfacción de matarla exaltaría su brutal crueldad. Ni siquiera les dan un trozo grande de carne, ya que el acto de desgarrarlo sobreexcitaría sus instintos sanguinarios. Les dan su comida en pequeñas porciones, y sólo se acercan a ellos cuando, llenos y tranquilos, están de tan buen humor como puede estarlo un tigre. Así tienen menos posibilidades de ser comidos… Sin embargo, tampoco hagas a tu discípulo intratable mimándolo. Algunos criadores de caballos maníacos aman a sus animales hasta el punto de quedarse con sus excrementos. ¿Qué ocurre entonces? Ocurre que, habiéndose vuelto caprichosos hasta el frenesí, estos caballos se dejan llevar y lo rompen todo cuando se les aborda incluso con suavidad y con las mejores intenciones. Cuanto más los mimas, menos agradecidos son.

Los principios daoístas para manejar a las personas y los negocios, esbozados anteriormente, se reducen a esto: Trata todo desde lejos y desde arriba, en general no en detalle, sin aplicarte demasiado, sin preocuparte. Prudencia, condescendencia, paciencia, cierta holgura; pero no cobardía; y, si es necesario, no temas a la muerte, que no es nada temible para el daoísta. — El resto (comparar con el capítulo 1 F) está dedicado a la abstención, a la retirada, que los daoístas siempre ponen por encima de la acción, porque la inacción conserva, mientras que la acción desgasta.

D. El maestro carpintero *Shi*, de camino al país de *Qi*, pasó por el famoso roble que daba sombra al montículo del genio de la tierra en *Qu Yuan*. El tronco de este famoso árbol podría esconder un buey. Se elevaba en línea recta, a ochenta pies de altura, y luego extendía una docena de ramas maestras, con cada una de las cuales se podría haber tallado una canoa. La gente acudía en masa a admirarlo. El carpintero pasó de largo, sin echarle una mirada.

— Pero mira —dijo su aprendiz—. Desde que empecé a manejar el hacha, no había visto una pieza de madera tan hermosa. ¡Y ni siquiera lo miras!

— Lo he visto —dijo el maestro—. No sirve para hacer un barco, un ataúd, un mueble, una puerta o una columna. Es madera sin uso práctico. Vivirá mucho tiempo.

Cuando el maestro carpintero *Shi* regresó de *Qi*, pasó la noche en *Qu Yuan*. El árbol se le apareció en un sueño y le dijo:

— Sí, los árboles cuya madera es hermosa se cortan jóvenes. Las ramas de los árboles frutales se rompen en el afán de robar sus frutos. Para todos su utilidad es fatal. Así que estoy feliz de ser inútil. Además, a ustedes, los hombres, les pasa lo mismo que a nosotros, los árboles. Si eres un hombre útil, no vivirás mucho tiempo.

A la mañana siguiente, el aprendiz preguntó al maestro:

— Si este gran árbol se alegra de ser inútil, ¿por qué permitió que lo hicieran el genio del lugar?

— Ellos lo pusieran en ese sitio —dijo el maestro— sin pedirle su opinión, y no le importa. No es la veneración popular la que protege su existencia, es su incapacidad para el uso común. Su acción tutelar se reduce a no hacer nada. Como el sabio daoísta, colocado en su lugar a pesar de sí mismo, y absteniéndose de actuar.

E. Sigue otra variación sobre el mismo tema, casi idéntica, un fragmento similar añadido al anterior, que termina así: este árbol, al no ser apto para el uso común, pudo crecer hasta estas dimensiones. La misma incapacidad da a algunos hombres la posibilidad de alcanzar la trascendencia perfecta.

F. En el país de los *Song*, en *Jing Shi*, los árboles crecen densamente. Los más pequeños se cortan para hacer jaulas para los monos. Las medianos se cortan para hacer casas para los hombres. Los grandes se cortan para hacer ataúdes para los muertos. Todos perecen, por el hacha, antes de tiempo, porque pueden ser utilizados. Si fueran inútiles, envejecerían a gusto. El tratado sobre las víctimas declara que los bueyes de cabeza blanca, los cerdos con hocico respingón y los hombres con fístulas, no pueden ser sacrificados al Genio del Río; porque, dicen los arúspices, estos seres son dañinos. Los hombres trascendentales piensan que es bueno para ellos, ya que les salva la vida.

G. El lisiado sin piernas *Shu*, un verdadero monstruo, se ganaba la vida y mantenía a una familia de diez personas, remendando, haciendo cestas, etc. Cuando su país fue movilizado, permaneció en paz. En los días de gran trabajo, no se le pedía nada. Cuando había una distribución de ayuda a los pobres, recibía grano y madera. Su incapacidad para realizar servicios ordinarios hizo que viviera hasta el final de sus días. Del mismo modo, su incapacidad para los deberes vulgares hará que el hombre trascendente viva hasta el final de su tiempo asignado.

H. Mientras Confucio visitaba el país de *Chu*, el loco *Jie Yu*[25] le gritó
— ¡Fénix! ¡Fénix! Sin duda, el mundo es decadente; pero ¿qué se puede hacer? El futuro aún no ha llegado, el pasado ya está muy lejos. En tiempos de buen orden, el Sabio trabaja para el Estado; en tiempos de desorden, se preocupa de su propia salvación. En la actualidad, los tiempos son tales que escapar de la muerte es difícil. Ya no hay felicidad para nadie; la desgracia aplasta a todos. No es el momento de mostrarse. En vano hablarás de la virtud, y en vano mostrarás tus modales mesurados. Me gusta correr como un loco; no te metas en mi camino. Me agrada caminar torcido; no obstaculices mis pies. Es hora de dejar que las cosas sucedan.

I. Al producir bosques, la montaña atrae a quienes la despojan. Al gotear su grasa, el asado activa el fuego que lo asa. El árbol de la canela se tala porque su corteza es un condimento muy codiciado. El árbol del barniz se corta para quitarle su preciosa savia. Casi todos los hombres se imaginan que ser considerado apto para algo es algo bueno. En realidad, es una ventaja ser juzgado como no apto para nada.

CAPÍTULO 5 - ACCIÓN PERFECTA

A. En el principado de Lu, un tal Wang Tai, que había sufrido la amputación de ambos pies (un castigo común en la época), reunió a su alrededor más discípulos que Confucio. Chang Ji se asombró de esto y le dijo al Maestro:
— Este *Wang Tai* no habla ni discute; y sin embargo, los que fueron a él vacíos, vuelven de él llenos. ¿Podría haber una forma de enseñar sin palabras, un proceso impalpable de formación de los corazones? ¿De dónde viene la influencia de este hombre?
— De su trascendencia —respondió Confucio—. Lo conocí demasiado tarde. Debería ir a su escuela. Todo el mundo debería tomarlo como maestro.

---

25   Era un sabio daoísta, al que se consideraba loco.

— ¿Cómo es exactamente superior a ti? —preguntó *Chang Ji.*

— En que —respondió Confucio—, ha alcanzado la perfecta impasibilidad. Como la vida y la muerte le son igualmente indiferentes, el colapso del universo no le causaría ninguna emoción. A fuerza de indagar, llegó a la verdad abstracta inmutable, al conocimiento del único principio universal. Permite que todos los seres evolucionen según sus destinos, y él mismo se sitúa en el centro inamovible de todos los destinos[26].

— No entiendo —dijo *Chang Ji.*

Confucio continuó:

— Hay dos maneras de ver a los seres: como entidades separadas, o como si fueran uno en el gran todo. Para quienes se han elevado a este último tipo de consideración, poco importa lo que perciban sus sentidos. Sus espíritus vuelan, con toda su acción concentrada. En esta visión global y abstracta, el detalle de los déficits desaparece. En ello consiste la trascendencia de este *Wang Tai*, que la mutilación de su cuerpo no puede disminuir.

— Ah —dijo *Chang Ji*—, lo entiendo. Sus reflexiones le han hecho dueño de sus sentidos, y así ha alcanzado la impasibilidad. ¿Pero hay algo en esto que haga que uno corra tras él?

— Sí —respondió Confucio—, la fijeza mental atrae a los que buscan la sabiduría, como el agua quieta atrae a los que desean reflejarse. Nadie va y se refleja en el agua corriente. Nadie pide aprender de una mente inestable. Es la inmutabilidad que caracteriza al Sabio en medio de la multitud. Así, entre los árboles de hoja caduca, se encuentran los pinos y cipreses de hoja perenne. Como, entre los hombres vulgares, el emperador *Shun*, siempre recto y corrigiendo a los demás… El signo externo de este estado interior es la imperturbabilidad. No la del valiente que, por la gloria, se lanza solo a la batalla con un ejército. Pero el del espíritu que, superior al cielo, a la tierra, a todos los seres, habita en un cuerpo al que no se adhiere, no hace caso de las imágenes que le proporcionan sus sentidos, lo conoce todo por conocimiento global en su unidad inmóvil. Este espíritu, absolutamente independiente, es dueño de los hombres. Si le place convocarlos en masa, el día señalado vendrán todos corriendo. Pero no quiere ser atendido.

B. *Shentu Jia* también había sufrido la amputación de sus pies, por una falta real o supuesta. En el principado de *Zheng* seguía, con *Zi Chan*, las lecciones de *Bo Hun Wu Ren*. *Zi Chan*, despreciando a este hombre mutilado, le exigió que le diera la precedencia…

— No hay rangos en la escuela de nuestro maestro —dijo *Shentu Jia*—. Si te preocupa la etiqueta, vete a otra parte. El polvo no se adhiere a un espejo perfectamente limpio; si lo hace, el espejo está húmedo o grasiento. Tu exigencia de ritual demuestra que aún no estás libre de defectos.

---

26 Compárese con el capítulo 2 C.

— Tú, un hombre mutilado —dijo *Zi Chan*—, me parece que quieres hacerte pasar por un *Yao*. Si te examinaras a sí mismo, podrías encontrar razones para callar.

— Aludes —dijo *Shentu Jia*—, al castigo que he sufrido, y piensas que lo he merecido por alguna falta grave. La mayoría de los que están en mi caso dicen muy alto que esto no debería haberles pasado. Más sabio que ellos, no digo nada, y me resigno en paz a mi destino. Quien pasaba dentro del campo de visión del famoso arquero, tenía que ser atravesado por una flecha; si no lo era, era porque el destino no lo quería. El destino quiso que yo perdiera mis pies y que otros conservaran los suyos. Los hombres que tienen sus pies, se ríen de mí que he perdido los míos. Esto solía afectarme. Ahora he superado esta debilidad. Durante diecinueve años he estado estudiando con nuestro maestro, que está muy atento a mi interior, y nunca ha hecho ninguna referencia a mi exterior. Tú, su discípulo, haces lo contrario. ¿No te equivocas?

Zi Chan[27] sintió la reprimenda, cambió su semblante y dijo:

— No lo mencionaré nunca más.

C. En el principado de *Lu*, un tal *Shu Shan*, al que le habían amputado los dedos de los pies, fue a pedirle a Confucio que le instruyera.

— ¿De qué te serviría? —dijo este último—, ya que no has sido capaz de conservar tu integridad corporal.

— Quería aprender de ti cómo preservar mi integridad mental para compensar esta pérdida —dijo *Shu Shan*—. El cielo y la tierra se prodigan a todos los seres, sean quienes sean, sin distinción. Pensé que eras como ellos. No esperaba que me rechazaras.

— Perdona mi incivilidad, pasa por favor —dijo Confucio—; te diré lo que sé.

Después de la entrevista, habiéndose retirado *Shu Shan*, Confucio dijo a sus discípulos:

— ¡Que este ejemplo os anime al bien, hijos! Como ven, este lisiado está tratando de compensar sus faltas pasadas. No cometan faltas.

Sin embargo, *Shu Shan*, malhumorado con Confucio, fue a hablar con *Lao Dan*.

— Este Confucio —le dijo—, no es un hombre superior. Atrae a los discípulos, se hace pasar por maestro y se preocupa abiertamente por su reputación. Pero el hombre superior considera las preocupaciones como esposas y grilletes.

— ¿Por qué —dijo *Lao Dan*— no has aprovechado tu encuentro con él para decirle sin ambages que la vida y la muerte son una misma cosa; que no hay distinción entre el sí y el no? Podrías haberle liberado de sus esposas y grilletes.

— Imposible —dijo *Shu Shan*—. Este hombre está demasiado lleno de sí mismo. El cielo lo ha castigado cegándolo. Nadie le hará ver con claridad de nuevo.

D. El Duque *Ai*, de *Lu* le dijo a Confucio:

---

27   El *Zi Chan* que aquí se muestra con tan mal aspecto, es un parangón confuciano. Príncipe de *Zheng*, del siglo VI a.C., célebre en varios cargos; especialmente como administrador. Confucio lloró su muerte amargamente.

— En el país de *Wei* vivía un hombre llamado *Tuo* el feo. De hecho era muy feo, un verdadero espantapájaros. Y sin embargo, sus esposas, sus conciudadanos, todos los que le conocían, le querían. ¿Por qué? No por su genio, porque siempre pensaba lo mismo que los demás. No por su nobleza, porque era un hombre del pueblo. No por su riqueza, porque era pobre. No por sus conocimientos, porque sólo conocía su pueblo… Yo quería verlo. Por supuesto que era espantosamente feo. A pesar de eso, me encantó, como encantaba a todo el mundo. Después de unos meses, era su amigo. Al cabo de un año tenía mi plena confianza. Le ofrecí ser mi ministro. Aceptó de mala gana y pronto me dejó. No puedo consolarme por haberle perdido. ¿A qué atribuyo la fascinación que ejerce este hombre?

— Una vez en el país de *Chu* —dijo Confucio— vi la siguiente escena. Una cerda acababa de morir. Sus crías seguían chupando sus tetas. De repente, huyeron despavoridas. Se habían dado cuenta de que su madre ya no los miraba, que ya no era su madre. Lo que habían amado en ella con amor filial no era su cuerpo, era lo que animaba su cuerpo y que acababa de desaparecer, la virtud maternal que residía en ella… En el cuerpo del feo *Tuo*, vivía una perfecta virtud latente. Era esta virtud la que te atraía, a pesar de la forma repulsiva de su cuerpo.

— ¿Y qué —preguntó el Duque *Ai*—, es la virtud perfecta?

— Es —respondió Confucio—, una afable impasibilidad. La muerte y la vida, la prosperidad y la decadencia, el éxito y el fracaso, la pobreza y la riqueza, la superioridad y la inferioridad, la culpa y la alabanza, el hambre y la sed, el frío y el calor, son las vicisitudes alternas de las que está hecho el destino. Se suceden, imprevisibles, sin causa conocida. Estas cosas deben ser ignoradas; no se debe permitir que penetren en el palacio del espíritu, cuya tranquila paz perturbarían. Mantener esta paz de manera estable, sin permitir que sea perturbada ni siquiera por la alegría; contemplar todo ecuánimemente, aceptar todo; esto es la virtud perfecta.

— ¿Por qué —preguntó el Duque *Ai*—, la llamas latente?

— Porque —dijo Confucio—, es impalpable, como la calma que atrae en el agua de un estanque. Así, la tranquila paz del carácter, no definible de otra manera, atrae a todos hacia sí.

Unos días más tarde, el duque *Ai*, que se había convertido al daoísmo gracias a Confucio, le confió al maestro *Min* la impresión que le había causado esta conversación.

— Hasta ahora —dijo—, había creído que gobernar, controlar las estadísticas y proteger las vidas de mis súbditos, era mi deber estatal. Pero como he escuchado hablar a un hombre superior (Confucio), creo que me he equivocado. Me he perjudicado a mí mismo por ser demasiado inquieto, y a mi principado por estar demasiado preocupado por él. A partir de ahora, Confucio ya no es mi súbdito, sino mi amigo, por el servicio que me ha prestado al abrirme los ojos.

E. Un hombre sin piernas se ganó la confianza del duque *Ling* de *Wei* hasta tal punto que éste lo prefirió a los hombres mejor formados. Otro, afligido por un enorme bocio, era el consejero favorito del duque *Huan*, de *Qi*. La gloria de una capacidad superior eclipsa las formas corporales a las que se adhiere. Prestar atención al cuerpo y no a la virtud es el peor error. Situado en su campo de la ciencia global, el Sabio desprecia el conocimiento de los detalles, toda convención, todo afecto, todo arte. Libre de estas cosas artificiales y distractoras, nutre su ser con el alimento celestial (la razón pura, dice el comentario), indiferente a los asuntos humanos. En el cuerpo de un hombre, ya no es un hombre. Vive con los hombres, pero es absolutamente indiferente a su aprobación y desaprobación, porque ya no tiene sus sentimientos. Lo infinitamente pequeño es lo que lo hace todavía hombre (su cuerpo); lo infinitamente grande es lo que lo hace uno con el cielo (su razón).

F. *Hui Zi* (músico y sofista) se opuso:
— Un hombre no puede llegar a ser, como dices, sin afectos.
— Puede —respondió *Zhuang Zhou*.
— Entonces —dijo *Hui Zi*—, ya no es un hombre.
— Todavía es un hombre —dijo *Zhuang Zhou*—; porque el Principio y el cielo le han dado lo que hace a un hombre.
— Si ha perdido los sentimientos —respondió *Hui Zi*—, ha dejado de ser un hombre.
— Si hubiera perdido incluso el poder de sentir, tal vez, dijo *Zhuang Zhou*, (pues este poder se funde en la naturaleza); pero no es así. El poder permanece en él, pero no lo utiliza para distinguir, para tomar partido, para amar u odiar. Y en consecuencia no usa en vano el cuerpo, que el Principio y el cielo le han dado. Ese no es tu caso. Tú te matas haciendo música e inventando sofismas.

Capítulo 6 - El Principio, el primer maestro

A. Saber distinguir entre la acción del cielo y la acción del hombre es la cumbre de la enseñanza y de la ciencia. — Saber lo que uno ha recibido del cielo y lo que debe añadir, esa es la culminación. — El don del cielo es la naturaleza recibida al nacer. El papel del hombre es intentar, a partir de lo que sabe, aprender lo que no sabe; es mantener su vida hasta el final de los años asignados por el cielo, sin acortarla por su propia culpa. Saber esto, es el clímax. — ¿Y cuál será el criterio de estas afirmaciones, cuya verdad no es evidente? ¿En qué se basa la certeza de esta distinción entre lo celestial y lo humano en el hombre? En la enseñanza de los Hombres Verdaderos. De ellos proviene el Verdadero Conocimiento.

B. ¿Qué son estos Hombres Verdaderos? Los Hombres Verdaderos de la antigüedad se dejaban aconsejar incluso por las minorías. No buscaban ninguna gloria, ni militar ni política. Sus fracasos no les afligían, sus éxitos no los hacían soberbios. Ninguna altura los mareaba. El agua no los mojaba, el fuego no los quemaba; porque se habían elevado a las regiones sublimes del Principio[28].

---

28   Porque eran uno, en este principio, con las fuerzas naturales, que sólo mojan, queman, hieren y destruyen a sus contrarios. Quien es uno con el Principio universal, es uno con el fuego y el agua, no se quema ni se moja, etc.

Los antiguos Hombres Verdaderos no se veían perturbados por ningún sueño mientras dormían, ni por ninguna tristeza (que empañara sus horas de vigilia). Los alimentos refinados eran desconocidos para ellos. Su respiración tranquila y profunda penetraba en su organismo hasta los talones; mientras que el vulgo sólo respira por la garganta, como lo prueban los espasmos de la glotis de los que discuten; cuanto más apasionado es un hombre, más superficial es su respiración[29].

Los antiguos Hombres Verdaderos ignoraban el amor a la vida y el horror a la muerte. Su entrada en la escena de la vida, no les causaba ninguna alegría; su regreso, detrás de los bastidores de la escena, al morir, no les causaba ningún horror. Con calma llegaban, con calma se iban, suavemente, sin sobresaltos, como si se deslizaran. Recordando sólo su último comienzo (el nacimiento), no se preocupaban por su próximo final (la muerte). Amaban esta vida mientras duraba, y la olvidaban cuando partían hacia otra vida al morir. Así, sus sentimientos humanos no frustraban el Principio en ellos; lo humano en ellos no manejaba lo celestial. Así eran los Hombres Verdaderos.

Por lo tanto, sus corazones eran firmes, su actitud era recogida, su semblante era sencillo, su conducta era templada, sus sentimientos estaban regulados. Hacían, en todas las ocasiones, lo que había que hacer, sin confiar a nadie sus motivos internos. Hacían la guerra sin odiar, y el bien sin amar. No es un hombre sabio quien se complace en comunicarse, que hace amigos, que calcula los tiempos y las circunstancias, quien no es indiferente al éxito o al fracaso, que expone su persona por la gloria o por el favor. *Hu Bu Xie, Wu Guang, Bo Yi, Shu Qi, Ji Zi, Zu Yu, Ji Tuo*, y *Shen Tu Di*, sirvieron a todos e hicieron el bien a todos, sin que ninguna emoción en sus corazones viciara sus actos de caridad.

Los antiguos Hombres Verdaderos eran siempre justos, nunca amables; siempre modestos, nunca aduladores. Se mantenían firmes, pero sin asperezas. Su desprecio por todo era manifiesto, pero no afectado. Su exterior era apaciblemente alegre. Todas sus acciones parecían naturales y espontáneas. Inspiraban afecto por sus modales y respeto por sus virtudes. Bajo un aire de aparente condescendencia, se mantenían claramente alejados del vulgo. Les gustaba retirarse y nunca preparaban sus discursos. Para ellos, los castigos eran la parte esencial del gobierno, pero los aplicaban sin ira. Consideraban los ritos como algo accesorio, que realizaban tanto como fuera necesario para no ofender al vulgo. Consideraban una ciencia dejar que el tiempo hiciera su trabajo, y una virtud dejarse llevar por la corriente. Los que pensaban que se movían activamente se equivocaban. En realidad, se dejan llevar por la corriente del tiempo y los acontecimientos. Para ellos, el amor y el odio eran una misma cosa; o mejor dicho, no amaban ni odiaban. Consideraban todo como esencialmente uno, a la manera del cielo, y distinguían artificialmente los casos particulares, a la manera de los hombres. Así, en ellos no había conflicto entre lo celestial y lo humano. Y esto es precisamente lo que hace el verdadero hombre.

---

29   Las ilusiones, las pasiones, las preferencias, todo ello es contrario a la verdad. Para los daoístas, el aire puro es el alimento por excelencia de las fuerzas vitales.

C. La alternancia de la vida y la muerte está predeterminada, como la del día y la noche, por el Cielo. Que el hombre se someta estoicamente al destino, y nada sucederá en contra de su voluntad. Si sucede algo que le duele, es porque concibió un afecto por algún ser. Que no ame nada, y será invulnerable. Hay sentimientos más elevados que los amores que se consideran nobles. En lugar de amar al Cielo como un padre, lo venera como la cumbre universal. En lugar de amar a su príncipe hasta el punto de sacrificar su vida por él, se sacrifica por el único motivo abstracto de la devoción absoluta. Cuando los arroyos se secan, los peces se reúnen en los agujeros y tratan de mantenerse mojados presionándose unos a otros. Y admiramos esta caridad mutua. ¿No hubiera sido mejor que buscaran la salvación en las aguas profundas, cada uno por su lado? En lugar de citar siempre la bondad de *Yao* como ejemplo, y la malicia de *Jie*, ¿no sería mejor que los hombres olvidaran a estos dos personajes, y dirigieran su moral únicamente hacia la perfección abstracta del Principio?

Mi cuerpo forma parte de la gran masa (del cosmos, de la naturaleza, del todo). En él se encuentra el sostén de mi infancia, la actividad de mi madurez, la paz en mi vejez, y el descanso en mi muerte. Bueno fue para mí en el estado de la vida, bueno será para mí el estado de muerte. Un objeto depositado puede ser robado de cualquier lugar específico; pero un objeto confiado al mismo Todo, no será robado. Identifícate con la gran masa; en ella está la permanencia. La permanencia no es inmóvil. Hay una cadena de transformaciones, con el Yo persistiendo a través de interminables mutaciones. Esta vez me alegro de tener forma humana[30]. He experimentado antes y experimentaré después el mismo contentamiento del ser, en una sucesión ilimitada de formas diferentes, una sucesión infinita de contentamientos. ¿Por qué entonces debería odiar la muerte, el comienzo de mi próxima satisfacción? El Sabio se adhiere al conjunto del que forma parte, que lo contiene, en el que evoluciona. Entregándose al hilo de esta evolución, sonríe a la muerte prematura, sonríe a la vejez, sonríe al principio, sonríe al final; sonríe y quiere que sonriamos a todas las vicisitudes. Porque sabe que todos los seres son parte del todo que evoluciona.

D. Ahora bien, este Todo es el Principio, la voluntad, la realidad, no actuante, no aparente. Puede transmitirse pero no captarse, captarse pero no verse. Tiene en sí mismo su esencia y su raíz. Antes de que existieran el cielo y la tierra, siempre ha existido sin cambios. Es la fuente de la trascendencia de los Espíritus y el Soberano más Alto de los Anales y las Odas. Engendró el cielo y la tierra de los Anales y las Odas. Era antes de la materia sin forma, antes del espacio, antes del mundo, antes del tiempo; sin ser llamado por eso alto, profundo, duradero, antiguo[31]. *Xi Wei* lo sabía, y derivó las leyes astronómicas de este conocimiento. *Fu Xi* lo sabía, y derivó las leyes físicas de este conocimiento. A él le debe la Osa Menor (la estrella polar) su imperturbable fijeza. A él le deben el sol y la luna su curso regular. A través de él,

---

30   Comentario: Ser hombre en la actualidad es un episodio en la cadena de diez mil transformaciones sucesivas.
31   Ya que lo absoluto no admite epítetos relativos.

Kan Pi se asentó en las montañas *Kun Lun*, *Ping Yi* siguió el curso del río Amarillo, *Jian Wu* se estableció en el monte *Tai Shan*, *Huang Di* ascendió al cielo, *Zhuan Xu* habitó el palacio azul, *Yu Qiang* se convirtió en el genio del polo norte, *Xi Wang Mu* se estableció en *Shao Guang*[32]. Nadie sabe nada de su principio ni de su final. A través de él vivió *Peng Zu*, desde la época del emperador *Shun*, hasta la de los cinco hegemones A través de él gobernó *Fu Yue* el imperio de su maestro el emperador *Wu Ding*, y se convirtió después de su muerte en una estrella (en la constelación de Sagitario).

E. El maestro *Kui*, también conocido como *Nan Bo*, le preguntó a *Nu Yu*:

— ¿Cómo es que, a pesar de tu gran edad, tienes la frescura de un niño?

— Se debe —dijo *Nu Yu*—, a que habiendo vivido de acuerdo con la doctrina del Principio, no me he desgastado.

— ¿Podría aprender esta doctrina? —preguntó el maestro *Kui*.

— No tienes lo que hay que tener —respondió *Nu Yu*—. *Bu Liang Yi*, en cambio, tenía la disposición necesaria. Yo le enseñé. Después de tres días se había olvidado del mundo exterior. Siete días más tarde perdió el sentido de los objetos que le rodeaban. Nueve días más, y perdió la noción de su propia existencia. Entonces adquirió una clara penetración, y a través de ella el conocimiento de la existencia momentánea en la cadena ininterrumpida. Al adquirir este conocimiento, dejó de distinguir el pasado del presente y el futuro, la vida de la muerte[33]. Comprendió que, en realidad, matar no causa la muerte, engendrar no causa el nacimiento, el Principio sostiene al ser a través de sus finales y devenires. Por eso se le llama, con razón, el fijador permanente. De él, de lo fijo, derivan todas las mutaciones.

— ¿Has inventado esta doctrina? —preguntó el maestro *Kui*.

— La aprendí del hijo de *Fu Mei*, discípulo del nieto de *Lao Song*, discípulo de *Zhan Ming*, discípulo de *Nie Xu*, discípulo de *Su Yi*, discípulo de *Yu Nou*, discípulo de *Huan Ming*, discípulo de *San Liao*, discípulo de *Yi Shi*[34].

F. *Zi Si*, *Zi Yu*, *Zi Li* y *Zi Lai*, estaban hablando juntos. Uno de ellos dijo:

— Quien piense como yo, que todo ser es eterno, que la vida y la muerte se suceden, que estar vivo o muerto son dos fases de un mismo ser, a ése lo haría mi amigo.

Los otros tres pensaban lo mismo, así que los cuatro hombres se rieron juntos y se hicieron muy amigos.

Entonces sucedió que *Zi Yu* cayó gravemente enfermo. Era horriblemente jorobado y deforme. *Zi Si* fue a visitarlo. Respirando con dificultad, pero con el corazón tranquilo, el moribundo le dijo:

---

32   ¿Recuerdo o ficción? No se puede determinar a partir de los comentarios. Remito la pregunta a los académicos.

33   Fases, períodos, de la única evolución.

34   ¿Son nombres de hombres? Es posible, pero no probable. Estas palabras significan, y pueden interpretarse, de la siguiente forma: no he sacado esta doctrina de mi imaginación, la descubrí a fuerza de meditar sobre el misterio del origen.

— Bueno es el autor de los seres (el Principio, la Naturaleza), que me hizo ser como soy esta vez. No me quejo de él. Si, cuando haya dejado esta forma, convierte mi brazo izquierdo en un gallo, cantaré para anunciar el amanecer. Si hace de mi brazo derecho una ballesta, disparará a los búhos. Si hace de mi torso un carruaje, y enjaeza mi espíritu a un caballo, aún estaré satisfecho. Cada ser recibe su forma en su tiempo, y la deja en el tiempo debido. Siendo así, ¿por qué concebir la alegría o la tristeza en estas vicisitudes? No es necesario. Como decían los antiguos, el fardo se ata y se desata sucesivamente. El ser no se desata, ni se ata. Depende del cielo para la muerte y la vida. Yo, que soy un ser entre los seres, ¿por qué voy a quejarme de morir?

Entonces *Zi Lai* también cayó enfermo. Jadeaba y estaba a punto de expirar. Su mujer y sus hijos le rodearon, llorando. *Zi Li* fue a visitarlo y les dijo a estos intrusos:

— ¡Cállense! ¡Fuera! ¡No estorben su pasaje[35]! Luego, apoyado en el poste de la puerta, le dijo al paciente:

— El bien es la transformación. ¿Qué hará contigo? ¿A dónde vas a ir? ¿Te convertirás en el órgano de una rata, o en la pata de un insecto?

— No me importa —dijo el moribundo—. En cualquier dirección que le envíen sus padres, el niño debe ir. Ahora el *yin* y el *yang* son más para el hombre que sus padres[36]. Cuando su revolución ha traído mi muerte, si no me someto voluntariamente, sería un rebelde... La gran masa (el cosmos) me ha llevado a través de esta existencia, me ha servido para hacerme vivir, me ha consolado en mi vejez, me da paz en mi muerte. Bueno ha sido para mí en vida, bueno es para mí en la muerte... Supongamos un fundidor ocupado en agitar su metal fundido. Si una parte de este metal, saltando del crisol, le dijera: ¡Quiero convertirme en una espada, no en otra cosa! El fundidor consideraría que ese metal era inadecuado. Lo mismo sería, si un moribundo, en el momento de su transformación, gritara: ¡Quiero volver a ser un hombre, no otra cosa! El cielo y la tierra (el cosmos) son el gran horno, la transformación es el gran fundidor; todo lo que haga con nosotros debe ser aceptable para nosotros. Entreguémonos a él con paz. La vida termina en un sueño, al que sigue un nuevo despertar.

G. Los maestros *Sang Hu*, *Meng Zi Fan*, y *Qin Zhang*, eran amigos. Uno de ellos preguntó:

— ¿Quién es perfectamente indiferente a toda influencia, a toda acción? ¿Quién puede elevarse a los cielos por abstracción, merodear por las nubes por especulación, jugar en el éter, olvidar su vida presente y la muerte venidera?

Los tres hombres se miraron y se rieron, pues ellos eran así, y se volvieron mejores amigos.

Habiendo muerto uno de los tres, el maestro *Sang Hu*, Confucio envió a su discípulo *Zi Gong* a la funeraria para preguntar si lo necesitaban para el funeral.

---

35   Que más bien requiere calma, como entrar en el sueño.
36   Las dos alternancias de la revolución cósmica, agentes superiores del Principio, dan la vida o la muerte mientras que los padres, agentes inferiores, determinan sólo la vida.

Cuando *Zi Gong* llegó, los dos amigos supervivientes estaban cantando el siguiente estribillo ante el cadáver, con el acompañamiento de la cítara:

— ¡Oh, *Sang Hu*! ¡Oh, *Sang Hu*!… Aquí te unes a lo trascendente, mientras nosotros seguimos siendo hombres, ¡ay!

Zi Gong se acercó a ellos y les preguntó:

— ¿Está de acuerdo con los ritos cantar así en presencia de un cadáver?

Los dos hombres se miraron, se echaron a reír y se dijeron:

— ¿Qué puede entender este hombre de nuestros ritos?

Zi Gong regresó a Confucio, le contó lo que había visto y le preguntó:

— ¿Quienes son estas personas, sin modales, sin compostura, que cantan ante un cadáver, sin rastro de dolor? No lo entiendo.

— Esta gente —dijo Confucio—, se mueve fuera del mundo, mientras que yo me muevo en el mundo. No puede haber nada en común entre ellos y yo. Me equivoqué al enviarte allí. Según ellos, el hombre debe vivir en comunión con el autor de los seres (el Principio cósmico), refiriéndose a la época en que el cielo y la tierra aún no estaban separados. Para ellos, la forma que tienen durante esta existencia es un accesorio, un apéndice, del que les librará la muerte, hasta que renazcan en otra. En consecuencia, para ellos no hay muerte ni vida, ni pasado ni futuro, en el sentido habitual de estas palabras. Según ellos, la materia de su cuerpo ha servido, y servirá sucesivamente, a muchos seres diferentes. Sus vísceras y órganos tienen poca importancia para las personas que creen en una sucesión continua de principios y finales. Vagan en espíritu fuera de este mundo polvoriento, y se abstienen de cualquier interferencia en sus asuntos. ¿Por qué deberían tomarse la molestia de realizar los ritos vulgares, o mantener la apariencia de realizarlos?

— Pero tú, maestro —preguntó *Zi Gong*—, ¿por qué haces de estos ritos la base de tu moral?

— Porque el Cielo me ha condenado a esta penosa tarea —dijo Confucio—. Lo digo, pero en el fondo, como tú, ya no lo creo. Los peces nacen en el agua, los hombres en el Principio. Los peces viven del agua, los hombres de la no acción. Sálvese quien pueda en las aguas, sálvese quien pueda en el Principio. El verdadero hombre superior es el que ha roto con todo lo demás, para adherirse sólo al cielo. Sólo él debe ser llamado Sabio por los hombres. Con demasiada frecuencia, el que es llamado Sabio por los hombres es sólo un ser vulgar en lo que respecta al Cielo.

H. *Yen Hui* le preguntó a Confucio:

— Cuando la madre de *Mengsun Cai* murió, en su funeral, su hijo hizo las lamentaciones habituales sin derramar una lágrima, y leyó todas las ceremonias sin la menor pena. Sin embargo, en el país de *Lu*, se dice que ha satisfecho la piedad filial. No entiendo esto.

— En efecto, la ha satisfecho —respondió Confucio—, esclarecido como es, No podía abstenerse de las ceremonias externas, porque eso sería demasiado chocante para el vulgo; pero se abstuvo de los sentimientos internos del vulgo, que no comparte. Para él, el estado de la vida y el estado de la muerte son una misma cosa, y no distingue entre estos estados, ni la anterioridad ni la posterioridad, pues los considera eslabones de una cadena infinita. Cree que los seres sufren inevitablemente transformaciones sucesivas, que sólo tienen que sufrir en paz, sin preocuparse por ellas. Inmerso en la corriente de estas transformaciones, el ser sólo tiene un conocimiento confuso de lo que le ocurre. Toda la vida es como un sueño. Tú y yo que estamos hablando a esta hora somos dos soñadores que no están despiertos... Por lo tanto, como la muerte es sólo un cambio de forma para *Mengsun Cai*, no vale la pena afligirse por ella; como tampoco uno se afligiría al dejar un hogar en el que vivió sólo un día. Así pues, se limitó a cumplir estrictamente el ritual exterior. Así, no escandalizó ni al público ni a sus convicciones.

Nadie sabe exactamente cómo es la naturaleza íntima de su ser. El mismo hombre que acaba de soñar que es un pájaro que surca los cielos, luego sueña que es un pez que se precipita al abismo. No puede estar seguro si está despierto o dormido. No vale la pena preocuparse por nada de lo que ocurre. La paz consiste en esperar sumisamente las disposiciones del Principio. En el momento de salir de la vida presente, el ser entra en la corriente de las transformaciones. Este es el sentido de la fórmula entrar en unión con el infinito celestial[37].

I. Cuando *Yi Er Zi* visitó a a *Xu You*[38], éste le preguntó qué le había enseñado *Yao*.

— Me dijo —respondió *Yi Er Zi*— que cultivara la bondad y la equidad, que distinguiera bien entre el bien y el mal.

— Entonces —preguntó *Xu You*—, ¿por qué vienes a mí ahora? Después de que *Yao* te imbuyó de sus principios prácticos, ya no eres capaz de elevarte a ideas más elevadas.

— Sin embargo, ese es mi deseo —dijo *Yi Er Zi*.

— Un deseo inalcanzable —dijo *Xu You*—. Un hombre al que le arrancaron los ojos no puede aprender nada sobre los colores.

— Has reformado —dijo *Yi Er Zi*— a otros que estaban deformados; ¿por qué no ibas a conseguir reformarme a mí también?

— Hay pocas esperanzas —dijo *Xu You*—. Sin embargo, he aquí el resumen de mi doctrina: ¡Oh, principio! Tú que das a todos los seres lo que es justo para ellos, nunca has pretendido que te llamen justo. Tú, cuyos beneficios se extienden a todos los tiempos, nunca has pretendido que te llamen caritativo. Tú que estabas antes del origen, y que no pretendes que te llamen venerable; tú que envuelves y sostienes el universo, produciendo todas las formas, sin pretender que te llamen hábil; es en ti en quien me muevo.

J. *Yen Hui*, el querido discípulo, le dijo a su maestro Confucio:

— Estoy avanzando...

— ¿Cómo lo sabes? —preguntó Confucio...

— Estoy perdiendo —dijo *Yen Hui*—, la noción de bondad y justicia...

---

37   Con el Cielo, la Naturaleza, el Principio, añade el comentario.
38   Comparar con el capítulo 1 D.

— Eso es bueno —dijo Confucio—, pero eso no es todo.

En otra ocasión, *Yen Hui* le dijo a Confucio:

— Estoy mejorando…

— ¿Cómo lo sabes? —preguntó Confucio…

— Olvidé los ritos y la música —dijo *Yen Hui*…

— Eso es bueno —dijo Confucio—, pero eso no es todo.

En otra ocasión, *Yen Hui* le dijo a Confucio:

— Estoy progresando…

— ¿Qué te lo indica? —preguntó Confucio…

— Ahora —dijo *Yen Hui*—, cuando me siento a meditar, me olvido de todo[39].

Confucio se conmovió y preguntó:

— ¿Qué significa eso?

Yen Hui respondió:

— Despojándome de mi cuerpo, borrando mi inteligencia, dejando toda forma, expulsando todo conocimiento, me uno a aquel que lo penetra todo. A esto me refiero al decir que me siento y me olvido de todo.

Confucio dijo:

— Esta es la unión en la que cesa el deseo; esta es la transformación en la que se pierde la individualidad. Has alcanzado la verdadera sabiduría. ¡Sé mi maestro a partir de ahora!

K. *Zi Yu* y *Zi Sang* eran amigos. Una vez llovió mucho durante diez días seguidos. Temiendo que *Zi Sang*, que era muy pobre, no pudiera salir y estuviera sin provisiones, *Zi Yu* empacó un fardo de comida y fue a llevárselo. Al acercarse a su puerta, oyó su voz, medio cantando, medio llorando, diciendo, acompañándose con la cítara:

— ¡Oh, padre, madre! ¡Oh, cielo, oh humanidad!

La voz era vacilante y el canto era espasmódico. *Zi Yu* entró y encontró a *Zi Sang* muriéndose de hambre.

— ¿Qué estabas cantando?

— Estaba pensando —dijo *Zi Sang*— en las posibles causas de mi extrema angustia. Ciertamente no proviene de la voluntad de mi padre y de mi madre. Ni de la voluntad del cielo y la tierra, que cubren y sostienen a todos los seres. No hay causa lógica de mi miseria. ¡Así que era mi destino[40]!

CAPÍTULO 7 - EL GOBIERNO DE LOS PRÍNCIPES

A. *Nie Que* le hizo cuatro preguntas a *Wang Ni*, a las que éste no pudo responder. Saltando de alegría, *Nie Que* informó a *Pu Yi Zi* de su triunfo.

---

39   Tan pronto como se ha liberado de lo que constituye esencialmente el confucianismo, la bondad, la equidad, los ritos y la música, *Yen Hui* alcanza la contemplación daoísta, ¡y Confucio se ve obligado a aprobarla!

40   Este es el grito final; la aquiescencia ciega al giro de la rueda universal, que siempre lo arrastra y a veces lo aplasta; el fatalismo daoísta.

— ¿Eres realmente superior a él? —dijo *Pu Yi Zi*—. El emperador *Shun* no era igual al antiguo gobernante *Tai Shi*. *Shun* estaba infatuado por las virtudes que creía poseer, y siempre criticaba a los demás. El viejo *Tai Shi* no era tan malicioso. Dormía plácidamente y no tenía preocupaciones cuando estaba despierto. No se valoraba más que un caballo o un buey. Era sencillo y pacífico y no criticaba a nadie. Tú eres más como *Shun*.

B. *Jian Wu* fue a ver al loco *Jie Yu*[41], que le preguntó:
— ¿Qué has aprendido de *Ren Zhong Shi*?
— Aprendí de él —dijo *Jian Wu*—, que cuando los príncipes dictan normas y obligan a la gente a cumplirlas, todo va bien.
— Todo parece estar bien —dijo *Jie Yu*—. Sólo se regula el exterior, no el interior. Gobernar con este método sería como intentar vadear el mar, contener el río Amarillo en un lecho, hacer que un mosquito se lleve una montaña, todo lo cual es absolutamente imposible. El Sabio no regula el exterior. Da el ejemplo de rectitud, que los hombres seguirán, si les place. Es demasiado cuidadoso para hacer más. Como el pájaro que vuela alto para evitar la flecha, la rata que cava un agujero tan profundo que no puede ser ahumada o desenterrada. Legislar es inútil y peligroso.

C. *Tian Gen*, vagando al sur del monte *Yin* hacia el río *Liao*, se encontró con *Wu Ming Ren* y le preguntó a bocajarro:
— ¿Cómo podemos gobernar el imperio?
Wu Ming Ren le dijo:
— Eres un maleducado al preguntar de esa manera. Además, por qué habría de importarme el gobierno del imperio, yo que, asqueado del mundo, vivo en la contemplación del Principio, vago en el espacio como los pájaros, y me elevo al vacío más allá del espacio.
Tian Gen insistió. Entonces *Wu Ming Ren* le dijo:
— Permanece en la simplicidad, mantente en la vaguedad, deja que todas las cosas sean como son, no desees nada para ti, y el imperio será bien gobernado, pues todo seguirá su curso natural.

D. *Yang Zi Ju* habiendo ido a ver a *Lao Dan*, le preguntó:
— ¿Acaso un hombre inteligente, con valor y celo, no estaría a la altura de los reyes sabios de la antigüedad?
— No —dijo *Lao Dan*—. Su destino sería el de los suboficiales, cargados de trabajo y atormentados por las preocupaciones. Sus cualidades provocarían su caída. El tigre y el leopardo se matan porque su piel es hermosa. El mono y el perro están esclavizados por su habilidad.
Desconcertado, *Yang Zi Ju* preguntó:
— Pero entonces, ¿qué hicieron los reyes sabios?

---

41 Comparar el capítulo 4 H.

— Los reyes sabios —dijo *Lao Dan*—, cubrieron el imperio con sus beneficios, sin dejar claro que eran los autores de los mismos. Mejoraron a todos los seres, no por acciones sensibles, sino por una influencia imperceptible. Sin ser conocidos por nadie, hicieron feliz a todo el mundo, se quedaron en el abismo, y vagaron por la nada (es decir, no hicieron nada definitivo, sino que dejaron que la evolución universal tuviera lugar).

E. En *Zheng* había un hechicero trascendental llamado *Ji Xian*[42]. Este hombre sabía todo lo que concernía a la muerte y a la vida, a la prosperidad y a la desgracia de los individuos, incluso prediciendo el día exacto de la muerte de alguien con la misma precisión que podría hacerlo un genio. Así que los habitantes de *Zheng*, que no querían saber tanto, huían en cuanto lo veían acercarse.

Lie Zi fue a verlo y quedó fascinado por este hombre. A su regreso, le dijo a su maestro *Hu Zi*:

— Hasta ahora he considerado tu enseñanza como la más perfecta, pero ahora he encontrado algo mejor.

— ¿Estás muy seguro de esto? —dijo *Hu Zi*—; cuando sólo has recibido mi enseñanza exotérica, y aún no la esotérica, que es el germen fértil, el principio de la vida. Tu conocimiento es como los huevos infértiles que ponen las gallinas privadas de gallo; carece de lo esencial… Y en cuanto al poder adivinatorio de este hechicero, ¿no le habrás dejado leer tu interior? Tráelo a mí, y te mostraré que sólo ve lo que le dejamos ver.

Al día siguiente *Lie Zi* trajo al hechicero, que vio a *Hu Zi* como un médico ve a un paciente. Después de la visita, el hechicero le dijo a *Lie Zi*:

— Tu amo es un hombre muerto; estará acabado antes de diez días; tuve una visión de cenizas húmedas cuando lo vi.

Lie Zi regresó llorando y le contó a *Hu Zi* lo que había dicho el hechicero.

— Me manifesté ante él en forma de tierra invernal —dijo *Hu Zi*—, con todas mis energías inmovilizadas. Como este fenómeno sólo se produce en el caso del hombre común cuando está a punto de morir, concluyó que mi fin estaba cerca. Tráelo otra vez y verás lo que pasa entonces.

Al día siguiente, *Lie Zi* trajo de vuelta al hechicero. Tras la visita, este último dijo:

— Es una suerte que tu maestro haya acudido a mí. Ya está mejor. Hoy sólo he visto en él señales de vida; lo que vi ayer fue, pues, sólo un episodio, no el final.

Cuando *Lie Zi* le informó de estas palabras, *Hu Zi*, dijo:

— Es que me he manifestado a él, bajo la figura de una tierra soleada, actuando todos los resortes de mis energías. Tráelo otra vez.

Al día siguiente, *Lie Zi* trajo de vuelta al hechicero. Tras la visita, este último dijo:

— Es un estado demasiado indeterminado. No puedo hacer ningún pronóstico. Después de la determinación, me pronunciaré.

---

42   Esta importante pieza no pertenece a este lugar. Es probable que se desplazado. Comparar *Lie Zi*, capítulo 2 L.

Lie Zi informó de estas palabras a *Hu Zi*, y éste dijo:

— Es que me manifesté ante él, en la figura del gran caos, estando todas mis energías en equilibrio. No pudo distinguir nada. Un remolino, un torbellino, puede ser causado por un monstruo marino, o por un arrecife, o por una corriente, o por otras seis causas; es una cosa indeterminada, susceptible de nueve explicaciones diferentes. *A fortiori* el gran caos. Tráelo de nuevo.

Al día siguiente, *Lie Zi* trajo de vuelta al adivino. A primera vista, el adivino huyó enloquecido. *Lie Zi* corrió tras él, pero no pudo alcanzarlo.

— No volverá —dijo *Hu Zi*—. Me he manifestado ante él en el estado de mi emanación del Principio. Vio, en un vacío inmenso, algo como una serpiente que se desenreda; una proyección, un torrente. Este espectáculo, ininteligible para él, le aterrorizó y le hizo huir.

Convencido de que seguía siendo un ignorante, *Lie Zi* se recluyó en su casa durante tres años consecutivos. Hizo las tareas domésticas para su mujer y sirvió a los cerdos con respeto, para destruir en sí mismo la vanidad que casi le había hecho abandonar a su maestro. Se desprendió de todo interés, se liberó de toda cultura artificial y se esforzó con todas sus fuerzas por la sencillez original. Finalmente, se volvió tan burdo como un terrón de tierra, cerrado e insensible a todo lo que ocurría a su alrededor, y perseveró en este estado hasta su final.

F. Haz de la no acción tu gloria, tu ambición, tu profesión, tu ciencia. La no acción no se desgasta. Es impersonal. Devuelve lo que ha recibido del cielo, sin guardar nada para sí. Es esencialmente un vacío.

El hombre superior ejerce su inteligencia sólo a la manera de un espejo. Conoce y entiende sin atracción ni repulsión, sin ninguna impresión duradera. Siendo así, es superior a todas las cosas, y neutral con respecto a ellas.

G. Arrebatado, el rey del Mar del Sur, y Aturdido, el rey del Mar del Norte, se encontraron con Caos, el rey del Centro. Se preguntaban qué servicio podían prestarle.

— Los hombres, se decían, tienen siete orificios (los órganos de los sentidos: dos ojos, dos orejas, dos fosas nasales, una boca). El pobre Caos no tiene nada. Le haremos algunos.

Así que se pusieron a trabajar y le hicieron un orificio cada día. En el séptimo día, el Caos murió (dejó de ser el Caos, porque se diferenció).

Es necesario dejar a todos los seres en su estado natural y crudo, sin tratar de perfeccionarlos artificialmente, pues de lo contrario dejan de ser lo que son y deben seguir siendo.

CAPÍTULO 8 - PIES PALMEADOS

A. El cuerpo a veces produce una membrana que conecta los dedos de los pies, o un dedo supernumerario, es cierto, pero en exceso de lo que debería ser normalmente. Lo mismo ocurre con una excrecencia, un tumor; aunque se originan en el cuerpo, estos excesos no son naturales. Lo mismo debe decirse de las diversas teorías de la bondad y la equidad (virtudes) que nacen de la mente, y de los gustos que emanan de las cinco vísceras (temperamento) de una persona. Estas cosas no son naturales, sino artificiales, morbosas. No se ajustan a la norma. Sí, al igual que la membrana que conecta los dedos de los pies de un hombre, y el dedo extra de su mano, interfieren con sus movimientos físicos naturales; así los sabores que emanan de sus vísceras, y las virtudes imaginadas por su mente, interfieren con su funcionamiento moral natural.

La perversión del sentido de la vista condujo a los excesos de color y ornamentación, de los que fue promotor el pintor *Li Zu*. La perversión del sentido del oído produjo abusos en el uso de los instrumentos y en la afinación, de los cuales el músico *Shi Kuang* fue el instigador. Las teorías de la bondad y la equidad produjeron esos cazadores de fama, como *Zeng Shen* y *Shi Qiu*[43] y otros, que hicieron que las flautas y los tambores de todo el imperio celebraran sus utopías inalcanzables. El abuso de la argumentación produjo a hombres como *Yang Zhu* y *Mo Zi*, quienes fabricaban razones y devanaban deducciones como quien moldea baldosas y trenza cuerdas; para quienes discutir sobre sustancias y accidentes, semejanzas y diferencias, era un juego de ingenio; sofistas y retóricos que se agotaban en esfuerzos y palabras inútiles. Todo esto son vanos excesos, contrarios a la verdad, que consiste en retener lo natural, con exclusión de lo artificial. La naturaleza no debe ser violada, ni siquiera con el pretexto de rectificarla. Que lo compuesto siga siendo compuesto, y lo simple simple. Que los largos sigan siendo largos, y los cortos, cortos. Cuidado con querer alargar las patas del pato, o acortar las de la grulla. Intentar hacerlo les causaría dolor, que es la nota característica de todo lo que no es natural, mientras que el placer es la marca de lo natural.

B. De estos principios, se deduce que la bondad y la equidad artificiales de Confucio, no son sentimientos naturales para el hombre, pues su adquisición y ejercicio van acompañados de vergüenza y sufrimiento. Los que tienen pies palmeados o dedos de más sufren, cuando se mueven, por su déficit o exceso físico. Los que hoy defienden la bondad y la justicia sufren al ver el curso de las cosas, por luchar con las pasiones humanas. No, la bondad y la equidad no son sentimientos naturales; de lo contrario, habría más de ellos en el mundo, que durante los últimos dieciocho siglos no ha sido más que lucha y ruido. — El uso del cuadrante y de la línea, del compás y de la escuadra, produce formas regulares, sólo al precio de la resección de los elementos naturales. Los lazos que los unen, el pegamento que los fija, el barniz que los cubre, hacen violencia al material de los productos del arte. El ritmo en los rituales y la música, las declamaciones oficiales sobre la bondad y la equidad destinadas a influir en los corazones de los hombres, todo esto es antinatural, artificial, pura convención. La naturaleza gobierna el mundo. Por efecto de esta naturaleza, los seres curvos han llegado a serlo, sin la intervención del cuadrante; los seres rectos, sin el uso de la línea; los redondos y los cuadrados,

---

43   *Si Yu*, alias *Shi Qiu*. *Charlas de Confucio*, libro VIII, capítulo XV.

sin el compás y la escuadra. Todo se mantiene unido en la naturaleza, sin ataduras, sin pegamento, sin barniz. Todo se convierte, sin violencia, en el resultado de una especie de llamada o atracción irresistible. Los seres no se dan cuenta de por qué llegan a ser; se desarrollan sin saber cómo; la norma de su devenir y desarrollo es intrínseca. Siempre ha sido así; sigue siendo así; es una ley invariable. ¿Por qué entonces pretendemos atar a los hombres y ligarlos entre sí, con lazos artificiales de bondad y equidad, con ritos y música, con el pegamento y el barniz de los filósofos políticos? ¿Por qué no dejarles seguir su naturaleza? ¿Por qué debemos intentar que olviden esta naturaleza? Desde que el emperador *Shun* (alrededor del año 2255 a.C.) desorientó al imperio con su falsa fórmula de "bondad y equidad", la naturaleza humana ha sufrido, asfixiada por lo artificial, por lo convencional.

C. Sí, desde *Shun* hasta la actualidad, los hombres siguen varios llamamientos, no su propia naturaleza. Los vulgares se matan por el dinero, los doctos se matan por la reputación, los nobles se matan por la gloria de su casa, los Sabios se matan por el imperio. Los hombres famosos, de diversas condiciones, tienen esto en común, que han actuado contra la naturaleza y se han arruinado de esta manera. ¿Qué importa la diversidad del modo, si el resultado fatal es el mismo? — Dos pastores que perdieron sus ovejas, uno por estudiar, el otro por jugar, al final sufrieron la misma pérdida.

Bo Yi pereció por amor a la gloria, y *Zhi* por bandolerismo; diferente motivo, mismo resultado.

Sin embargo, la historia oficial dice de *Bo Yi* que fue un personaje noble, porque se sacrificó por la bondad y la equidad; por el contrario, dice de *Zhi* que fue un hombre vulgar, porque pereció por amor al lucro. En definitiva, dado que el fin al que llegaron fue el mismo, no es necesario utilizar la distinción entre noble y vulgar a su respecto. Ambos hicieron el mismo ultraje a su naturaleza, ambos perecieron de la misma manera. Entonces, ¿por qué alabar a *Bo Yi* y culpar a *Zhi*?

D. No, es lo mismo con *Zeng Shen* y *Shi Qiu*; no hablaré bien de aquel que ha violado su naturaleza practicando la bondad y la equidad. No hablaré bien de quien se ha aplicado al estudio de los sabores, o de los sonidos, o de los colores, aunque sea famoso como *Yu Er*, como *Shi Kuang*, o como *Li Zu*. No, el hombre no es bueno porque practique la bondad y la equidad artificiales; es bueno por el ejercicio de sus facultades naturales. Hace buen uso del gusto quien sigue sus apetitos naturales. Hace buen uso del oído, el que escucha su sentido interno. El que sólo se mira a sí mismo hace buen uso de su vista. Los que miran y escuchan a los demás toman inevitablemente algo de la manera y los juicios de los demás, en detrimento de la rectitud de su sentido natural. Si se han desviado de su rectitud natural, no me importa que tengan fama de ladrones como *Zhi* o de sabios como *Bo Yi*; a mis ojos, sólo están descarriados. Porque, para mí, la regla es la conformidad o no conformidad con la naturaleza. La bondad y la equidad artificiales me resultan tan odiosas como el vicio y la depravación.

Capítulo 9 - Caballos entrenados

A. Los caballos tienen naturalmente cascos capaces de pisar la nieve y un pelaje impenetrable al viento. Pacen en la hierba, beben agua, corren y saltan. Esa es su verdadera naturaleza. No les sirven los palacios y los dormitorios... Cuando Bo Lao, el primer escudero, declaró que sólo él entendía cómo tratar a los caballos; cuando enseñó a los hombres a marcar, esquilar, herrar, embridar, encadenar y encerrar a estas pobres bestias, entonces dos o tres caballos de cada diez morían prematuramente, como resultado de esta violencia hecha a su naturaleza. Cuando, a medida que avanzaba el arte del adiestramiento, se les hacía pasar hambre y sed para endurecerlos; cuando se les obligaba a galopar en tropillas, en orden y medida, para endurecerlos; cuando el bocado atormentaba sus bocas, cuando el látigo picaba sus lomos; entonces, de cada diez caballos, cinco morían prematuramente, como resultado de estas violencias antinaturales. — Cuando el primer alfarero anunció que era hábil en el trabajo de la arcilla, se hicieron con ella vasijas redondas en el torno y ladrillos rectangulares en el molde. — Cuando el primer carpintero dijo que era hábil para trabajar la madera, hicieron formas curvas y rectas con el curvígrafo y la línea de tiza. — ¿Esto es realmente tratar a los caballos, la arcilla y la madera según su naturaleza? ¡Claro que no! Y sin embargo, a lo largo de las épocas, los hombres han alabado al primer caballista, al primer alfarero y al primer carpintero por su genio y sus inventos.

B. Del mismo modo, los que idearon la forma moderna de gobierno son alabados por su genio e invenciones. Esto es un error, en mi opinión. La condición de los hombres era muy diferente bajo los buenos gobernantes de la antigüedad. La gente seguía su naturaleza, y nada más que su naturaleza. Todos los hombres, de manera uniforme, obtenían su ropa tejiendo y su comida arando. Eran un todo indivisible, regido únicamente por la ley natural. En aquellos días de perfecto naturalismo, los hombres caminaban a su antojo y dejaban que sus ojos vagaran libremente, sin rituales que regularan su andar y sus miradas. En las montañas no había caminos ni trincheras; en las aguas no había barcos ni presas. Todos los seres nacían y vivían juntos. Las aves y los cuadrúpedos vivían de la hierba que crecía espontáneamente. El hombre no les hacía daño, los animales se dejaban llevar por él sin desconfianza, los pájaros no se preocupaban de que alguien mirara en sus nidos. En aquellos días de perfecto naturalismo, el hombre vivía como un hermano de los animales, en igualdad de condiciones con todos los seres. Afortunadamente, la distinción tan famosa de Confucio entre el hombre sabio y el hombre vulgar era ignorada. Igualmente desprovistos de ciencia, todos los hombres actuaban según su naturaleza. Igualmente sin ambición, todos actuaban con sencillez. La naturaleza florecía libremente por doquier.

C. Esto fue descartado cuando apareció el primer Sabio. Viéndole girar y retorcerse ritualmente, oyéndole hablar de bondad y equidad, los hombres se asombraron y se preguntaron si no se habían equivocado hasta ahora. Luego vino la embriaguez de la música y la infatuación de las ceremonias. Por desgracia, lo artificial se impuso a lo natural. Como resultado, la paz y la caridad desaparecieron del mundo. El hombre hizo la guerra a los animales, sacrificados a su lujo. Para hacer sus recipientes de ofrenda, torturaba la madera. Para hacer cetros rituales, infligió cortes al jade. Con el pretexto de la bondad y la equidad, violó la naturaleza. Los rituales y la música arruinaron la naturalidad del movimiento. Las reglas de la pintura hicieron un lío con los colores. La escala oficial embrolló los tonos. En resumen, los artistas son culpables de atormentar la materia para ejecutar sus obras de arte, y los Sabios son execrables por sustituir la naturaleza con la bondad y la equidad artificiales. — En el pasado, en el estado de naturaleza, los caballos pastaban en la hierba y bebían agua. Cuando estaban contentos, se frotaban el cuello. Cuando se enfadaban, se daban la vuelta y se daban patadas. Sin saber nada más, eran perfectamente simples y naturales. Pero cuando *Bo Lao* los enjaezó, se volvieron engañosos y maliciosos, por odio al bocado y a la brida. Este hombre es culpable del delito de perversión de los caballos.

En la época del antiguo emperador *He Xu*, los hombres se quedaban en sus viviendas sin hacer nada, o vagaban sin saber a dónde iban. Cuando tenían la boca llena, se daban palmadas en la barriga en señal de satisfacción. Sin saber más, eran perfectamente simples y naturales. Pero cuando el primer sabio les enseñó a hacer reverencias rituales al son de la música, y contorsiones sentimentales en nombre de la bondad y la equidad, entonces comenzó la competencia por el conocimiento y la riqueza, las pretensiones desmesuradas y las ambiciones insaciables. Es un crimen del Sabio haber confundido así a la humanidad.

Capítulo 10 - Ladrones pequeños y grandes

A. El hombre común cierra sus carteras y cofres sogas y con candados fuertes, para que los ladrones de poca monta no metan sus manos en ellos. Cuando hace esto, se cree sabio. Llega un gran ladrón y se lleva sus carteras y cofres con sus sogas y candados, muy contento de que estén bien empacados. Y resulta que la sabiduría de esta gente vulgar consistió en preparar su botín para el ladrón.

Lo mismo ocurre con el gobierno y la administración. Los que comúnmente se llaman Sabios no son más que los empaquetadores de los bandidos que vendrán. Ejemplo: En el principado de *Qi*, todo estaba regulado según las leyes de los Sabios. La población era tan densa que cada pueblo podía oír los gallos y los perros de los pueblos vecinos. Las aguas se explotaban con redes y trampas, la tierra con arados y azadas. Por todas partes estaban los templos de los antepasados, del genio de la tierra y del patrón de la cosecha, los centros habitados; el campo, incluso los rincones más lejanos, estaba en el más perfecto orden. Un buen día, *Tian Cheng Zi* asesinó al príncipe de *Qi* (en 482 a.C.), y se apoderó de su principado, con todo lo que los Sabios habían puesto allí. Entonces este bandido disfrutó del fruto de su crimen, tan tranquilamente como *Yao* y *Shun*. Ningún príncipe, grande o pequeño, se atrevió a intentar hacerle pagar. A su muerte, legó el principado a sus sucesores (que lo conservaron hasta el año 221 a.C.). Esto es gracias a los Sabios, que aconsejan la sumisión a los hechos consumados.

Los más renombrados de los sabios históricos trabajaron para grandes ladrones, hasta el punto de sacrificar sus vidas. *Long Feng* fue decapitado, *Bin Gan* fue destripado, *Chang Long* fue descuartizado, *Zi Xu* pereció en el agua.

Lo peor es que los bandidos de profesión también aplicaron, a su manera, los principios de los Sabios. Esto es lo que el famoso *Zhi* enseñaba a sus alumnos: adivinar dónde está un gran tesoro, eso es sabiduría; entrar primero, eso es valentía; salir el último, eso es propiedad; juzgar si el golpe es factible o no, eso es prudencia; repartir el botín a partes iguales, eso es bondad y equidad; sólo los que combinan estas cualidades son dignos ladrones.

Así, si los principios de los Sabios ocasionalmente han beneficiado a las personas honradas, también han beneficiado, y más a menudo, a los pícaros, para desgracia de las personas honradas. Como prueba de ello, sólo citaré los dos hechos históricos que recuerdan las frases: "cuando los labios se cortan, los dientes se enfrían", y "el mal vino de *Lu* provocó el asedio de *Han Dan*".

Sí, la aparición de los Sabios provoca la aparición de los bandidos, y la desaparición de los Sabios provoca la desaparición de los bandidos. Sabios y bandidos, estos dos términos son correlativos, uno llama al otro, como torrente e inundación, terraplén y zanja.

Repito, si la raza de los Sabios se extinguiera, los ladrones desaparecerían; habría una paz perfecta en este mundo, sin peleas. Debido a que la raza de los Sabios no se extingue que siempre hay ladrones. Cuantos más sabios se empleen para gobernar el Estado, más se multiplicarán los ladrones. Porque son las invenciones de los Sabios las que las producen. Con la invención de medidas de capacidad, de balanzas y pesos, de contratos divididos en dos y sellos, han enseñado a muchos un fraude. Con la invención de la bondad y la equidad, han enseñado a muchos la malicia y el engaño.

Si un pobre diablo roba la hebilla de cinturón, será decapitado. Si un gran ladrón roba un principado, se convertirá en un señor, y los predicadores de la bondad y la equidad (los Sabios, los políticos a sueldo) acudirán a él, y pondrán toda su sabiduría a su servicio. La conclusión lógica de esto es que no hay que perder el tiempo comenzando con pequeños robos, sino que hay que empezar de inmediato robando un principado. Entonces ya no habrá que molestarse en volver a robar, y ya no habrá que temer el hacha del verdugo. Entonces uno tendrá a todos los Sabios con todos sus inventos para uno mismo. Sí, hacer bandoleros, y evitar que sean derrotados, es el trabajo de los Sabios (políticos profesionales).

B. Se ha dicho[44]:
— Que el pez no salga de las profundidades, donde vive inconsciente pero seguro; que un estado no muestre sus recursos, para que no le roben.

---

44   *Lao Zi*, capítulo 36.

Pero los Sabios (políticos) son considerados un recurso del Estado. Por lo tanto, deben ocultarse, mantenerse en la oscuridad, no utilizarse. Así se extinguiría la raza de los Sabios, y con ella la de los bandidos. Pulveriza el jade y las perlas, y no habrá más ladrones. Quema los contratos, rompe los sellos, y los hombres volverán a ser honestos. Abole las medidas y los pesos, y no habrá más peleas. Destruye radicalmente todas las instituciones artificiales de los Sabios, y el pueblo recuperará su buen sentido natural. Abole la escala de tonos, destroza los instrumentos musicales, tapona los oídos de los músicos, y los hombres recuperarán su oído natural. Abole la escala de colores y las leyes de la pintura, arranca los ojos a los pintores, y los hombres recuperarán su vista natural. Prohíbe el curvígrafo y la línea de tiza, el compás y la escuadra; rompe los dedos de los carpinteros, y los hombres recuperarán los procesos naturales, aquellos que se conocen como[45]: "habilidad disimulada como torpeza".

Estigmatiza a *Zeng Shen* y *Shi Qiu* (Legistas), amordaza a *Yang Zhu* y *Mo Zi* (Sofistas), destierra la fórmula bondad-equidad (de los Confucianos), y las propensiones naturales podrán volver a ejercer su misteriosa y unificadora virtud. Sí, volvamos a la vista, al oído, al sentido común, a los instintos naturales, y se acabarán los deslumbramientos y las caras falsas. Los filósofos, los músicos, los pintores, los artistas diversos, no han hecho más que engañar y pervertir a los hombres con apariencias engañosas. No han sido realmente útiles para la humanidad.

C. Era muy diferente en la época de la naturaleza perfecta, en la época de los antiguos gobernantes, antes de *Fu Xi Shen Nong* y *Huang Di*. En aquella época, los hombres sólo usaban las cuerdas anudadas para los anales. Les parecía buena su comida tosca y sus ropas sencillas. Eran felices con sus costumbres primitivas y estaban tranquilos en sus pobres viviendas. La necesidad de tener relaciones con otros no les atormentaba. Morían de viejos, antes de haber visitado el principado vecino, que habían visto de lejos toda su vida, y cuyos gallos y perros habían oído todos los días[46]. En aquella época, gracias a estas costumbres, la paz y el orden eran absolutos.

¿Por qué es tan diferente hoy en día? Porque los gobernantes están encaprichados con los Sabios y sus inventos. La gente estira el cuello y se pone de puntillas para mirar en la dirección de la que se dice que viene algún Sabio. Uno abandona a sus padres, o deja a su amo, para correr hacia este hombre. Los peatones se suceden en una cola, una fila de carros cava profundos surcos en el camino que lleva a su puerta. Todo esto se debe a que, imitando a los príncipes, el hombre común también se ha encaprichado con la ciencia. Y nada es más fatal para los Estados que este desafortunado enamoramiento.

---

45   *Lao Zi*, capítulo 45. Cada especie de ser, dice el comentario, tiene su tipo natural. Así, cada especie de araña tiene su forma de tela, cada especie de escarabajo pelotero tiene su forma especial pero invariable de bola. Así, el hombre debe limitarse a unos pocos tipos simples y naturales, sin multiplicarlos ni embellecerlos. Todo el arte es perversión.

46   *Lao Zi*, capítulo 80.

D. Es la ciencia artificial, en contra de la naturaleza, la que ha causado todos los males de este mundo, y la desgracia de todos los que lo habitan. La invención de los arcos, las ballestas, las flechas cautivas y las trampas de resorte, ha causado la desgracia de las aves del aire. La invención de anzuelos, cebos, redes y trampas ha provocado la desgracia de los peces en las aguas. La invención de redes y trampas, ha hecho la desgracia de los cuadrúpedos en sus matorrales. La invención de la sofística, traicionera y venenosa, con sus teorías sobre la sustancia y los accidentes, con sus argumentos sobre la identidad y la diferencia, ha perturbado la simplicidad del vulgo. Sí, el amor a la ciencia, a los inventos y a las innovaciones, es responsable de todos los males de este mundo. Preocupados por aprender lo que no saben (la vana ciencia de los sofistas), los hombres desaprenden lo que saben (las verdades naturales del sentido común). Preocupados por criticar las opiniones de los demás, cierran los ojos ante sus propios errores. El resultado es un desorden moral, que se refleja en el cielo en el sol y la luna, en la tierra en las montañas y los ríos, en el espacio intermedio en las cuatro estaciones, e incluso en los insectos que hormiguean y pululan a contratiempo (langostas, etc.). Todos los seres están perdiendo la propiedad de su naturaleza. Es el amor a la ciencia lo que ha provocado este trastorno. Ha perdurado desde las tres dinastías. Durante dieciocho siglos, la gente se ha acostumbrado a despreciar la sencillez natural, a hacer uso de artimañas rituales; o se ha acostumbrado a preferir una política verborreica y falaz a la no acción franca y leal. Son los habladores (sabios, políticos, retóricos) los que han ensuciado el mundo.

Capítulo 11 - Política verdadera y falsa

A. Hay que dejar que el mundo siga su camino, y no pretender gobernarlo. De lo contrario, las naturalezas viciadas ya no actuarán naturalmente (sino artificialmente, legalmente, ritualmente, etc.). Cuando todas las naturalezas, siendo sanas, se mantienen y actúan en su propia esfera, entonces el mundo se gobierna, naturalmente y por sí mismo; no hay necesidad de intervenir.

En el pasado, con su gobierno, el buen *Yao* deleitaba a sus súbditos. Pero la alegría, que es una pasión, rompe la apatía natural. Por lo tanto, el gobierno de *Yao* era defectuoso, ya que excitaba a sus súbditos.

El malvado *Jie* afligió a sus súbditos. Ahora la aflicción, que es una pasión, rompe la placidez natural. Por lo tanto, el gobierno de *Jie* era defectuoso, ya que excitaba a sus súbditos.

Toda emoción, al no ser natural, es inestable y no puede durar. El placer, la complacencia, son emociones del principio *yang*. El disgusto, el resentimiento, son emociones del principio *yin*. En el macrocosmos, la perturbación del *yin* y el *yang* significa que las cuatro estaciones no llegan a su debido tiempo, que la sucesión de frío y calor no llega en el momento adecuado. En el microcosmos humano, el desequilibrio del *yin* y el *yang* causado por las pasiones también provoca grandes trastornos. Los cuerpos sufren, las mentes sufren. Las personas se vuelven inestables, pierden el control de sus pensamientos y deseos, emprenden y no logran completar (sus pasiones móviles se desplazan constantemente hacia otros objetos). Luego, en el imperio, surgen las pretensiones ambiciosas, las luchas por el dominio. Entonces, algunos se convierten en *Zhi* (bandidos), otros en *Zeng Shen* y *Shi Qiu* (políticos). Entonces se legisla, con el objetivo de premiar a los buenos y castigar a los malos. Se trata de una tarea sobrehumana, un intento imposible, dado el número de personas implicadas. Desgraciadamente, los gobernantes de las tres dinastías han perdido su tiempo y esfuerzo en esto, en lugar de seguir tranquilamente el curso de su naturaleza y su destino.

Toda teoría, toda convención, es errónea y falsa. Las teorías ópticas han distorsionado la noción natural de los colores. Las teorías acústicas han distorsionado la verdadera noción de los sonidos. Las teorías de la bondad han pervertido la espontaneidad de las relaciones. Las teorías de la equidad han borrado el sentido innato de la justicia. Las teorías sobre los rituales han producido sutileza, las teorías sobre la música han desarrollado lascivia. Las teorías sobre la sabiduría han multiplicado a los políticos, las de la ciencia han multiplicado a los discutidores. No pasaría nada si, ciñéndose prácticamente a las leyes naturales, se especulara teóricamente sobre los temas mencionados; sería bastante indiferente. Pero si, habiendo olvidado las leyes naturales, se permite que estas especulaciones influyan en la práctica, habrá desorden y anarquía; y si llegamos a honrarlas, a darles fuerza de ley, ¡ay, pobre mundo!

Veamos a lo que ha llegado el gobierno hoy en día. Se ha convertido en una sucesión ininterrumpida de rituales. Apenas termina una ceremonia, hay que mantener la abstinencia para preparar la siguiente, y luego pasar por toda la serie de reverencias, cantos y bailes, etc., sin descanso y sin fin. Un verdadero Sabio haría lo contrario, si, a pesar de todo, tuviera que ocuparse del imperio. Manteniéndose en la no acción, aprovecharía el ocio de su no intervención para dar rienda suelta a sus propensiones naturales. El imperio estaría bien servido por haberse puesto en manos de este hombre[47]. Sin usar sus órganos, sin usar sus sentidos corporales, se sentaría quieto y vería todo con su ojo trascendente; absorto en la contemplación, sacudiría todo como lo hace el trueno; el cielo físico se adaptaría obedientemente a los movimientos de su mente; todos los seres seguirían el impulso (negativo) de su no intervención, como el polvo sigue al viento. ¿Por el hombre debe aplicarse a manipular el imperio, cuando la complacencia es suficiente?

B. *Cui Zhu* preguntó a *Lao Dan*:
— ¿Cómo se gobierna a los hombres, sin una acción positiva?
Lao Dan dijo:
— No haciendo violencia a sus corazones. El corazón del hombre está hecho de tal manera que toda opresión lo abate, toda excitación lo eleva. Deprimido, se vuelve inerte; excitado, se entusiasma. A veces es flexible y se pliega a todo; otras veces es tan duro que rompe todo. A veces arde como el fuego, a veces se vuelve

---

47   *Lao Zi*, capítulo 13.

frío como el hielo. Su expansión es tan rápida que, en el tiempo que uno tarda en inclinarse y girar la cabeza, ha llegado hasta el final de los cuatro mares y ha vuelto. Su concentración es tan profunda como un abismo. Sus movimientos son libres e incontrolables, como los de los cuerpos celestes. Orgulloso de su libertad y sin ataduras, así es el corazón humano, esa es su naturaleza.

Ahora bien, en la antigüedad (alrededor del año 3000 a.C.), *Huang Di* fue el primero en violentar el corazón humano con sus teorías sobre la bondad y la equidad. Entonces *Yao* y *Shun* gastaron la grasa de sus muslos y el pelo de sus piernas, apresurándose por el bien material de sus súbditos. Afligieron todas sus vísceras en el ejercicio de la bondad y la equidad, y agotaron su sangre y su aliento en la discusión de las reglas de estas virtudes artificiales. Todo en vano. Tuvieron que desterrar a *Huan Dou* en *Chong Shan*, a los *San Miaos* en *San Wei*, y a *Gong Gong* en *You Du*; un recurso violento, que demuestra que, a pesar de su bondad y equidad, el imperio no estaba devotamente sometido a ellos. Fue mucho peor bajo las tres dinastías. Bajo ellas aparecieron los *Jie* (tiranos), los *Zhi* (bandidos), los *Zeng Shen* y los *Shi Qiu* (políticos), y finalmente las dos razas de los *Ru* (discípulos de Confucio) y los *Mei* (discípulos de *Mo Zi*). ¡Qué tiempo! Los teóricos a favor y en contra se miraban con animosidad; los sabios y los tontos se contradecían mutuamente; los buenos y los malos se perseguían unos a otros; los mentirosos y los veraces se burlaban. El imperio cayó en la decadencia. Ya no pudieron ponerse de acuerdo sobre los primeros principios, y lo que quedaba de las verdades naturales desapareció, como consumido por el fuego, como arrastrado por las grandes aguas. Todos querían convertirse en sabios para tener éxito, y la gente se agotaba en vanos esfuerzos.

Fue entonces cuando se inventó el sistema de gobierno matemático. El imperio fue cuadrado con hacha y sierra. La pena para cualquiera que se desviara de la línea recta fue la muerte. El martillo y el cincel se aplicaron a la moral. El resultado fue una agitación y un colapso general. El legislador se había equivocado al violar el corazón humano. El pueblo atacó a los Sabios y a los príncipes. Los sabios tuvieron que esconderse en las cuevas de las montañas, y los príncipes ya no estaban seguros en sus templos familiares. Siguieron reacciones violentas, cuando los sabios y los príncipes volvieron al poder. En la actualidad, los cadáveres de los torturados se amontonan en montones, los que llevan el yugo marchan encadenados, y por todas partes sólo se ven hombres castigados por diversos tormentos. Y en medio de esta atroz escena, entre las esposas, los grilletes y los instrumentos de tortura, los discípulos de Confucio y *Mo Zi* se ponen de puntillas para hacerse más altos, y se arremangan con complacencia, admirados de su trabajo. Ah, qué extremo es el endurecimiento de estos hombres! Qué extremo es su descaro! ¿El yugo resume la sabiduría de los Sabios? ¿Serían las esposas, los grilletes y la tortura la expresión de su bondad y equidad? ¿No habrían sido *Zeng Shen* y *Shi Qiu*, estos típicos sabios, más malvados que el tirano *Jie* y el bandido *Zhi*? Tiene razón el adagio que dice: extermina la sabiduría, destruye la ciencia y el imperio volverá al orden espontáneamente.

C. *Huang Di* llevaba diecinueve años reinando, y sus órdenes eran obedecidas en todo el imperio, cuando oyó hablar del maestro *Guang Cheng*, que residía en el monte *Kong Tong*. Dirigiéndose a él, le habló de la siguiente manera:

— He oído, Maestro, que has llegado hasta el Principio Supremo. Me atrevo a pedirte que me comuniques la quintaesencia del mismo. Lo utilizaré para devolver a los campos los cereales que alimentan al pueblo, regularé el calor y el frío para el bien de todos los seres vivos. Por favor, dame la receta.

El maestro *Guang Cheng* respondió:

— Eres tan ambicioso como para querer gobernar la naturaleza. Confiarte sus fuerzas sería perder a todos los seres. Hombre apasionado, si gobernaras el mundo, querrías que lloviera antes de que se formaran las nubes, harías que las hojas cayeran cuando aún están verdes, que el sol y la luna se apagaran pronto. Corazón egoísta e interesado, ¿qué tienes en común con el Principio Supremo?

Huang Di se retiró confundido, renunció al gobierno y se alojó en una choza de adobe, con una estera de junco como mobiliario. Después de pasar tres meses en este retiro de reflexión y meditación, volvió con el maestro *Guang Cheng*, al que encontró tumbado con la cabeza hacia el norte (mirando al sur, la posición del maestro). Ocupando el lugar del alumno, muy humildemente, *Huang Di* se acercó de rodillas, se postró, aplicó su frente al suelo, y luego dijo:

— Sé, Maestro que has penetrado hasta el Principio Supremo. Por favor, enséñame cómo conducirme y preservarme.

— Esta vez, has preguntado bien —dijo el maestro *Guang Cheng*—. ¡Acércate! Voy a revelarte la esencia del Principio. Su esencia es misterio, es oscuridad, es indistinción, es silencio. Cuando uno no mira nada, no escucha nada, envuelve su mente en el recogimiento, la materia (el cuerpo) se endereza espontáneamente. Sé recogido, sé desprendido, no canses tu cuerpo, no muevas tus instintos, y podrás durar siempre. Cuando tus ojos ya no miren nada, cuando tus oídos ya no escuchen nada, cuando tu corazón (inteligencia y voluntad) ya no sepa ni desee nada, cuando tu espíritu haya envuelto y como absorbido tu materia, entonces esta materia (tu cuerpo) durará para siempre. Vigila tu interior, defiende tu exterior. Querer aprender muchas cosas es lo que desgasta... Sígueme en espíritu, más allá de la luz, hasta el principio *yang* de todo esplendor; y más allá de la oscuridad, hasta el principio *yin* de la oscuridad. Sígueme ahora, más allá de estos dos principios, hasta la unidad (el principio supremo) que gobierna el cielo y la tierra, que contiene en germen y del que emanan, el *yin* y el *yang*, todos los seres. Conocer este Principio es la ciencia que todo lo abarca, que no se agota. Permanecer en reposo, en su contemplación, es lo que hace que dure para siempre. Todo ser que se conserva, mantiene su vigor. He abrazado la Unidad, me he establecido en la Armonía. He vivido durante mil quinientos años y mi cuerpo no se ha debilitado.

— Eres un ser celestial —dijo *Huang Di*—, apoyando de nuevo la frente en el suelo.

— Escucha —dijo el maestro *Guang Cheng*—, sin interrumpirme. El primer Principio es esencialmente infinito e insondable; es por error que los hombres utilizan los términos fin y apogeo al hablar de él. Los que lo han conocido se han convertido en los emperadores y reyes de la edad heroica, y han terminado en la apoteosis. Los que no lo conocieron siguieron siendo hombres terrenales, ignorantes y carnales. Ahora el primer Principio está tan olvidado, que todos los seres, habiendo salido de la tierra, vuelven a la tierra. Por lo tanto, no permaneceré más en este mundo. Te dejo que vayas más allá de la puerta del infinito, que te pasees por los espacios inconmensurables. Voy a unir mi luz con la del sol y la luna; voy a fundir mi duración con la del cielo y la tierra. Ni siquiera quiero saber si los hombres piensan como yo o de manera diferente. Cuando todos ellos estén muertos, sólo yo sobreviviré, ya que sólo yo, en estos tiempos de decadencia, he logrado la unión con la Unidad.

D. El político *Yun Jiang*, que vagaba por el Este, más allá del río *Fu Yao*, se encontró inesperadamente con el inmortal *Hong Meng*, que andaba saltando, golpeando el ritmo en sus flancos[48]. Sorprendido, *Yun Jiang* se detuvo, se puso en postura ritual y preguntó:

— Venerable, ¿quién es usted? ¿Qué hace aquí?

Sin dejar de saltar y golpear sus costados, *Hong Meng* respondió:

— Estoy caminando por ahí.

Convencido de que estaba tratando con un ser trascendente, *Yun Jiang* dijo:

— Quiero hacerle una pregunta.

— Bah —dijo *Hong Meng*.

— Sí —dijo *Yun Jiang*—. La afluencia del cielo está perturbada, la de la tierra está obstaculizada; las seis emanaciones están obstruidas, las cuatro estaciones están perturbadas. Me gustaría restaurar el orden en el universo, por el bien de los seres que lo habitan. Por favor, díganme cómo debo hacerlo.

— No lo sé, no lo sé —dijo *Hong Meng*—, sacudiendo la cabeza, golpeándose los costados y saltando de un lado a otro.

Yun Jiang no pudo sacarle nada más.

Tres años más tarde, mientras seguía vagando por Oriente, más allá de la llanura de *You Song*, *Yun Jiang* volvió a encontrarse inesperadamente con *Hong Meng*. En el colmo de la alegría, corrió hacia él y le dijo

— ¿Todavía se acuerda de mí?

Luego, tras postrarse dos veces, inclinando la cabeza, añadió:

— Quiero hacerle una pregunta.

— ¿Qué puedo enseñarte? —dijo *Hong Meng*—. Yo, que camino sin saber por qué, que deambulo sin saber a dónde voy; yo, sólo me paseo, sin cuidarme de nada, para no causar daño con alguna intromisión inoportuna.

— A mí también —dijo *Yun Jiang*— me gustaría vagar libre y despreocupadamente como usted; pero la gente me persigue allá donde voy; es una verdadera servidumbre; apenas me han dejado ir; aprovecho este respiro para interrogarle.

---

48   Los inmortales daoístas son representados casi siempre con poses y gestos excéntricos, signo de su desprecio por lo común.

— ¡Pobre hombre! —dijo *Hong Meng*—; ¿qué te diré a ti, que te inmiscuyes en el gobierno de los hombres? ¿Quién perturba el imperio, quién viola la naturaleza, quién impide la acción del cielo y de la tierra? ¿Quién molesta a los animales, perturba el sueño de los pájaros, daña incluso a las plantas y a los insectos? ¿Quién actúa así, si no los políticos, con sus sistemas para gobernar a los hombres?

— ¿Es así como me juzgas? —dijo *Yun Jiang*.

— Sí —dijo *Hong Meng*—, eres un envenenador; déjame seguir mi camino.

— Ser celestial —dijo *Yun Jiang*—, he tenido grandes dificultades para encontrarlo; por favor, instrúyame.

— De hecho —dijo *Hong Meng*—, tienes una gran necesidad de aprender. ¡Así que escucha!. Empieza por no interferir en nada, y todo seguirá su curso natural. Despréndete de tu personalidad (lit. deja caer tu cuerpo como un traje), renuncia al uso de tus sentidos, olvida las relaciones y las contingencias, ahógate en el gran todo, desecha tu voluntad y tu inteligencia, anímate mediante la abstracción hasta no tener alma. ¿De qué sirve especular, siendo la inconsciencia la ley universal? La multitud de seres vuelve inconsciente a su origen. Quien haya pasado su vida en la inconsciencia habrá seguido su naturaleza. Si adquiere conocimientos, habrá viciado su naturaleza. Porque nació espontáneamente, sin que se le preguntara quién y qué quería ser. Y la naturaleza quiere que vuelva de la misma manera, sin haber sabido ni quién ni qué.

— Ah —gritó *Yun Jiang*—, Ser celestial, me ha iluminado, me ha transformado. Toda mi vida había estado buscando en vano la solución del problema, y aquí la tengo…

Dicho esto, *Yun Jiang* se postró con la frente en el suelo, luego se levantó y siguió su camino.

E. La gran preocupación de los políticos vulgares es como vincularse a los hombres; se ofenden cuando alguien no quiere hacer causa común con ellos. El hecho de que amen a los que son de su opinión y odien a los que les son contrarios, proviene del hecho de que buscan, en última instancia, sólo su propia elevación. Cuando han alcanzado el objeto de su ambición, ¿son realmente superiores al pueblo llano? ¿No es peor imponer al pueblo lo que que los políticas llaman "su experiencia" que abandonarlo a sí mismo? Fascinados por la idea de hacer que el principado que administran se beneficie del sistema de las tres antiguas dinastías, no prestan atención a los vicios de este sistema. Su empresa expone al principado a los más graves riesgos. Es afortunado, si escapa. Tiene una oportunidad de salvación, contra diez mil. Por un principado en el que habrán tenido un éxito imperfecto, arruinarán absolutamente otros diez mil. Es bastante triste que los amos de la tierra no vean este peligro Lo más importante de todo está en sus manos. No deben confiarla a hombres de mente estrecha e interesada. Que den su confianza a los hombres trascendentes; a aquellos que, libres de todo interés terrenal, van de un lado a otro en el espacio, caminan por las nueve regiones, son ciudadanos no de un país sino del universo. Esos hombres son los más nobles de todos[49]. La estima de los hombres vulgares se adhiere a ellos, tan infaliblemente como la sombra sigue al cuerpo opaco, como el eco sigue al sonido. Cuando se le consulta, la respuesta del hombre trascendente agota la pregunta y cumple los deseos del consultante. Es el recurso de todo el imperio. Su reposo es tranquilo y silencioso, sus entradas y salidas no tienen un propósito fijo. Conduce y hace volver a sus interlocutores, sin sobresaltos, mediante una influencia impalpable. Sus movimientos no tienen reglas fijas. Como el sol, siempre brilla. El elogio sustancial de este hombre se resume diciendo que es uno con el gran todo. Él es el gran todo, y ya no es él mismo. Al no tener ya una existencia particular, no tiene ninguna propiedad. Los antiguos emperadores todavía tenían algunas propiedades. Es necesario no tener nada, para ser amigo del cielo y de la tierra (alcanzar la unión).

F. Pequeños pero respetables son los seres que llenan el mundo. Humilde pero necesario es el pueblo. Los asuntos son inciertos pero importantes. Las leyes son duras pero indispensables. La justicia es antipática pero obligatoria. La simpatía es un afecto que no es egoísta. Los ritos son menores, pero hay que hacerlos. Estos aforismos resumen la sabiduría vulgar.

Y añado: En el centro de todas las cosas y superior a todas, está la acción productora del Principio Supremo, único y que se transforma en acción productiva. Trascendente y en constante acción, es el Cielo (el instrumento físico de la acción productiva del Principio). Por lo tanto, la regla de los verdaderos Sabios es dejar que el Cielo haga su trabajo sin ayudarlo, dejar que la acción productiva actúe sin interferir, dejar que el primer Principio sea libre sin pretender adivinar por él. Eso es lo importante, a sus ojos. Por lo demás, en la práctica común, son afectuosos sin afectación, justos sin pretensión, ritualistas sin escrupulosidad, activos sin amaneramiento, legales sin pasión, entregados al pueblo y respetuosos de los derechos de todos. No consideran a ningún ser como un medio especialmente adecuado y, sin embargo, lo utilizan a falta de algo mejor. La ignorancia de aquellos que no entienden nada de la acción del Cielo, surge del hecho de que no comprenden bien la del Principio Supremo, del cual el Cielo es el instrumento. Los que no tienen ninguna noción de este Principio en sí no sirven para nada; hay que compadecerlos.

Hay dos caminos, el celestial y el humano. Concentrarse noblemente en la no acción es el camino celestial. Estar disperso y afanarse en los detalles, esa es la forma humana. El camino celestial es superior, el humano es inferior. Las dos formas son muy diferentes. Los examinaremos detenidamente en los siguientes capítulos.

Capítulo 12 - El cielo y la tierra

A. Una fuerza transformadora uniforme emana del inmenso complejo del cielo y de la tierra; una sola regla gobierna la multitud de los seres; un solo gobernante gobierna la numerosa humanidad. El poder del gobernante deriva del Principio; su persona es elegida por el Cielo; de ahí que se le llame Misterioso, como el Principio.

---

49   Comentario: La nobleza suprema consiste en el desprecio absoluto de los hombres y de las cosas terrenales.

Los gobernantes de la antigüedad, absteniéndose de toda intervención personal, dejaban que el Cielo gobernara a través de ellos. El Principio actuando a través del gobernante, sus ministros y funcionarios. A este justo e ilustrado gobierno correcto todos los seres responden con absoluta sumisión. En lo más alto del universo, el primer Principio influye en el cielo y en la tierra, que transmiten a todos los seres esta influencia, que en el mundo de los hombres se convierte en un buen gobierno, haciendo que florezcan allí los talentos y las capacidades. Por el contrario, toda la prosperidad proviene del gobierno, cuya eficacia se deriva del Principio, a través del cielo y la tierra. Por eso, como los antiguos gobernantes no deseaban nada, el mundo estaba en la abundancia; no actuaban, y todo evolucionaba; permanecían inmersos en su meditación, y el pueblo se mantenía en el más perfecto orden. Esto es lo que resume el antiguo adagio: para el que se une a la Unidad, todo prospera; hasta los espíritus están sometidos al que no tiene ningún interés personal.

B. ¡Qué ciertas son estas palabras del Maestro! ¡Qué grande, qué inmenso es el Principio que cubre y lleva a todos los seres! ¡Que el soberano se cuide de seguir su significado particular! La acción natural es la acción celestial; el habla espontánea es la influencia celestial; amar a todos los hombres y hacer el bien a todos los seres es la verdadera bondad; fundir todas las diferencias en una sola es la verdadera grandeza; no querer dominar a los demás en nada es la verdadera amplitud de miras; poseer varias cosas sin dividir el corazón es la verdadera riqueza; seguir el influjo celestial es la continuación de las operaciones. Operar bajo este influjo, he aquí la operación eficaz; servir de intermediario dócil al Principio, he aquí la perfección; no dejar que su determinación se debilite por nada, he aquí la constancia. Que el gobernante concentre estos diez principios en sí mismo, y luego los aplique al gobierno, y todo seguirá su curso normal. Que deje el oro en las rocas y las perlas en el abismo, que desprecie las riquezas y los honores, que no se preocupe de si vive hasta la vejez o muere joven, que no se enorgullezca de la prosperidad y no se humille ante la adversidad, que desprecie todos los bienes mundanos, que no se gloríe en su exaltación. Que su gloria esté en haber comprendido que todos los seres son un complejo universal, que la muerte y la vida son dos modalidades del mismo ser.

C. El Maestro dijo:
— La acción del Principio a través del Cielo es infinita en su expansión, escurridiza en su sutileza. Reside, imperceptible, en todos los seres, como causa de su ser y de todas sus cualidades. Está en la resonancia de los metales y de los pedernales que suenan. También está en el choque que los hace resonar. Sin ella, nada sería... El hombre que obtiene de ella cualidades de rey camina con sencillez y se abstiene de ocuparse de muchas cosas. Estando en el origen, en la fuente, unido a la unidad, conoce como los genios, por intuición en el Principio. En consecuencia, su capacidad se extiende a todo. Cuando su mente ha salido por la puerta de un sentido, por ejemplo por la vista, en cuanto encuentra un ser, lo capta, lo penetra, lo conoce a fondo. Pues los seres que han llegado a ser por participación en el Principio, son conocidos por participación de la virtud del Principio. Conservar los seres con

pleno conocimiento de su naturaleza, actuar sobre ellos con plena inteligencia del Principio, éstas son las atribuciones del ser nacido para ser rey. Aparece inesperadamente en el escenario mundial, desempeña su papel y todos los seres se entregan a él. Esto se debe a que ha recibido del Principio las cualidades que hacen al rey. Ve en la oscuridad del Principio, escucha la palabra silenciosa del Principio. Para él, la oscuridad es luz, el silencio es armonía. Capta el ser, en la profundidad del ser; y su razón de ser, en la más alta abstracción, en el Principio. De pie en esta altura, totalmente vacía y desprovista, da a todos lo que les corresponde. Su acción se extiende en el espacio y en el tiempo.

D. El emperador *Huang Di*, habiendo ido hasta el norte del río rojo y subido al monte *Kun Lun* para examinar las regiones del sur, perdió su perla negra (su tesoro, la noción del Principio, por haberse entregado a sus ambiciosos sueños). Hizo que la Ciencia lo buscara, pero no lo encontraron. La Investigación y el Debate tampoco lo encontraron. Finalmente la Abstracción la encontró. *Huang Di* se dijo a sí mismo:

— ¿No es extraño que sea la Abstracción quien la haya encontrado? Aquella a la que el vulgo considera como la menos práctica de las facultades.

E. *Yao* fue instruido por *Xu You*, discípulo de *Nie Que*, discípulo de *Wang Ni*, discípulo de *Pi Yi. Yao*, que pensaba abdicar para entregarse a la contemplación, preguntó a *Xu You*:

— ¿Tiene *Nie Que* lo necesario para colaborar con el Cielo (para ser emperador en mi lugar)? Si es así, haré que su maestro *Wang Ni*[50] le imponga el cargo.

— Esto —dijo *Xu You*—, sería hacer algo cuanto menos arriesgado, quizás desastroso. *Nie Que* es demasiado inteligente y astuto. Aplicará su inteligencia y habilidad humanas al gobierno, impidiendo así que el Cielo, el Principio, gobierne. Multiplicará los cargos, hará concesiones a los eruditos, tomará decisiones, se preocupará por las tradiciones, se enredará en complicaciones, tendrá en cuenta la opinión, aplicará teorías a priori sobre la evolución de las cosas, etc. Este hombre es demasiado inteligente para ser un emperador. Aunque está cualificado para el puesto por su nobleza, por su excesiva habilidad sólo sirve para ser un oficial menor. Tiene lo que hay que tener para enfrentarse a los bandidos. Si llegara a ser ministro, sería una desgracia; si llegara al trono, sería la ruina del país.

F. Mientras *Yao* inspeccionaba el territorio de *Hua*, el oficial a cargo de ese territorio le dijo:

— ¡Oh sabio! ¡Te deseo prosperidad y longevidad!

— ¡Cállate! —dijo *Yao*.

Pero el oficial continuó:

— ¡Te deseo riqueza!

— ¡Cállate! —dijo *Yao*.

---

50   La autoridad del maestro es, en China, igual o superior a la de los padres.

— ¡Y muchos niños varones! —concluyó el oficial.

— Cállate —dijo *Yao* por tercera vez.

El oficial continuó:

— Longevidad, riqueza, posteridad masculina, todos los hombres desean esto; ¿por qué sólo tú no lo quieres?

— Porque —dijo Yao—, quien tiene muchos hijos, tiene muchas inquietudes; quien tiene mucha riqueza, tiene muchas preocupaciones; quien vive mucho tiempo, sufre muchas contradicciones. Estos tres inconvenientes dificultan el cultivo de la virtud moral, por lo que no quería lo que deseabas para mí.

— Entonces —dijo el oficial—, ya no te considero un sabio, sino un hombre común. A todos los individuos que Él procrea, el Cielo les da el sentido necesario para conducirse; por eso tus hijos se manejarían solos. Para deshacerse de la engorrosa riqueza, sólo habría que distribuirla. Estás más preocupado de lo que corresponde a un Sabio. El verdadero sabio vive en este mundo como una codorniz vive en un campo, sin apego a un hogar, sin preocuparse por su comida. En tiempos de paz, toma su parte de la prosperidad común. En los momentos difíciles, se ocupa de sí mismo y no se interesa por los negocios. Después de mil años, cansado de este mundo, lo abandona y asciende a los Inmortales. Montado en una nube blanca, llega a la región del Soberano[51]. Allí no le alcanza ninguna de las tres desgracias; su cuerpo dura mucho tiempo sin sufrir; ya no sufre contradicciones.

Dicho esto, el oficial se alejó. Reconociendo en él a un Sabio oculto, *Yao* corrió tras él y le dijo:

— Tengo algunas preguntas que hacerte.

—Déjame en paz —dijo el oficial.

G. Mientras *Yao* gobernaba el imperio, el maestro *Gao*, conocido como *Bo Cheng*, recibió de él un feudo. *Yao* pasó el imperio a *Shun*, que lo pasó a Yu[52]. Entonces el maestro *Gao*, tras renunciar a su feudo, comenzó a cultivar la tierra. *Yu* fue a verlo y lo encontró ocupado arando en la llanura. Tras acercarse a él respetuosamente, le dijo:

— Maestro, el emperador *Yao* te ha investido con un feudo, que has mantenido hasta ahora. ¿Por qué quieres deshacerte de él ahora?

— Porque el mundo ya no es lo que era con *Yao* —dijo el maestro *Gao*—. Con *Yao* el pueblo se comportaba bien, sin ser recompensado por su buen comportamiento; era obediente, sin tener que ser coaccionado con castigos. Ahora son premiados y castigados sistemáticamente, lo que ha hecho que la gente pierda sus cualidades naturales. La naturaleza ha desaparecido, las leyes la han sustituido, de ahí todos los desórdenes. ¿Por qué me haces perder el tiempo? ¿Por qué obstaculizas mi trabajo?

E inclinándose sobre su arado, el maestro *Gao* continuó el surco que había comenzado, y no miró atrás hacia *Yu*.

---

51   El Soberano más Alto de los Anales y las Odas. Comparar el capítulo 4 E de *Lao Zi*.
52   La pesadilla de los daoístas, que le culpan de la invención de la política sistemática.

H. En el gran principio de todas las cosas todo era sin forma, un ser imperceptible; no había ningún ser sensible, y por lo tanto ningún nombre[53]. El primer ser que fue, fue el Uno, no sensible, el Principio. La virtud que emana del Uno, que dio origen a todos los seres, se llama *de*. Multiplicándose sin cesar en sus productos, esta virtud compartida, se llama en cada uno de ellos *ming*, su parte, su suerte, su destino. Es por la alternancia de la concentración y la expansión que la norma da así nacimiento a los seres. En el ser que nace, ciertas líneas determinadas especifican su forma corporal. En esta forma corporal está contenido el principio vital. Cada ser tiene su propia manera de hacer las cosas, que constituye su propia naturaleza. Así es como los seres descienden del Principio. Vuelven a él mediante el cultivo mental y moral daoísta, que devuelve la naturaleza individual a la conformidad con la virtud actuante universal, y el ser particular a la unión con el Principio primordial, el gran Vacío, el gran Todo. Este retorno, esta unión, se hace, no por la acción, sino por la cesación. Como un pájaro que, cerrando el pico, cesa su canto, se vuelve silencioso. Fusión silenciosa con el cielo y la tierra, en una apatía que parece estúpida para los que no la entienden, pero que en realidad es una virtud mística, comunión con la evolución cósmica.

I. Confucio preguntó a *Lao Dan*:

— Algunos se aplican a identificar todo, y afirman que, lo lícito y lo ilícito, el sí y el no, son la misma cosa. Otros se esfuerzan por distinguirlo todo, y declaran que la no identidad de la sustancia y los accidentes es evidente. ¿Son estos los Sabios?

— Son —respondió *Lao Dan*— hombres que se cansan sin obtener provecho para sí mismos, como los adjuntos a los funcionarios, los perros de los cazadores, los monos de los saltimbanquis. *Qiu*[54], voy a decirte una verdad, que no podrás entender, ni siquiera repetir correctamente. ¡No hay más Sabios! Ahora bien, hay muchos hombres que, teniendo cabeza y pies, no tienen ni mente ni oídos. Pero buscarás en vano a aquellos que, en sus cuerpos materiales, han conservado intacta su parte del principio original. Estos (los Sabios, cuando los hay) ni actúan ni descansan, ni viven ni mueren, ni se elevan ni caen, por ningún esfuerzo positivo, sino que se dejan llevar por la corriente de la evolución universal. Hacer esto (y por lo tanto convertirse en un verdadero sabio daoísta) está al alcance de todo hombre. Para llegar a ser un Sabio, sólo hay que olvidar a los seres (individuales), olvidar el Cielo (las causas) y olvidarse de uno mismo (los intereses). A través de este olvido universal, el hombre se hace uno con el Cielo, fundiéndose en el Cosmos.

J. *Jianglü Mian*, habiendo visitado a su maestro *Ji Che*, le dijo:

— El príncipe de *Lu* me ha pedido que le aconseje para el buen gobierno de su principado. Le contesté que no me había dado una comisión para eso. Insistió en conocer mi opinión personal. Esto es lo que le dije; juzga si hablé bien o mal… Le

---

53   Compárese el capítulo 1 de *Lao Zi*.
54   Nombre de pila de Confucio. Una familiaridad algo despectiva.

dije al príncipe: Sé digno y sobrio; emplea a oficiales devotos y despide a los egoístas interesados; si haces esto, todos estarán a tu favor.

Ji Che se echó a reír.

— Tu política —dijo—, es tan buena como los gestos de esa mantis, que intentó detener un carro. Absolutamente ineficaz; incluso podría llegar a ser perjudicial.

— Pero entonces —dijo *Jianglü Mian*—, ¿en qué consiste el arte de gobernar?

— Así es como lo hicieron los grandes sabios —dijo *Ji Che*—; estimularon al pueblo para que se enmendara, para que avanzara, inspirándole el gusto por la enmienda, por el avance; luego lo dejaron evolucionar espontáneamente; lo dejaron creer que quería y actuaba por sí mismo. Estos son los grandes políticos. Estos no se asientan en los antiguos *Yao* y *Shun* (como defiende Confucio), pues son más antiguos que estos Venerables, siendo de origen primordial, su política consiste en revivir en todos los corazones la chispa de virtud cósmica que reside en cada uno.

K. *Zi Gong*, discípulo de Confucio, habiendo ido al principado de *Chu*, regresó al de *Jin*. Cerca del río *Han*, vio a un hombre ocupado en regar su huerto. Llenaba una jarra en el pozo, que luego la vaciaba en los canalones de sus parterres; una tarea laboriosa y con pocos resultados.

— ¿No sabes —dijo *Zi Gong*— que hay una máquina con la que se pueden regar cien parterres en un día fácilmente y sin fatiga?

— ¿Cómo se hace? —preguntó el hombre.

— Es —dijo *Zi Gong*—, una cuchara con un canalón basculante. Saca agua por un lado y la vierte por el otro.

— Demasiado ingenioso para ser bueno —dijo el jardinero, descontento—. Aprendí de mi maestro que toda máquina contiene una fórmula, un artificio. Ahora las fórmulas y los artificios destruyen el ingenio nativo, perturban los espíritus vitales, impiden que el Principio resida en paz en el corazón. No quiero tu cuchara basculante.

Zi Gong inclinó la cabeza y no respondió. A su vez, el jardinero le preguntó:

— ¿Quién eres tú?

— Un discípulo de Confucio —dijo *Zi Gong*.

— Ah —dijo el jardinero—, uno de esos pedantes que se creen superiores al pueblo, y que pretenden hacerse los interesantes cantando lamentos sobre el mal estado del imperio. Ven, olvida tu mente, olvida tu cuerpo, y habrás dado el primer paso en el camino de la sabiduría. Si eres incapaz de enmendarte a ti mismo, ¿qué derecho tienes a enmendar el imperio? ¡Ahora vete! ¡Ya me has hecho perder bastante tiempo!

Zi Gong se fue, pálido de emoción. No se recuperó hasta haber recorrido treinta estadios. Entonces los discípulos que le acompañaban le preguntaron:

— ¿Qué es este hombre que te ha preocupado tanto?

— ¡Ah! —dijo *Zi Gong*—, hasta ahora pensaba que sólo había un hombre en el imperio digno de llamarse así, mi maestro Confucio. Pero entonces no conocía a este otro hombre. Le expliqué la teoría confuciana de la tendencia hacia la meta por el medio más conveniente, con el menor esfuerzo. Yo tomaba esto como la fórmula de la sabiduría. Pero me refutó y me dio a entender, que la sabiduría consiste en la integración de los espíritus vitales, la conservación de la naturaleza, la unión con el Principio. Estos verdaderos Sabios no se diferencian del hombre común exteriormente; interiormente su rasgo distintivo es la falta de objetivo, dejar que la vida fluya sin querer saber hacia dónde fluye. Todo esfuerzo, toda tendencia, todo arte, es para ellos el efecto del olvido de lo que el hombre debe ser. Según ellos, el verdadero hombre se mueve sólo bajo el impulso de su instinto natural. También desprecian los elogios y las culpas, que no les benefician ni les perjudican. Esta es la sabiduría estable, mientras que yo soy sacudido por los vientos y las olas.

Cuando regresó al principado de *Lu*, *Zi Gong*, que se había convertido al daoísmo, le contó a Confucio su aventura. Este último dijo:

— Este hombre pretende practicar lo que fue la sabiduría de la era primordial. Se ciñe al principio, a la fórmula, pretendiendo ignorar las aplicaciones y modificaciones. Ciertamente, si en el mundo actual existiera todavía una forma de vivir sin pensar ni actuar, sólo atenta al bienestar de la propia persona, habría motivos para admirarlo. Pero tú y yo hemos nacido en un siglo de intrigas y luchas, en el que ya no vale la pena estudiar la sabiduría de la época primordial, porque ya no tiene ninguna aplicación.

L. *Zhun Mang*, que se dirigía hacia el océano oriental, se encontró con *Yuan Feng*, que le preguntó:

— Maestro — ¿a dónde vas?

— Al mar —dijo *Zhun Mang*.

— ¿Por qué? —preguntó *Yuan Feng*.

— Porque es la imagen del Principio —dijo *Zhun Mang*—. Todas las aguas fluyen en él, sin llenarlo. Todas las aguas salen de él, sin vaciarlo. Así como los seres salen del Principio y vuelven a él. Por eso voy al mar.

— Y la humanidad —preguntó *Yuan Feng*—, ¿qué te parece? ¿Cuál es la política de los sabios inferiores, los confucianos?

— Es —dijo *Zhun Mang*—, hacer el bien a todos, favorecer a todos los talentos, regular el imperio y ser obedecido; esa es la política de los Sabios de este tipo.

— ¿Y la política de los Sabios Taoístas, que colaboran con el influjo cósmico? —preguntó *Yuan Feng*.

— Es —dijo *Zhun Mang*—, no hacer planes; actuar según la inspiración del momento; no contar para nada con las distinciones artificiales de lo correcto y lo incorrecto, del bien y del mal; dar a todos, como a los huérfanos, como a los perdidos, para satisfacerlos, sin reclamar ninguna devolución, sin que se les agradezca, sin siquiera darse a conocer.

— ¿Y qué hay de la política de los hombres trascendentales que son totalmente superiores? —preguntó *Yuan Feng*.

— Estos —dijo *Zhun Mang*—, fusionan su espíritu con la luz, y su cuerpo con el universo. El vacío luminoso es la abnegación total del yo. Sometidos a su destino, libres de todo apego, estos hombres gozan de la alegría desinteresada del cielo y de la tierra, que dejan que las cosas sucedan sin amar ni odiar, y que todas las cosas vayan espontáneamente a su solución natural. Así gobernados, todos los seres volverían a su instinto innato, y el mundo volvería a su estado primordial.

M. Cuando *Men Wu Gui* y *Chi Zhang Man Ji* vieron pasar al ejército del emperador *Wu*, el segundo le dijo al primero:

— Si este emperador fuera tan bueno como *Shun*, no habría tenido que hacer la guerra.

— ¿*Shun* reinó en una época pacífica o problemática? —preguntó *Wu Gui*.

— Tienes razón —dijo *Man Ji*—; no se pueden comparar. *Shun* reinó en una época tan pacífica que podrían haber prescindido de un emperador. Perdía el tiempo en nimiedades, como curar las heridas de los enfermos de úlcera, hacer crecer el pelo de los calvos y curar a los enfermos. Drogó al imperio, con toda la ansiedad de un hijo que droga a su padre. Los confucianos lo elogian por haberlo hecho. Un verdadero Sabio se habría avergonzado de hacerlo… En los días de la acción perfecta, no se valoraba ni la sabiduría ni la habilidad. Los gobernantes eran como las ramas de los grandes árboles, que dan sombra y protegen sin saberlo ni quererlo; el pueblo era como los animales salvajes, que se refugian bajo esas ramas y disfrutan de su sombra sin agradecerlo. Los gobernantes actuaban con equidad sin conocer el término equidad, con caridad sin conocer el término bondad, con lealtad y fidelidad, con sencillez y sin pedir pagos a cambio. Debido a su extrema sencillez, no se ha conservado ningún hecho destacado de estos tiempos, y no se ha escrito ninguna historia sobre ellos.

N. Un hijo, un ministro, que no aprueba lo que hace mal su padre o su príncipe, es proclamado buen hijo, buen ministro, por la voz pública, por la autoridad, sin argumentos; y la masa adopta este veredicto obedientemente, creyendo cada uno que lo ha pronunciado él mismo[55]. Si les dices a estas personas que su juicio no es propio, que se lo han sugerido, se perturbarán y se ofenderán. Así es, en la mayoría de los casos, con la mayoría de los hombres. Casi todos ellos reciben sus ideas ya hechas, y siguen toda su vida la opinión ajena. Hablan al estilo de la época, se visten según la moda de la época, no por seguir ningún principio, sino para hacer lo que hacen los demás. Son imitadores serviles, que dicen sí o no según lo que se les ha sugerido, y después creen que se han decidido. ¿No es esto una locura? Una locura incurable, porque los hombres no sospechan que están aquejados de esta manía de imitar. Locura general, porque todo el imperio está afligido por esta manía. Y por eso es en vano que intente devolver a los hombres al camino de la acción personal espontánea, que emana del sí-mismo, de su propio instinto. ¡Ay!

La música noble deja indiferentes a los aldeanos, mientras que una canción trivial los hace desfallecer. Asimismo, los pensamientos elevados no entran en las mentes llenas de ideas vulgares. El sonido de dos tambores de arcilla cubre el sonido de una campana de bronce. ¿Cómo puedo hacerme oír por los locos que pue-

---

55 Aunque esto no es obvio, ya que se podría argumentar que el colmo de la piedad y la devoción es aprobar todo, incluso el mal, dice el comentario.

blan el imperio? Si esperara poder hacerlo, también estaría loco. Así que los dejaré en paz, sin hacer nada para iluminarlos. Ninguno de ellos, además, me lo echará en cara, pues se aferran a su locura común. Como el leproso al que le nació un hijo a medianoche, que fue a buscar una luz para ver si el niño era leproso como él, y no lo acarició hasta que vio que lo era.

O. Considera un árbol que tiene siglos de antigüedad. Se corta una rama del mismo. Un trozo de esta rama se utiliza para hacer un jarrón ritual cincelado y pintado; el resto se tira a la zanja y se pudre allí. Entonces dirán, el jarrón es hermoso, el resto es feo. Y digo, tanto el jarrón como el resto son feos, pues ya no son madera natural, sino objetos artificiales deformados. Juzgo de la misma manera, el ladrón *Zhi*, que los Sabios *Zeng Shen* y *Shi Qiu*. Uno se llama vicioso, el otro virtuoso. A mis ojos, también se equivocan en cuanto a que ya no son hombres, pues han actuado contra la naturaleza, sin importar si actuaron bien o mal.

¿Y cuáles son las causas de esta ruina de la naturaleza humana? Son las teorías artificiales del color (pintura), que han pervertido la vista; las teorías del sonido (música), que han pervertido el oído; las teorías del olfato (perfumería), que han pervertido el sentido del olfato; las teorías del sabor (arte culinario), que han pervertido el gusto; y los artificios literarios (retórica y poética), que han angustiado el corazón y distorsionado la naturaleza (a través del lirismo y el entusiasmo). Estos son los enemigos de la naturaleza humana, queridos por *Yang Zhu* y *Mo Zi*. No seré yo quien considere las artes como bienes. Las reglas artificiales abrazan y aprisionan; ¿cómo podrían hacer feliz a uno? ¿El ideal de felicidad es el estado de un pájaro encerrado en una jaula? ¿No es más bien el estado de un pájaro libre en el aire? Pobre gente! Sus teorías son un fuego que atormenta su interior, sus ritos son un corsé que aprieta su exterior. Así torturados y atados, ¿con quién los compararé? ¿A los criminales tenaces? ¿A las bestias enjauladas? ¿Es esto la felicidad?

Capítulo 13 - La influencia del cielo

A. La influencia del cielo actúa libremente, produciendo todos los seres. La influencia imperial que se extiende imparcialmente, atrae hacia sí a todos los ciudadanos. La influencia del Sabio, que se difunde uniformemente, hace que todos se sometan a él. Los que tienen la comprensión del modo de esta influencia del cielo, del Sabio, del jefe de estado ideal, se concentran en la paz meditativa, que es la fuente de la acción natural. Esta paz no es una meta que el Sabio alcanza con un esfuerzo directo. Consiste en el hecho negativo de que ningún ser mueve ya su corazón, y se adquiere por abstracción. Es el principio de la visión clara del Sabio. Como el agua perfectamente quieta, es tan clara que refleja incluso los pelos de la barba y las cejas de la persona que se refleja en ella. Nada tiende más al equilibrio, al reposo, que el agua; tanto es así, que de ella se ha derivado el nivel perfecto (nivel del agua). Ahora bien, como el reposo aclara el agua, así aclara los espíritus vitales, entre los cuales está la inteligencia. El corazón del Sabio, perfectamente tranquilo, es como un espejo que refleja el cielo y la tierra, todos los seres. El vacío, la paz, la satisfacción, la apatía, el silencio, la visión global, la no intervención; todo esto es la fórmula del influjo del cielo y la tierra, el Principio. Los emperadores y los sabios de la antigüedad conocían esta fórmula. Vacíos (de toda pasión), captaban la verdad de las leyes generales. Pacíficos (sin ninguna emoción), actuaban con eficacia. Al no intervenir por sí mismos, dejando los detalles a sus oficiales, estaban libres de placeres y dolores, y en consecuencia vivían mucho tiempo. ¿No es obvio que el vacío, la paz, la satisfacción, la apatía, el silencio, la visión global, la no intervención, son la raíz de todo bien? Quien entienda esto valdrá tanto como Yao como emperador y Shun como ministro. Podrá reinar, como un rey, sobre el destino de los hombres; o, como un sabio, sobre sus mentes. Ya sea que viva en reclusión, como anacoreta, junto a las aguas, en las montañas, en los bosques; o que se desempeñe como educador del mundo; en ambos casos será reconocido y atraerá a todos los seres. Sí, de la paz emanan las especulaciones de los grandes sabios y las acciones de los grandes reyes; la no intervención lo hace a uno famoso; la abstracción lo eleva por encima de todo. Comprender la naturaleza del influjo del cielo y la tierra, que es una no interferencia benévola y tolerante, es la gran raíz, el entendimiento con el cielo. Practicar una no injerencia similar en el gobierno del imperio es el principio de acuerdo con los hombres. Ahora bien, el acuerdo con los hombres es la alegría humana, la felicidad en la tierra; el acuerdo con el cielo es la alegría celestial, la felicidad suprema.

En un paroxismo de admiración por su ideal, el Vacío, el Reposo, el Principio, *Zhuang Zhou* exclamó:

— ¡Oh, mi Maestro! ¡Mi Maestro! ¡Tú que destruyes sin ser malo! ¡Tú que construyes sin ser bueno! ¡Tú que fuiste antes del tiempo, y no eres viejo! ¡Tú que lo cubres todo como el cielo, que lo llevas todo como la tierra, que eres el autor de todo sin ser inteligente (acción inconsciente)! Comprenderte de esta manera es una alegría celestial. Saber que he nacido por tu influencia, que a mi muerte volveré a tu camino; que descansando comulgo con el *yin*, tu modalidad pasiva, que actuando comulgo con el *yang*, tu modalidad activa; esto es la felicidad suprema. Para el iluminado que posee esta felicidad, se acabaron las quejas contra el cielo (un intermediario fatal y poco inteligente), el resentimiento contra los hombres (que siguen sus propios caminos, como yo), las preocupaciones por los negocios (que no valen la pena), el miedo a los fantasmas (que no pueden hacer nada). La acción del iluminado se funde con la acción del cielo, su descanso con el resto de la tierra; su mente firme domina el mundo; al morir su alma inferior no será mala (se disipará pacíficamente), su alma superior no vagará hambrienta (pasará a otra forma). Sí, seguir la evolución del Principio, en el cielo y en la tierra, en todos los seres, esa es la alegría celestial. Esta alegría es la profundidad del corazón del Sabio. De él extrae sus principios de gobierno.

B. Como fieles imitadores del cielo y la tierra, del Principio y su influencia, los antiguos gobernantes no intervenían directamente, no se preocupaban por los detalles. De ahí que pudieran gobernar todo el imperio. Inactivos, dejaban actuar a sus súbditos. Inmóviles, dejaban que los hombres se movieran. Su pensamiento se extendía a todo, sin que pensaran en nada; lo veían todo en principio, sin distinguir nada en detalle; su poder, capaz de todo, no se aplicaba a nada. Como el cielo no da a luz, así nacen los seres; como la tierra no hace crecer, así crecen los seres. Así, como el soberano no actúa, los súbditos prosperan. ¡Qué trascendente es la influencia del cielo, de la tierra y del soberano, así entendido! Y ¡qué acertado es decir, en este sentido, que la influencia del soberano está unida a la del cielo y la tierra! Indefinida como la del cielo y la tierra, atrae a todos los seres y mueve a la multitud de los hombres.

Única, en su esfera superior, esta influencia se extiende, descendiendo. El soberano formula la ley abstracta; sus ministros la aplican a los casos concretos. El arte militar, las leyes y las sanciones, los ritos y las costumbres, la música y las danzas, las bodas y los funerales, y otras cosas que atormentan a los confucianos, son minucias que el Sabio deja a sus oficiales.

No hay que pensar, sin embargo, que en las cosas humanas no hay grados, ni subordinación, ni sucesión. Existe un orden natural, basado en la relación recíproca del cielo y la tierra, y en la evolución cósmica. El gobernante es superior al ministro, el padre a sus hijos, los ancianos a los jóvenes, el hombre a la mujer, el esposo a la esposa; porque el cielo es superior a la tierra. En el ciclo de las estaciones, las dos estaciones productivas preceden a las dos improductivas; cada ser pasa por las dos fases sucesivas de vigor y decadencia; esto se debe a la evolución cósmica; y como resultado, los padres tienen prioridad en la familia, en la corte es el rango el que otorga prioridad, en los pueblos se honra a los ancianos, en los negocios se defiere al más sabio. Fallar en estas cosas sería fallar en el Principio, del cual estas reglas han sido derivadas.

C. Los antiguos consideraban el Principio en el binomio cielo y tierra. Del modo de acción de este binomio derivaron las nociones naturales de bondad (ciega) y equidad (inconsciente), (opuestas a las nociones artificiales de bondad y equidad de los confucianos); luego las nociones de funciones y cargos; después las de capacidad, responsabilidad, sanción, etc. A medida que aumentaban las nociones abstractas, se distinguía a los intelectuales de los tontos; había hombres superiores y hombres inferiores. Todos eran tratados según su grado. Los Sabios servían al soberano, alimentaban a los tontos y los enmendaban con su ejemplo, sin coacción, como la acción del cielo y la tierra. Era la época de la paz absoluta, del gobierno perfecto. No discutían ni se peleaban por las entidades y los nombres, como hacen hoy los sofistas. No pretendían premiar o castigar adecuadamente todo el bien o todo el mal, como pretenden nuestros legistas. Miraban a la raíz, al origen, al Principio que los contiene a todos, para todas las soluciones; y fue esta visión desde arriba la que obtuvo la superioridad de su gobierno. Mientras que, por el hecho de perderse en los detalles, nuestros sofistas y nuestros legistas no sirven para nada.

D. En el pasado, *Shun*, todavía ministro, le pidió al emperador *Yao*:
— Emperador nombrado por el cielo, ¿cómo desempeñas tus funciones?
Yao respondió:

— No oprimo a los pequeños, no hago daño a los pobres, cuido de las viudas y los huérfanos.

— Está bien —dijo Shun—, pero eso no es muy elevado.

— Entonces —preguntó Yao—, ¿qué debo hacer?

— El influjo del cielo —dijo *Shun*—, pacifica por su propia emanación. Para producir la sucesión de las estaciones, los días y las noches, las nubes y la lluvia, el sol y la luna simplemente brillan.

— Lo comprendo —dijo Yao—, he estado demasiado inquieto y demasiado ansioso por complacer.

E. Confucio se dirigía desde el principado de *Lu*, en el este, a la capital de los *Zhou* (entonces *Lao Yang*), en el oeste. Quería ofrecer sus libros a la biblioteca imperial. Su discípulo *Zi Lu* le dijo:

— He oído que un tal *Lao Dan* fue durante mucho tiempo el guardián de esta biblioteca. Ahora vive retirado. Visítalo. Él podrá ayudarte a recibir tus libros.

— Que así sea —dijo Confucio; y fue a ver a *Lao Dan*. Este último se negó rotundamente a patrocinar sus libros. Para ablandarlo, Confucio comenzó a explicarle el contenido de los mismos.

— No hables tanto —dijo *Lao Dan*—; dime, en dos palabras, qué contienen.

— La bondad y la equidad —dijo Confucio.

— ¡Ah! —dijo *Lao Dan*—. ¿Es la bondad y la equidad natural?

— Pero sí —dijo Confucio—, las que hacen al hombre.

— Entonces defínelas —dijo *Lao Dan*.

— Amar a todos los seres y tratarlos bien, sin egoísmo, eso es bondad y equidad —dijo Confucio.

— Y tú predicas esto, siendo ambicioso y egoísta —dijo *Lao Dan*—. Maestro, si realmente quieres hacer el bien al imperio, comienza por estudiar el influjo invariable del cielo y la tierra, la iluminación constante del sol y la luna, el orden perfecto de las estrellas, la estabilidad de las especies animales y vegetales; observa que todo en la naturaleza es secuencia y uniformidad, el Principio lo penetra todo con su influencia pacífica. Tú también debes unir tu influencia a la del Principio, y podrás conseguir algo. Deja de intentar introducir por la fuerza tus virtudes artificiales y antinaturales… Un hombre cuyo hijo se había escapado mandó golpear el tambor para ahuyentarlo, en lugar de intentar hacerlo volver con delicadeza. El resultado fue que el fugitivo se alejó mucho y nunca pudo ser encontrado. Tus esfuerzos por recuperar la bondad y la justicia del mundo al son del tambor me temo que tendrán el mismo resultado negativo. Maestro, estás haciendo que lo que queda de la naturaleza se escape.

F. *Shi Cheng Qi* fue a *Lao Zi* y le dijo:

— Habiendo escuchado que eres un Sabio, hice un largo viaje para venir a verte. He caminado durante cien días, tanto que las plantas de mis pies están encallecidas, y ahora descubro que no eres un Sabio. Porque guardas indefinidamente los restos de tus comidas; has maltratado a tu hermana porque las ratas han robado los restos de las verduras,

Lao Zi, con aspecto distraído, le dejó decir esto, y no contestó nada.

Al día siguiente *Shi Cheng Qi* volvió a *Lao Zi* y le dijo:

— Ayer te culpé a ti. Tu silencio me ha hecho pensar. Me disculpo.

— Presto tan poca atención a tus disculpas como a tus acusaciones —dijo Lao Zi—. He renunciado a todo deseo de ser llamado docto, trascendente, sabio. Me llamarías buey o caballo y no te contestaría. Tanto si lo que dicen es verdad como si es mentira, dejar que los hombres lo digan es ahorrarse el trabajo de responderles. Mi principio es dejar siempre que digan lo que quieran. Mi silencio de ayer fue una aplicación de este principio.

Entonces *Shi Cheng Qi* caminó alrededor de *Lao Zi*, evitando pisar su sombra; luego, presentándose de frente, le preguntó qué debía hacer para enmendarse. *Lao Zi* le rechazó con estas palabras:

— Ser falso, cuyo aire y gesto denotan pasiones indómitas e intenciones desenfrenadas, ¿pretendes obligarme y hacerme creer que quieres y puedes cultivarte a tí mismo? ¡Vete! No tengo más confianza en ti que en cualquier bandido de las fronteras.

G. *Lao Zi* dijo:

— Infinito en sí mismo, el Principio penetra por su virtud en el más pequeño de los seres. Todos están llenos de él. Inmensa es su extensión, profundo como un abismo, lo abarca todo y no tiene fondo. Todos los seres sensibles y sus cualidades, todas las abstracciones como la bondad y la equidad, son retoños del Principio, pero derivados, remotos. Esto es lo que sólo entiende el hombre superior; Confucio, el sabio común, se equivocó en este punto. Por lo tanto, cuando gobierna, el hombre superior no se preocupa de estos detalles y, en consecuencia, el gobierno del mundo es sólo un peso ligero para él. Sólo se preocupa de la manivela (el timón), y se mantiene al margen de los negocios. Desde arriba su ojo lo domina todo. Ningún interés particular le conmueve. Sólo indaga en la esencia de las cosas. Deja pasar el cielo y la tierra, deja pasar a todos los seres, sin la menor fatiga de la mente, ya que no tiene pasión. Habiendo penetrado en el Principio e identificado su acción con la suya propia, rechaza la bondad y la equidad artificiales, los ritos y la música convencionales. Porque la mente del hombre superior está dominada por una sola idea fija, no intervenir, dejar actuar a la naturaleza y al tiempo.

H. En el mundo actual, los libros (antologías confucianas) están de moda. Los libros son sólo conjuntos de palabras. Las palabras traducen las ideas. Pero las ideas verdaderas se derivan de un principio no sensible, y difícilmente pueden expresarse con palabras. Las fórmulas que llenan los libros sólo expresan ideas convencionales, que tienen poca o ninguna relación con la naturaleza de las cosas, con la verdad. Los que conocen la naturaleza no intentan expresarla con palabras; y los que lo intentan, demuestran que no la conocen. El vulgo se equivoca al buscar verdades en los libros, que sólo contienen ideas inventadas.

I. Un día, mientras el duque *Huan*, de *Qi*, estaba leyendo, sentado en la sala superior, el carretero *Pian* estaba trabajando en una rueda en el patio. De repente, dejando el martillo y el cincel, subió los escalones, se acercó al duque y le preguntó:

— ¿Qué estás leyendo ahí?

—Las palabras de los Sabios —respondió el Duque.

— ¿De los sabios vivos? —preguntó *Pian*.

— Los sabios muertos —dijo el duque.

— Ah —dijo *Pian*—, el detritus de los antiguos.

El duque se irritó y le dijo

— Carretero, ¿en qué te metes? Explica que quieres decir, o haré que te ejecuten.

— Me aclararé como hombre de mi oficio —dijo el carretero—. Cuando hago una rueda, si trabajo débilmente, el resultado será débil; si trabajo con más fuerza, el resultado será macizo; si trabajo sin pensar en lo que hago, el resultado será conforme a mi ideal, una rueda buena y bonita; no puedo definir este método; es un truco que no se puede expresar; tanto que no podría enseñárselo a mi hijo, ya que, a los setenta años, para tener una buena rueda, todavía tengo que hacerla yo mismo. ¿Podrían los antiguos sabios difuntos cuyos libros lees hacerlo mejor que yo? Fueron capaces de depositar, en sus escritos, su truco, su genio, lo que les hacía superiores al vulgo. Si no es así, los libros que lees son, como he dicho, sólo el detritus de los antiguos, el desperdicio de su espíritu, lo que ha dejado de ser.

Capítulo 14 - Evolución natural

A. El cielo estrellado gira; la tierra está fija. El sol y la luna se suceden alternativamente. ¿Quién gobierna todo esto? ¿Quién mantiene esta armonía? ¿Dónde está el motor inmóvil que lo mueve todo? ¿El movimiento cósmico es libre, o es forzado? Las nubes se resuelven en lluvia, y la lluvia evaporada se forma de nuevo en nubes. ¿Quién difunde así, sin moverse, la abundancia y el bienestar? Desde el Norte, el viento sopla hacia el Oeste, hacia el Este, en todas las direcciones. ¿Quién mueve este poderoso aliento? ¿Quién, inmóvil, le da estas variedades? Te lo diré —dijo Wuxian Tiao—. Es el cielo, a través de la revolución de los cinco elementos, en las seis regiones del espacio. Esta revolución es la que mantiene el orden en la naturaleza; y en los asuntos humanos, habrá buen orden si el gobierno se ajusta a él, y desorden si no lo hace. Cuando los antiguos gobernantes aplicaban las nueve leyes[56], su gobierno era próspero y eficaz. Iluminaban el imperio, que estaba perfectamente sometido a ellos. Estos eran los llamados gobernantes augustos.

B. *Tang*, el primer ministro de *Shang*, le preguntó a *Zhuang Zhou* qué era la bondad.

— Es —dijo este último—, la virtud de los tigres y los lobos.

— ¿Cómo es eso? —dijo *Tang*.

— ¿No aman los tigres y los lobos a sus crías?

— ¿Y qué hay de la bondad suprema? —dijo *Tang*.

---

56   Sobre la Gran Regla. Ver *Anales*, *Zhou* capítulo 4; y *Textes Philosophiques*, página 25.

— La bondad suprema —respondió *Zhuang Zhou*— consiste en no amar.

— Entonces —dijo *Tang*— el hombre que posee la bondad suprema estará desprovisto de piedad filial?

— Te equivocas —dijo *Zhuang Zhou*—. La bondad suprema es la benevolencia abstracta, indiferenciada y omnímoda, que no es contraria a las benevolencias concretas y determinadas, sino que se abstrae de ellas. Es amar, desde tanta altura, desde tan lejos, que el objeto se pierde de vista. Así, desde *Ying*, no podemos ver las montañas *Min Shan* en el norte. Sin embargo, están ahí. Es un efecto de la distancia. Para que la piedad filial se acerque a la bondad suprema, sería necesario que el hijo amara sin tener en cuenta a sus padres, y que éstos le amaran sin tenerlo en cuenta. Amar a todo el imperio sin pensar en él, y ser amado por él sin ser conocido por él, se acerca más a la bondad suprema. Ser más benévolo que *Yao* y *Shun* sin darse cuenta, hacer el bien a todos sin que nadie lo sospeche, esto es la bondad suprema, similar a la influencia inconsciente del cielo y la tierra, que hace que todo evolucione espontáneamente. Ya ves que no basta con apreciar la piedad filial para entender esto... Sin duda, la piedad filial y fraternal, la bondad y la equidad ordinarias, la fidelidad y la lealtad, la rectitud y la constancia, todas estas virtudes forman parte de alguna manera de la bondad suprema, pero son muy pequeñas en comparación con su grandeza. Se dice que al que tiene toda la belleza, los adornos no le añaden nada; al que tiene toda la riqueza, la gratificación no le añade nada; al que tiene todos los honores, ninguna distinción le añade nada. Lo mismo ocurre con aquel que posee la bondad absoluta, que no es otra que el Principio; ocasionalmente practicará todas tus bondades de orden inferior, pero no le aportan nada. Y no es partiendo de estos detalles como definiremos la bondad suprema a posteriori; es mejor definirla a priori, partiendo del Principio.

C. *Biemen Cheng* le dijo al emperador *Huang Di*:

— Cuando escuché tu sinfonía *Xian Chi* interpretada cerca del lago *Dong Ting*, la primera parte me asustó, la segunda me mareó y la tercera me produjo una vaga sensación de la que aún no me he recuperado.

— Así debía ser —dijo el emperador—. Esta sinfonía lo contiene todo. Es una expresión humana de la acción celestial, de la evolución universal. — La primera parte expresa el contraste de los acontecimientos terrestres que se producen bajo la influencia celeste; la lucha de los cinco elementos; la sucesión de las cuatro estaciones; el nacimiento y la decadencia de las plantas; la acción y la reacción de la luz y la pesadez, de la luz y la oscuridad, del sonido y del silencio; la renovación de la vida animal, cada primavera, al estallar el trueno, después del letargo del invierno; la institución de las leyes humanas, de los cargos civiles y militares, etc. Todo esto es el resultado repentino de una serie de acontecimientos que tienen lugar durante el año. Todo ello, súbitamente, sin introducciones, sin transiciones; en sonidos abruptos, una sucesión de disonancias, como es la cadena de muertes y nacimientos, apariciones y desapariciones, de todas las efímeras realidades terrestres. Debe haberte asustado. — La segunda parte de la sinfonía reproduce, en sonidos suaves o fuertes, prolongados y alargados, la continuidad de la acción del *yin* y el *yang*, el curso de las dos grandes luminarias, la llegada de los vivos y la partida de los muertos. Es esta secuencia continua hasta donde alcanza la vista, que te aturde con su infinitud, hasta el punto de que, sin saber dónde estás parado, te apoyas en el tronco de un árbol y suspiras, vencido por el vértigo y la ansiedad que provoca el vacío. — La tercera parte de la sinfonía expresa las producciones de la naturaleza, el futuro de los destinos. De ahí la efervescencia seguida de calmas; el murmullo de los grandes bosques, luego un silencio misterioso. Porque así es como los seres salen de quién sabe dónde, y vuelven a quién sabe dónde, en corrientes y olas. Sólo el Sabio puede entender esta armonía, porque sólo él entiende la naturaleza y el destino. Agarrar los hilos del devenir, antes de ser, cuando aún están tensos en el telar cósmico, esa es la alegría celestial, que se siente pero no se puede expresar. Consiste, como cantaba el Maestro *Yen*, en oír lo que aún no tiene sonido, en ver lo que aún no tiene forma, lo que llena el cielo y la tierra, lo que abarca el espacio, el Principio, el motor de la evolución cósmica. Sin saberlo, has permanecido en la oscuridad. — Mis explicaciones acaban de llevarte de esta vaguedad al conocimiento del Principio. Guárdalo bien.

D. Mientras Confucio viajaba al oeste del principado de *Wei*, su discípulo *Yen Yuan* preguntó al maestro músico *Jin*:

— ¿Qué piensas del futuro de mi maestro?

— Creo —dijo el maestro *Jin*, con un suspiro—, que no logrará nada.

— ¿Por qué? —dijo *Yen Yuan*.

— Mira —dijo *Jin*—, los perros de paja que se usan en las ofrendas[57]. Antes de la ofrenda, se guardan en cofres, envueltos en hermosos paños, mientras el representante del difunto y el prior se purifican mediante la abstinencia. Después de la ofrenda, se tiran, se pisotean y se queman. Si se volvieran a guardar en los cofres, para utilizarlos en otra ocasión, todos los habitantes de la casa se verían atormentados por pesadillas, ya que estos filtros del mal verterían las influencias nocivas con las que se llenaron. Ahora Confucio recoge en su escuela los perros de paja de los gobernantes de la antigüedad (sus libros, llenos de viejas memorias que han quedado desfasadas y se han vuelto perjudiciales). De ahí las persecuciones a las que fue sometido en diversos lugares; las pesadillas que le provocaron sus viejos perros de paja.

Para ir por agua, se toma un barco; para ir por tierra, se toma un carro; imposible viajar por agua en un carro, por tierra en un barco. Ahora los tiempos pasados son como los presentes, como el agua y la tierra; el imperio de los *Zhou* y el ducado de *Lu* podrían compararse a un barco y un carro. Querer aplicar ahora los anticuados principios de los antiguos, pretender utilizar en el ducado de *Lu* los procedimientos del imperio de los *Zhou*, es como querer viajar en barco por tierra firme, es intentar lo imposible. Confucio trabajó en vano y atrajo la desgracia sobre sí mismo, al igual que todos los que trataron de aplicar un determinado sistema en diferentes circunstancias.

---

57 Y los funerales. Véase el capítulo 5 de *Lao Zi*.

Hoy en día, el cubo de los antiguos ha sido abandonado por la cuchara oscilante para elevar el agua, y nadie siente la necesidad de volver al cubo. Así, los procedimientos de gobierno de los antiguos emperadores, que eran adecuados en su época y están desfasados ahora, no deberían imponerse por la fuerza en la época actual. En cada estación se comen ciertas frutas, cuyo sabor es agradable en ese momento, mientras que no lo sería en otro. Lo mismo ocurre con los reglamentos y las costumbres; deben variar con los tiempos.

Pon la túnica del Duque de *Zhou* en un mono. ¿Qué pasará? Lo desgarrará con rabia, con sus dientes y garras, y no se quedará quieto hasta que haya arrancado el último jirón. Ahora bien, la antigüedad y la época actual son tan diferentes como el duque de *Zhou* y un mono. No hay que vestir a los modernos con el traje de los antiguos.

En el pasado, cuando la bella *Xi Shi* tenía sus berrinches, era aún más seductora. Una mujer de muy mal aspecto, habiéndola visto en este estado, hizo un día lo mismo que la había visto hacer a ella. El resultado fue que los habitantes ricos del pueblo se atrincheraron en sus casas, y los pobres huyeron aterrorizados con sus esposas e hijos. La mujer fea sólo había reproducido la furia, no la belleza de la hermosa mujer. Lo mismo ocurre con la parodia que Confucio nos hace de la antigüedad. Hace que la gente huya. Este hombre no tendrá éxito.

E. A la edad de cincuenta y un años, Confucio todavía no tenía ninguna noción del Principio. Luego fue a *Pei*, y visitó a *Lao Dan*.

— ¡Ah, ahí estás! —dijo este último—. ¿Eres el Sabio del Norte? ¿Qué sabes del Principio?

— Nada —dijo Confucio.

— Entonces —dijo *Lao Dan*—, ¿por qué no lo buscas?

— Lo he buscado —dijo Confucio—, durante cinco años enteros, en fórmulas y números, sin encontrarlo.

— ¿Y entonces? —dijo *Lao Dan*.

— Entonces —dijo Confucio—, lo busqué durante doce años enteros en el *yin* y el *yang*, también sin resultado.

— No me sorprende —dijo *Lao Dan*—. Si el Principio pudiera encontrarse de esta manera, hace tiempo que se habría convertido en un regalo entre amigos. El conocimiento del Principio no se encuentra ni se comunica tan fácilmente. Supone, de hecho, que el hombre está perfectamente regulado.

No hay que tratar de monopolizar la reputación a la que aspiran tantos hombres. No hay que tomar para uno mismo, exclusivamente, las nociones de bondad y equidad, que ya han servido a tantos antiguos. Uno sólo debe tomar su parte de estas cosas, a su debido tiempo. De lo contrario, tendrás a todo el mundo en tu contra, pues los demás también quieren su parte. Los antiguos no acumulaban nada. Sólo querían una cosa, la libertad de vagar por el vacío, de especular sin trabas, de no tener ataduras ni negocios. Así llegaron al conocimiento del Principio, que presupone este desprendimiento. Cualquiera que haya estado atado por el amor a la riqueza, la fama y el poder, está demasiado distraído para poder siquiera esforzarse por ello. Y en cuanto al gobierno, que debe consistir en seguir exactamente el movimiento de la evolución natural, corresponde a los rectos rectificar a los demás. De aquel que pretende rectificar a los demás, no siendo él mismo todavía recto, hay que decir que la razón todavía no brilla en él[58].

F. En otra ocasión, Confucio, habiendo visitado a *Lao Dan*, le explicó sus ideas sobre la bondad y la equidad.

— Escucha —dijo éste—, los aventadores no pueden ver, a causa del polvo; cuando los mosquitos son legión, es imposible descansar. Tus discursos sobre la bondad y la equidad tienen un efecto similar en mí; me ciegan y me dan pánico. ¡Vamos! ¡Deja a la gente en paz! Cree lo que quieras, en teoría; pero en la práctica, dóblate al viento, acepta los cambios que se han producido en el mundo, no toques el tambor para recordar al hijo fugado (lo que queda de la antigüedad; comparar con el capítulo 13 E). Los gansos salvajes son naturalmente blancos, los cuervos son naturalmente negros; ninguna disertación cambiará este hecho. Lo mismo ocurre con las épocas sucesivas, y con los hombres de esas épocas. Sus discursos no convertirán a los cuervos de hoy en los gansos de antaño. No salvarás lo que queda del mundo antiguo; ha llegado su hora. Cuando las aguas se secan, los peces se reúnen en los agujeros y tratan de salvar su vida recubriéndose unos a otros con el limo que los cubre. ¡Pobrecitos! Deberían haberse dispersado a tiempo y adentrarse en las aguas profundas.

Después de esta visita, Confucio permaneció tres días sin hablar. Al final sus discípulos le preguntaron:

— Maestro, ¿cómo refutó a *Lao Dan*?

— En la persona de este hombre vi al dragón —dijo Confucio—. El dragón se pliega visiblemente y luego se extiende invisiblemente, produciendo un tiempo nublado o sereno, sin que nadie comprenda su poderosa pero misteriosa acción. Me sorprendió este hombre escurridizo. Es demasiado grande para mí. ¿Qué podría decir para refutarlo?

G. — Entonces —dijo el discípulo *Zi Gong*—, ¿no podría ser este hombre el Sabio, del que se dice que está retirado y silencioso, que extiende su influencia por todas partes, que es tan poderoso como el trueno y tan profundo como el abismo, que actúa como el cielo y la tierra? Por favor, permíteme ir a verlo.

Con el permiso de Confucio, *Zi Gong* fue a ver a *Lao Dan*. Este último, tras mirarlo, dijo:

— ¡Yo soy muy viejo y tú eres muy joven! ¿Qué tienes que enseñarme?

Zi Gong dijo:

— Los tres grandes emperadores y los cinco grandes reyes no gobernaron de la misma manera, es cierto, pero todos los llaman Sabios. ¿Por qué sólo tú les niegas este título?

---

58   Cuántos golpes a Confucio, quien, ambicioso e intrigante, pretendía tener el secreto de la bondad y la equidad; pretendía monopolizar, para él y sus discípulos, el gobierno de los feudos y del imperio; etc.

— Acércate, muchacho, para que pueda verte más de cerca —dijo el viejo *Lao Dan*—. Así que dices que estos antiguos no gobernaban de la misma manera.

— Sin duda —dijo *Zi Gong*—. *Yao* abdicó. *Shun* nombró a *Yu* como su sucesor. *Yu* y *Tang* hicieron la guerra. El rey *Wen* se rindió ante el tirano *Zhou*. Por el contrario, *Cheng Wang* lo derrocó. ¿No son diferencias?

— Acércate, muchacho, para que pueda verte mejor —dijo de nuevo el viejo *Lao Dan*—. ¿Esto es todo lo que sabes de historia? Entonces, ¡escucha!

Huang Di organizó a su pueblo en un imperio, en el que hirió a la naturaleza; pero no se preocupó del resto, ni siquiera de lo que Confucio considera más esencial, como el luto por los padres muertos; en su época, si se realizaban ritos o no, nadie se preocupaba por eso.

Yao obligó a su pueblo a realizar ritos de duelo por sus padres, pero no se preocupó del resto.

Shun los presionó para que se reprodujeran. Por su comando, las mujeres debían tener un hijo cada diez meses; los niños debían hablar a los cinco meses y conocer a sus conciudadanos antes de los tres años. El exceso de trabajo introdujo la muerte prematura en el mundo.

Yu pervirtió completamente el corazón de los hombres. Legitimó el asesinato, declarando que en la guerra se mataba a los bandidos, no a los hombres, y que por tanto no había maldad. Luego se apoderó del imperio para su familia (lo hizo hereditario). A partir de entonces, el trastorno fue empeorando. Estaba en su apogeo cuando aparecieron los seguidores de Confucio y *Mo Zi*, que inventaron lo que llaman relaciones sociales, leyes matrimoniales, etc.

Y dices que los antiguos gobernaban el imperio. No, lo pusieron al revés. Arruinaron, con sus innovaciones, la base de toda estabilidad, la fuerte influencia del sol y la luna, de las montañas y los ríos, de las cuatro estaciones. Sus conocimientos artificiales eran más fatales que el aguijón de un escorpión, que el diente de una bestia. Y estos hombres que no han sabido reconocer las leyes de la naturaleza y del destino humano, ¡se arrogan el título de Sabios! ¡Esto es realmente demasiado descarado!

Zi Gong se quedó atónito e incómodo por este arrebato de *Lao Dan*.

H. Confucio le dijo a *Lao Dan*:

— Me he ocupado de las Odas, los Anales, los Ritos, la Música, las Mutaciones y las Crónicas. Me apliqué durante mucho tiempo al estudio de estos seis tratados, y me familiaricé con ellos. Hablé ante setenta y dos príncipes descarriados, exponiéndoles los principios de los antiguos gobernantes, los duques de *Zhou* y *Shao*, para su corrección. Ninguno de ellos aprovechó mis discursos. Es difícil persuadir a estas personas.

— ¡Qué suerte! —dijo *Lao Zi*—, ¡que ninguno de ellos te haya escuchado! Si lo hubieran hecho, habrían empeorado. Los seis tratados son todos basura, relatos de hechos que sucedieron en circunstancias que ya no existen, de gestos que estarían fuera de lugar en las circunstancias actuales. ¿Qué podemos deducir de una huella, excepto que fue hecha por un pie? ¿Quién? ¿Por qué? ¿Cómo? y otras circunstancias, la impresión no dice nada sobre todo esto. Lo mismo ocurre con las huellas que dejan los hechos en la historia; no nos hablan de la realidad tal y como era, viva y verdadera.

Cada tiempo tiene su naturaleza, como cada ser tiene la suya propia; una naturaleza a la que nada puede cambiar. Las garzas se fecundan mirándose, algunos insectos zumbando, otros son hermafroditas, otros hacen lo contrario. Sólo hay que dejar que lo hagan, cada especie según su naturaleza. La naturaleza no puede ser alterada, el destino no puede ser cambiado, el tiempo no puede ser detenido, la evolución no puede ser obstruida. Deja que todo siga su curso natural, y sólo tendrás éxito: ve en contra, y sólo tendrás fracaso.

Confucio se recluyó en su casa durante tres meses para meditar sobre esta lección. Al final de este tiempo, fue a *Lao Zi*.

— Ya lo entiendo —le dijo—. Los cuervos y las urracas empollan, los peces fecundan a sus crías, las avispas excavadoras nacen por transformación de una araña; los hombres tienen hijos sucesivos, el nacimiento de cada uno hace llorar al mayor. Durante mucho tiempo, yo, *Qiu*, me he mantenido al margen de la evolución natural, o incluso he intentado hacerla retroceder. Por eso no conseguí hacer evolucionar a la humanidad.

— Bien —dijo Lao Zi—. Ahora, *Qiu*, has encontrado la clave.

Capítulo 15 - Sabiduría y anquilosamiento

A. Tener ideas anquilosadas en el cerebro, y una alta opinión de la propia moral singular; romper con el mundo y apartarse de él; hablar en voz alta y criticar a los demás; en una palabra, comportarse como pedantes; esto es lo que hacen los que viven como anacoretas en los montes y en los valles, despreciando los caminos comunes, que acaban muriendo de hambre, o ahogados en algún torrente.

Hablar de bondad y equidad, de lealtad y fidelidad; practicar el respeto a los demás, la sencillez, la modestia; en una palabra, constreñirse en todo; esto es lo que hacen los que pretenden pacificar el mundo y mortificar a los hombres, ya sean maestros itinerantes o sedentarios. Exaltar sus méritos, trabajar para hacerse un nombre, discutir sobre los ritos y la etiqueta, querer regularlo todo, eso es lo que hacen los que frecuentan las cortes, políticos en busca de un amo al que servir, un principado que organizar, alianzas que mediar.

Retirarse a las aguas o a lugares solitarios, pescar con sedal o no hacer nada, eso es lo que hacen los amantes de la naturaleza y la ociosidad.

Respirar con moderación, evacuar el aire contenido en los pulmones y sustituirlo por aire fresco, ayudar a la propia respiración con gestos similares a los del oso trepador o el pájaro volador, esto es lo que hacen los que desean vivir una larga vida, los imitadores de *Peng Zu*.

Toda esta gente está loca. Hablemos ahora de los hombres serios.

B. Tener aspiraciones elevadas, sin prejuicios preconcebidos; aspirar a la perfección, pero no según el esquema bondad-equidad; gobernar sin pretender hacerse un nombre; no retirarse del mundo; vivir sin gimnasia respiratoria; tenerlo todo, y no hacer aspavientos por nada; atraer a todo el mundo, sin hacer nada por ello, éste es el camino del cielo y de la tierra, el camino que sigue el Sabio Daoísta.

El vacío, la paz, la satisfacción, la apatía, el silencio, la visión global, la no intervención[59], esta es la fórmula del cielo y la tierra, el secreto del Principio y su virtud. El sabio daoísta actúa de la misma manera. Tranquilo, sencillo, desinteresado, ninguna tristeza se cuela en su corazón, ninguna lujuria puede conmoverlo; su conducta es perfecta; sus espíritus vitales permanecen intactos. Durante toda su vida actúa como el cielo; al morir entra en la gran transformación. En reposo o en movimiento, comulga con el modo *yin* o *yang* del universo. No causa ni felicidad ni desgracia a los demás. Sólo se decide a actuar cuando se ve obligado, cuando no puede hacer otra cosa. Rechaza toda ciencia, toda tradición, todo precedente. Imita en todo el oportunismo indiferente del cielo. Así que no tiene nada que sufrir, ni del cielo, ni de los seres, ni de los hombres, ni de los fantasmas. Durante la vida navega según los acontecimientos; al morir se detiene. No piensa en el futuro, ni hace planes. Brilla sin deslumbrar; es fiel sin comprometerse. En el sueño no tiene sueños, en la vigilia no está melancólico. Sus espíritus vitales están siempre listos, su alma está siempre lista para actuar. Vacío, pacífico, contento, sencillo, comulga con la virtud celestial.

El dolor y la alegría son vicios similares, el afecto y el resentimiento son excesos similares; quien ama u odia, ha perdido el equilibrio. No conocer ni el disgusto ni el placer es el colmo de la virtud; ser siempre el mismo, sin cambios, es el colmo de la paz; no aferrarse a nada es el colmo del vacío; no tener relaciones con nadie es el colmo de la apatía; dejar ir, dejar ser, es el colmo del desinterés.

La fatiga muscular incesante desgasta el cuerpo; el gasto incesante de energía lo agota. Mira el agua. Por su naturaleza es pura y tranquila. Sólo es impura o agitada cuando se ve perturbada por la violencia. Es la imagen perfecta de la virtud celestial, la espontaneidad tranquila. Pureza sin mezcla, reposo sin alteración, apatía sin acción; movimiento conforme al del cielo, inconsciente, sin gasto de pensamiento o esfuerzo; esto es lo que preserva los espíritus vitales. El poseedor de una excelente espada de *Gan Yue* la guarda cuidadosamente en una vaina, y la utiliza sólo en las grandes ocasiones, para no usarla en vano. Curiosamente, la mayoría de los hombres se toman menos molestias para conservar su espíritu vital, que es más valioso que la mejor hoja de *Gan Yue*. Pues este principio de vida se extiende a todo, desde el cielo de arriba hasta la tierra de abajo, a las transformaciones de todos los seres, siendo tan insignificante que no se puede imaginar, confundiendo su acción con la del Soberano (el Soberano cósmico, el alma del mundo). La integridad y la pureza son las que preservan el alma y evitan que se desgaste. En su estado de integridad y pureza, comulga con la regla celestial (sinónimo del Soberano más Alto). De ahí los siguientes aforismos: los vulgares estiman la fortuna, los educados la reputación, los eruditos los cargos, el sabio la integridad de su espíritu vital; el principio de la vida es la pureza y la integridad que la preservan; la pureza significa la ausencia de

---

59   Compárese con el capítulo 13 A.

cualquier mezcla, la integridad significa la ausencia de cualquier déficit; aquel cuyo espíritu vital es perfectamente puro y no adulterado, es un verdadero Hombre.

Capítulo 16 - Naturaleza y convención

A. Pretender enmendar la naturaleza devolviéndola a su estado original, por medio de los estudios que se hacen en las escuelas actuales; querer regular las inclinaciones, iluminándolas con razonamientos clásicos, es mostrar una gran ceguera. Los antiguos sabios no conocían otra ciencia que la que emanaba espontáneamente de la calma de su naturaleza, la simple aprehensión de las cosas, que no los perturbaba. Su razón natural, derivada del Principio, funcionaba normalmente en su paz interior. Así nacieron estas sencillas nociones: bondad, soportar todas las cosas; equidad, ser razonable. La equidad fue respondida por la lealtad; la verdad franca produjo la alegría y su expresión la música; la confianza mutua produjo la cortesía y su expresión los ritos. Más tarde, al haber sido distorsionados, los ritos y la música se convirtieron en un elemento de perversión, como ocurre con todo lo que deja de ser conforme a la naturaleza.

Al principio, los hombres eran simples, como la naturaleza en sus inicios. Entonces no había ninguna perturbación en los movimientos naturales, ningún desorden de las fuerzas físicas. El curso de las estaciones era regular, ningún ser sufría, no había muertes intempestivas, ni teorías ni ciencias. Era la época de la unidad y la unión perfectas, del hombre con la naturaleza y de los hombres entre sí. Nadie intervenía en el orden natural. Todo seguía su curso de forma espontánea.

Sin embargo, llegó la decadencia. Comenzó con las instituciones de *Sui Ren* y *Fu Xi* (la producción artificial de fuego, las leyes del matrimonio y la familia), que parecían ser un paso adelante, pero inauguraron la ruina de la simplicidad y promiscuidad originales. La decadencia se acentuó en la época de *Shen Nong* y *Huang Di* (abandono de la vida nómada, agricultura, formación del Estado), aumentando el bienestar, pero a costa de la antigua espontaneidad. Se acentuó aún más cuando reinaron *Yao* y *Shun* e introdujeron la modificación sistemática (mediante leyes y escuelas), la práctica obligatoria de un bien llamado convencional. Este fue el fin de la moral primitiva. Desde entonces, los hombres sustituyeron el instinto innato por sus teorías, y la paz desapareció del imperio. Finalmente, el progreso de las letras y las ciencias completó la extinción de lo que quedaba de la simplicidad natural, y llenó las mentes de distracciones. Así pues, ahora todo no es más que desorden y perversión.

B. De esta reseña histórica se deduce que la adopción de la moral convencional fue la ruina de la moral primitiva, y que esta ruina de la naturaleza primitiva fue la ruina del mundo. Naturaleza y convención son dos contradicciones irreconciliables. Los seguidores de estos dos caminos no pueden convivir. Ni siquiera pueden entenderse, ya que no piensan ni hablan igual. Un sabio del partido de la naturaleza (daoísta) no necesitará ir a esconderse a las montañas y bosques; viviendo en medio de sus conciudadanos, será desconocido, porque es incomprendido. Esta situación no es reciente; se remonta a mucho tiempo atrás. Los antiguos Sabios, comúnmente llamados los Ocultos, no se hicieron invisibles, no mantuvieron la boca cerrada, no ocultaron deliberadamente su sabiduría. No se escondieron. Fue su total oposición a su tiempo lo que les hizo estar ocultos, pasar desapercibidos, ser desconocidos e incomprendidos. En los buenos tiempos podrían haber reformado el mundo, devolviéndole su simplicidad perdida. Pero los tiempos desfavorables se lo impidieron, así que se pasaron la vida guardando la noción de la perfección primitiva y esperando en paz.

Estos hombres no buscaban un conocimiento variado mediante disquisiciones sutiles, como hacen los sofistas de hoy; no querían saberlo todo ni ser capaces de hacerlo todo. Más bien, eran reservados, casi tímidos, y permanecían en su lugar, meditando sobre su naturaleza. El tema es lo suficientemente vasto como para ocupar a un hombre, y lo suficientemente difícil como para exigir reserva. Pretender ser maestros de la doctrina del Principio, con una ciencia y una conducta imperfecta, sería perjudicar a la doctrina, no servirla. Por lo tanto, trabajaron en su propia persona, alegrándose de su acercamiento a su meta. No soñaban, como los ambiciosos de nuestros días (confucianos), con rangos y distinciones. ¿Qué pueden hacer estas cosas artificiales por la perfección de la naturaleza? ¡Nada de nada! Incluso son una pobre satisfacción, porque son muy precarias, ya que quien las ha obtenido no puede estar seguro de que las conservará. Los Sabios son igualmente indiferentes en la fortuna y la angustia, ni se alegran ni se afligen por nada. Cuando una ganancia alegra a alguien, o una pérdida le entristece, es señal de que el objeto era amado por él; el afecto y aflicción son dos trastornos. Aquellos que entregan sus afectos a cualquier ser, que hacen violencia a sus instintos naturales por cualquier convención, estos están haciendo lo contrario de lo que deberían hacer. Deben seguir sólo su instinto, y vivir absolutamente desprendidos.

Capítulo 17 - La inundación de otoño

A. Era la época de la inundación de otoño. Cientos de ríos crecidos vertían sus aguas en el río Amarillo, cuyo lecho se había ensanchado tanto que, de una orilla a otra, no se podía distinguir un buey de un caballo. Esta visión deleitó al Genio del Río, que pensó que no había nada en el mundo mejor que sus dominios. Siguiendo la corriente, bajó al Mar del Norte. A la vista de sus aguas, que se extendían hacia el Este sin límites, observó que había algo mejor que sus dominios, y dijo con un suspiro al Genio del Mar:

— El adagio "el que sabe poco, se cree grande", se aplica a mi persona. He oído decir que había mejores que Confucio y sus héroes, pero no me lo creí. Ahora que he visto la extensión de tu imperio, también empiezo a creer que tu doctrina es superior a la de Confucio[60]. Hice bien en venir a que me enseñaras, de lo contrario los verdaderos eruditos habrían acabado riéndose de mí.

---

60   Escuela a orillas del río Amarillo. El Genio del Mar es daoísta. El Genio del Río es confuciano y se convertirá al daoísmo.

— Bienvenido —dijo el Genio del Mar—. Sí, la rana que vive en el fondo de un pozo no tiene idea de lo que puede ser el mar; sólo conoce su agujero. El ser efímero, nacido y muerto en verano, no sabe lo que es el hielo; sólo ha conocido una estación. Un erudito de mente estrecha como Confucio no sabe nada de la ciencia superior del Principio, embrutecido como está por los prejuicios de su casta. Habiendo salido de tu estrecho lecho, has visto el océano sin límites. Convencido ahora de tu imperfección, te has vuelto capaz de la ciencia superior. ¡Escucha entonces!… De todas las aguas, la más grande es el océano. Innumerables ríos vierten sus aguas en él sin cesar, sin aumentarlo. Fluye continuamente por el barranco oriental sin disminuir. No sube ni baja, como los grandes ríos; su nivel es siempre el mismo, inmutable. Así es mi imperio. Bueno, su inmensidad nunca me ha inspirado ningún orgullo. ¿Por qué no? Porque, en comparación con el cielo y la tierra, el cosmos físico, lo encuentro pequeño. Siento que no soy más que un guijarro, un arbusto en una montaña. Siendo tan pequeño, ¿por qué debería valorarme mucho? En comparación con el universo, los abismos de los cuatro océanos se reducen a pequeños agujeros en una superficie inmensa. Comparada con la tierra, nuestra China se reduce a las dimensiones proporcionales de un grano en un inmenso granero. Siendo la totalidad de los seres existentes expresada por el número diez mil, la humanidad sólo vale una unidad. De hecho, en ningún lugar de toda la tierra habitada, la proporción de hombres con respecto a otros seres supera esta cantidad. Así, la humanidad es a la masa del universo lo que un pelo es al cuerpo de un caballo. Esto es lo que tanto ha preocupado a los antiguos gobernantes, atormentado a los sabios y cansado a los políticos; se reduce a un feto. *Bo Yi*, el héroe confuciano, tiene fama de ser grande por el papel que representó en este pequeño escenario; y Confucio tiene fama de erudito, por haber declamado allí. Estos hombres se creían algo, porque no sabían nada mejor; igual que tú te creías el primero de los genios del agua, antes de haber visto el mar.

Recordando las discusiones de los sofistas de la época, sobre la noción de lo grande y lo pequeño, el Genio del río preguntó al Genio del mar:

— Así que a partir de ahora consideraré el universo como la expresión de la grandeza absoluta, y un cabello como el símbolo de la pequeñez absoluta, ¿no es así?

— No —dijo el Genio del Mar—, no es así. El universo actual no es la expresión de la grandeza absoluta. Pues esta cantidad no es constante. Varía en el curso del tiempo, en el curso de la evolución, según la génesis y el cese. Consideradas así, por la alta ciencia, las cosas cambian de aspecto, lo absoluto se vuelve relativo. Así, la diferencia entre lo grande y lo pequeño desaparece en la visión de la distancia infinita. La diferencia entre el pasado y el presente se borra igualmente, desapareciendo la anterioridad y la posterioridad, en la cadena ilimitada; y en consecuencia el pasado ya no inspira melancolía, y el presente ya no interesa. La diferencia entre la prosperidad y la miseria se desvanece igualmente, desapareciendo estas fases efímeras en la evolución eterna; y en consecuencia, el tener ya no causa placer, el perder ya no causa tristeza. Para los que ven desde esta distancia y altura, la vida ya no es una felicidad, la muerte ya no es una desgracia; porque saben que los períodos se suceden, que nada puede durar. El hombre ignora mucho más de lo que sabe. Comparado con el universo, es infinitamente pequeño. Concluir desde lo poco que sabemos, desde lo poco que somos, a lo que no sabemos, a la universalidad de los seres, es un proceso que no conduce a nada. Así que no utilices, en tus especulaciones, el pelo que eres, como patrón de pequeñez; y el cambiante cosmos, como patrón de grandeza.

Satisfecho por haber encontrado un maestro tan bueno, el Genio del Río continuó sus interrogatorios.

— Los filósofos afirman —dijo—, que un ser extremadamente atenuado se convierte en cero; y que el mismo extremadamente amplificado se convierte en infinito.

— Sí y no —dijo el Genio del Mar—. Las nociones de atenuación y amplificación extremas no se establecen claramente tomando como ejemplo el mismo ser. Lo extremadamente tenue concebible es la esencia abstracta. La base de la amplificación medible es la materia concreta. Esencia y materia son dos cosas diferentes, que coexisten en todo ser sensible, superior a cero. El cero es lo que el cálculo ya no puede dividir; el infinito es lo que los números ya no pueden abarcar. El habla puede describir la materia concreta, el pensamiento alcanza la esencia abstracta. Más allá de esto, las intuiciones metafísicas, los dictados interiores, que no son ni materia ni esencia, sólo se conocen por apreciación subjetiva. Siguiendo estas intuiciones inexpresables, el hombre superior hace muchas cosas de manera muy diferente al vulgo, pero sin despreciar a éste, porque no tiene las mismas luces. Son estos los que lo sitúan por encima del honor y la ignominia, por encima de las recompensas y los castigos. Le hacen olvidar las distinciones entre lo grande y lo pequeño, entre el bien y el mal. De ahí que se diga que el hombre del principio permanece en silencio; el hombre perfecto no busca nada; el gran hombre ya no tiene yo, pues ha unido todas las partes en una sola; una contemplación extática de la unidad universal.

Habiendo insistido de nuevo el Genio del río, para saber en qué se basan las distinciones entre lo noble y lo vil, lo grande y lo pequeño, etc., el Genio del mar respondió:

— Si consideramos a los seres a la luz del Principio, estas distinciones no existen, siendo todos uno. A sus propios ojos, los seres son todos nobles, y consideran a los demás como viles, en relación con ellos mismos; un punto de vista subjetivo. A los ojos del vulgo, son nobles o viles, según una determinada apreciación rutinaria, independiente de la realidad; siguiendo el punto de vista convencional. Considerados objetiva y relativamente, todos los seres son grandes en relación con los más pequeños que ellos mismos, todos son pequeños en relación con los más grandes que ellos mismos; el cielo y la tierra no son más que un grano, un cabello es una montaña. Considerados en términos de utilidad, todos los seres son útiles para lo que pueden hacer, todos son inútiles para lo que no pueden; Oriente y Occidente coexisten, por oposición, necesariamente, teniendo cada uno sus propias atribuciones que el otro no tiene. Por último, en relación con el gusto del observador, todos los seres tienen alguna faceta en la que agradan a algunos, y otra en la que desagradan a otros; tanto *Yao* como *Jie* tenían admiradores y detractores.

La abdicación no arruinó ni a *Yao* ni a *Shun*, pero sí al barón *Kuai*. La revuelta benefició a los emperadores *Tang* y *Wu*, mientras que perdió al duque *Bo*. Según el momento y las circunstancias, el resultado de las mismas acciones no es el mismo; lo que es conveniente para alguien o en determinadas circunstancias, no lo es para otro o en otras circunstancias. Lo mismo ocurre con la calificación de los actos; lo que es noble en alguien o en ciertas circunstancias será vil en otro o en otras circunstancias. Todo esto es relativo y variable.

Un ariete es lo mejor para abrir una muralla, mientras que para tapar un agujero sería un instrumento absolutamente inepto; los medios difieren. Los corceles del emperador *Mu*, que recorrían mil estadios al día, no habrían valido tanto como un gato si se hubiera tratado de atrapar una rata; las cualidades son diferentes. El búho cuenta sus plumas y recoge sus pulgas por la noche, mientras que a la luz del día no puede ver una montaña; las naturalezas son diferentes. A fortiori, nada es fijo en las cosas morales, la estima, la opinión, etc. Todo tiene un doble aspecto.

En consecuencia, querer el bien sin el mal, lo correcto sin lo incorrecto, el orden sin el desorden, es mostrar que no se entiende nada de las leyes del universo; es soñar con un cielo sin tierra, un *yin* sin un *yang*; el doble aspecto coexiste para todo. Querer distinguir, como entidades reales, estos dos correlativos inseparables, es mostrar una razón débil; el cielo y la tierra son uno, el *yin* y el *yang* son uno; y del mismo modo lo son los aspectos opuestos de todos los contrarios. De los antiguos gobernantes, algunos obtuvieron el trono por sucesión, otros por usurpación. Todos son llamados buenos gobernantes, porque actuaron de acuerdo con el gusto de la gente de su tiempo, y complacieron a su tiempo. Aquellos que actúan en el tiempo indebido, en contra del gusto de sus contemporáneos, son calificados como usurpadores. Medita en estas cosas, oh Genio del Río, y comprenderás que no hay ni grandeza ni pequeñez, ni nobleza ni bajeza, ni bien ni mal absoluto; sino que todas estas cosas son relativas, dependen de los tiempos y las circunstancias, de la apreciación de los hombres, de la oportunidad.

— Pero entonces —respondió el Genio del Río—, prácticamente, ¿qué debo hacer? ¿qué no debo hacer? ¿qué debo admitir? ¿qué debo rechazar? ¿hay, sí o no, una moral, una regla de la moral?

— Desde el punto de vista del Principio —replicó el Genio del Mar—, sólo hay una unidad absoluta, y aspectos cambiantes. Poner algo absoluto fuera del Principio sería errar en el Principio. Así que no hay moral absoluta, sino conveniencia oportunista solamente. En la práctica, sigue los tiempos y las circunstancias. Sé uniformemente justo como un príncipe gobernante, uniformemente benéfico como un dios de la tierra, uniformemente indiferente como un individual; abraza a todos los seres, pues todos son uno.

El Principio es inmutable, no tiene comienzo ni fin. Los seres son cambiantes, nacen y mueren, sin permanencia estable. Del no-ser pasan al ser, sin descanso en ninguna forma, en el curso de los años y los tiempos. Los comienzos y los finales, el crecimiento y la decadencia, se suceden. Esto es todo lo que podemos ver, en cuanto a la norma, la ley, que rige a los seres. Su vida pasa en el escenario mundial, como pasa ante nuestros ojos un caballo arrebatado. No hay ni un momento sin cambios, sin vicisitudes. Y te preguntas, ¿qué hacer? ¿Qué no hacer? Seguir el curso de las transformaciones, actuar según las circunstancias del momento, eso es todo lo que hay que hacer.

— Por último —dijo el Genio del Río—, por favor enséñame las ventajas de la inteligencia del Principio.

— Estas ventajas, dijo el Genio del mar, son las siguientes: Quien conoce el Principio, conoce la ley que se deriva de él, la aplica correctamente y, en consecuencia, es respetado por todos los seres. Al hombre cuya conducta es completamente sabia, el fuego no le quema, el agua no le ahoga, el frío y el calor no le dañan, las fieras no le hacen daño. No es que no tenga nada que temer de estos peligros. Sino que su sabiduría calcula tan bien que evita toda desgracia; conduciéndose con tal circunspección que ningún daño lo alcanza[61].

Esta sabiduría, que resulta del conocimiento del Principio, es lo que se ha llamado el elemento celestial (natural) en el hombre, por oposición al elemento humano (artificial). Este elemento celestial (naturaleza) debe predominar, si la acción ha de ser conforme a la perfección original.

— Por favor, hazme más sensible a la diferencia entre lo celestial y lo humano —insistió el Genio del Río.

— Contempla —dijo el Genio del Mar—. Los bueyes y los caballos son cuadrúpedos, eso es su elemento celestial (su naturaleza). Que tengan un bocado en la boca o un anillo en la nariz, eso es su elemento humano (artificial, antinatural). Lo humano no debe sofocar lo celestial, lo artificial no debe extinguir lo natural, el artefacto no debe destruir la entidad de la verdad. Restaurar la propia naturaleza es volver a la primera verdad del ser.

B. Un *Kui* (un animal fabuloso) con una sola pierna, le preguntó a un milpiés:

— ¿Cómo te las arreglaste para tener tantos pies?

El milpiés dijo:

— La naturaleza me hizo así, con un cuerpo central, y unas patas en forma de hilo alrededor; como un escupitajo, rodeado por sus flecos. Muevo mis resortes celestiales (lo que la naturaleza me dio), sin saber por qué ni cómo.

El milpiés le dijo a la serpiente:

— Sin un pie, te mueves más rápido que yo que tengo tantos; ¿cómo lo haces?

— No lo sé —dijo la serpiente—. Me deslizo con naturalidad.

La serpiente le dijo al viento:

— Yo avanzo por medio de mis vértebras y mis costados; tú no tienes ninguno, y sin embargo vas del Mar del Norte al Mar del Sur más rápido que yo deslizándote; ¿cómo lo haces?

---

61   Así que no invulnerabilidad, como se interpretó más tarde; sino, una prudencia tan grande que logra eludir todo peligro.

— Soplo con naturalidad —dijo el viento—, hasta romper árboles y derribar casas. Pero vosotros, pequeños seres, no tengo ningún control sobre vosotros, me domináis. Sólo un ser no está dominado por nada; es el Sabio, poseedor del Principio.

C. Confucio pasó por *Kuang*, y una tropa armada de hombres de *Song* lo rodeó de tal manera que era imposible escapar. Confucio tomó su laúd y se puso a cantar. Su discípulo *Zi Lu* le preguntó:

— Maestro, ¿cómo puedes estar tan alegre, en las circunstancias actuales?

— Hice lo que pude para evitar esta aventura —dijo Confucio—; por lo tanto, no es culpa mía, sino del destino. También hice lo que pude para abrirme paso; si no lo conseguí, no fue por mi negligencia, sino por la desgracia de los tiempos. Bajo el mando de *Yao* y *Shun*, ninguno de los Sabios de aquella época se vio reducido al extremo que ahora me afecta, no por su mayor prudencia, sino porque el destino era entonces favorable a todos. Bajo *Jie* y *Zhou*, ninguno de los Sabios de la época se abrió paso, no por su menor capacidad, sino porque el destino era entonces desfavorable para todos… No temer a los monstruos marinos es la valentía de los pescadores. No temer a las bestias feroces, es la valentía de los cazadores. No temer a las espadas desenvainadas, mirar con el mismo semblante la muerte y la vida, es la valentía de los guerreros… Saber que ninguna felicidad llega sino a su tiempo, que toda desgracia está escrita en el destino, y en consecuencia no temer ni siquiera ante el peligro inminente, sino confiar estoicamente en el destino, esa es la valentía del Sabio. Tú, espera un momento, y verás lo que está escrito en mi destino.

Unos instantes después de que el sabio hablara así, el jefe de los hombres de armas se acercó y dijo

— Te habíamos confundido con un tal *Yang Hu*, al que tenemos que arrestar; por favor, disculpa nuestro error… Y se fueron[62].

D. *Gong Sun Long* el sofista, le dijo al Príncipe *Mou* de *Wei*:

— Siendo joven, primero estudié la doctrina de los antiguos gobernantes de las tradiciones clásicas; luego profundicé en la cuestión de la bondad y la equidad (confucianismo); luego examiné las semejanzas y las desemejanzas, las sustancias y los accidentes, el sí y el no, lo lícito y lo ilícito (la lógica, la moral); llegué al fondo de las teorías y los argumentos de todas las escuelas, y me creí realmente muy fuerte, cuando un tal *Zhuang Zhou* me aturdió y confundió. No sé si fue un defecto de mi dialéctica o un déficit de mi ciencia; pero el caso es que yo, el sofista retórico, me quedé mudo ante él, incapaz de responder y sin atreverme a cuestionarlo.

El príncipe *Mou* tomó asiento, lanzó un suspiro, levantó los ojos al cielo, sonrió y dijo:

— ¿Conoces la historia de la rana en el viejo pozo, y la tortuga en el mar del este? Qué feliz soy en mi pozo —le dijo la rana a la tortuga—; puedo saltar sobre

---

62   Este fragmento es la contrapartida daoísta de un texto confuciano. En realidad, Confucio creía que iba a escapar, porque se veía a sí mismo como el arca destinada a salvar los ritos y otras antigüedades. Aquí actúa por puro fatalismo.

el brocal, acurrucarme en los agujeros entre los ladrillos, nadar en la superficie, zambullirme en el barro; de todos los habitantes de este pozo, larvas, renacuajos, ninguno puede hacer tanto como yo; así que prefiero mi pozo a tu mar; prueba un poco sus encantos... Para complacer a la rana, la tortuga lo intentó. Pero una vez que metió la pierna derecha en el pozo, le fue imposible meter la izquierda, tan estrecho era el pozo. Después de sacar la pata, le dio a la rana la siguiente información sobre el mar. — Tiene una longitud de más de mil estadios. Es más profundo que la altura de mil hombres parados uno encima del otro. En tiempos del emperador *Yu*, en diez años hubo nueve inundaciones; toda esta agua desembocó en el mar, sin que éste aumentara. En la época del emperador *Tang*, en ocho años hubo siete sequías; no entró agua en el mar y, sin embargo, éste no experimentó la más mínima disminución. Duración, cantidad, estos términos no se aplican al mar. Esta inmovilidad constante es el encanto de mi vivienda... — Al oír estas palabras, la rana del pozo se mareó y perdió la cabeza. — Y tú que, sin conocer bien la diferencia entre el sí y el no, estás examinando las afirmaciones de *Zhuang Zhou*, ¿no eres como la rana que intentó comprender el mar? Estás tratando de hacer lo que no puedes hacer. Es como lograr que un mosquito acarree una montaña, o intentar que una lombriz luche contra un torrente. ¿Qué oyes en el sublime lenguaje de este hombre? ¡Rana del viejo pozo! Desciende a los manantiales subterráneos y sube al firmamento. Se extiende más allá del espacio, insondablemente profundo, inconmensurablemente misterioso. Sus reglas dialécticas y distinciones lógicas no son instrumentos proporcionados a tal objeto. Es como si quisieras besar el cielo con un tubo, o cortar la tierra con un punzón. — Vete ahora y no preguntes más, no sea que te ocurra lo mismo que a esos hijos de *Shou Ling*, que fueron enviados a educarse a *Han Dan*. Desaprendieron la ruda forma de caminar de *Shou Ling*, y no aprendieron la distinguida forma de caminar de *Han Dan*; de modo que regresaron a su tierra natal caminando a cuatro patas. No pidas más, pues olvidarías tus vulgares conocimientos de sofista, sin llegar a comprender nada de la ciencia superior de *Zhuang Zhou*.

Gong Sun Long, tras escuchar esta perorata con la boca abierta y sacando la lengua, huyó consternado.

E. Mientras *Zhuang Zhou* pescaba en las orillas del río *Pu*, el rey de *Chu* le envió a dos de sus grandes oficiales para ofrecerle el cargo de ministro. Sin levantar el sedal, sin apartar la vista de su flotador, *Zhuang Zhou* les dijo

— He oído decir que el rey de *Chu* conserva preciosamente en el templo de sus antepasados el caparazón de una tortuga trascendental, sacrificada, para que sirva para la adivinación, hace tres mil años. Díganme, si le hubieran dado a elegir, ¿habría preferido esta tortuga morir para que su caparazón fuera honrado, o habría preferido vivir arrastrando la cola en el barro de los pantanos?

— Habría preferido vivir arrastrando la cola en el barro de los pantanos —dijeron los dos grandes oficiales, al unísono.

— Entonces —dijo *Zhuang Zhou*— vuelvan al lugar de donde vinieron; yo también prefiero arrastrar mi cola en el barro del pantano. Seguiré viviendo oscura pero libremente; no quiero una carga, que a menudo le cuesta la vida al portador, y que siempre le cuesta la paz.

F. Siendo *Hui Zi* ministro del principado de *Liang*, *Zhuang Zhou* fue a visitarlo. Alguien hizo creer a *Hui Zi* que *Zhuang Zhou* venía con la intención de suplantarlo. Inmediatamente, *Hui Zi* ordenó una búsqueda de tres días y tres noches en todo el principado con el fin de apresarlo. *Zhuang Zhou*, que aún no había entrado en *Liang*, no fue capturado, pero se enteró de eso. Más tarde, habiendo encontrado a *Hui Zi*, le dijo:

— ¿Conoces este pájaro del sur, que se llama *argus*? Cuando vuela del sur al norte, sólo se posa en los árboles de *eleococca*, sólo se alimenta de las semillas del árbol de *melia*, sólo bebe de los manantiales más puros. Sin embargo, un día que pasaba volando, un búho que devoraba un ratón de campo muerto en un campo temió que luchara por su carroña y lanzó un grito para intimidarlo. El ministro de *Liang* hizo lo mismo conmigo.

G. *Zhuang Zhou* y *Hui Zi* se recreaban en el puente de un arroyo. *Zhuang Zhou* dijo:

— ¡Mira cómo saltan los peces! Ése es el placer de los peces.

— Tú no eres un pez —dijo *Hui Zi*—; ¿cómo sabes cuál es el placer de los peces?

— Tú no eres yo —dijo *Zhuang Zhou*—, ¿cómo sabes que no conozco el placer de los peces?

— Yo no soy tú —dijo *Hui Zi*— y, en consecuencia, no sé todo lo que tú sabes o no sabes, te lo concedo; pero, en cualquier caso, sé que no eres un pez, y queda establecido, por tanto, que no sabes lo que es el placer de los peces.

— Estás atrapado —dijo *Zhuang Zhou*—. Volvamos a tu primer pregunta. Me preguntaste: "¿Cómo sabes cuál es el placer de los peces?" Con esta frase admitiste que yo lo sabía; pues no me hubieras preguntado el cómo de lo que sabías que yo no sabía. Y ahora, ¿cómo lo sabía? Por observación directa, en el puente del arroyo. Una forma desconocida para los sofistas de la época, charlatanes que no observaban nada.

CAPÍTULO 18 - LA ALEGRÍA PERFECTA

A. ¿Existe, o no, un estado de perfecta satisfacción bajo el cielo? ¿Hay o no hay una manera de hacer que la vida del cuerpo dure? Para lograrlo, ¿qué debemos hacer, qué debemos evitar? ¿Qué debemos utilizar y de qué debemos abstenernos?

El vulgo busca su satisfacción en las riquezas, las dignidades, la longevidad y la estima de los demás; en el descanso, la buena comida, la buena ropa, la belleza, la música y cosas similares. Teme la pobreza, la oscuridad, la vida breve y la falta de respeto de los demás; la privación del descanso; busca la buena comida, la buena ropa, las buenas vistas y los sonidos. Si no consigue estas cosas, se aflige y se entristece… ¿No es una tontería relacionar todo con el cuerpo? Algunas de estas cosas son incluso externas y ajenas al cuerpo; como las riquezas acumuladas más allá del uso que uno pueda darles, las dignidades y la estima de los demás. Y sin embargo, el hombre vulgar agota sus fuerzas y se tortura por estas cosas día y noche. En verdad, las preocupaciones nacen con el hombre y lo siguen durante toda su vida; incluso en el aturdimiento de la vejez, el miedo a la muerte no lo abandona. Sólo los oficiales militares no temen a la muerte, y son estimados por el pueblo llano por ello; con razón o sin ella, no lo sé; pues, si su valentía les priva de la vida, preserva la de sus conciudadanos; hay pros y contras. Los funcionarios civiles que atraen la muerte por sus censuras impertinentes, en cambio, son culpados por el vulgo; con razón o sin ella, no lo sé; pues, si su franqueza les priva de la vida, les asegura la gloria; hay pros y contras. En cuanto al hombre común, confieso que no entiendo cómo se puede obtener satisfacción de lo que lo hace feliz; el hecho es que los objetos que lo hacen feliz no me hacen feliz a mí. Para mí, la felicidad consiste en la inacción, mientras el hombre vulgar lucha. Es cierto el adagio que dice: la suprema satisfacción es no tener nada que satisfacer; la suprema gloria es no ser glorificado. Cada acto es discutido, y será calificado como bueno por unos, malo por otros. Sólo lo que no se ha hecho, no se puede criticar. La inacción es la satisfacción suprema, eso es lo que mantiene el cuerpo vivo. Permítanme apoyar mi afirmación con un ejemplo ilustre. El cielo debe su claridad a la no acción, la tierra debe su estabilidad a la no acción; juntas, estas dos no acciones, la celestial y la terrenal, producen todos los seres. El cielo y la tierra, dice el refrán, lo hacen todo sin hacer nada. ¿Dónde está el hombre que se las arregla para no hacer nada? Este hombre también podrá hacer de todo.

B. Cuando la esposa de *Zhuang Zhou* murió, *Hui Zi* fue a llorarla, según la costumbre. Encontró a *Zhuang Zhou* agachado, cantando, y golpeando el ritmo en un cuenco, que sostenía entre las piernas. Sorprendido, *Hui Zi* le dijo:

— Que no llores la muerte de la mujer que fue la compañera de tu vida y que te dio hijos es bastante extraño; pero que cantes y toques el tambor ante su cadáver es demasiado.

— En el momento de su muerte me sentí por un momento afectado —dijo *Zhuang Zhou*—. Luego, reflexionando sobre el evento, comprendí que no era necesario. Hubo un tiempo en que este ser no había nacido, no tenía cuerpo organizado, ni siquiera tenía un lugar de materia tenue, sino que estaba contenido indistintamente en la gran masa. Un giro de esta masa le dio su materia tenue, que se convirtió en un cuerpo organizado, que se animó y nació. Otra vuelta de la masa, y murió. Las fases de la muerte y la vida se suceden, como los períodos de las cuatro estaciones. La que fue mi esposa duerme ahora en el gran dormitorio (el intermedio del cielo y la tierra), a la espera de su nueva transformación. Si la llorara, parecería no saber nada del destino (de la ley universal e ineludible de las transformaciones). Pero como sé algo al respecto, no la lloro.

C. *Zhi Li* y *Hua Ji* (personajes ficticios) contemplaban juntos las tumbas de los antiguos, dispersas en la llanura al pie de las montañas de *Kun Lun*, donde *Huang Di* se estableció y encontró su descanso. De repente, ambos se dieron cuenta de que tenían ántrax en el brazo izquierdo (una enfermedad que solía ser mortal en China). Tras el primer momento de sorpresa. *Zhi Li* preguntó:

— ¿Te asusta?

— ¿Por qué debería asustarme? —respondió *Hua Ji*—. La vida es una cosa prestada, un estado pasajero, una etapa en el polvo y la suciedad de este mundo. La muerte y la vida se suceden, como el día y la noche. Y entonces, ¿no acabamos de contemplar, en las tumbas de los antiguos, el efecto de la ley de transformación? Cuando esta ley nos llega a nuestro turno, ¿por qué deberíamos quejarnos?

D. En su camino hacia el reino de *Chu, Zhuang Zhou* vio, al lado del camino, un cráneo tirado, demacrado pero intacto. Acariciándolo con su fusta, le preguntó:

— ¿Moriste por bandolerismo o por devoción a tu país? ¿Por mala conducta o por miseria? ¿O moriste de forma natural, habiendo llegado tu hora?

Luego, tras recoger la calavera, la usó como almohada la siguiente noche.

A medianoche se le apareció la calavera en un sueño y le dijo:

— Me has hablado al estilo de los sofistas y retóricos, como quien tiene por verdaderas las cosas humanas. Ahora, después de la muerte, estas cosas se terminan. ¿Quieres que te hable del más allá?

— Con mucho gusto —respondió *Zhuang Zhou*.

La calavera dijo:

— Después de la muerte, ya no hay superiores ni inferiores, ni estaciones ni obras. Es el descanso, el tiempo constante del cielo y la tierra. Esta paz supera la felicidad de los reyes.

— ¡Bah! —dijo *Zhuang Zhou*—, si obtuvieras del gobernador del destino (el Principio) que tu cuerpo, huesos, carne y piel; que tu padre, madre, esposa, hijos, pueblo y conocidos te fueran devueltos, creo que no te enfadarías.

La calavera le miró con sus cuencas oculares hundidas, hizo una mueca de desprecio y dijo

— ¡No! No renunciaría a mi paz real, para volver a la miseria humana.

E. Habiendo partido *Yen Yuan*, el discípulo amado, hacia el principado de *Qi*, Confucio se veía triste. El discípulo *Zi Gong* se levantó de su estera y dijo:

— ¿Me atrevo a preguntarte por qué te entristece este viaje de *Hui*?

— Te lo diré —respondió Confucio—. Una vez, *Guan Zi* dijo estas palabras, que siempre me han parecido muy ciertas: "Una bolsa pequeña no puede contener un objeto grande; una cuerda corta no puede llegar al fondo del pozo". Sí, la capacidad de cada ser está incluida en su destino, nada se le puede quitar, nada se le puede añadir. Por eso temo que si, siguiendo sus convicciones y su celo, *Hui* expone al marqués de *Qi* las teorías de *Yao* y *Shun*, de *Huang Di*, de *Sui Ren*, de *Shen Nong*, éste, hombre de capacidad limitada, verá en sus discursos una crítica a su gobierno, se enfadará y le dará muerte.

El oportunismo es el único factor de éxito. No todo se adapta a todo el mundo. No hay que juzgar a los demás por uno mismo. Una vez un pájaro marino voló hasta las puertas de la capital de *Lu*. Como el fenómeno era extraordinario, el marqués pensó que tal vez se trataba de un ser trascendente que visitaba su principado. Por lo tanto, fue en persona a buscar el pájaro y lo llevó al templo de sus antepasados, donde le dio un banquete. Ante él se interpretó la sinfonía *Giu Shao* del emperador *Shun*. Le ofrecieron el gran sacrificio, un buey, una cabra y un cerdo. Sin embargo, el pájaro, con ojos demacrados y mirada angustiada, no tocó la carne picada ni probó el vino. Después de tres días, murió de hambre y sed. El marqués, juzgando los gustos del pájaro por los suyos propios, lo había tratado como se trataba a sí mismo, y no como se trata a un pájaro. Un ave marina necesita espacio, bosques y llanuras, ríos y lagos, peces para su alimentación, libertad para volar a su manera y posarse donde le plazca. Oír hablar a los hombres era un tormento para esta pobre ave; cuánto más la música que le tocaban, y todo el movimiento que hacían a su alrededor. Si la sinfonía *Giu Shao* de *Shun*, o incluso la sinfonía *Xian Chi* de *Huang Di*, se tocara en las orillas del lago *Dong Ting*, los pájaros levantarían el vuelo, los cuadrúpedos huirían, los peces se sumergirían en las profundidades de las aguas y los hombres escucharían maravillados. Esto se debe a que los peces viven en el agua y los hombres mueren en ella. Siendo la naturaleza de los seres diversa, sus gustos no son los mismos. Incluso entre los hombres hay diferencias, y lo que gusta a unos no gusta a otros. Por lo tanto, los antiguos sabios no suponían que todos los hombres tuvieran la misma capacidad, y no empleaban a cualquiera para cualquier cosa. Clasificaban a los hombres según sus obras y los trataban según sus resultados. Esta evaluación justa de los individuos es la condición de todo éxito. Si *Yen Hui* aprecia correctamente al marqués de *Qi* y le habla en consecuencia, tendrá éxito; de lo contrario, perecerá.

F. Mientras *Lie Zi*, que estaba de viaje, tomaba su comida al lado del camino, vio una vieja calavera[63], la recogió y le dijo

— Tú y yo sabemos lo que es la muerte y la vida; que esta distinción no es real, sino sólo modal; que no es necesario decir de ti que descansas, y de mí que me muevo; la rueda que gira y las transformaciones se suceden sin cesar. Los gérmenes de la vida son numerosos e indeterminados. Así un germen se convertirá en una hoja de lenteja de agua si cae en un estanque, en una alfombra de musgo si se arroja en una colina. Al subir, el musgo se convierte en la planta *Wu Tu*, cuyas raíces se convierten en gusanos, cuyas hojas se convierten en mariposas. Estas mariposas producen una larva, que vive bajo los fogones, y se llama *Qu Tuo*. Después de mil días, esta *Qu Tuo* se convierte en el pájaro *Qian Wu Gu*, cuya saliva da origen al insecto *Si Mi*. Este se convierte en *Shi Xi*, luego *Mou Rui*, luego *Fu Kuan*... Las plantas *Yang Xi* y *Bu Sun* son dos formas alternas. De los viejos bambúes surge el insecto *Qing Ning*, que se convierte en leopardo, luego en caballo y después en hombre. El hombre entra en el telar de la incesante revolución universal. A su vez, todos los seres salen del gran telar cósmico, para volver a él en su momento; y así sucesivamente[64].

---

63   Compárese *Lie Zi*, cap. 1 E, y arriba, párrafo D.

64   Transformismo daoísta; comparar *Lie Zi*, cap. 1 E. Ni muerte ni vida, sino gérmenes indestructibles, que constituyen individuos; sino transformación continua de las formas de la envoltura sensible de estos individuos.

CAPÍTULO 19 - EL SENTIDO DE LA VIDA

A. Quien ha penetrado en el sentido de la vida, ya no se afana por lo que no contribuye a la vida. Quien ha penetrado en la naturaleza del destino, ya no busca escudriñar esa entidad inescrutable. Para mantener el cuerpo, hay que utilizar los medios adecuados, pero no en exceso, pues cualquier exceso es inútil. Además, hay que esforzarse por mantener el espíritu vital, sin el cual el cuerpo está condenado. El ser vivo no puede oponerse a su vivificación (cuando nace); tampoco puede oponerse a que un día (cuando muera) se le retire la vida. El hombre común imagina que para conservar la vida basta con mantener el cuerpo. Se equivoca. Además, y sobre todo, es necesario evitar el desgaste del espíritu vital, lo que es prácticamente imposible entre las preocupaciones del mundo. Por lo tanto, para conservar y mantener la vida, hay que abandonar el mundo y sus preocupaciones. Es en la tranquilidad de una existencia regulada, en comunión pacífica con la naturaleza, donde se encuentra una renovación de la vitalidad, una renovación de la vida. Este es el fruto de la comprensión del sentido de la vida.

Repitamos: es el abandono de las preocupaciones y los asuntos lo que preserva la vida; porque este abandono preserva el cuerpo de la fatiga y el espíritu vital del desgaste. Aquel cuyo cuerpo y espíritu vital están intactos y preparados, está unido a la naturaleza. Ahora la naturaleza es la madre-padre de todos los seres. El ser se forma por condensación; se deshace por disipación, para convertirse en otro ser. Y si, en el momento de esta disipación, su cuerpo y su espíritu vital están intactos, es capaz de transmigrar. Quintaesenciado, se convierte en colaborador del cielo[65].

B. *Lie Zi* preguntó a *Yin* (*Yin Xi*), el guardián del paso, confidente de *Lao Zi*:

— El hombre superior penetra en todos los cuerpos (piedra, metal, dice el comentario) sin experimentar ninguna resistencia por parte de ellos; no se quema con el fuego; ninguna altitud le produce vértigo; ¿por qué razón es esto así, dime?

— Sólo porque —dijo *Yin*—, ha mantenido puro e intacto el espíritu vital original recibido en su nacimiento; no por ningún proceso, ninguna fórmula. Siéntate, te lo explicaré. Todos los seres materiales tienen su propia forma, figura, sonido y color. De estas diversas cualidades provienen sus enemistades mutuas (el fuego destruye la madera, etc.). En el estado primordial de unidad e inmovilidad universal, estas oposiciones no existían. Todas ellas se derivan de la diversificación de los seres, y de sus contactos causados por el giro universal. Ellos cesarían si la diversidad y el movimiento cesaran, que dejan de afectar de inmediato al ser que ha reducido a casi nada su ser individual y su movimiento particular. Este ser (el sabio daoísta perfecto) ya no entra en conflicto con ningún otro ser, porque está establecido en lo infinito, borrado en lo indefinido. Ha alcanzado y se encuentra en el punto de partida de las transformaciones, un punto neutro en el que no se pro-

---

65   Es decir, dice el comentario, que pasa de la categoría de seres influidos por el cielo y la tierra, a la masa que influye en el cielo y la tierra, al gran todo como parte integrante. La noción daoísta de cooperación con el cielo puede compararse con la noción india de repliegue en *Brahman*.

ducen conflictos (que sólo se dan en determinados caminos). Por la concentración de su naturaleza, por la alimentación de su espíritu vital, por la reunión de todos sus poderes, se ha unido al principio de todas las génesis. Siendo su naturaleza completa, su espíritu vital intacto, ningún ser puede tocarlo.

Por ejemplo, si un hombre que está absolutamente borracho se cae de un coche, puede resultar magullado, pero no muerto. ¿Por qué? ¿Son sus huesos y articulaciones diferentes a los de otros hombres? No, pero en el momento de la caída, el espíritu vital de este hombre, concentrado por la inconsciencia, estaba absolutamente intacto. En el momento de la caída, en vista de su inconsciencia, la idea de la vida y la muerte, el miedo y la esperanza, no movieron el corazón de este hombre. Él mismo no se puso rígido, y el suelo no era duro para él, por lo que no se rompió ningún miembro. Este borracho debía la integridad de su cuerpo a su estado de embriaguez. Así, el Sabio perfecto se conservará intacto por su estado de unión con la naturaleza. El Sabio está oculto en la naturaleza, por lo que nada puede dañarlo.

Sin embargo, quien es herido no debe culpar a lo que le ha herido; debe culparse a sí mismo, ya que su vulnerabilidad es una prueba de imperfección. Un hombre razonable no culpa a la espada que le hirió, o a la teja que le cayó encima. Si todos los hombres contemplaran su imperfección como la causa de sus desgracias, habría una paz perfecta, el fin de las guerras y los tormentos. Sería el fin del reinado de esta falsa naturaleza humana (naturaleza artificial inventada por los políticos), que ha llenado el mundo de bandidos; sería el comienzo del reinado de la verdadera naturaleza celestial (naturaleza natural), fuente de todas las buenas acciones. No reprimir la propia naturaleza, no creer a los hombres, es el camino para volver a la verdad (a la integridad original).

C. Cuando Confucio se dirigía al reino de *Chu*, salió de un bosque y vio a un jorobado que atrapaba las cigarras al vuelo, con una varilla[66], con la misma seguridad que se atrapa un objeto con la mano.

— Eres muy inteligente —dijo Confucio—, cuéntame tu secreto.

— Mi secreto —dijo el jorobado—, es este: Durante unos seis meses practiqué mantener varias bolas equilibradas en el extremo de mi varilla. Cuando conseguí equilibrar dos de ellas, se me escapaban pocas cigarras. Cuando conseguí equilibrar tres, sólo se escapaba una de cada diez. Cuando conseguí que balancear cinco, no fallé con ninguna más. Mi secreto es concentrar todas mis energías en el objetivo. He dominado mi brazo, todo mi cuerpo, para que no sientan más emoción o distracción que un trozo de madera. En el vasto universo lleno de cosas, sólo veo la cigarra que quiero coger. Ya que hay nada que me distraiga, naturalmente la atrapo.

Dirigiéndose a sus discípulos, Confucio dijo:

— Unificar las intenciones; tener una sola intención, que se funde con la energía vital; este es el resumen del discurso de este jorobado.

---

66   Los comentaristas lo explican de dos maneras. Las pinchaba en el aire, dicen algunos, lo que es difícilmente creíble. El extremo de la varilla estaba recubierto de pegamento, dicen otros, lo que es más probable. Compárese con *Lie Zi*, cap. 2 J.

D. *Yen Yuan*, el discípulo favorito, le dijo a Confucio:

— Mientras cruzaba los rápidos *Shang*[67], el barquero maniobró su bote con una habilidad maravillosa. Le pregunté:

— ¡Cómo consigues maniobrar tan bien!

— Un nadador —dijo—, lo aprende fácilmente; un buceador lo sabe sin haberlo aprendido...

— ¿Qué significa esta respuesta, que no entendí?

— Aquí está el significado —dijo Confucio (hablando como un maestro daoísta)—: Un nadador piensa poco en el agua, ya que está familiarizado con sus peligros, que ya no teme; un buceador no piensa en absoluto en ella, ya que está en el agua como en su elemento. La sensación de peligro afecta poco al nadador, que tiene un uso casi completo de sus facultades naturales. Como el buceador no se ve afectado por la sensación de peligro en absoluto, se encuentra completamente a gusto en el agua y, en consecuencia, la gobierna perfectamente.

En el tiro con arco, si el premio ofrecido es un objeto de barro cocido de escaso valor, el arquero no será influenciado y tendrá libre uso de toda su habilidad. Si el premio es un broche de bronce o de jade para el cinturón, al estar perturbado el arquero, su disparo será menos seguro. Si el premio ofrecido es un objeto de oro, su tiro, fuertemente influenciado, será bastante incierto. En cada caso el mismo hombre, con la misma habilidad, pero más o menos afectado por un objeto externo. Cualquier distracción aturde e irrita.

E. El duque *Wei de Zhou*, recibiendo a *Tian Kai Zhi* en audiencia, le dijo:

— He oído que tu maestro *Zhu Xian* estudió el problema de la conservación de la vida. Por favor, repíteme lo que le oiste decir sobre este tema.

— ¿Qué puedo decirte? —dijo *Tian Kai Zhi*—. ¡Yo era un barrendero en la casa de *Zhu Xian*[68]!

— No me evadas, maestro *Tian* —dijo el duque—; quiero estar satisfecho.

Entonces *Tian Kai Zhi* dijo:

— *Zhu Xian* dijo que, para preservar la propia vida, hay que hacer como los pastores, que, cuando una oveja se extravía, la azotan para que se reúna con el rebaño, donde está a salvo.

— ¿Qué significa eso? —dijo el duque.

— Eso es todo —dijo *Tian Kai Zhi*—. En el principado de *Lu*, un tal *Shan Bao* pasaba su vida en las montañas, bebiendo sólo agua, sin tener contacto con los hombres. Gracias a esta dieta, a los setenta años, seguía tan fresco como un niño. Un tigre hambriento le salió al encuentro y lo devoró... El doctor *Zhang Yi* era uno de los más hábiles médicos. Ricos y pobres competían por sus consultas. A la edad de cuarenta años, murió de una fiebre contagiosa, que cogió junto a la cama de un paciente... *Shan Bao* curó su espíritu vital, pero dejó que su cuerpo fuera devorado por un tigre. *Zhang Yi* curó su cuerpo, pero dejó que la fiebre destruyera su espíritu

---

67   Compárese *Lie Zi*, cap. 2 H.

68   Humildad ritual del discípulo, que debe temer hacer mal a su maestro tergiversando su enseñanza.

vital. Ambos se equivocaron al no azotar a sus ovejas (no velar por su seguridad). Confucio dijo: "Ni demasiado aislamiento, ni demasiada relación; el equilibrio correcto es la sabiduría". Cuando, en un paso peligroso, los accidentes ocurren con bastante frecuencia, los hombres se advierten unos a otros, pasan sólo en grupo y con el debido cuidado. Mientras que no se advierten los peligros inherentes a la conducta o la dieta excéntrica. ¡Esto no es razonable!

F. El funcionario encargado de los sacrificios, habiendo ido a visitar el corral de los cerdos destinados al sacrificio, en pleno traje oficial, pronunció el siguiente discurso a estos animales:

— ¿Por qué mueren con tan mala gracia, cuando vuestra muerte les trae tantas ventajas y honores? Los engordo durante tres meses. Antes del sacrificio, guardo diez días de continencia y tres de abstinencia por ustedes. Tras el sacrificio, dispongo vuestros miembros en un bello orden, sobre alfombras blancas, en los aparadores tallados. ¿No se equivocan al poner tan mala cara?

Si este hombre hubiera pensado realmente en el bien de los cerdos, habría dejado que vivieran en su corral hasta el final de sus días, aunque fuera con paja y salvado como alimento. Pero pensaba en su propio bien, en su cargo, en sus emolumentos, en su funeral como funcionario tras su muerte. Como era feliz porque tenía lo que era bueno para él, pensó que los cerdos debían ser felices aunque fueran tratados de forma antinatural. Ilusión óptica causada por el egoísmo.

G. El duque *Huan* de *Qi* estaba cazando cerca de un pantano, con el ministro *Guan Zhong* conduciendo su carro. De repente, el duque vio un espectro. Colocando su mano sobre la de *Guan Zhong* dijo:

— ¿Lo ves? —preguntó en voz baja.

— No veo nada —dijo el ministro.

Cuando regresó a su palacio, el duque comenzó a delirar, dijo que estaba enfermo y no salió de su habitación durante varios días. Entonces el oficial *Gao Ao* (de sangre imperial) le dirigió el siguiente discurso:

— Sólo estás enfermo de terror; un espectro no puede dañar a un personaje como tú. Cuando se ha gastado demasiado espíritu vital en un ataque de pasión (ira o terror), se produce un déficit. Cuando el espíritu vital acumulado en la parte superior del cuerpo (exceso de *yang*) no puede descender, el hombre se vuelve irascible. Cuando el espíritu vital acumulado en la parte inferior del cuerpo (exceso de *yin*) no puede subir, el hombre se vuelve olvidadizo. Cuando el espíritu vital acumulado en el centro no puede subir o bajar, entonces el hombre se siente enfermo (su corazón está obstruido, dice la glosa). Este es tu caso: demasiada concentración. ¡Debes distraerte!

— Tal vez —dijo el duque—, pero, dime, ¿no hay espectros?

— Sí, los hay —dijo el oficial—. Está el *Li* de las alcantarillas, el *Jie* de las salas de calderas, el *Lei Ting* de los estercoleros. Al noreste están el *Bei A* y el *Wa Long*;

al noroeste, el *Yi Yang*. En las aguas, está el *Wang Xiang*; en las colinas, el *Zhen*; en las montañas, el *Kui*; en las estepas, el *Fang Huang*; en los pantanos, el *Wei Tuo*[69].

— ¡Ah! —dijo el duque, que había visto a su espectro cerca de un pantano—, ¿qué aspecto tiene el *Wei Tuo*?

— Es grueso —dijo *Gao Ao*— como un eje, largo como el poste de un carro, vestido de púrpura y con un tocado rojo. No le gusta el rodar de los carros. Cuando lo oye, se levanta y se tapa los oídos. Su aspecto es espléndido. Quien lo ha visto se convierte en un hegemón (la gran ambición del duque de *Qi*).

— Ah —dijo el duque, riendo a carcajadas—, fue realmente un *Wei Tuo* el espectro que vi.

Inmediatamente comenzó a vestirse, sin dejar de hablar con el oficial. Antes de la noche, se encontró completamente curado, por sugestión, sin haber tomado ninguna medicina[70].

H. *Ji Xing Zi* entrenó un gallo de pelea para el emperador *Xuan*, de la dinastía *Zhou*[71]. Al cabo de diez días, cuando le preguntaron por ello, respondió:

— El adiestramiento aún no se ha completado; el animal sigue siendo vanidoso y voluntarioso.

Diez días después, al ser interrogado de nuevo, dijo:

— Todavía no; el animal sigue respondiendo al cacareo de los otros gallos, y se emociona al verlos.

Diez días después, al ser interrogado de nuevo, dijo:

— Todavía no; es demasiado apasionado, demasiado nervioso.

Diez días después, al ser interrogado de nuevo, dijo:

— ¡Está listo! El canto y la vista de sus compañeros no le conmueven más que si fuera de madera. Ningún gallo podrá hacerle frente[72].

I. Confucio estaba admirando la catarata de *Lu Liang*[73], que cae desde una altura igual a treinta veces la altura de un hombre; producía un torrente espumoso en un canal de cuarenta estadios de largo, tan turbulento que ni las tortugas, los caimanes, y ni siquiera los peces podían retozar en él. De repente, Confucio vio a un hombre nadando entre los remolinos. Confundiéndolo con un hombre desesperado que había intentado ahogarse, le dijo a sus discípulos que siguieran la orilla, para sacarlo del agua, si era posible. Unos cientos de pasos más abajo, el hombre salió él mismo del agua, se desató el pelo para secarlo y comenzó a caminar, cantando. Confucio se unió a él y dijo:

---

69   Folclore de la época. El *Wei Tuo*, alias *Wei Yi*.
70   La salud y la cordura son el resultado del perfecto equilibrio de la naturaleza. Los espectros son subjetivos, no objetivos, la exteriorización de trastornos internos, como sueños, alucinaciones, etc.
71   Compárese *Lie Zi*, capítulo 2 Q.
72   Significado: Está concentrado en uno, en una cosa. Su actividad reentrante está fusionada con su principio vital.
73   Compárese *Lie Zi*, capítulo 2 I.

—Casi te tomé por un ser trascendente, pero ahora veo que eres un hombre. ¿Cómo puede uno moverse en el agua con tanta facilidad? Por favor, cuéntame tu secreto.

— No tengo ningún secreto —dijo el hombre—. Empecé nadando metódicamente; luego se convirtió en algo natural para mí; ahora floto como un ser acuático; soy uno con el agua, bajando con el remolino, subiendo en el remolino. Yo sigo el movimiento del agua, no mi propia voluntad. Ese es mi secreto… Quería aprender a nadar, ya que nací al borde del agua. A fuerza de nadar, se convirtió en algo natural para mí. Desde que he perdido toda noción de lo que hago para nadar, estoy en el agua como en mi elemento, y el agua me sostiene porque soy uno con ella.

J. El escultor *Qing* realizó, un soporte para un conjunto de campanas y gongs, cuya armoniosa belleza sorprendió a todos. El marqués de *Lu* fue a admirarlo y le preguntó a *Qing* cómo lo había hecho.

— Lo hice así —dijo *Qing*—, cuando se me encargó la ejecución de este soporte, me apliqué a concentrar todas mis fuerzas vitales, a reunirme enteramente en mi corazón. Después de tres días de este ejercicio, me había olvidado de los elogios y emolumentos que me depararía mi trabajo. Después de cinco días, ya no esperaba el éxito, ni temía el fracaso. Después de siete días, habiendo perdido la noción de mi cuerpo y de mis miembros, habiendo olvidado por completo a su Alteza y a sus cortesanos, estando todas mis facultades concentradas en su objeto, sentí que había llegado el momento de actuar. Me adentré en el bosque y me puse a contemplar las formas naturales de los árboles, el porte de los más perfectos. Cuando comprendí plenamente este ideal, sólo entonces me puse a trabajar. Eso fue lo que dirigió mi trabajo. Es a través de la fusión en uno, de mi naturaleza con la de los árboles, que este soporte ha adquirido las cualidades que lo hacen admirado.

K. *Dong Ye Ji* se presentó ante el duque *Zhuang*, para mostrarle su carruaje y su talento como conductor. Sus caballos avanzaban y retrocedían sin desviarse lo más mínimo de la línea recta. Describían, por la derecha o por la izquierda, circunferencias tan perfectas como si hubieran sido trazadas con un compás. El duque admiró esta precisión, y luego, queriendo asegurarse de su constancia, pidió a *Ji* que diera cien vueltas seguidas, en una pista determinada. *Ji* fue lo suficientemente tonto como para aceptar. *Yen He*, que vio, de pasada, este paseo forzado, le dijo al duque:

— Los caballos de *Ji* estarán agotados.

El duque no respondió. Poco después, de hecho, los caballos de *Ji* tuvieron que ser retirados de la pista. Entonces el duque preguntó a *Yen He*:

— ¿Cómo pudiste prever lo que pasaría?

— Porque —dijo *Yen He*—, vi a *Ji* espoleando caballos ya cansados[74].

L. El artesano *Chui* dibujaba, a mano alzada, circunferencias tan perfectas como si se hubieran trazado con un compás. Esto se debe a que las dibujaba sin pensar en

---

74   Todo esfuerzo es contra natura. Nada que vaya contra la naturaleza puede durar, porque va contra la naturaleza, y sólo la naturaleza dura.

ellas; en consecuencia, sus círculos eran perfectos como los productos de la naturaleza. Su mente estaba concentrada en uno, sin preocupaciones ni distracciones.

Un zapato es perfecto cuando el pie no lo siente. Un cinturón es perfecto cuando la cintura no lo siente. Un corazón es perfecto cuando, habiendo perdido la noción artificial del bien y del mal, hace naturalmente el bien y se abstiene naturalmente del mal. Una mente es perfecta cuando no tiene percepción interna, sin tendencia a nada externo. La perfección es ser perfecto sin saber que se es perfecto (Naturaleza, más inconsciencia).

M. *Sun Xiu* fue a ver al maestro *Bian Qing Zi* y le hizo este extraño discurso:

— Se me ha dado injustamente la fama de inútil, de mal ciudadano. Ahora bien, si mis tierras no rinden, es porque los años han sido malos; si no he hecho nada por mi príncipe, es porque he perdido la oportunidad. Y ahora ya no me quieren, ni en el pueblo ni en la ciudad. ¡Oh, cielo! ¿Qué he hecho para provocar un destino así?

— El hombre superior —dijo *Bian Zi*— se olvida de sí mismo, tanto que no sabe si tiene vísceras y sentidos o no. Está fuera del polvo y la suciedad de este mundo, lejos de los asuntos de los hombres. Actúa sin pretender el éxito y gobierna sin querer dominar. ¿Es así como te has comportado? ¿No has hecho más bien gala de tus conocimientos hasta el punto de ofender a los ignorantes? ¿No has hecho alarde de tu superioridad, y has buscado brillar, incluso hasta eclipsar al sol y a la luna, alejando así a todo el mundo? Y después de eso, ¡le echas la culpa al cielo! ¿No te ha dado el cielo todo lo que te conviene, un cuerpo bien formado, una vida normal y lo demás? ¿No es al cielo a quien le debes el no ser sordo, ciego o cojo, como tantos otros? ¿Qué derecho tienes a culpar al cielo? ¡Sigue tu camino!

Cuando *Sun Xiu* se fue, *Bian Zi* se sentó, se recompuso, miró al cielo y suspiró.

— ¿Qué te pasa, Maestro? —preguntaron sus discípulos.

Bian Zi dijo:

— Le conté a *Sun Xiu* sobre las cualidades del hombre superior. Es demasiado fuerte para él. Puede perder la cabeza.

— No tes preocupe, maestro —dijeron los discípulos—. *Sun Xiu* tiene razón o no. Si tiene razón, se dará cuenta, y lo que has dicho no le causará ninguna impresión desagradable. Si se equivoca, lo que ha dicho le atormentará, y volverá para aprender más, lo que será beneficioso para él.

— De todas formas, me equivoqué —dijo *Bian Zi*—. No debes decirle a un hombre lo que tú mismo entiendes, si él no es capaz de entenderlo… Una vez el Príncipe de *Lu* hizo ofrendas y dio un concierto a un ave marina que había caído a las puertas de su ciudad[75]. El pájaro murió de hambre, sed y terror. El príncipe debería haberla tratado, no a su manera, sino a la de los pájaros; entonces el resultado habría sido diferente, favorable y no fatal. Actué como el Príncipe de *Lu*, cuando hablé con ese tonto de *Sun Xiu* sobre el hombre superior. Conducir un ratón en una carroza con caballos, dar a una codorniz un concierto de campanas y tambores, es asustar a estas pequeñas criaturas. Debo haber asustado a *Sun Xiu*.

---

75   Compárese el capítulo 18 E.

Capítulo 20 - Oscuridad voluntaria

A. Mientras Zhuang Zhou cruzaba las montañas, vio un gran árbol de largas y frondosas ramas. Un leñador que estaba cortando madera cerca de allí no tocaba ese árbol.

— ¿Por qué no? —preguntó *Zhuang Zhou*.

— Porque su madera no sirve para nada —dijo el leñador.

Por lo tanto, el hecho de que no sirva para nada permitirá que este árbol viva hasta su muerte natural —concluyó *Zhuang Zhou*.

Después de cruzar las montañas, *Zhuang Zhou* fue recibido por una familia amistosa. Contento de volver a verlo, el dueño de la casa le pidió a su criado que matara un pato y lo cocinara.

— ¿Cuál de nuestros dos patos debo matar? —preguntó el criado—, ¿el que puede graznar o el que es mudo?

— El mudo —dijo el amo.

Al día siguiente, el discípulo que acompañaba a *Zhuang Zhou* le dijo

— Ayer perdonaron a este árbol, porque no servía para nada; hoy degollaron a este pato, porque no podía graznar; así que, ser capaz o incapaz, ¿qué salva?

— Depende del caso —dijo *Zhuang Zhou*, riendo—. Sólo una cosa salva en todos los casos; es haberse elevado al conocimiento del Principio y de su acción, y por lo tanto permanecer en la indiferencia y la abstracción. El hombre que ha llegado a este punto presta tan poca atención a los elogios como a las culpas. Sabe levantarse como el dragón y caer como la serpiente, plegándose a las circunstancias sin empecinarse en nada. Tanto si su posición es alta como baja, se adapta a su entorno. Retoza en el seno del ancestro de todas las cosas (el Principio). Dispone de todos los seres como le parece, sin ser afectuoso con ningún ser. Pase lo que pase, no teme nada. Eso dijeron *Shen Nong* y *Huang Di*. Los políticos de hoy en día (Confucio y sus discípulos) hacen lo contrario, y por eso experimentan retrocesos. Tras la condensación, la disipación; tras el éxito, la ruina. La fuerza llama al ataque, la elevación atrae a la crítica, la acción no está exenta de déficits, el consejo de la sabiduría es despreciado, nada es estable ni duradero. Recuerda, oh discípulo, que el único fundamento sólido es el conocimiento del Principio y su acción (indiferencia y abstracción).

B. El incorruptible *Xion Yiliao*, habiendo visitado al marqués de *Lu*, notó que estaba triste y le preguntó la razón.

— Es porque —dijo el marqués—, mientras he estudiado las reglas de los antiguos y he procurado hacer honor a mis predecesores; mientras he venerado a los Manes y honrado a los Sabios, personal y constantemente, soy afligido, golpe tras golpe, por toda clase de desgracias.

— Esto no me sorprende —dijo *Xion Yiliao*—. Los medios que has empleado no te preservarán. Piensa en el zorro y el leopardo. Estos animales pueden retirarse a las profundidades de los bosques y a las cuevas de las montañas, saliendo sólo de noche y con mucho cuidado, soportando el hambre y la sed antes que aventurarse en lugares habitados; pero siempre acaban pereciendo en una red o en una trampa. ¿Por qué los cazan? Por su hermoso pelaje, que los hombres codician. Pero tú, Alteza, el Marquesado de *Lu*, eres la misma piel que codician sus vecinos. Si quieres encontrar la paz, despréndete de ella voluntariamente, apaga todos los deseos de tu corazón, retírate a la soledad. En el país de *Nan Yue*, hay una ciudad llamada la Sede de la Sólida Virtud. Sus habitantes son ignorantes y frustrados, sin intereses propios ni deseos. Producen, pero no acaparan; dan, pero no exigen que se les devuelva. No hay etiqueta ni ceremonia entre ellos. Sin embargo, a pesar de su aspecto salvaje, practican las grandes leyes naturales, celebran los nacimientos y lloran las muertes. Marqués, deja tu marquesado, renuncia a la vida vulgar; ¡vamos a vivir juntos allí!

— Está muy lejos —dijo el marqués—, el camino es difícil, hay que cruzar montañas y ríos, no tengo ni barca ni carro.

Xion Yiliao dijo:

— Si te desprendieras de tus dignidades, si no te importara tu país, si desearas ir allí, tu deseo te llevaría.

— Está muy lejos —dijo el marqués—. ¿Cómo voy a conseguir provisiones? ¿Cómo puedo desprenderme de mis compañeros?

Xion Yiliao dijo:

— Si no te importaran tus lujos, si no estuvieras apegado a tu bienestar, no te preocuparías por las provisiones; te confiarías a los ríos, al mar, sin temer siquiera perder de vista la tierra; y tener que abandonar a tus compañeros no te haría retroceder. Pero ya veo, amo de tus súbditos, que tus súbditos son tus amos, pues te preocupas por ellos. No eres un *Yao*, que nunca consideró a nadie como su súbdito, y nunca fue súbdito de nadie. He tratado de curarte de tu melancolía; pero no eres hombre para emplear el único remedio eficaz, que consiste, después de abandonarlo todo, en unirse al Principio, en la abstracción. Mientras uno conserve la noción de su personalidad, sus conflictos con los de los demás impedirán la paz. Es como un transbordador que cruza un río. Si una barca vacía a la deriva en el río lo golpea, aunque sean irascibles, los barqueros no se enfadarán, porque nadie ha entrado en conflicto con ellos, al estar la barca vacía. Si, por el contrario, hay una persona en la embarcación, los gritos e insultos saldrán inmediatamente del transbordador. ¿Por qué? Porque ha habido un conflicto entre personas... Un hombre que ha sabido despojarse de su personalidad puede viajar por todo el mundo sin experimentar ninguna confusión.

C. Un tal *She* recibió el encargo del duque *Ling* de *Wei* de recaudar el dinero necesario para fundar un campanario. Se instaló en un montículo a la entrada de la ciudad. Después de tres meses, las campanas se fundieron y se colgaron. *Qing Ji*, de la sangre imperial de los *Zhou*, preguntó a *She*:

— ¿Cómo lograste tener tanto éxito y tan rápidamente?

She dijo:

— He tenido cuidado de no hacer nada. ¿No dice el refrán que no vale cincelar y pulir, sino dejar que la naturaleza haga su trabajo? Con el aspecto más indiferente, sin prestarles atención, dejé que la gente lo hiciera espontáneamente, como lo hace la naturaleza. Vinieron, trayendo sus ofrendas, sin que yo los llamara, y se fueron sin que yo los detuviera. No dije nada, ni a los que me desagradaban ni a los que me agradaban. Todos dieron lo que pudieron o quisieron, y yo lo tomé sin comentarios. Así que todo se desarrolló sin problemas. La misma forma de hacer las cosas haría que la empresa más considerable (el gobierno de un principado o un imperio, dice el comentario) tuviera el mismo éxito.

D. Después de que Confucio hubiera estado bloqueado durante siete días con sus discípulos en la frontera de los principados de *Chen* y *Cai*, y hubiera estado a punto de perecer de hambre, el gran duque *Ren* le ofreció sus condolencias en estos términos:

— Maestro, esta vez has visto la muerte de cerca.

— Sí —dijo Confucio.

— ¿Te ha asustado?

— Sí —dijo Confucio.

— Entonces —dijo el Gran Duque *Ren*—, te daré la receta que preserva de los peligros de la muerte… En la orilla del mar oriental se encuentra el pájaro *Yi Dai*, que vive en bandadas. Ninguno de ellos confía en sí mismo, siempre vuelan apoyándose unos en otros. En perfecto orden, ninguno deja la bandada, ni para avanzar, ni para retroceder. Cuando comen, es también como una tropa, ninguno de ellos se aparta para arrebatar un mejor bocado, cada uno picotea en su propio lugar. Este bello orden les protege contra los animales y contra los hombres, contra todos los accidentes. Así es el hombre, que vive como y con los demás, que no se aparta, como tú Confucio. Para evitar la desgracia, también hay que tener cuidado de no asignar cualidades o talentos extraordinarios, como haces tú. El árbol más recto será el primero en ser talado. El pozo con el agua más dulce será el primero en secarse. Tu ciencia asusta a los ignorantes, tus luces ofenden a los tontos. No acapares el sol y la luna. Son tus pretensiones las que te traen la desgracia. Una vez escuché esto de un hombre de gran mérito: "Presumir es cerrar el camino a la fortuna; si ya tienes mérito y renombre, te robarán. Desaparecer, esconderse en la masa, eso brinda seguridad…" Seguir la corriente sin distinguirse, ir por el camino sin hacerse notar, modestamente, con sencillez, hasta el punto de parecer vulgar; borrar el recuerdo de los propios méritos y hacer olvidar la propia reputación; éste es el secreto de vivir en paz con los hombres. El hombre superior busca la oscuridad. ¿Por qué buscas la notoriedad?

— Gracias —dijo Confucio.

Entonces, interrumpiendo sus relaciones ordinarias, después de despedir a sus discípulos, Confucio se escondió entre los juncos de un pantano, se vistió con pieles y se alimentó de bellotas y castañas. Con el tiempo volvió tan perfectamente al estado de la naturaleza que su presencia ya no asustaba a los cuadrúpedos y a los pájaros. Incluso los hombres lo encontraban soportable.

E. Un día Confucio le dijo al maestro *Sang Hu*:

— He sido expulsado dos veces del principado de *Lu*. En *Song* cortaron el árbol que me cobijaba. Yendo hacia *Wei*, me detuvieron entre *Chen* y *Cai*. Tuve que huir del peligro en *Shang* y *Zhou*. Como resultado de estas sucesivas desgracias, mis amigos se han alejado de mí, mis discípulos me han abandonado. ¿Qué he hecho para que me pase todo esto?

Sang Hu dijo:

— Conoces la historia de *Lin Hui*, que en la derrota de *Jia*, huyó, arrojando su cetro de jade que valía mil lingotes de oro, pero llevando a su espalda a su pequeño hijo. Ciertamente, el cetro valía más que el niño; el niño era más difícil de salvar que el cetro; sin embargo, *Lin Hui* se llevó al niño y abandonó el cetro. ¿Por qué lo hizo? Porque sólo el interés lo ataba al cetro, mientras que la naturaleza lo ataba al niño. Ahora bien, el interés es un vínculo débil, que la desgracia desata. Mientras que la naturaleza es un vínculo fuerte, que resiste todas las pruebas. Lo mismo ocurre con la amistad interesada y la amistad trascendente. El hombre superior, más bien frío, atrae; el vulgar, aunque cálido, repele. Las relaciones que no tienen una razón de ser profunda, se rompen a medida que se forman. Ahora sólo eres un hombre vulgar, y el interés es el único vínculo que te une a tus discípulos. Por lo tanto, su apego cesa con la adversidad.

— Te lo agradezco —dijo Confucio.

Se retiró pensativo, cerró su escuela y dejó los libros. Sus discípulos, al ser despedidos, ya no se inclinaban reverencialmente ante él, sino que empezaban a estimarlo.

En otra ocasión *Sang Hu* dijo:

— Cuando estaba a punto de morir, *Shun* le dijo a *Yu* lo siguiente: "¡Ten cuidado! El afecto que se basa sólo en las formas corporales no es sólido. Para ser sólido, el afecto debe tener razones serias como fundamento. Ser amado a la fuerza no sirve de nada. La ascendencia conquistada por las verdaderas cualidades es la única duradera. Uno es fiel a un hombre así, no por su belleza, ni por sus favores, sino por su valor intrínseco."

F. Vestido con una túnica de tela remendada, sus zapatos atados a los pies con cuerdas, *Zhuang Zhou* se reunió con el rey de *Wei*.

— En qué tribulación os veo, maestro —dijo el rey.

— Excúsame, rey —dijo *Zhuang Zhou*—, es pobreza, no tribulación. Quien posee el conocimiento del Principio y su acción nunca está en la tribulación. Puede experimentar la pobreza si nace en tiempos infelices… Como un mono, en un bosque de hermosos árboles de largas y suaves ramas, retoza con tal agilidad, que ni yo ni *Peng Meng* (un famoso arquero) podríamos acertarle. Pero cuando tiene que trepar por árboles achaparrados y espinosos, ¡cuánto menos ágil es su paso! Sin embargo, es el mismo animal; los mismos huesos, los mismos tendones. Sí, pero las circunstancias se han vuelto desfavorables, impidiéndole hacer libre uso de sus medios… Así tendrá que sufrir el Sabio nacido bajo un príncipe estúpido rodeado de ministros incapaces. Este fue el caso de *Bin Gan*, cuyo corazón fue arrancado por el tirano *Zhou Xin*.

G. Cuando Confucio estuvo bloqueado entre *Chen* y *Cai*, durante siete días, sin posibilidad de cocinar ningún alimento, tomó en su mano izquierda un trozo de madera seca, y lo golpeó con su mano derecha con una rama muerta, cantando la oda del Maestro *Piao*. Música sin tono ni medida, el murmullo natural del corazón herido, que recuerda al de la tierra desgarrada por la reja del arado.

Yen Hui, su discípulo favorito, se quedó en una postura desesperada, con los brazos cruzados, mirando a su maestro. Temiendo que se exaltara demasiado, Confucio le dijo:

— *Hui*, resignarse a las pruebas naturales es fácil. Permanecer indiferente a los favores de los hombres es difícil. No hay principio que no vaya seguido de un final. El hombre es uno con el cielo. Yo que canto ahora, ¿quién soy?[76]

Yen Hui, sin entender, pidió una explicación:

— ¿Qué significa "Resignarse a las pruebas naturales es fácil", maestro?

Confucio dijo:

— El hambre, la sed, el frío, el calor, la pobreza, los obstáculos y las contradicciones, todo esto está incluido en la evolución cósmica, en la ley de las transformaciones; todo hombre, por tanto, encuentra estas cosas en su camino, y debe resignarse a ellas. Un inferior no debe rebelarse contra las disposiciones de su superior. ¡Cuánto más corresponde a todo hombre el deber de sumisión en relación con el cielo!

Yen Hui preguntó:

— ¿Qué significa "Permanecer indiferente a los favores de los hombres es difícil"?

Confucio dijo:

— Un hombre con un cargo atrae los honores y el dinero, todo se confunde. Bienes externos, que no añaden nada a su valor moral, que no cambian nada en su destino. Quien se deja seducir por ellos, del rango de sabio, cae al nivel de los ladrones (a quienes el dinero tienta). Ahora bien, vivir en medio de riquezas y honores, sin dejarse seducir por las riquezas y los honores, es muy difícil. En esta situación, el sabio necesita la circunspección de la golondrina. Este pájaro nunca se posa en un lugar que su agudo ojo haya juzgado inseguro. Cuando ha perdido su presa, no se detiene ni regresa, sino que continúa su vuelo a la carrera. Vive entre las viviendas de los hombres, pero siempre desconfiando de sus habitantes.

Yen Hui continuó preguntando:

— ¿Qué significa "No hay principio que no vaya seguido de un final"?

Confucio dijo:

— Puesto que todos los seres cambian constantemente de forma, siendo desconocido el dador de estas formas y siendo misteriosas las reglas que sigue, ¿qué

---

76   En realidad, no tengo una personalidad estable. No sé quién o qué fui, ni conozco en qué o quién me convertiré. Sucesión de salidas y reentradas desde y hacia el gran conjunto.

puede saberse de su fin, qué puede saberse del nuevo comienzo que seguirá a este fin? Así que sólo tenemos que esperar lo que va a pasar, manteniendo una actitud correcta.

Yen Hui preguntó nuevamente:

— ¿Qué significa "El hombre es uno con el cielo"?

Confucio dijo:

— Ser hombre es ser cielo (parte de la norma universal). Lo que impide que el hombre sea el cielo (fundido en la masa con pérdida de su personalidad) es su propia actividad. Así que el Sabio se abstiene de actuar y se abandona a la evolución, que al final lo absorberá en el gran todo.

H. Mientras *Zhuang Zhou* estaba cazando furtivamente en el parque reservado de *Diao Ling* un gran pájaro llegó volando desde el sur. Sus alas medían dos metros de largo. Sus ojos tenían más de una pulgada de circunferencia. Voló tan cerca de *Zhuang Zhou* que su ala rozó su cabeza, y finalmente descendió en un bosquecillo de castaños. *Zhuang Zhou* corrió tras él, amartillando su ballesta. En el sombreado tronco de un árbol, una cigarra se tomaba un descanso, absorta en su música. Una mantis carnívora la atacó. El gran pájaro se abalanzó sobre ambas, dando a *Zhuang Zhou* la oportunidad de dispararle. Mientras lo recogía, pensó para sí mismo cómo el egoísmo y el antagonismo llevan a los seres, que son todos de la misma naturaleza, a destruirse mutuamente. Al salir del bosque, el guardia estuvo a punto de atraparlo por caza furtiva.

Cuando volvió a casa, *Zhuang Zhou* se encerró durante tres meses. Su discípulo *Lin Zi* le preguntó la razón de este largo confinamiento, y dijo

— Aproveché este tiempo para convencerme de que, para vivir mucho tiempo, no hay que pelearse con los demás, sino hacer y pensar como todo el mundo. Siempre batallando, finalmente acabas siendo derrotado a tu vez. Lo aprendí del gran pájaro y el guardabosques de *Diao Ling*[77].

I. El maestro *Yang* (*Yang Zhu*) fue al principado de *Song* y pasó la noche en una posada. El posadero tenía dos mujeres, una hermosa y la otra fea. La fea era amada, la bella no.

— ¿Por qué? —preguntó el maestro Yang.

— Porque —dijo una sirvienta— la bella, sabiendo que es bella, posa, de modo que ignoramos deliberadamente su belleza; mientras que la fea, sabiendo que es fea, actúa inconspicuamente, de modo que ignoramos deliberadamente su fealdad.

— ¡Recuerden esto, discípulos! —dijo el Maestro *Yang*—. Destacarse, sin lucir la propia excelencia, es la conducta que hace que uno sea amado en todas partes.

---

77   La cigarra, la mantis, el pájaro, el arquero y el guardia, representan las escuelas filosóficas y políticas de la época, siempre en guerra y en lucha. La cigarra es Confucio, hipnotizado por su monótona divagación. La mantis contemplativa y mordaz es *Lao Zi*. Los tres meses de retiro de *Zhuang Zhou* no lo cambiaron. Siguió siendo rebelde y combativo.

Capítulo 21 - Acción trascendente

A. Tian Zifang, que asistía al marqués Wen de Wei, citaba a menudo a Xi Gong.

— ¿Era tu maestro? —preguntó el marqués.

— No —dijo *Tian Zifang*—. Venimos del mismo pueblo. A menudo me ha sorprendido la precisión de sus discursos. Por eso lo cito.

— Entonces —dijo el marqués—, ¿no habéis tenido ningún maestro?

— Claro que tuve uno —dijo *Tian Zifang*.

— ¿Quién? —preguntó el marqués.

— El maestro *Shun* del suburbio oriental.

— Si era tu maestro —dijo el marqués—, ¿por qué no lo citas nunca?

— Porque —dijo *Tian Zifang*—, este hombre no habla. Es un hombre trascendente. Es el cielo en forma humana. Vacío de toda contingencia, medita en su interior su trascendencia. Es amable con todos, y cuando alguien no actúa como debe, se lo señala con su actitud correcta, y así le corrige sin palabras. Puedes ver que no puedo citar a este hombre.

Cuando *Tian Zifang* salió, el marqués *Wen* se quedó atónito y no dijo una palabra durante el resto del día. Entonces mandó llamar a sus confidentes ordinarios y les dijo:

— Qué diferente a nosotros, es el hombre de la virtud perfecta. Hasta ahora había creído que el estudio de las palabras de los sabios y eruditos, y la práctica de la bondad y la equidad, eran todo un ideal (confucianismo). (Pero desde que oí hablar del maestro de *Tian Zifang*, estoy completamente derrotado y como paralizado, ya no puedo abrir la boca. Todo lo que he aprendido hasta ahora no es sólido. El marquesado, cuyas preocupaciones me impiden dedicarme al daoísmo, se ha vuelto odioso para mí.

B. El maestro *Xue*, Conde de *Wen* (daoísta), en su camino desde el sur hacia *Qi*, pasó por la capital de *Lu*, la tierra de Confucio, donde varias personas pidieron verle…

— ¿De qué sirve? —dijo—. Los eruditos de este país sólo estudian los ritos convencionales, no la naturaleza humana. No quiero verlos.

Cuando regresó de *Qi*, el maestro *Xue* se detuvo de nuevo en *Lu*, y las mismas personas pidieron verle de nuevo. Así que los recibió en la habitación de invitados, y luego volvió a su piso con un suspiro. Al día siguiente, otra visita, otro suspiro después de la visita. El discípulo que servía al maestro *Xue* estaba intrigado y le preguntó:

— ¿Por qué suspiras así cada vez que tienes visitas?

— Porque —dijo el maestro *Xue*—, cada vez estoy más convencido de que los eruditos de este país, muy versados en los ritos convencionales, no entienden la naturaleza humana. Mis visitantes hicieron sus entradas y salidas de la forma más estudiada y medida, con aires de dragones y tigres. Entonces, en lugar de preguntarme nada, me reprocharon como maestros y me sermonearon como padres (superiores). Por eso he suspirado.

Confucio (en proceso de conversión al daoísmo, y representado aquí como más perspicaz que los demás eruditos de *Lu*,) también fue a ver al maestro *Xue*, y se retiró sin haberle dicho una palabra...

— ¿Por qué guardaste silencio? —preguntó su discípulo *Zi Lu*...

— Porque —dijo Confucio—, me bastó con mirar a este hombre. La ciencia superior (la trascendencia) brota de sus ojos y penetra con su mirada; las palabras no pueden expresarlo.

C. *Yen Yuan* (su discípulo más querido) le dijo a Confucio (completamente convertido al daoísmo):

— Maestro, cuando caminas al paso, te sigo al paso; cuando trotas, te sigo al trote; cuando galopas, te sigo al galope; pero cuando despegas y te alejas del suelo, entonces sólo puedo seguirte con la mirada.

— Explícate, *Hui* —dijo Confucio.

— Contempla —dijo *Yen Hui*—. El paseo es tu discurso; puedo seguirlo. El trote es tu razonamiento; puedo seguirlo. El galope es tu especulación; puedo seguirla. Pero lo que no puedo captar es el influjo trascendente (daoísta) por el que persuades y triunfas. ¿Qué es eso?

— Eso es —dijo Confucio—, la fascinación que ejerce mi ser superior, mi parte de la norma universal, sobre el yo, la parte de la norma de mi oyente, si él no lo ha extinguido. ¡Medita bien sobre esto! La muerte más lamentable es la muerte del corazón (la extinción de la norma); es mucho peor que la muerte del cuerpo. El hombre cuyo corazón vive, actúa sobre los corazones que viven, como el sol que vivifica el mundo. El sol sale por el este y se pone por el oeste. Ilumina a todos los seres, que se orientan hacia él. Con su aparición, comienza su acción; con su desaparición, se vuelven inertes. Así es el ritmo diurno, el día y la noche. El ritmo de la vida y la muerte se asemeja a ello. A su vez, el ser muere, y el ser vive (revive). Cuando ha recibido una forma definida, la conserva hasta el final de esta existencia, período de luz diurna durante el cual actúa. Luego viene la muerte para él, un período de noche durante el cual descansa. Y así sucesivamente, sin interrupción, como la cadena del tiempo. Vuelve a ser un ser según su mérito, pero sólo sabe (en su nueva existencia) que es tal por su destino, sin poder medir su masa anterior (la masa de antecedentes morales, el karma que pesa sobre él). Al final de esta existencia, los seres que estaban en contacto íntimo (hombro con hombro), se abandonan con dolor. Si el sobreviviente busca conocer el estado del difunto, es en vano, pues ha dejado de ser él. Preguntar por él es, pues, buscar un caballo (robado) en la feria, que ya ha encontrado otro amo. Llorar por el otro es mostrar un grave olvido (doctrinal); es olvidar que el otro ya no existe en su personalidad anterior. Este cese de la personalidad no debe lamentarse como una desgracia. Porque la aniquilación no es total. El ser físico ha dejado de ser, es cierto, y sería un error pensar que existe. Pero el yo trascendente (la parte de la norma que era esta persona) permanece, y se puede pensar que existe... Es a través de este yo trascendente, casi impersonal, que actúo sobre mis oyentes. No es desagradable, como el yo personal de Confucio.

D. Confucio fue a visitar a *Lao Dan* y lo encontró sentado inmóvil y extasiado. El éxtasis se apoderó de él mientras se secaba el pelo después de sus abluciones[78]. Confucio esperó discretamente hasta que volvió en sí, y entonces dijo:

— ¡Habías dejado las cosas y los hombres; te habías retirado al aislamiento del sí mismo!

— Sí —dijo *Lao Dan*—. Estaba retozando en el origen de las cosas.

— ¿Qué significa eso? —preguntó Confucio.

— Todavía no estoy bien —dijo *Lao Dan*—; mi mente cansada no es todavía libre para pensar, mi boca apretada apenas puede articular; sin embargo, trataré de satisfacerte... Habiéndose diferenciado las dos modalidades del ser en el ser primordial, comenzó su giro y sobrevino la evolución cósmica. El apogeo del *yin* (condensado en la tierra) es la pasividad tranquila. La culminación del *yang* (condensado en el cielo) es la actividad fructífera. La pasividad de la tierra ofreciéndose al cielo, la actividad del cielo ejerciéndose sobre la tierra, de ambas nacieron todos los seres. La fuerza invisible, la acción y reacción del binomio cielo-tierra, produce toda la evolución. El principio y el fin, la plenitud y el vacío, las revoluciones astronómicas, las fases del sol y de la luna, todo es producido por esta única causa, que nadie ve, pero que siempre actúa. La vida se desarrolla hacia una meta, la muerte es un retorno a un fin. El Génesis se sucede incesantemente, sin que se conozca el origen, sin que se vea el final. La acción y la reacción del cielo y la tierra son el único motor de este movimiento. Esta es la belleza, la alegría suprema. Retozar en este arrebato es la suerte del hombre superior.

— Pero, ¿cómo llegar a eso? —preguntó Confucio.

— Por absoluta indiferencia —continuó *Lao Dan*—. Los animales que habitan la estepa no sienten atracción por ningún pasto en particular; los peces que viven en las aguas no están apegados a ningún hábitat en particular; por consiguiente, ningún movimiento altera su paz. Todos los seres son un todo inmenso. El que está unido a esta unidad hasta el punto de haber perdido el sentido de su propia personalidad, ve a su cuerpo de la misma forma que ve al polvo, la vida y la muerte de la misma forma que considera al día y la noche. ¿Qué puede conmover a este hombre, para quien la ganancia y la pérdida, la felicidad y la desgracia no son nada? Desprecia las dignidades como el barro, porque sabe que es más noble que estas cosas. Y esta nobleza de su ser, ninguna vicisitud puede tocarla. De todos los cambios posibles, ninguno alterará su paz. El que ha alcanzado el Principio, lo entiende.

— Ah —dijo Confucio aturdido—, aquí hay una enseñanza tan amplia como el cielo y la tierra; ¿puede resumirse en alguna fórmula, a la manera de los antiguos?

Lao Dan respondió:

— Los manantiales surgen de forma natural. El hombre superior es igualmente espontáneo. El cielo es alto, la tierra es profunda, el sol y la luna son brillantes, todo sin fórmulas.

Cuando salió, Confucio contó todo lo anterior a su discípulo *Yen Hui*.

---

78   Comparar el capítulo 3 A.

— Hasta ahora —dijo—, he sabido tanto del Principio como de las anguilas que viven en el vinagre. Si el Maestro no hubiera levantado el velo que cubría mis ojos, nunca habría vislumbrado el complejo perfecto cielo-tierra (la gran unidad cósmica).

E. Cuando *Zhuang Zhou* visitó al Duque *Ai* de *Lu*, éste le dijo:
— Hay muchos eruditos en el ducado de *Lu*; pero ninguno, es comparable a ti, Maestro.
— Sólo hay unos pocos eruditos en el ducado de *Lu*", respondió *Zhuang Zhou*.
— ¿Cómo puedes hablar así —dijo el duque—, cuando todo lo que vemos por doquier son hombres vestidos con el traje de eruditos?
— El traje, sí —dijo *Zhuang Zhou*—. Anuncian, con sus gorras redondas, que conocen las cosas del cielo; con sus zapatos cuadrados, que conocen las cosas de la tierra; con sus colgantes sonoros, que saben llevar la armonía a todas partes. Algunos saben todo esto sin necesidad de ponerse el traje. Otros llevan el traje, sin conocer la cosa. Si no me crees, haz este experimento: prohíbe mediante un edicto, bajo pena de muerte, el uso del traje de erudito, a quien no sea competente.

El Duque *Ai* así lo hizo. Cinco días después, todos los eruditos de *Lu*, excepto uno, se habían cambiado de ropa. El propio duque le preguntó a ese único hombre sobre el gobierno del estado. Él respondió a todo con pertinencia, sin que fuera posible perturbarlo.
— Dijiste —dijo *Zhuang Zhou* al duque— que había muchos eruditos en el ducado de *Lu*. Uno no es muchos.

F. *Bo Li Xi*, que no se interesaba en las dignidades y las riquezas, se convirtió en criador de ganado, y produjo magníficos bueyes, su instinto natural le reveló cómo tratarlos según su naturaleza. Cuando el duque *Mu* de *Qin* vio esto, lo nombró su ministro, para que pudiera desarrollar su pueblo.

A *Shun* no le gustaba la vida y no temía a la muerte. Esto es lo que le hizo digno y capaz de gobernar a los hombres.

G. Habiendo deseado el príncipe *Yuan* de *Song* que le dibujaran un mapa, los escribas que habían sido convocados acudieron, recibieron sus instrucciones y se inclinaron; luego, algunos de ellos, desanimados, se marcharon; otros lamieron sus pinceles y machacaron su tinta, con mil y un gestos. Un escriba que llegó después de la hora con aires despreocupado, también recibió sus instrucciones, saludó e inmediatamente se retiró a su habitación. El duque envió a ver lo que estaba haciendo. Se comprobó que se había puesto cómodo, desnudo hasta la cintura, con las piernas cruzadas, y empezaba a descansar. Cuando el Duque supo esto:
— Este, dijo, tendrá éxito; es un hombre que sabe cómo hacerlo[79].

H. El rey *Wen*, antepasado de los *Zhou*, estando en *Zang*, vio a un hombre pescando con caña, despreocupadamente, mecánicamente, sólo su naturaleza actuaba

---

79   Sólo se puede tener éxito si se deja actuar a la propia naturaleza. La restricción impide el éxito.

en él, sin ninguna mezcla de pasión. El rey *Wen* resolvió inmediatamente nombrarlo su ministro. Pero, al pensar entonces en el probable disgusto de sus padres y de sus oficiales, quiso quitarse esa idea de la cabeza. ¡Pero no pudo! El temor de que su pueblo se quedara sin cielo (sin un ministro que lo gobernara naturalmente como el cielo), le hizo imposible olvidar su intención. Así que pensó como hacerlo. Por la mañana, habiendo convocado a sus oficiales, les dijo:

— Anoche vi en un sueño a un hombre apuesto, de tez morena, con barba, montado en un caballo moteado con cascos teñidos de rojo, que me gritaba: entrega tu poder al hombre de *Zang*, y tu pueblo estará bien.

Los oficiales se conmovieron mucho y gritaron:

— Fue el difunto rey tu padre quien se te apareció.

— Entonces —dijo el rey *Wen*—, ¿quieren que consultemos al caparazón de la tortuga sobre este suceso?

— ¡No, no! dijeron los oficiales, unánimemente. Una orden verbal del difunto rey no debe ser discutida.

Por ello, el rey *Wen* mandó llamar al pescador y le entregó el gobierno. Este último no cambió nada, no hizo ningún reglamento, no dio ninguna orden. Al cabo de tres años, cuando el rey *Wen* inspeccionó su reino, comprobó que los bandoleros habían desaparecido, que los oficiales eran honestos, que los impuestos eran respetados. La gente común convivía, los funcionarios cumplían con su deber, los feudatarios no invadían. Entonces el rey *Wen*, tratando al hombre de *Zang* como su maestro, lo sentó mirando al sur, se puso delante de él mirando al norte y le preguntó:

— ¿No podrías hacer a un imperio el bien que has hecho a un reino?

El hombre de *Zang* sólo respondió con una mirada asustada. Ese mismo día, antes del anochecer, desapareció. Nadie supo nunca qué había sido de él. Sin embargo, un detalle de esta historia sorprendió al honesto *Yen Yuan*.

— ¿Cómo puede ser —le preguntó a Confucio—, que el rey *Wen* alegara un sueño que no había tenido?

— ¡Cállate! —dijo Confucio-. Todo lo que hizo el rey *Wen* estuvo bien hecho. No debemos juzgar a este hombre. Naturalmente recto, en este caso tuvo que plegarse a las circunstancias[80].

I. *Lie Yukou* (*Lie Zi*) tensó su arco en presencia de *Bo Hun Wu Ren*. Sujetó su arco con un brazo tan firme que, teniendo una copa llena de agua fijada en su codo izquierdo, en el momento en que disparó su flecha, el agua no se derramó. Su mano derecha era tan activa que, tan pronto como soltaba una flecha, colocaba la siguiente. Y, todo el tiempo, su cuerpo permanecía recto como una estatua (el ideal de un arquero de la antigua escuela)… Esto —dijo *Bo Hun Wu Ren* (el daoísta)—, es el disparo de un arquero, de un hombre que quiere disparar, de un hombre que

---

80 El oportunismo confuciano se antepone a la moral. Vemos que Confucio no está completamente convertido. Aquí mostró su verdadera condición.

sabe que está disparando (arte, no naturaleza). Acompáñame a alguna cima, al borde de un abismo, y veremos qué queda de tus poses.

Fueron juntos a una alta montaña, al borde de un precipicio de cien veces la altura de un hombre. Allí acampó *Bo Hun Wu Ren* al borde del abismo, con sus talones asomando al vacío. Apoyándose sólo en las puntas de los pies, se inclinó ante *Lie Yukou* y le invitó a que se acercara y ocupara su lugar junto a él. Pero el mareo ya lo había hecho caer a cuatro patas, con el sudor cayendo hasta los talones. *Bo Hun Wu Ren* le dijo:

— El hombre superior lleva su mirada hasta el fondo del azul celeste, hasta las profundidades de los abismos terrestres, hasta los confines del horizonte, sin que sus espíritus vitales se conmuevan lo más mínimo. Quien no es así no es un hombre superior[81]. Al ver tus ojos ojerosos, me das vértigo.

J. *Jian Wu* le dijo a *Sunshu Ao*:

— Te han puesto al frente tres veces sin que te exaltaras, y te han despedido tres veces sin que te afectara. Al principio sospeché que estabas pretendiendo ser indiferente. Pero, tras convencerme de que, en estas ocasiones, tu respiración permanecía perfectamente tranquila, ahora creo que eres realmente indiferente. ¿Cómo has llegado a serlo?

— No he hecho nada en absoluto —dijo *Sunshu Ao*—. No tuve nada que ver ni con mis nombramientos ni con mis degradaciones. En estas aventuras no hubo ni ganancia ni pérdida para mí, por lo que no me exaltaron ni me afectaron. ¿Qué hay de extraordinario en esto? Nada más natural, al contrario. Mi puesto no era yo mismo, yo no era mi puesto. El favor y el desfavor se debían a mi cargo, no a mí mismo. Entonces, ¿por qué debería haberme tomado la molestia y la fatiga de preocuparme por ello? ¿No habría perdido el tiempo pensando en la estima o desprecio de los hombres?

Habiendo escuchado esta respuesta, Confucio dijo:

— Este es el antiguo hombre verdadero. Los antiguos de este tipo no se dejaban impresionar por los discursos de los doctos, ni seducir por los encantos de la belleza, ni violentar por los poderosos y brutales. *Fu Xi* y *Huang Di* buscaron su amistad en vano. Ni el amor a la vida ni el miedo a la muerte, esos motivos tan poderosos en el vulgo, hacían mella en ellos. Entonces, ¿qué efecto podrían tener las dignidades y las riquezas en ellos? Sus mentes eran más altas que las montañas, más profundas que el abismo. No les importaba que su posición social fuera infinitesimal. Siendo todo el universo suyo por su unión con el cosmos universal, la concesión de dignidades y riquezas al vulgo no les empobrecía, permaneciendo el gran todo para ellos.

K. Cuando el rey de *Chu* hablaba con el ex príncipe desposeído de *Fan*, los cortesanos dijeron:

---

81   Toda perturbación física es un síntoma de imperfección de la naturaleza. Compárese *Lie Zi*, cap. 2 E.

— *Fan* ya se ha arruinado tres veces.

El príncipe de *Fan* los interrumpió:

— La ruina de *Fan* no me ha quitado la vida. No es seguro que la prosperidad de *Chu* mantenga la suya. No confíes en la prosperidad presente hasta el punto de creer que estás a salvo de la ruina futura. La prosperidad y la ruina se alternan. Si nos colocamos en lo alto, por encima de la rueda que gira, *Fan* no es destruido, *Chu* no prospera. Todo pasa alternativamente por las dos fases de ruina y prosperidad.

Capítulo 22 - Conocimiento del principio

A. El Conocimiento se dirigió al norte, a las aguas negras; subió a la montaña de la oscuridad, donde se encontró con la Inacción. El Conocimiento le dijo a la Inacción:

— Tengo algo que preguntarte. ¿Por qué tipo de pensamientos y reflexiones se llega a conocer el Principio? ¿Qué posición adoptar y qué hacer para entenderlo? ¿Por dónde empezar y qué camino tomar para alcanzarlo?

A estas tres preguntas, la Inacción no respondió. No porque no quisiera responder, sino porque realmente no sabía qué contestar.

Al no obtener respuesta, el Conocimiento se dirigió al agua blanca, subió a la montaña de la investigación, donde vio a la Abstracción, y le volvió a hacer tres preguntas.

— ¡Ah! —dijo la Abstracción—, te diré esto…

Cuando se disponía a hablar, sucedió que no sabía de qué estaba hablando.

Decepcionado, el Conocimiento fue al palacio imperial y le hizo tres preguntas a *Huang Di*. Este último le dijo:

— Para llegar a conocer el Principio, primero no hay que pensar, no hay que reflexionar. Para llegar a entenderlo, no hay que tomar ninguna posición, no hacer nada. Para llegar a él, no hay que partir de ningún punto preciso, ni seguir ningún camino determinado.

— Entonces —preguntó el Conocimiento—, entre ellos y nosotros, ¿quién actuó mejor?

— Fue la Inacción —dijo *Huang Di*—, porque no dijo nada en absoluto. Luego, Abstracción, que casi habló. Nosotros dos nos equivocamos al hablar. Dice el refrán: "quien sabe, no habla (porque sabe que no podrá expresar lo que sabe); quien habla, demuestra que no sabe". El Sabio no habla, ni siquiera para enseñar. El Principio no se puede alcanzar, su acción no se puede captar. Todo lo que se puede enseñar y aprender, como la bondad, la equidad y los ritos, todo eso es posterior e inferior al Principio, todo eso se inventó sólo cuando se perdieron las verdaderas nociones sobre el Principio y su acción, al principio de la decadencia. Dice el refrán: "El que imita el Principio disminuye su acción día a día, hasta que ya no actúa". Cuando ha llegado a este punto (la pura no acción), entonces está a la altura de cualquier tarea. Pero volver al origen de esta manera es algo muy difícil, que sólo el hombre superior puede hacer.

La vida sigue a la muerte, la muerte es el origen de la vida. La razón de esta alternancia es inescrutable… La vida de un hombre es una condensación de materia, cuya disipación será su muerte, y así sucesivamente. Siendo así, ¿hay alguna razón para lamentarse por algo? Todos los seres son un todo que cambia constantemente. Algunos son llamados hermosos, otros feos. Abuso de palabras, porque nada dura. En su próxima metamorfosis, lo que era bello quizá se convierta en feo, lo que era feo quizá se convierta en bello… Esto se resume en el dicho: "Todo el universo es una misma sustancia". El Sabio, sin estimar ni despreciar a ningún ser en particular, da toda su estima a la unidad cósmica, al gran todo.

(*Lo que sigue parece ser un fragmento interpuesto.*) Resumiendo su conversación con *Huang Di*, el Conocimiento dijo:

— La Inacción no sabía qué responder; La Abstracción se olvidó de responder; tu respondiste y luego te retractaste de tu respuesta…

— Sí —dijo *Huang Di*—. No se puede decir nada sobre el Principio. Quien habla de ello se equivoca…

La Inacción y la Abstracción se enteraron de esta respuesta de *Huang Di*, y la juzgaron buena.

B. El cielo y la tierra, tan majestuosos, son mudos. El curso de los astros y las estaciones, tan regular, no es deliberado. La evolución de los seres sigue una ley inmanente, no formulada. Imitando estos modelos, el hombre superior, el Sabio por excelencia, no interviene, no actúa, deja que todo siga su curso. El binomio trascendente cielo-tierra preside todas las transformaciones, la sucesión de muertes y vidas, las mutaciones de todos los seres, sin que ninguno de estos seres tenga un conocimiento explícito de la causa primaria de todos estos movimientos, del Principio que hace que todo perdure desde el principio. El inmenso espacio es el punto intermedio entre el cielo y la tierra. El menor feto debe su existencia al cielo y a la tierra. El cielo y la tierra presiden la evolución continua de los seres, que a su vez se elevan o se hunden; la rotación regular del *yin* y el *yang*, las cuatro estaciones, etc. Algunos seres parecen desaparecer y, sin embargo, siguen existiendo; otros, habiendo perdido sus cuerpos, se vuelven aún más trascendentes. El cielo y la tierra alimentan a todos los seres, sin que ellos lo sepan. A partir de esta noción del universo, podemos volver al conocimiento confuso de su causa, el Principio. Esta es la única manera. Sólo podemos decir del Principio que es el origen de todo, que influye en todo permaneciendo indiferente.

C. *Nie Que* le pidió a *Pi Yi* que le explicara el Principio. *Pi Yi* le dijo:

— Regula tu moral, enfoca tus percepciones, y la armonía universal se extenderá hacia ti. Atrae tus facultades, unifica tus pensamientos, y el espíritu vital del universo habitará en ti como una extensión. La acción del Principio comunicándose a ti, se convertirá en ti en el principio de tus cualidades. Morarás en el Principio. Adquirirás la sencillez del ternero que acaba de nacer, y dejarás de preocuparte por lo que eres y de dónde vienes…

Antes de que *Pi Yi* terminara su perorata, *Nie Que* se durmió profundamente (extasiado). Asombrado, *Pi Yi* cantó:

— Aquí está su cuerpo convertido en madera muerta, y su corazón en ceniza apagada. Ahora es trascendente, su verdadera ciencia ya no vacila. Al haberse quedado ciego, su razón ya no discute. Ha llegado a la intuición del Principio. ¡Qué hombre!

D. *Shun* le preguntó a su ministro *Cheng*:

— ¿Se puede llegar a poseer el Principio?

Cheng respondió:

— Si no posees tu propio cuerpo, ¿cómo puedes decir que posees el Principio?

— Si mi cuerpo no es mío, ¿de quién es?

— Tu cuerpo —dijo *Cheng*— es un préstamo de materia bruta, que el cielo y la tierra te han hecho por un tiempo. Tu vida es una combinación transitoria de materia sutil, que también recibes del cielo y de la tierra. Tu destino, tu actividad, es parte integrante del flujo de los seres, bajo la acción del cielo y de la tierra. Tus hijos y nietos son una renovación (literalmente un cambio de piel) que el cielo y la tierra te han dado. Avanzas en la vida sin saber qué te empuja, revoloteas sin saber qué te detiene, comes sin saber cómo asimilas, la acción poderosa pero desconocida del cielo y la tierra te mueve en todo; ¿y pretenderías apropiarte de algo?

E. Confucio le dijo a *Lao Dan*:

— Como hoy tengo un poco de tiempo libre, me gustaría oírte hablar de la esencia del Principio.

Lao Dan dijo:

— Primero deberías haber iluminado tu corazón mediante la abstinencia, haber purificado tu mente vital y haber desechado tus ideas preconcebidas. Porque el tema es abstruso, difícil de exponer y de escuchar. Pero trataré de decirte algo al respecto… Lo luminoso nació de lo oscuro, las formas nacieron de lo amorfo. El espíritu vital (universal, del que los espíritus vitales particulares son participaciones) nació del Principio; la materia prima nació del esperma (universal, del que el esperma particular es una participación). Entonces los seres se engendraron mutuamente, por comunicación de su materia, ya sea por medio de la gestación uterina, o por la producción de óvulos. Su entrada en la escena de la vida no se nota, su salida no hace ruido. No hay una puerta visible, ni un hogar definido. Vienen de todas partes y llenan la inmensidad del mundo, seres contingentes y efímeros… Aquellos que, sabiendo esto, no se preocupan por nada, están bien, tienen una mente libre y mantienen sus órganos sensoriales en perfecto estado[82]. Sin cansar su mente, son capaces de realizar cualquier tarea. Porque actúan (o más bien no actúan, dejan pasar) espontáneamente, naturalmente, como el cielo es alto por naturaleza, como la tierra es ancha por naturaleza, como el sol y la luna son brillantes

---

82   La ceguera y la sordera son, para los daoístas, un desgaste prematuro, debido al uso inmoderado de la fuerza vital.

por naturaleza, como los seres pululan naturalmente… El estudio y la discusión no nos enseñan nada sobre el Principio, por lo que los Sabios se abstienen de estudiar y discutir. Sabiendo que el Principio es una infinidad que nada puede aumentar o disminuir, los Sabios se contentan con abrazarlo como un todo… Sí, es inmenso como el océano. Qué majestuosidad en esta revolución incesante, en la que el reinicio sigue inmediatamente al cese… Seguir el flujo de los seres haciendo el bien a todos es el camino de los Sabios ordinarios (confucianos). Pero haber tomado una posición fuera de este flujo, y hacer el bien a van a su zaga, ese es el camino del Sabio superior (daoísta, que actúa como el Principio). — Consideremos un ser humano, en estado de embrión apenas concebido, cuyo sexo ni siquiera está determinado todavía. Se ha desarrollado, entre el cielo y la tierra. Tan pronto como se ha desarrollado, puede volver a su origen (nacido muerto). Considerado en este principio, ¿qué es sino una mezcla de aliento y esperma? Y si sobrevive, será sólo por unos años. ¡La diferencia entre lo que se llama una vida larga y una vida corta es tan pequeña! En definitiva, es un momento en el curso infinito del tiempo. Muchos ni siquiera tienen el tiempo para demostrar si poseen el espíritu de un *Yao* (emperador virtuoso) o de un *Jie* (tirano vicioso). — La evolución de cada individuo del reino vegetal sigue una determinada ley. Asimismo, la ley que rige la evolución humana es como un engranaje. El hombre sabio sigue el movimiento, sin reticencias, sin aferrarse. Prever y calcular es ser artificial; dejarse llevar es seguir el Principio. Los emperadores y los reyes de la alta antigüedad se elevaron y se volvieron famosos dejándose llevar. — El paso del hombre entre el cielo y la tierra, de la vida a la muerte, es como el salto de un corcel blanco, que cruza un barranco de un lado a otro; cuestión de un instante. Como por efecto de un burbujeo, los seres entran en la vida; como por efecto de un flujo, entran en la muerte. Una transformación les ha hecho vivir, una transformación les hace morir. Todos los vivos encuentran la muerte desagradable, los hombres la lloran. Y, sin embargo, ¿qué es sino el aflojamiento del arco y su vuelta a la vaina; el vaciado de la bolsa de cadáveres y la liberación de las dos almas que aprisionaba? Después de las vergüenzas y vicisitudes de la vida, las dos almas se van, el cuerpo las sigue al descanso. Este es el gran retorno (las almas y los cuerpos vuelven al todo). — La noción que lo incorpóreo ha producido lo corpóreo, que el cuerpo vuelve a la incorpóreo, la noción de giro perpetuo, es conocida por muchos hombres, pero sólo la élite saca las consecuencias prácticas. El hombre vulgar discute de buen grado este tema, mientras que el hombre superior guarda un profundo silencio. Si intentara hablar de ello, tendría que renunciar a su ciencia, por la que sabe que es imposible hablar de ello, y que sólo se puede meditar en ello. Haber comprendido que no se gana nada preguntando por el Principio, sino que hay que contemplarlo en silencio, es lo que se llama haber obtenido el gran resultado (haber alcanzado la meta)[83].

F. *Dong Guo Zi* le preguntó a *Zhuang Zhou:*

---

83   Así, se pone un punto final a las preguntas de Confucio y se le remite a la contemplación, que su ajetreada vida de político no le permite llevar a cabo.

— ¿Dónde está eso que se llama el Principio?

— En todas partes —dijo *Zhuang Zhou*.

— Dame un ejemplo —le pidió *Dong Guo Zi*.

— Por ejemplo, en esta hormiga —dijo *Zhuang Zhou*.

— ¿Podrías dar un ejemplo más humilde? —preguntó *Dong Guo Zi*.

— Por ejemplo, está en esta brizna de hierba.

— Todavía más bajo.

— Está en este fragmento de azulejo.

— ¿Y más bajo?

— Está en este excremento —dijo *Zhuang Zhou*.

Dong Guo Zi no preguntó más. Entonces *Zhuang Zhou* tomó la palabra y le dijo

— Maestro, preguntar como acabas de hacer no te llevará a ninguna parte. Este procedimiento es demasiado imperfecto. Se asemeja a la de esos expertos del mercado que juzgan sumariamente la gordura de un cerdo apretando su pie sobre él (el pie hace una impresión más o menos profunda, según el cerdo sea más o menos gordo). No preguntes si el Principio está en esto o en aquello. Está en todos los seres. Por eso recibe los epítetos de grande, supremo, entero, universal, total. Todos estos términos diferentes se aplican a una misma realidad, a la unidad cósmica.

— Transportémonos en espíritu fuera de este universo de dimensiones y localizaciones, y no habrá necesidad de intentar localizar el Principio. Transportémonos fuera del mundo de la actividad, al reino de la inacción, de la indiferencia, del descanso, de la vaguedad, de la simplicidad, del ocio, de la armonía, y no habrá necesidad de tratar de calificar el Principio. Es el infinito indeterminado. Es una causa perdida intentar llegar a él, intentar localizarlo, intentar estudiar sus movimientos. La ciencia no llega hasta allí. Aquel (el Principio) que hizo que los seres fueran seres, no está sujeto a las mismas leyes que los seres. Él (el Principio) que hizo a todos los seres limitados, es él mismo ilimitado, infinito. Por lo tanto, es ocioso preguntar dónde está. — En cuanto a la evolución y sus fases, plenitud y vacío, prosperidad y decadencia, el Principio produce esta sucesión, pero no es esta sucesión. Es el autor de las causas y los efectos (la primera causa), pero no es las causas y los efectos. Es el autor de las condensaciones y disipaciones (nacimientos y muertes), pero no es él mismo condensación o disipación. Todo procede de él y evoluciona a través y bajo su influencia. Está en todos los seres, por una terminación de norma; pero no es idéntico a los seres, no estando diferenciado ni limitado.

G. *A He Gan* y el futuro emperador *Shen Nong* estaban estudiando bajo *Lao Long Ji*. Sentado en un taburete, *Shen Nong* estaba durmiendo la siesta con la puerta cerrada. *A He Gan* abrió la puerta de un empujón y le dijo a bocajarro que su amo había muerto. *Shen Nong* se levantó de golpe, dejó caer su bastón, se echó a reír y dijo:

— ¿Habrá muerto de desesperación por su incapacidad para elevarme con sus grandes frases?

El daoísta *Yen Gang*, que había venido a dar el pésame, al oír estas palabras, le dijo a *Shen Nong*:

— El estudio del Principio atrae a los mejores sujetos del imperio. Tienes lo que hay que tener para aplicarte a ello. Porque, sin haber aprendido nada al respecto, has comprobado por ti mismo, como demuestra tu chanza sobre la muerte de tu maestro, que no son las grandes frases las que dan inteligencia, lo cual es un axioma daoísta fundamental. El Principio no se alcanza ni por la vista ni por el oído. Sólo se puede decir que es un misterio. Quien habla de ello demuestra que no lo entiende.

H. La Pureza le preguntó al Infinito[84]:
— ¿Conoces el Principio?
— No lo sé —dijo el Infinito-.
Entonces la Pureza le preguntó a la Inacción:
— ¿Conoces el Principio?
— Lo conozco —dijo Inacción.
— ¿Por reflexión o por intuición? —preguntó la Pureza.
— Por reflexión —dijo la Inacción.
— Explícate —dijo la Pureza.
— Pienso en el Principio como la confluencia de los contrastes, la nobleza y la vulgaridad, la colección y la dispersión; por eso lo conozco por reflexión.
La Pureza fue a consultar el Estado Primordial.
— ¿Quién —preguntó—, ha respondido correctamente? ¿Quién tiene razón y quién no?
El Estado Primordial dijo:
— El Infinito dijo, no conozco el Principio; esta respuesta es profunda. La Inacción dijo, conozco el Principio; esta respuesta es superficial. El Infinito tenía razón al decir que no sabía nada de la esencia del Principio. La Inacción sólo podía decir que lo conocía, en cuanto a sus manifestaciones externas.
Sorprendida por esta respuesta, la Pureza dijo:
— Ah, entonces, no conocerlo es conocerlo (su esencia), conocerlo (sus manifestaciones) es no conocerlo (como realmente es). Pero, ¿cómo entender esta contradicción, que es por no conocerlo que lo conocemos?
— Es así —dijo el Estado Primordial—, el Principio no puede ser oído; lo que se oye no es él. El Principio no se puede ver; lo que se ve no es él. El Principio no se puede enunciar; lo que se enuncia no es él. ¿Podemos concebir, si no es por la razón (no por la imaginación), el ser no sensible que produjo todos los seres sensibles? ¡No, sin duda! Por lo tanto, el Principio, que es este ser no sensible, no puede ser imaginado, ni puede ser descrito. Recuerda esto: tanto el que hace preguntas sobre el Principio como el que las responde, demuestran que no saben lo que es el Principio. No se puede preguntar ni responder qué es el Principio. Son preguntas vanas y respuestas inanes, que implican la ignorancia de lo que es el universo y de cuál fue el gran origen. Ellos no se elevarán por encima de las alturas de la tierra (del Monte *Kun Lun*). No alcanzarán el vacío absoluto de la abstracción perfecta.

---

84   Compárese con el apartado A. Pieza análoga.

I. La Luz Difusa le preguntó la Nada Informe (el ser infinito indeterminado, sobre el Principio):

— ¿Existe o no existe?

No escuchó ninguna respuesta. Después de mirar fijamente durante mucho tiempo, sólo vio un oscuro vacío, en el que, a pesar de todos sus esfuerzos, no podía distinguir nada, ni percibir nada, ni captar nada.

— Este es el clímax —dijo—, y es imposible entrar en él. Las nociones de ser y no ser son comunes. La nada del ser no puede concebirse como existente. Pero aquí, existiendo, está la nada de la forma (el ser infinito indeterminado). ¡Este es el clímax, este es el Principio!

J. A la edad de ochenta años, el hombre que forjaba espadas para el ministro de la guerra aún no había perdido nada de su destreza[85]. El ministro le dijo:

— Eres inteligente, cuéntame tu secreto.

— Sólo consiste en que siempre he hecho el mismo trabajo, respondió el herrero. Cuando tenía veinte años, me aficioné a forjar espadas. No tenía ojos más que para ese objeto. No me apliqué a nada más. A fuerza de forjar espadas, acabé forjándolas sin pensarlo. Todo lo que uno hace, cuando lo hace incesantemente, acaba convirtiéndose en irreflexivo, natural, espontáneo, (y en consecuencia en conformidad con el influjo irreflexivo y espontáneo del Principio); entonces uno siempre tiene éxito.

K. *Ran Qiu* le preguntó a Confucio:

— ¿Se puede saber lo que existía, antes que el cielo y la tierra se formaran?

— Sí —dijo Confucio—; lo que existe ahora (el eterno Principio inmutable).

Ran Qiu se retiró sin pedir más. Al día siguiente, volvió a ver a Confucio, y le dijo:

— Ayer te pregunté qué existía antes del cielo y de la tierra, y me respondiste que lo que existe ahora. Al principio creí entenderlo; pero desde entonces, cuanto más lo pienso, menos lo entiendo. Por favor, explícame el significado de tu respuesta.

— Ayer usaste tu facultad natural de aprehensión —respondió Confucio— (la intuición que surge del vacío del corazón, dice el comentario), y en consecuencia captaste la verdad de mi proposición. Pero desde entonces has razonado con tu lógica artificial, que ha oscurecido la evidencia de tu intuición original. Te lo dije, lo que era es lo que es. Porque no hay pasado ni presente, ni principio ni fin, en relación con el Principio, que es siempre, en el presente… Pero, a mi vez, te haré una pregunta. Dime, ¿puede haber hijos y nietos que no tengan padres, ni antepasados?

Como *Ran Qiu* se quedó sin palabras, Confucio le dijo:

— Entre los hombres, no. El modo humano de engendrar consiste en que determinados seres comunican su principio vital a una descendencia de la misma naturaleza. La génesis del cielo y de la tierra (pseudo-niños), de todos los seres (pseudo-nietos del Principio) fue muy diferente. Lo que había antes del cielo y de la tierra (el Principio), ¿era un ser determinado, que tenía forma y figura? ¡No! Aquel

---

85   Compárese el capítulo 3 B.

que determinó todos los seres (el Principio), no era él mismo un ser determinado. Era el ser primordial indeterminado, del que dije que lo que era es lo que es. Es ilógico pensar que los seres sintientes han sido producidos por otros seres sintientes en una cadena infinita. (Esta cadena tuvo un principio, el Principio, el ser no sintiente, cuyo influjo se ha extendido desde entonces hasta su desenvolvimiento).

L. *Yen Yuan* le dijo a Confucio:

— Maestro te he oído decir muchas veces que no hay que preocuparse tanto por las relaciones. ¿Qué significa eso?

Confucio respondió:

— Los antiguos permanecían impasibles ante las vicisitudes de los acontecimientos, porque se mantenían al margen de la corriente. Los modernos, por el contrario, siguen la corriente y, en consecuencia, se ven atormentados por diversos intereses. Hay, por encima de las transformaciones, una unidad (el Principio), que permanece inmóvil, indiferente, indiferenciada, no multiplicada. Es de esta Unidad que los antiguos, los verdaderos Sabios, sacaron su modelo. Fue tema de conversación en el parque de *Xi Wei*, en el jardín de *Huang Di*, en el palacio de *Shun*, en las residencias de los emperadores *Tang* y *Wu*. — *Interpolación:* Más tarde, los llamados eruditos, los maestros entre los discípulos de Confucio y *Mo Zi*, comenzaron a discutir sobre el sí y el no. Ahora las discusiones son generales. Los antiguos no actuaban así. – Al igual que la Unidad, los ancianos se mostraban tranquilos y neutrales. Como no hacían daño a nadie, nadie quería hacerles daño. Esta única regla de no hacer enemigos es suficiente en materia de relaciones.

M. (*Fragmento adicional, probablemente fuera de lugar*)... Cuando me regocijo al ver las montañas boscosas, las altas mesetas, de repente la tristeza viene a perturbar mi alegría. La tristeza y la alegría van y vienen en mi corazón, sin que pueda controlarlas. No puedo retener una ni preservarme de la otra. Por desgracia, el corazón humano es como una posada abierta a todos los visitantes. Algunos encuentros pueden preverse, pero otros son imprevisibles. Algunas cosas se pueden prevenir, pero otras no. Lo imprevisto, lo inevitable, no tiene remedio para estos dos males. Quien luchara contra ellos se haría aún más desgraciado, ya que el fracaso es seguro en la lucha por conseguir lo imposible. Por lo tanto, no hay nada que hacer sino someterse al destino, que deriva del Principio. Callar es el mejor uso que se puede hacer de la facultad de hablar. No hacer nada es el mejor uso de la facultad de actuar. No aprender nada es el mejor uso que se puede hacer de la inteligencia. Querer aprender mucho, querer saberlo todo (Confucio), es el peor error.

CAPÍTULO 23 - REGRESO A LA NATURALEZA[86]

A. Entre los discípulos de *Lao Dan*, un tal *Geng Sang Chu*, habiendo terminado de recibir sus enseñanzas, se dirigió al norte, se estableció al pie del monte *Wei Lei*,

---

86   El texto de este capítulo, muy oscuro, parece haber sufrido muchas mutilaciones y transposiciones.

y a su vez enseñó a sus discípulos. En aras de la simplicidad daoísta, despidió a aquellos de sus sirvientes que se daban aires de inteligencia, y eliminó a aquellas de sus concubinas que eran amables, manteniendo a su alrededor sólo a personas rústicas y ordinarias. Al cabo de tres años, por efecto de su presencia y sus ejemplos, el pueblo de *Wei Lei* prosperó mucho. Los lugareños se decían entre sí:

— Cuando el Maestro *Geng Sang* vino a vivir entre nosotros, lo encontramos extraño. Fue porque no lo conocíamos lo suficiente. Ahora que hemos tenido tiempo de conocerlo, ¿quién de nosotros no lo considera un Sabio? ¿Por qué no convertirlo en nuestro Sabio local, honrándolo como honramos al representante de los muertos, el genio de la tierra y al genio de la cosecha, con reverencias y ofrendas en determinados momentos?

Geng Sang Chu escuchó estas palabras. Sentado en su escuela en su lugar de maestro, parecía preocupado. Sus discípulos le preguntaron por qué.

— Según mi maestro *Lao Dan* —respondió—, si la primavera revive las plantas, si el otoño madura los frutos, son efectos naturales producidos por el gran Principio que opera en todo, y no los méritos de las estaciones. Al igual que la naturaleza, el hombre superior debe operar oculto (encerrado en su casa), y no dejarse aclamar por el populacho tumultuoso. Ahora la gente de este pequeño pueblo de *Wei Lei* está planeando otorgarme a mí, un hombre vulgar, el rango y las ofrendas de los Sabios. Esto me avergüenza, pues no quiero contravenir las enseñanzas de mi maestro *Lao Dan*.

— No temas —dijeron sus discípulos—; tienes todo lo necesario y la tarea es fácil. En un canal una ballena no podría girar, pero un pez más pequeño se mueve a gusto. En un montículo, un búfalo no estaría seguro, pero un zorro vive muy bien. Y entonces, ¿no se debe honrar al sabio, elevar al hábil, distinguir al benéfico y al útil? Desde *Yao* y *Shun*, ésta ha sido la norma. Maestro, deja que la gente pequeña de *Wei Lei* lo haga. ¡Cede a su deseo!

Geng Sang Chu dijo:

— Acérquense, hijos míos, para que pueda contarles… Mostrarse siempre es fatal. Aunque un animal terrestre fuera tan grande como para tragarse un carruaje, si sale de su guarida en las montañas, no evitará las redes y las trampas. Aunque fuera lo suficientemente grande como para tragarse un barco, el pez varado será devorado por las hormigas. Es en aras de su conservación que las aves y los animales salvajes buscan las alturas, los peces y las tortugas las profundidades. Del mismo modo, el hombre que quiere preservar su cuerpo y su vida, debe esconderse en el retiro y el misterio… Y en cuanto a la autoridad de *Yao* y *Shun* que me has citado, es nula. ¿Qué han hecho por el bien de la humanidad esos acuñadores de frases, esos innovadores, esas mentes ocupadas en vulgaridades y bagatelas? Honraron a los Sabios; esta es la mejor forma de volver al pueblo competitivo. Elevaron a los inteligentes; esta es la mejor forma para convertir a todos los ciudadanos en bandidos[87]. De todos sus inventos, ninguno mejoró al pueblo. Por el contrario, sobreexcitaron el egoísmo del pueblo, una pasión que hace parricidas, regicidas,

---

87   Compárese con *Lao Zi*, capítulo 3.

ladrones y saqueadores. Os digo que es del reinado de estos dos hombres de donde datan todos los desórdenes. Si su política continúa, llegará un momento en que los hombres se devorarán unos a otros.

B. *Nan Rong Zhu* (un hombre ya avanzado en edad, que había entrado en la escuela de *Geng Sang Chu*), habiendo asumido la posición más respetuosa, le preguntó a su maestro:

— A mi edad, ¿qué debo hacer para convertirme en un hombre superior?

Geng Sang Chu le dijo:

— Procura que tu cuerpo sano aprisione herméticamente tu espíritu vital; no permitas que pensamientos e imágenes zumben en tu interior; si haces esto durante tres años enteros, obtendrás lo que deseas.

Nan Rong Zhu respondió:

— Los ojos parecen todos idénticos, pero los de los ciegos no ven. Los oídos parecen todos idénticos, pero los de los sordos no oyen. Los corazones parecen todos iguales, pero los necios no lo entienden. Corporalmente estoy formado como tú, pero mi mente debe estar hecha de forma diferente a la tuya. No entiendo el significado de las palabras que acabas de pronunciar.

— Esto debe deberse a mi incapacidad para expresarme —dijo *Geng Sang Chu*—. Un mosquito no puede hacer nada por una gran mariposa. Una gallina *Yue* pequeña no puede incubar un huevo de ganso. Obviamente no tengo lo que se necesita para llevarte a término. ¿Por qué no vas al sur y consultas a *Lao Zi*?

C. Siguiendo el consejo de *Geng Sang Chu*, *Nan Rong Zhu* se proveyó de las provisiones necesarias, caminó durante siete días y siete noches, y llegó al lugar donde vivía *Lao Zi*…

— ¿Te envió *Geng Sang Chu*? —preguntó este último.

— Sí —dijo *Nan Rong Zhu*.

— ¿Por qué? —preguntó *Lao Zi*—, ¿has traído un grupo tan grande?[88]

Nan Rong Zhu miró detrás de él, atónito.

— No has entendido mi pregunta —dijo Lao Zi.

Avergonzado, *Nan Rong Zhu* bajó la cabeza y, tras levantarla, suspiró y dijo:

— Porque no entendí tu pregunta, ¿me vas a prohibir que te diga lo que me trajo aquí?

— No —dijo *Lao Zi*—, ¡dime!

Entonces *Nan Rong Zhu* dijo:

— Si sigo siendo ignorante, los hombres me despreciarán; si me vuelvo erudito, será desgastando mi cuerpo. Si sigo siendo malo, perjudicaré a los demás; si me vuelvo bueno, tendré que desgastarme. Si no practico la equidad, perjudicaré a los demás; si lo hago, me perjudicaré a mí mismo. Estas tres dudas me atormentan. ¿Qué debo hacer y qué debo evitar? *Geng Sang Chu* me ha enviado a pedirte consejo.

---

88 De prejuicios, apegos, pasiones, ilusiones y errores.

Lao Zi dijo:

— Leo bien en tus ojos, a primera vista, que has perdido la cabeza. Pareces un hombre tratando de sacar a sus parientes hundidos del fondo del mar. Lo siento por ti.

Tras obtener la admisión a la casa de *Lao Zi* como interno, *Nan Rong Zhu* comenzó el tratamiento moral. Primero se aplicó a fijar sus cualidades y a eliminar sus vicios. Tras diez días de este ejercicio, que le resultó duro, volvió a ver a *Lao Zi*.

— ¿Progresa el trabajo de tu purificación? Me parece que todavía no es perfecto. Las perturbaciones de origen externo (introducidas a través de los sentidos) sólo pueden ser repelidas por la oposición de una barrera interna (el recuerdo). Las perturbaciones de origen interno (originadas en la razón) sólo pueden ser repelidas por una barrera externa (autocompulsión). Incluso los que están avanzados en la ciencia del Principio, experimentan ocasionalmente los ataques de estas dos clases de emociones, y todavía tienen que guardarse de ellas; cuánto más los que, como tú, han vivido mucho tiempo sin conocer el Principio, y no están muy avanzados.

— ¡Vaya! —dijo Nan-jung-chou abatido.— Cuando un campesino cae enfermo, le cuenta su enfermedad a otro y se encuentra, si no curado, al menos aliviado. Pero cada vez que consulto el gran Principio, el mal que atormenta mi corazón aumenta, como si hubiera tomado una medicina contraria a mi enfermedad. Es demasiado fuerte para mí. Por favor, dame la receta para hacer que mi vida dure; con eso estaré satisfecho.

— ¿Y crees —dijo *Lao Zi*— que eso se puede pasar de mano en mano? Hacer que la vida dure supone muchas cosas. ¿Eres capaz de preservar tu integridad física, de no comprometerla? ¿Serás siempre capaz de distinguir lo bueno de lo malo? ¿Serás capaz de detenerte, y abstenerte, en el límite? ¿Serás capaz de perder el interés por los demás y concentrarte en ti mismo? ¿Serás capaz de mantener tu mente libre y tranquila? ¿Puedes volver al estado de tu primera infancia? El recién nacido llora día y noche sin quedarse afónico, tan sólida es su nueva naturaleza. No suelta lo que ha agarrado, tan concentrada está su voluntad. Mira durante mucho tiempo sin parpadear, sin que nada le conmueva. Camina sin rumbo y se detiene sin razón, avanza espontáneamente, sin reflexión. Ser indiferente y seguir la naturaleza, esa es la fórmula para hacer que la vida dure.

— ¿La fórmula completa? —preguntó *Nan Rong Zhu*.

Lao Zi continuó:

— Este es el comienzo de la carrera del hombre superior, lo que yo llamo el deshielo, la ruptura, tras la cual el río comienza a seguir su curso. El hombre superior vive, como los demás hombres, de los frutos de la tierra, de las bendiciones del cielo. Pero no está apegado ni al hombre ni a la cosa. Los beneficios y las pérdidas le dejan igualmente indiferente. No hace caso de nada, no se alegra de nada. Se mantiene en el aire, concentrado en sí mismo. Esta es la fórmula para hacer que su vida dure.

— ¿La fórmula completa? —preguntó *Nan Rong Zhu*.

Lao Zi continuó:

— He dicho que hay que volver a ser un niño pequeño. Al moverse, al actuar, el niño no tiene ningún objetivo, ninguna intención. Su cuerpo es indiferente como la madera seca; su corazón es inerte como la ceniza apagada. Para él, no hay felicidad ni desgracia. ¿Qué daño pueden hacer los hombres a quien está por encima de estas dos grandes vicisitudes del destino? El hombre superior es quien está alojado la indiferencia más elevada.

D. (*En el texto siguiente, probablemente es Zhuang Zhou quien habla*). Aquel cuyo corazón ha alcanzado esta cima de inmutabilidad emite una luz natural (la razón pura, sin nada convencional) que le revela lo que aún puede quedar en él de artificial. Cuanto más se desprenda de esta artificialidad, más estable será. Con el tiempo, lo artificial desaparecerá por completo, quedando sólo lo natural en él. Los hombres que han alcanzado este estado son llamados hijos celestiales, personas celestiales; es decir, hombres que han vuelto a su estado natural, que han vuelto a ser como el cielo los hizo.

Esto no se puede aprender por la teoría o la práctica, sino por la intuición o la exclusión. Detenerse donde no se puede aprender más (y quedarse, dice el comentario, en la indiferencia y la inacción) es ser perfectamente sabio. Aquel que pretenda ignorar (decidir, actuar, al azar), será quebrado por el curso fatal de las cosas (pues inevitablemente entrará en conflicto con el destino).

Cuando se han hecho todas las provisiones y se han tomado todas las precauciones para el mantenimiento del cuerpo, cuando uno no ha provocado a los demás con ninguna ofensa, entonces, si ocurre alguna desgracia, debe atribuirse al destino, no a los hombres, y, en consecuencia, hay que tener cuidado de no evitarla haciendo ninguna bajeza, e incluso tener cuidado de no afligirse por ella en el corazón. Está en el poder del hombre cerrar bien la torre de su mente (su corazón); está en su poder mantenerla cerrada, siempre que no examine o discuta lo que se le presenta, sino que simplemente rechace el acceso.

Todo acto de quien no es perfectamente indiferente es un desorden. El objeto del acto, habiendo entrado en su corazón, se aloja allí y nunca sale. Con cada nuevo acto, hay un nuevo desorden.

Quien hace a la luz del día lo que no es bueno, será castigado por los hombres cada tanto. Si lo ha hecho en la oscuridad, los espíritus le castigarán cada tanto. Recordar que cuando uno no es observado por los hombres, es observado por los espíritus, hace que uno se comporte bien incluso en el secreto de su retiro.

Los que cuidan su vida no se mueven para hacerse famosos. Los que arden por adquirir, se extienden sus actividades externas. Los primeros son hombres de razón, los segundos son hombres de comercio. Estos últimos se esfuerzan por subir, progresar, alcanzar su ambición. Son almacenes de preocupaciones e inquietudes. Están tan llenos de ellos mismos que no hay espacio en sus corazones ni siquiera para el amor a sus semejantes. Así que son odiados como si ya no fueran hombres.

De todos los instrumentos de muerte, el deseo es el más asesino; la famosa espada *Mo Ye* no ha matado a tantos hombres. Los peores asesinos, se dice, son el *yin* y el *yang*, de los que nadie escapa, de todos los hombres que pueblan el intermedio del cielo y la tierra. Y sin embargo, es cierto que si bien el *yin* y el *yang* matan a los hombres, es porque los apetitos de los hombres los entregan a estos asesinos.

E. El Principio único y universal subsiste en la multiplicidad de los seres, en su génesis y destrucción. Todos los diferentes seres son tales por diferenciación accidental y temporal (individuación) del Todo, y su destino es volver a este Todo, del que su esencia es una participación. De este retorno, el vulgo dice que los vivos que están muertos y no encuentran el camino, vagan como fantasmas; y que los que están muertos y han encontrado el camino, están difuntos (extinguidos). La supervivencia y la extinción son dos formas de hablar de un retorno idéntico, que surgen del hecho de que hemos aplicado al estado del ser no sensible, las nociones propias del ser sensible. La verdad es que, habiendo salido de la nada de la forma (ser indeterminado) por su generación, y habiendo vuelto a la nada de la forma por su muerte, los seres conservan una realidad (la del Todo universal) pero ya no tienen un lugar; conservan una duración (la del Todo eterno) pero ya no tienen tiempo. La realidad sin lugar, la duración sin tiempo, es el universo, la unidad cósmica, el Todo, el Principio. Es dentro de esta unidad donde tienen lugar los nacimientos y las muertes, las apariciones y las desapariciones, silenciosas e imperceptibles. Se le ha llamado la puerta celestial o natural, la puerta de entrada y salida de la existencia. Esta puerta es el no-ser de la forma, el ser indefinido. Todo ha salido de ella. El ser sensible no puede derivarse en última instancia del ser sensible. Se deriva necesariamente del no-ser de la forma. Este no-ser de la forma es la unidad, el Principio. Este es el secreto de los Sabios, la semilla de la ciencia esotérica.

En sus disertaciones sobre el origen, los antiguos que alcanzaron un mayor grado de ciencia, dieron tres opiniones. Algunos pensaban que por toda la eternidad existió un ser definido, infinito, autor de todos los seres limitados. Otros, suprimiendo el ser infinito, pensaban que, por toda la eternidad, existían seres limitados que pasaban por fases alternas de vida y muerte. Finalmente, otros pensaban que primero estaba la nada informe (el ser infinito indefinido), del que emanaron todos los seres definidos, con sus génesis y cesiones. Ser indefinido, génesis, cesación, estos tres términos están juntos, como la cabeza, la grupa y la cola de un animal. Yo (*Zhuang Zhou*) apoyo esta tesis. Para mí, el ser indefinido, todos los devenires, todos los finales, forman un complejo, un todo. Les doy mi mano a los que piensan así. Sin embargo, en un momento dado, las tres opiniones mencionadas podrían conciliarse. Están relacionadas, como ramas de un mismo árbol.

El ser particular es al ser indefinido lo que el hollín (depósito palpable) es al humo (tipo de lo impalpable). Cuando el hollín se deposita, no ha habido una nueva producción, sino sólo un paso de lo impalpable a lo palpable, siendo el hollín un humo concreto. Y del mismo modo, si este hollín vuelve a disiparse en humo, seguirá habiendo sólo una conversión, sin modificación esencial. Sé que el término conversión, que uso para expresar la sucesión de vidas y muertes en el seno del Principio, no es un término común; pero debo decirlo, o no podré expresarme… Los miembros desarticulados de un buey sacrificado son una víctima. Varios cuertas son una vivienda. La vida y la muerte son el mismo estado. De la vida a la muerte, no hay transformación, hay conversión. Los filósofos se acaloran cuando se trata de definir la diferencia entre estos dos estados. Para mí, no hay diferencia; los dos estados son uno.

F. En caso de daño, cuanto más allegada sea la persona dañada, menos se disculpa uno. Se le pide perdón al campesino extranjero al que se le ha pisado el pie; pero el padre no pide perdón a su hijo en la misma situación. El colmo de los rituales es no hacer ninguno. El colmo del decoro es burlarse de todo. El colmo de la inteligencia es no pensar en nada. El colmo de la bondad es no amar nada. El colmo de la sinceridad es no pagar depósitos. Las desviaciones de los apetitos deben ser reprimidas. Las aberraciones de la mente deben ser corregidas. Hay que descartar todo lo que impida la libre circulación del Principio. Querer ser noble, rico, distinguido, respetado, reconocido y aventajado son los seis apetitos. El aire, la postura, la belleza, los argumentos, la respiración y el pensamiento, son las cosas que provocan las aberraciones de la mente. La antipatía, la simpatía, la indulgencia, la ira, el dolor y la alegría, son las cosas que impiden el libre flujo del Principio. La repulsión y la atracción, el tomar y el dar, el conocimiento y el poder, son todos obstáculos. El interior del que se han eliminado estas veinticuatro causas de desorden, se vuelve asentado, tranquilo, luminoso, vacío, no actuante y capaz de todo.

El Principio es la fuente de todas las facultades activas, la vida es su manifestación, la naturaleza particular es una modalidad de esta vida, sus movimientos son los actos, los actos fallidos son las faltas.

Los doctos adivinan y especulan; y cuando no pueden ver con más claridad, hacen como los niños pequeños y miran fijamente un objeto.

Actuar sólo cuando no se puede hacer otra cosa es una acción ordenada. Actuar sin estar obligado a ello es una interferencia peligrosa. El conocimiento y la acción deben ir de la mano.

G. Yi era un arquero muy hábil (arte artificial), y extremadamente estúpido por naturaleza. Hay personas muy sabias por naturaleza, que no entienden ningún arte. La naturaleza es la base de todo.

La libertad forma parte de la perfección natural. No se pierde sólo por el encierro en una jaula. Tang enjauló a Yi Yin, convirtiéndolo en su cocinero. El duque Mu de Qin enjauló a Bo Li Xi, dándole cinco pieles de cabra[89]. Se enjaula a los hombres, ofreciéndoles lo que les gusta. Todos los favores esclavizan.

La libertad de espíritu requiere la ausencia de interés. El que ha pasado por la prueba de la amputación de los pies, ya no se viste; porque ya no puede embellecerse, ya no tiene ese interés. El que va a ser ejecutado, ya no siente vértigo a ninguna altura; porque ya no tiene miedo de caer, ya no tiene interés en preservar su vida.

Para ser un hombre que ha vuelto al estado de naturaleza, hay que haber renunciado a la amistad de los hombres, y a todos los pequeños medios que sirven

---

89 Compárese con *Mencio*, V. I. 7 — V. I. 9.

para ganarla y mantenerla. Hay que haberse vuelto insensible a la veneración y al ultraje; hay que mantener siempre el equilibrio natural.

Hay que ser indiferente, antes de hacer un esfuerzo, antes de actuar; de modo que el esfuerzo, la acción, que sale del no-esfuerzo, de la no-acción, es natural.

Para disfrutar de la paz, hay que mantener el cuerpo en buen estado. Para que los espíritus vitales funcionen bien, hay que poner el corazón en orden. Para actuar siempre bien, sólo hay que dejar el descanso cuando no se puede hacer otra cosa. Este es el camino de los Sabios.

Capítulo 24 - Simplicidad

A. Cuando el erudito *Nü Shang* presentó el anacoreta *Xu Wugui* al marqués *Wu* de *Wei*, éste se dirigió a él con las palabras de interés requeridas por los ritos, diciendo:

— Tus privaciones en las montañas y los bosques sin duda te habrán debilitado; ya no eres capaz de continuar este tipo de vida y buscas alguna posición social; por eso has venido a mí, ¿no es así?

— No —dijo *Xu Wugui*—, he venido a darte mis condolencias. Si sigues dejando que tus pasiones asolen tu interior, tu espíritu vital se desgastará. Si decides reprimirlas, dado el imperio que has permitido que tomen, tendrás que disciplinarte mucho. Te ofrezco mis condolencias, en cualquier caso.

Este discurso disgustó al marqués, que miró a *Xu Wugui* con aire altivo y no respondió.

Al ver que el marqués no era capaz de recibir la enseñanza daoísta abstracta, *Xu Wugui* intentó dársela de forma concreta.

— Déjame agregar algo más —dijo—. Soy bueno juzgando perros. Considero que los que sólo se preocupan por satisfacer su voracidad (el tipo sensual), son de la clase más baja. Considero que los que se ponen al sol (los intelectuales) son del tipo medio. Por último, considero que los que parecen indiferentes a todo son de la clase superior; porque, una vez puestos en marcha, ninguna distracción les hará desviarse…

También sé juzgar a los caballos. Aquellos que describen ingeniosas figuras geométricas, los considero dignos de pertenecer a un príncipe. Los que cargan con fuerza sin preocuparse del peligro, considero que están hechos para un emperador…

Marqués, libérate de las preocupaciones y distracciones de orden inferior; aplícate a lo esencial.

El marqués *Wu* se rió a carcajadas, feliz de haber entendido este sencillo discurso.

Cuando *Xu Wugui* salió, *Nü Shang* le dijo:

— Eres el primero que ha logrado complacer a nuestro príncipe. No importa cuántas veces le haya hablado de las Odas, los Anales, los Rituales, la Música, la Estadística y el Arte Militar[90], nunca le he visto sonreír hasta descubrirse los dientes. ¿Qué le habrás dicho para ponerle de tan buen humor?

— Le hablé —dijo *Xu Wugui*— de sus propios temas, de los perros y los caballos.

— ¡Bah! —dijo *Nü Shang*.

— Conoces la historia del hombre del país de *Yue*, que fue exiliado a una región lejana —dijo *Xu Wugui*—. Después de unos días, al ver a un hombre de *Yue*, se alegró. Al cabo de unos meses, ver un objeto de *Yue*, le agradó. Al cabo de unos años, la visión de un hombre o de un objeto que sólo se parecían a los de su país, le complacía. Un efecto de su creciente nostalgia… Para el hombre perdido en las estepas del norte, que vive entre las hierbas y las bestias salvajes, escuchar los pasos de un hombre es una alegría; y cuánto más, cuando ese hombre es un amigo, un hermano, con el que puede conversar de corazón a corazón… Fue como un hermano, por naturaleza, que hablé con tu príncipe. Hacía tanto tiempo que este pobre hombre, saturado de discursos pedantes, no escuchaba las palabras sencillas y naturales de otro hombre. Por eso se alegró cuando me escuchó, porque alivió su nostalgia.

B. (*Otra variación sobre el mismo tema*). Al recibir a *Xu Wugui* en audiencia, el marqués *Wu* le dijo:

— Maestro, has vivido mucho tiempo en los montes y los bosques, alimentándote de raíces y castañas, cebollas y ajos silvestres. Ahora eres viejo, y no puedes continuar con este tipo de vida. Sin duda, el gusto por el vino y la carne ha vuelto a ti. ¿No es para tener tu parte que has venido a ofrecerme tus consejos para el buen gobierno de mi marquesado[91]?

— No es por eso —dijo *Xu Wugui*—. Estoy acostumbrado a la privación desde mi infancia, y no tengo ningún deseo de tu vino o tu carne. He venido a darte mis condolencias.

— ¿Por qué desgracia? —preguntó el marqués asombrado.

— Por la ruina de tu cuerpo y tu mente —dijo *Xu Wugui*-. El cielo y la tierra extienden a todos los seres, sean quienes sean, una influencia uniforme, que tiene por objeto hacer que todos alcancen su perfección natural, tanto los más elevados como los más bajos. ¿Por qué entonces, señor de un marquesado, haces sufrir a tu pueblo con tus exacciones, por el placer de tus sentidos que arruina tu cuerpo? Tu espíritu, naturalmente en consonancia con la tendencia del cielo y de la tierra, no puede aprobar esto, y por ello sufre una violencia que lo arruina. Es por la doble ruina, de tu cuerpo y de tu mente, que te doy mis condolencias.

Sorprendido por este discurso, el marqués *Wu* dijo:

— Hace tiempo que deseo tu visita. Me gustaría practicar la amabilidad con mi gente. Me gustaría ser justo con mis vecinos. ¿Qué debo hacer para esto?

Xu Wugui dijo:

---

90 Temas confucianos, mortalmente aburridos.
91 Un golpe a los políticos a sueldo de la época.

— Cesa tu construcción de fortalezas, tus maniobras y ejercicios, que empobrecen a tu pueblo y preocupan a sus vecinos. Deja de comprar planes de conquista, estimaciones de estratagemas. Toda guerra agota al pueblo, al enemigo y al guerrero, por las ansiedades que provoca. Como el cielo y la tierra, sé amable con todos y no hagas daño a nadie. Todos estarán bien, tu gente, tus vecinos y tú mismo.

C. *Huang Di* estaba yendo a visitar a *Da Wei* en el monte *Ju Ci*, *Fang Ming* conducía su carro, *Chang Yu* hacía de contrapeso, *Zhang Ruo* y *Xi Peng* iban delante, *Kun Hun* y *Hua Ji* iban detrás. En la llanura de *Xian Cheng*, los siete Sabios se perdieron. Tras encontrarse con un muchacho que apacentaba caballos, le preguntaron si sabía dónde estaba el monte *Ju Ci* y dónde vivía *Da Wei*.

— Lo sé —dijo el chico.

— ¿Puede ser —dijo *Huang Di*— que, sin haber estudiado, este muchacho sepa dónde está el monte *Ju Ci* y conozca a *Da Wei*? ¿No será un ser trascendente?

Y *Huang Di* le preguntó cómo gobernar bien el imperio.

— De la misma forma que yo gobierno a mis caballos —respondió el muchacho—; creo que no es más difícil… Solía caminar sólo dentro de los límites del espacio, y la multitud de los seres particulares que tenía que mirar casi me cansaba los ojos. Entonces, un anciano me aconsejó que montara en el carro del sol y caminara por la llanura de *Xian Cheng* (para elevarse por encima del mundo de los individuos, para ver todo desde tan alto como el sol). Seguí su consejo y mis ojos se curaron. Ahora sólo camino fuera de los límites del espacio real, en lo universal, en la abstracción. Es desde este punto de vista, me parece, que el imperio puede ser gobernado como yo gobierno mis caballos.

Como *Huang Di* insistió en que se explicara más, el chico misterioso le dijo

— Mantengo alejado de mis caballos lo que pueda perjudicarlos; en cuanto a todo lo demás, los dejo a su suerte. Creo que, en el gobierno de los hombres, un emperador debería limitarse a esto.

Asombrado, *Huang Di* se postró, tocó la tierra con la frente, llamó al niño Maestro Celestial y siguió su camino.

D. Es en la abstracción donde hay que buscar el Principio. Es desde el infinito que hay que mirar a los seres particulares. Pero la mayoría de los hombres hacen todo lo contrario.

Los filósofos se pierden en sus especulaciones, los sofistas en sus distinciones, los investigadores en sus investigaciones. Todos estos hombres están cautivos en los límites del espacio, cegados por los seres particulares.

Lo mismo sucede con los que cortejan a los príncipes para obtener cargos, los que buscan el favor del pueblo, los que se esfuerzan por obtener premios. Lo mismo con los ascetas que se maceran para hacerse famosos; los legistas, los ceremonialistas, los músicos, que compiten entre sí; finalmente los que hacen profesión de ejercer la bondad y la equidad confucianas). El campesino es absorbido por su trabajo, el comerciante por su oficio, el artesano por su profesión, el vulgo por su pequeño negocio diario.

Cuanto más favorables son las circunstancias, más se sumergen en su especialidad. Ante cada fracaso, ante cada decepción, se afligen. Siguen una idea fija, sin llegar nunca a un acuerdo sobre las cosas. Agotan sus cuerpos y abruman sus mentes. Y esto, toda la vida. ¡Ay!

E. *Zhuang Zhou* le dijo a *Hui Zi*:

— Del hecho de que un arquero haya alcanzado por casualidad una meta que no tenía como objetivo, ¿podemos concluir que es un buen arquero? Y, como esta casualidad puede ocurrirle a cualquiera, ¿podemos decir que todos los hombres son buenos arqueros?

— Sí —dijo el sofista *Hui Zi*.

Zhuang Zhou continuó:

— Del hecho de que en este mundo no hay una noción universalmente aceptada de lo que es bueno, y que cada hombre llama bueno a lo que le gusta; de este hecho, ¿podemos concluir que todos los hombres son buenos?

— Sí —dijo *Hui Zi*.

— Entonces —dijo *Zhuang Zhou*— también hay que decir que las cinco escuelas actuales de Confucio, *Mo Zi*, *Yang Zhu*, *Gong Sun Long* y la tuya tienen razón al mismo tiempo. Pero no es posible que la verdad resuene en cinco acordes diferentes al mismo tiempo.

Como alguien se jactó ante *Lu Ju* de que podía producir calor en invierno y frío en verano, *Lu Ju* le dijo: "¡Qué gran éxito, provocar una ruptura en el equilibrio cósmico! Yo hago todo lo contrario, me pongo al unísono con la armonía universal. Compruébalo tu mismo.

Habiendo afinado dos cítaras al mismo tono, *Lu Ju* colocó una en la habitación exterior y la otra en un piso interior. Cuando tocaba el tono *gong* en una, el mismo tono *gong* sonaba en la otra. Lo mismo ocurría con el tono *jue* y los demás. Cada cítara hacía vibrar a la otra al unísono desde la distancia…

— Si *Lu Ju* hubiera tocado una nota discordante —dijo *Zhuang Zhou*—, no conforme a la escala, las veinticinco cuerdas de la otra cítara no habrían resonado, sino que habrían temblado, al ofender esta disonancia la afinación establecida de las cuerdas. Lo mismo ocurre con las cinco escuelas (cinco cítaras, cada una con una afinación diferente). Cada una hace temblar a las demás. ¿Cómo es posible que todas tengan razón?

— Aunque uno haga temblar a la gente —dijo *Hui Zi*—, esto no demuestra que esté equivocado. Quien tiene la última palabra tiene razón. Desde hace mucho tiempo, los discípulos de Confucio, de *Mo Zi*, de *Yang Zhu*, y de *Gong Sun Long*, han ido desgranando mis argumentos, intentando aturdirme con sus gritos. Nunca han podido silenciarme; por lo tanto, tengo razón.

— Escucha esta historia —dijo *Zhuang Zhou*—. En un momento de angustia, un hombre de *Qi* vendió a su único hijo a los *Song*, para convertirlo en eunuco. El mismo hombre guardaba con veneración los recipientes para las ofrendas a los antepasados. Se quedó con los recipientes de las ofrendas y, mediante la castración de su hijo, suprimió a los descendientes que hubieran hecho las ofrendas. Haces lo mismo que este padre, sofista, tú para quien un expediente lo es todo, la verdad no cuenta para nada. — Escucha de nuevo la historia de este siervo de *Chu*, a quien su amo encargó una importante misión. Al tener que cruzar un río en un transbordador a medianoche en un lugar solitario, no pudo reprimir su temperamento pendenciero y se peleó con el barquero que lo arrojó al agua. Acabarás mal como este hombre, tú que te peleas con todo el mundo por pelear.

Incluso después de la muerte de *Hui Zi*, *Zhuang Zhou* no dejó de perseguirlo con sus burlas. Sobre la tumba de *Hui Zi* se erigió una estatua del mismo. Un día, siguiendo un cortejo fúnebre, *Zhuang Zhou*, que pasaba por allí, dijo de repente, señalando la estatua:

— ¡Vean la mota de cal que tiene este hombre en la nariz!

Y ordenó a *Shi*, el carpintero (que acompañaba a la procesión, para hacer cualquier reparación en el soporte o el ataúd) que la retirara. El carpintero dio un golpe con su hacha frente a la nariz de la estatua, y el grano de cal fue arrastrado por la corriente de aire. El príncipe *Yuan* de *Song*, al enterarse del hecho, admiró la habilidad del carpintero y le dijo

— Haz tu truco de nuevo en mi persona.

El carpintero retrocedió, diciendo:

— Sólo me atrevo a hacerlo en materia muerta.

— Para mí —dijo *Zhuang Zhou*—, es todo lo contrario. Desde que *Hui Zi* murió, ya no tengo a nadie a quien operar.

(*El hacha representa la poderosa doctrina de* Zhuang Zhou, *el grano de cal representa el pequeño espíritu de* Hui Zi. *Cuando* Zhuang Zhou *discutía, sin siquiera tocar a* Hui Zi, *el pequeño espíritu de* Hui Zi *se desvanecía. Comentario*).

F. Cuando *Guan Zhong* (*Guan Zi*, siglo VII a.C.) cayó gravemente enfermo, el duque *Huan* de *Qi*, de quien era ministro, acudió a él y le dijo

— Padre *Zhong*, tu enfermedad es grave. Si se agravara (eufemismo, si murieras), dime, ¿a quién debo confiar mi ducado?

— Tú eres el maestro —dijo *Guan Zhong*.

— ¿*Bao Shu Ya* lo haría bien? —preguntó el duque.

— No —dijo *Guan Zhong*—. Este hombre es demasiado purista, demasiado exigente. No se mezcla con nadie inferior a él. No perdona sus faltas a nadie. Si lo haces ministro, inevitablemente ofenderá tanto a su amo como a sus súbditos. Tendrías que deshacerte de él en poco tiempo.

— Entonces, ¿a quién debo nombrar? —preguntó el duque.

— Ya que insistes —dijo *Guan Zhong*— toma a *Xi Peng*. Este (un buen daoísta, es tan abstracto, que) su príncipe no notará su presencia, y nadie podrá llevarle la contraria. Siempre se reprocha a sí mismo por no ser tan perfecto como *Huang Di*, y no se atreve a reprochar a nadie. Los sabios de primer orden son aquellos que se diferencian de la gente común por su trascendencia; los sabios de segundo orden son aquellos que se diferencian de ellos por su talento. Si estos últimos quieren imponerse por su talento, alejan a los hombres. Si, a pesar de su talento, se ponen por debajo de los hombres, los ganan a todos. *Xi Peng* es un hombre así. Además, como su familia y su persona no son muy conocidas, nadie lo envidia. Ya que debo aconsejarte, repito, toma a *Xi Peng*[92].

G. El rey de *Wu*, navegando por el río Azul, desembarcó en la isla de los monos. Cuando estos animales lo vieron venir, huyeron y se escondieron en los matorrales. Sólo quedaba uno, retozando como si se burlara de él. El rey le disparó una flecha. El mono la cogió al vuelo. Irritado, el rey ordenó a todo su séquito que diera caza al mono impertinente, que sucumbió ante su número. Ante su cadáver, el rey le dio la siguiente lección a su favorito *Yen Bu Yi*:

— Este mono ha perecido, por haberme provocado con la ostentación de su habilidad. ¡Cuídate a ti mismo! ¡No lo imites! ¡No me molestes con tus bravuconadas!

Asustado, *Yen Bu Yi* le pidió a *Dong Wu* que lo entrenara en la sencillez. Después de tres años, todo el mundo hablaba muy bien de él.

H. *Nan Bo Zi Qi* estaba sentado, mirando al cielo y suspirando. Al encontrarlo en ese estado, *Yen Cheng Zi* le dijo:

— Estabas en éxtasis[93].

Zi Qi dijo:

— Una vez viví como ermitaño en las cuevas de las montañas. El príncipe de *Qi* me sacó para hacerme ministro, y el pueblo de *Qi* lo felicitó. Debo haberme traicionado para que me haya encontrado así. Debo haberme vendido, para que me haya adquirido de esta manera. ¡Ay! mi libertad está acabada. Me dan pena los que se pierden por aceptar cargos. Compadezco a los que se quejan de no tener un cargo. No puedo huir. No me queda más que retirarme al éxtasis.

I. Cuando Confucio fue al reino de *Chu*, el rey le ofreció el vino de bienvenida. *Sun Shu Ao* presentó la copa, *Shi Nan Yi Liao* hizo la libación preliminar, y luego dijo:

— Fue en este momento, que los ancianos hicieron un discurso.

Confucio dijo:

— Aplicaré hoy el método del discurso sin palabras, del que vosotros, mis maestros, habéis sabido sacar tan buen partido. Tú *Yi Liao* evitaste una batalla y trajiste la paz entre *Chu* y *Song* haciendo malabarismos con campanas. Tú, *Sun Shu Ao*, ablandaste a los bandidos de *Qin Qiu* y los llevaste a deponer las armas bailando la pantomima ante ellos. Si me atreviera, delante de ti, a hablar de otra manera que con mi silencio, ¡que me quede mudo de por vida!

En lugar de buscar tanto, quédate con la unidad del Principio; quédate en silencio, ante lo inefable; eso es la perfección. Los que hacen lo contrario son hombres malvados.

La grandeza del mar es que reúne en su seno todas las corrientes de la vertiente oriental. Así lo hace el Sabio, que abarca el cielo y la tierra, y hace el bien a todos,

---

92 Compárese con *Lie Zi*, cap. 6 C.
93 Comparar con el capítulo 2 A.

sin querer ser conocido. El que ha pasado así, sin cargos durante su vida, sin títulos después de su muerte, sin hacer fortuna, sin hacerse famoso, es un gran hombre.

Un perro no es un buen perro porque ladre mucho, un hombre no es un sabio porque hable mucho. Para ser un gran hombre, no basta con creer que uno es grande, no basta con pretender hacer creer a otros que uno es grande. Ser grande significa ser completo, como el cielo y la tierra. Sólo nos hacemos grandes imitando la forma de ser y actuar del cielo y la tierra. Esforzarse por ello sin prisa, pero también sin vacilar; no dejarse influir por nada; volver a uno mismo sin cansarse, estudiar la antigüedad sin entristecerse; esto es lo que hace a un gran hombre.

J. *Zi Qi* tuvo ocho hijos. Los alineó a todos ante el fisonomista *Jiu Fang Yin*, y le dijo:

— Por favor, examina a estos chicos, y dime cuál de ellos muestra signos de buen augurio.

El adivino dijo:

— Este, *Kun*.

Asombrado y alegre, el padre preguntó:

— ¿Qué pronosticas para él?

— Comerá la comida de un príncipe por el resto de su vida —dijo el adivino.

Ante estas palabras, la alegría de *Zi Qi* fue sustituida por la tristeza. Dijo, llorando:

— ¿Qué mal ha hecho mi hijo, para tener tal destino?

— Cuando alguien come de la mesa de un príncipe, este honor se remonta a la tercera generación de sus antepasados. Así que tendrás tu parte de la buena fortuna de tu hijo. ¿Y lloras, como si tuvieras miedo de esta felicidad? ¿Puede ser que lo que es bueno para tu hijo sea malo para ti?

— ¡Ay! —dijo *Zi Qi*—, ¿estás seguro que interpretas correctamente el destino de mi hijo? Que tenga toda la vida vino y carne a su discreción es bienestar, sin duda, pero a qué precio lo obtendrá mi hijo es lo que quizás no has visto claro. Desconfío de este presagio, porque sólo me ocurren cosas extraordinarias. No tengo rebaños, pero una oveja vino a mi casa a parir. Aunque no cazo, una codorniz ha construido su nido en mi casa. ¿No son estas cosas extrañas? Me temo que mi hijo también tiene un futuro extraño. Hubiera deseado que viviera como yo, libre entre el cielo y la tierra, gozando como yo de las bendiciones del cielo y alimentándose de los frutos de la tierra. No deseo que él, más que yo, tenga preocupaciones, inquietudes o aventuras. Deseo, al igual que yo, que él se eleve tan alto en la simplicidad natural que ninguna cosa terrenal pueda causarle ninguna impresión. Me hubiera gustado que, como yo, estuviera absorto en la indiferencia, no en el interés. Y ahora predices una recompensa de lo más vulgar para él. Esto supone que habrá prestado servicios muy vulgares. Por lo tanto, el presagio es malo. Un destino inevitable, probablemente, pues ni mi hijo ni yo hemos pecado, así que debe ser un decreto del destino. Por eso estoy llorando.

Más tarde, tanto la predicción del adivino como los temores del padre se cumplieron, de la siguiente manera: *Zi Qi* había enviado a su hijo *Kun* al país de *Yen*, y los bandidos lo capturaron en el camino. Como les hubiera resultado difícil venderlo como esclavo estando entero, le cortaron un pie y lo vendieron en el principado de *Qi*, donde se convirtió en inspector de caminos de la capital. Durante el resto de su vida comió su parte de las sobras del príncipe *Qi*, como había predicho el adivino; plagado de las más viles preocupaciones, como había previsto su padre.

K. *Nie Que* habiendo encontrado a *Xu You*, le preguntó:

— ¿A dónde vas?

— Abandono el servicio del emperador *Yao* —dijo *Xu You*.

— ¿Por qué? —preguntó *Nie Que*.

— Porque este hombre hace el ridículo con su amabilidad afectada. Cree que está haciendo algo maravilloso al atraer a los hombres. ¿Qué puede ser más banal que eso? Muestra afecto a los hombres, y te amarán; hazles el bien, y vendrán corriendo; halágales, y te exaltarán; entonces, al menor disgusto, te abandonarán. Ciertamente, la bondad atrae; pero aquellos que son atraídos, vienen por el beneficio que les reporta, no por el amor de quien les trata bien. La bondad es una máquina de atrapar hombres, similar a las trampas para pájaros. No es posible hacer el bien a todos los hombres, cuyas naturalezas son tan diversas, con el mismo procedimiento. *Yao* cree, con su bondad, que está haciendo un bien al imperio, mientras que lo está arruinando. Esto se debe a que ve desde su interior, sujeto a la ilusión. Los Sabios, que ven desde fuera, tenían razón en este caso.

Observemos, entre las diversas naturalezas de los hombres, las tres clases siguientes: los perezosos, los adherentes, y los afables… Los perezosos aprenden las frases de un maestro, las asimilan, y las repiten, creyendo que están diciendo algo, mientras que, como meros loros, se limitan a recitar… Las adherentes se apegan a quien les da vida, como los piojos que viven en los cerdos. Llega el día en que el carnicero, tras haber matado al cerdo, le prende fuego. Lo mismo ocurre a veces con los parásitos de un patrón… El tipo de los afables era *Shun*. Atraía a la gente con alguna atracción, como la grasa atrae a las hormigas por su olor rancio. A la gente le encantaba el olor de *Shun*. Cada vez que cambiaba de residencia, la gente lo seguía. Como resultado, *Shun* nunca conoció la paz.

Pues bien, el hombre trascendente no es ni perezoso, ni adherente, ni afable. Odia la popularidad por encima de todo. No es familiar. No se rinde. Se dedica a sus principios superiores abstractos, se lleva bien con todo el mundo, pero no es amigo de nadie. Para él, las hormigas no son lo suficientemente simples. Es sencillo, como las ovejas, como los peces. Toma como cierto lo que ve, lo que oye, lo que piensa. Cuando actúa espontáneamente, su acción es recta como una línea trazada con un cordel. Cuando se deja llevar por los acontecimientos, se adapta a su curso.

L. Los verdaderos hombres de la antigüedad se ajustaban a la evolución, y nunca intervenían, mediante un esfuerzo artificial, en el curso natural de las cosas. Viviendo, preferían la vida a la muerte; muertos, preferían la muerte a la vida. Cada cosa a su tiempo, como cuando tomas una medicina.

Luchar contra el curso de las cosas es buscar la ruina. Así, el ministro *Wen Zhong*, al salvar el reino de *Yue*, que iba a perecer, provocó su propia destrucción.

No hay que desear que el búho tenga mejor vista y la grulla unas patas más cortas. Su destino natural es lo que más les conviene.

El que sabe aprovechar al máximo sus recursos naturales, siempre sale ganando. Así, aunque el viento y el sol hacen que el agua de los ríos se evapore, éstos siguen fluyendo, porque los manantiales, sus reservas naturales, alimentan su curso.

Nada es más constante, más fiel, que las leyes naturales, como la que dice que el agua fluye por las pendientes, como la que hace que los cuerpos opacos proyecten una sombra.

Que el hombre se guarde de agotar lo que la naturaleza le ha dado mediante un uso excesivo e inmoderado. La vista desgasta los ojos, el oído desgasta los oídos, el pensamiento desgasta la mente, toda actividad desgasta el agente. Y pensar que algunos están orgullosos de los abusos que han cometido en este asunto. ¿No es esto una ilusión fatal?

M. El hombre, cuyo cuerpo ocupa un lugar tan pequeño en la tierra, llega a través del espacio al cielo por su espíritu. Conoce la gran unidad, su primer estado de concentración, la multiplicación de los seres, la evolución universal, la inmensidad del mundo, la realidad de todo lo que contiene, la firmeza de las leyes que lo rigen. En el fondo de todo está la naturaleza. En las profundidades de la naturaleza está el pivote de todo (el Principio), que parece dual (*yin* y *yang*) sin serlo realmente, que es conocible pero no adecuadamente. El hombre llegó a conocerlo a fuerza de buscarlo. Extendiéndose más allá de los límites del mundo, su mente alcanzó (el Principio) la escurridiza realidad, siempre la misma, siempre impecable. Este es su mayor logro. Lo consiguió razonando, a partir de las certezas ya adquiridas, sobre cosas todavía inciertas, que gradualmente se hicieron ciertas a su vez, siendo el conocimiento del Principio la última certeza final.

Capítulo 25 - La verdad

A. Habiendo ido Ze Yang (Peng Zeyang) a Chu, el ministro Yi Jie anunció su llegada al rey de ese país, y luego volvió a sus asuntos. Al no obtener audiencia, Ze Yang se dirigió a Wang Guo, un sabio del país, y le pidió que hablara en su favor.

— Pídele a *Gong Yue Xiu* este servicio —dijo *Wang Guo.*

— ¿Quién es? —preguntó *Ze Yang.*

— Es —dijo *Wang Guo*—, un hombre que arponea tortugas en el río durante el invierno y descansa en el bosque durante el verano (un sabio daoísta). *Yi Jie* no hará nada por ti. Ambicioso, intrigante, egoísta, sólo trabaja para sí mismo. *Gong Yue Xiu*, absolutamente desinteresado, se impone, por la elevación de sus principios, al brutal rey de *Chu.*

A través del encanto de su conversación, el Sabio hace que el pueblo olvide los tormentos de la miseria y los hace resignarse. Por su ascendencia moral, hace que los grandes olviden la elevación de su rango y los vuelve humildes. Fraterniza con los pequeños y conversa con los grandes, dando a cada uno lo que puede entender y guardando el resto para sí mismo. Sin hablar, llena de paz a los que le rodean. Sin predicar, los enmienda. No desdeña permanecer a intervalos en su familia, para cumplir su papel de padre y hacer el bien al pueblo. Sencillo, firme, tranquilo, es ajeno a todas las preocupaciones y se impone a todos. *Gong Yue Xiu* es un hombre de este tipo. Sólo él podrá hacer que el rey de *Chu*, que está mal dispuesto hacia ti, te reciba.

B. El Sabio comprende que, vinculados entre sí, todos los seres forman un cuerpo (un todo), pero no pretende penetrar en la naturaleza íntima de este vínculo, que es el misterio de la norma cósmica. Siguiendo en todos sus movimientos la ley universal, es el agente del cielo. Los hombres lo llaman Sabio, porque coopera con el cielo. No se preocupa por saber lo que no se puede saber, sino que actúa con el conocimiento que tiene, de forma persistente, constante. No reflexiona sobre las cualidades que pueda tener, sino que las deja a la vista de los demás, sin atribuirse lo que es un don de la naturaleza. Es benévolo con los hombres, no por afecto, sino por instinto, y no reclama su gratitud.

C. Cuando, después de una larga ausencia, un hombre ha regresado a su patria, siente una satisfacción que ni la vista de las tumbas que se han multiplicado, ni las ruinas que la vegetación invade, ni la desaparición de las nueve décimas partes de sus conocidos, pueden alterar. Es que vuelve a ver en su mente lo que una vez fue, abstrayéndose de lo que es. Es que se eleva por encima de las circunstancias actuales.

Así lo hace el Sabio, impasible ante las vicisitudes del mundo, contemplando en ellas la naturaleza inalterable.

También lo hizo el legendario gobernante *Ren Xiang*. Permaneció indiferente, en el centro del círculo giratorio de las cosas mundanas, dejándose llevar por la evolución eterna e indivisa, permaneciendo él solo sin transformarse (a causa de su indiferencia) en la transformación universal. Este puesto es único.

No hay que tratar de imitar al cielo (a la manera de Confucio), con actos positivos. Hay que imitar al cielo, desprendiéndose de todo. Esta es la forma en que el Sabio sirve a la humanidad. Se abstrae de todo, y sigue su tiempo, sin defecto y sin exceso. Esta es la unión pasiva con el Principio, la única posible. Buscar la unión activa es intentar lo imposible[94]. El ministro del emperador *Tang* consideraba su cargo más bien como honorífico. Dejó pasar todo, y se cuidó de no aplicar las leyes. Esto hizo que su gobierno tuviera éxito. Ahora, por el contrario, a Confucio le gustaría que todo fuera examinado a fondo y que se promulgaran muchas regulaciones. Olvida las palabras muy ciertas de *Yong Cheng* (un antiguo daoísta): "Añadir días a los años, suponer una sustancia detrás de los accidentes, son errores procedentes de una concepción ficticia de la naturaleza del tiempo y de los seres.

---

94   Aquí el texto está probablemente mutilado.

La realidad es un presente eterno, una unidad esencial". (El comentario añade que ni siquiera hay un yo y un tú.)

D. El rey de *Wei* había concluido un tratado con el rey de *Qi*, que lo violó. El rey de *Wei*, furioso, resolvió hacer que lo asesinaran con un sicario (procedimiento habitual en la época). *Gongsun Yen*, su ministro de guerra, le dijo:

— Tú que tienes diez mil carros de guerra, vas a confiar tu venganza a un vil asesino. Dame doscientos mil hombres en su lugar. Asolaré el país de *Qi*, sitiaré a su rey en su capital, lo mataré en su derrota. Esto será noble y completo.

Al ministro *Ji Zi* le pareció mal el consejo y le dijo al rey:

— No provoques a *Qi*. Acabamos de construir una hermosa muralla. Si se dañara, causaría dolor a los ciudadanos que trabajan en ella. La paz es la base sólida del poder. El Ministro de Guerra es un atolondrado, al que no hay que hacer caso.

El ministro *Hua Zi* (daoísta) encontró ambas opiniones igualmente malas, y dijo al rey:

— Aquel que, para tener una oportunidad de mostrar su habilidad militar, te aconsejó la guerra, es un desatinado. Aquel que, para mostrar su elocuencia, te aconsejó que hiciera la paz, también es un atolondrado. Sus dos opiniones son iguales.

— Pero entonces, ¿qué debo hacer? —preguntó el rey.

— Medita sobre el Principio —dijo *Hua Zi*—, y saca la conclusión.

Como el rey no tuvo éxito, *Hui Zi* le trajo a *Dai Jinren*, un amigo sofista. Este último entró en materia con la siguiente alegoría:

— Imagina una babosa. Esta babosa tiene dos cuernos. Su cuerno izquierdo es el principado del rey Brutal; su cuerno derecho es el del rey Salvaje. Estos dos reinos están constantemente en guerra. Los muertos, sin número, se esparcen por el suelo. Quince días después de su derrota, el vencido ya busca venganza.

— ¡Tonterías! —dijo el rey de *Wei*.

— Lo siento —dijo *Dai Jinren*—. Oh, rey, ¿consideras que el espacio es limitado en alguna de sus seis dimensiones?

— No —dijo el rey—; el espacio es ilimitado en las seis dimensiones.

— Así —dijo *Dai Jinren*—, el inmenso espacio no tiene límites; ¿tienen fronteras los dos pequeños principados de *Wei* y *Qi*?

— No —dijo el rey, poco dado a la dialéctica, y juzgando que no podía conceder a lo menor lo que había negado a lo mayor.

— No hay fronteras, por lo tanto no hay disputa, dijo *Dai Jinren*. Ahora, oh rey, dime en qué te diferencias del rey salvaje del cuerno derecho.

— No veo diferencia —dijo el rey.

Dai Jinren se fue, dejando al rey absolutamente desconcertado. Cuando *Hui Zi* regresó, el rey le dijo:

— Este es un hombre superior; sólo un sabio sabría como responderle.

— Así es —dijo *Hui Zi*—. Cuando se sopla en un clarinete, sale un sonido brillante; cuando se sopla en la empuñadura (hueca, en forma de concha) de una espada, sólo sale un susurro. Si se valorara a *Dai Jinren* en su justa medida, los elogios a *Yao* y *Shun* se reducirían a un murmullo, los de *Dai Jinren* sonarían como un clarinete.

Los asuntos de *Wei* y *Qi* quedaron en ese punto.

E. Confucio fue a *Chu* y se alojó en *Yi Qiu*, en la casa de un fabricante de condimentos. Inmediatamente, en la casa vecina, se subieron al tejado (plano, para mirar el patio de la casa donde se hospedaba Confucio).

— ¿Por qué esta gente parece tan asustada? —preguntó el discípulo *Zi Lu*, que acompañaba a Confucio.

— Son la familia de un Sabio, que se esconde voluntariamente entre la gente y vive en la oscuridad —dijo Confucio—. La elevación moral de este hombre es sublime. Lo oculta cuidadosamente, hablando sólo de asuntos triviales, sin traicionar el secreto de su corazón. Sus puntos de vista diferían de los de la gente común de la época, y tiene poco que ver con los hombres. Se ha enterrado aquí, en vida, a la manera de *Yi Liao*.

— ¿Puedo ir a invitarle a que venga a vernos? —preguntó *Zi Lu*.

— Sería una pérdida de tiempo —dijo Confucio—. Acaba de subir al tejado para ver si realmente soy yo quien pasa por aquí. Como me dedico a la política, debe tener pocas ganas de conversar conmigo. Sabiendo que voy a visitar al Rey de *Chu*, debe temer que revele su retiro, y que el Rey lo obligue a aceptar un trabajo. Estoy seguro de que acaba de retirarse a un lugar seguro.

Zi Lu fue a ver, y encontró la casa desierta.

F. El administrador de la granja de *Zhang Wu*, le dijo a *Zi Lao*, un discípulo de Confucio:

— Si alguna vez se te confía un cargo, no seas ni superficial ni meticuloso. En el pasado, cuando cultivaba, era culpable de ambas cosas: arado insuficiente, escarda excesiva, lo que ocasionaba cosechas insatisfactorias. Ahora aro profundamente, luego desyerbo moderadamente; de ahí la abundante cosecha.

Al oír esto, *Zhuang Zhou* dijo:

— En la actualidad, en el cultivo de su cuerpo y mente, muchas personas caen en las faltas indicadas por este administrador. O bien aran el suelo de su naturaleza de manera insuficiente, y permiten que sea invadido por las pasiones. O lo desbrozan indiscriminadamente, arrancando lo que debe conservarse, destruyendo sus cualidades naturales.

Si no se tiene cuidado, los vicios invaden la naturaleza sana, como las úlceras invaden un cuerpo sano, por efecto del excesivo calor interno que se revela en el exterior.

G. *Bo Ju*, que estudiaba con *Lao Dan*, le dijo un día:

— Déjame dar una vuelta por el imperio.

— ¿Qué sentido tiene? —dijo *Lao Dan*—. El imperio es igual que aquí en todos lados.

Bo Ju insistió y *Lao Dan* le preguntó:

— ¿En qué principado comenzará su recorrido?

— El principado de *Qi* —dijo *Bo Ju*—. Cuando llegue allí, me dirigiré directamente al cadáver de uno de esos torturados, que el rey de *Qi* deja tendido sin enterrar; lo enderezaré, lo cubriré con mi manto, clamaré al cielo en su nombre, le diré gritando: ¡Hermano! hermano! ¿tenías que ser víctima de la inconsistencia de los que tienen el imperio en sus manos? Los gobernantes prohíben, bajo pena de muerte, robar, matar. Y estos mismos hombres fomentan el robo y el asesinato honrando la nobleza y la riqueza, que son el cebo para el crimen. Mientras se mantengan las distinciones y la propiedad, ¿se acabará alguna vez el conflicto entre los hombres?

En el pasado, los príncipes agradecían el orden de sus súbditos y se culpaban mutuamente de cualquier desorden. Cuando un hombre perecía, se culpaban de su pérdida. Ahora es muy diferente. Las leyes y las ordenanzas son trampas de las que nadie puede escapar. Hay pena de muerte para aquellos que no hayan completado tareas que son imposibles. Así, reducido al límite, el pueblo pierde su honestidad natural y comete excesos. ¿A quién hay que imputar estos excesos? ¿A los desgraciados que los expían? o a los príncipes que los han provocado?

H. En sesenta años de vida, *Qu Bo Yu* cambió de opinión sesenta veces. Cincuenta y nueve veces había creído firmemente que estaba en posesión de la verdad, cincuenta y nueve veces había reconocido súbitamente que estaba en el error. ¿Y quién sabe si su sexagésima opinión, con la que murió, estaba mejor fundada que las cincuenta y nueve anteriores? Así sucede con todo hombre que se apega a los seres en detalle, que busca algo distinto al conocimiento confuso del Principio. Los seres devienen, es un hecho; pero la raíz de este devenir es invisible. De su falsa ciencia del detalle, el vulgo saca consecuencias erróneas; mientras que, si partiera de su ignorancia, podría llegar a la verdadera ciencia, la del Principio, la del Absoluto, el origen de todo. Este es el gran error. Por desgracia, son pocos los que se libran de ella... Entonces, cuando los hombres dicen sí, ¿es realmente sí? Cuando dicen no, ¿es realmente no? ¿Cuál es el valor, la verdad, de las afirmaciones humanas? Sólo el absoluto es verdadero, porque sólo él es.

I. Confucio hizo la misma pregunta, primero al gran historiador *Da Tao*, luego a *Bo Changqian* y finalmente a *Xi Wei*:

— El duque *Ling* de *Wei* era un borracho y un libertino; gobernaba mal y carecía de palabra. Habría merecido un epíteto póstumo peor que *Ling*. ¿Por qué se llamaba *Ling*?

— Porque el pueblo, que le apreciaba bastante, así lo quería —respondió *Da Tao*.

— Porque los censores le concedieron circunstancias atenuantes —dijo *Bo Changqian*—, por el siguiente hecho: Un día estaba bañándose con tres de sus esposas en la misma piscina, cuando el ministro *Shi Qiu* tuvo que entrar por un asunto urgente, y el duque se cubrió a sí mismo y a sus esposas. Se llegó a la conclusión de que este hombre lascivo aún tenía un remanente de pudor, y se contentaron con llamarlo *Ling*, mejorando así su calificación.

— Están equivocados —dijo *Xi Wei*—. Este es el hecho: Tras la muerte del duque, se consultó a la tortuga sobre el lugar en el que debía ser enterrado. La respuesta fue: no en el cementerio de su familia, sino en *Sha Qiu*. Cuando se cavó su tumba en el lugar indicado, en el fondo encontraron una tumba antigua. Cuando la losa que la cerraba fue sacada a la luz y lavada, se leyó la inscripción: "Ni tú ni tus descendientes descansarán aquí, pues el duque *Ling* ocupará tu lugar. El epíteto *Ling* le fue otorgado por el destino… En conclusión, la verdad histórica sólo es sólida cuando se deriva del Principio.

J. *Shao Zhi* le preguntó a *Tai Gong Diao*:

— ¿Cuáles son las máximas de las aldeas?

— Las aldeas —dijo *Tai Gong Diao*—, son las aglomeraciones humanas más pequeñas, de unas diez familias, de un centenar de individuos solamente, que forman un cuerpo que tiene sus tradiciones. Estas tradiciones no se inventaron de repente, a priori. Han sido formadas por los miembros distinguidos de la comunidad, por la adición de experiencias particulares; como una montaña está hecha de puñados de tierra, un río de muchas corrientes de agua. La expresión verbal de estas tradiciones es lo que se denomina máximas de las aldeas. Son la ley. Todo está bien en el imperio, mientras se les permita fluir libremente. Así es el Principio, indiferente, imparcial, dejando que todas las cosas sigan su curso, sin influir en ellas. No reclama ningún título (señor, gobernador). No actúa. No haciendo nada, no hay nada que no haga (no interviniendo activamente, sino como norma evolutiva contenida en todo). En la superficie, desde nuestra forma humana de ver, los tiempos se suceden, el universo se transforma, la adversidad y la prosperidad se alternan. En realidad, estas variaciones, efectos de una misma norma, no modifican el todo inmutable. Todos los contrastes encuentran su lugar en este conjunto, sin chocar; como, en un pantano, todas las clases de hierbas están junto a las otras; como, en una montaña, los árboles y las rocas están mezclados. — Pero volvamos a las máximas de las aldeas. Son la expresión de la experiencia, que resulta de la observación de los fenómenos naturales.

— Entonces —dijo *Shao Zhi*—, ¿por qué no decir que estas máximas son la expresión del Principio?

— Porque —dijo *Tai Gong Diao*—, como sólo se extienden al campo de los asuntos humanos, estas máximas sólo tienen un alcance limitado, mientras que el Principio es infinito. Ni siquiera se extienden a los asuntos de otros seres terrestres, cuya suma es a la humanidad como diez mil a uno. Por encima de los seres terrestres están el cielo y la tierra, la inmensidad visible. Por encima del cielo y la tierra están el *yin* y el *yang*, la inmensidad invisible. Por encima de todo, está el Principio, común a todos, que lo contiene y lo penetra todo, cuya infinidad es su propio atributo, el único por el que puede ser designado, pues no tiene nombre propio.

— Entonces —dijo *Shao Zhi*—, explícame cómo todo lo que existe salió de este infinito.

Tai Gong Diao respondió:

— Emanando del Principio, el *yin* y el *yang* se influyeron mutuamente, se destruyeron mutuamente, se reprodujeron mutuamente. De ahí el mundo físico, con la sucesión de estaciones, que se producen y destruyen mutuamente. De ahí el mundo moral, con sus atracciones y repulsiones, sus amores y odios. De ahí la distinción de los sexos y su unión para la procreación. De ahí ciertos estados correlativos y sucesivos, como la adversidad y la prosperidad, la seguridad y el peligro. De ahí las nociones abstractas de influencia mutua, de causalidad recíproca, de una cierta evolución circular en la que los inicios suceden a las terminaciones. Esto es más o menos la suma total del conocimiento humano, extraído de la observación y expresado en palabras. Los que conocen el Principio no escudriñan más. No especulan ni sobre la naturaleza de la emanación primordial ni sobre el posible fin del orden de cosas existente.

Shao Zhi continuó:

— Los autores daoístas, sin embargo, han discutido estas cuestiones. Así, *Ji Zhen* sostiene que es una emanación pasiva e inconsciente, mientras que para *Jie Zi* se trata de una producción activa y consciente. ¿Quién tiene razón?

— Dime —le dijo *Tai Gong Diao*—, ¿por qué los gallos hacen *ki ki ri ki* y por qué los perros hacen *guau guau*? El hecho de esta diferencia es conocido por todos los hombres, pero el más erudito de los hombres nunca dirá por qué. Es así, por naturaleza; eso es todo lo que sabemos. Disminuye un objeto hasta el punto de la invisibilidad, magnifícalo hasta el punto de la incomprensibilidad, y no derivarás de él la razón de su ser. Y cuánto menos se llegará al fondo de la cuestión de la génesis del universo, la más abstrusa de todas. Es la obra de un autor, dijo *Jie Zi*. Vino de la nada, dijo *Ji Zhen*. Ninguno de ellos demostrará jamás su afirmación. Ambos están en un error. Es imposible que el universo haya tenido un autor preexistente. Es imposible que el ser haya surgido de la nada. El hombre no puede hacer nada sobre su propia vida, porque la ley que rige la vida y la muerte, sus propias transformaciones, se le escapan; ¿qué puede saber entonces de la ley que rige las grandes transformaciones cósmicas, la evolución universal? Decir del universo que "alguien lo hizo" o que "surgió de la nada" no son proposiciones demostrables, sino suposiciones gratuitas. Para mí, cuando miro hacia el origen, lo veo perdido en un lejano infinito; cuando miro hacia el futuro, no veo ningún final. Pero las palabras humanas no pueden expresar lo que es infinito, lo que no tiene fin. Limitadas como los seres que las utilizan, sólo pueden expresar los asuntos del mundo limitado de esos seres, cosas limitadas y cambiantes. No pueden aplicarse al Principio, que es infinito, inmutable y eterno, Ahora bien, después de la emanación, el Principio del que emanaron los seres, al ser inherente a esos seres, no puede llamarse propiamente el autor de los seres; esto refuta a *Jie Zi*. El Principio inherente a todos los seres, habiendo existido antes que los seres, no puede decirse propiamente que haya devenido de la nada; esto refuta a *Ji Zhen*. Cuando ahora nos referimos al Principio, este término ya no designa el ser solitario, tal como era en el tiempo primordial; designa el ser que existe en todos los seres, la norma universal que preside la evolución cósmica. La naturaleza del Principio, la naturaleza del Ser, es incomprensible e inefable. Sólo lo limitado puede ser comprendido y expresado. El Principio actúa como polo, como eje de la universalidad de los seres; digamos de él solamente que es el polo, que es el eje de la evolución universal, sin intentar comprenderlo ni explicarlo.

CAPÍTULO 26 - FATALIDAD

A. Los accidentes que vienen de fuera, no pueden ser previstos ni evitados, ni por los buenos ni por los malos. Así, Guan Longfeng y Bin Gan fueron ejecutados, Ji Zi salvó su vida sólo simulando locura, E Lai perdió la suya, al igual que los tiranos Jie y Zhou. La más perfecta lealtad no impidió la ruina de ministros como Wu Yuan y Chang Hong. La piedad filial más ejemplar no impidió que Xiao Yi y Zeng Shen fueran maltratados.

La ruina surge de las circunstancias más aparentemente inofensivas, de las situaciones más aparentemente seguras, igual que el fuego surge de dos maderas frotadas, igual que el metal se licua al contacto con el fuego, igual que el trueno surge de la ruptura del equilibrio del *yin* y el *yang*, igual que el fuego del rayo surge del agua de una tormenta.

Lo peor es que hay casos en los que el hombre está atrapado entre dos fatalidades, sin salida posible; entre las que se retuerce, sin saber qué resolver; entre las que su mente, como suspendida entre el cielo y la tierra, no sabe qué decidir; el consuelo y la aflicción se alternan, los pros y los contras chocan, un fuego interior lo devora. Este fuego consume su paz con un fervor que ningún agua puede apagar. Tanto es así, que su vida perece y su carrera llega a un final prematuro.

B. *Zhuang Zhou* conocía estos grandes extremos. Un día la miseria lo redujo a pedir al intendente del río Amarillo la limosna de un poco de grano.

— En cuanto se cobre el impuesto, te prestaré trescientos taels.

Zhuang Zhou, irritado, dijo:

— Ayer, cuando venía hacia aquí, escuché un grito de auxilio. Se trataba de un gobio, tumbado en una mancha de agua de lluvia en el fondo de un surco, que estaba a punto de secarse. — ¿Qué quieres? —le pregunté. — Necesito agua —dijo—, para poder seguir viviendo. — Muy bien —dije—, voy a la corte de los reinos de *Wu* y *Yue.* Cuando regrese, te traeré las aguas del río occidental. — Ay —gimió el gobio—, para vivir sólo necesito un poco de agua, pero la necesito ahora. Si sólo puedes hacer por mí lo que acabas de decir, levántame en su lugar y entrégame a un comerciante de pescado seco; así sufriré menos tiempo.

C. *Cuando el destino pesa sobre él, el Sabio no debe rendirse. Debe mantenerse firme hasta que la fortuna se vuelva a su favor. Ren Gongzi* se proveyó de un buen anzuelo, un fuerte sedal y cincuenta mejillones como cebo, se acantonó en la costa de *Hui Ji* y comenzó a pescar en el mar oriental. Perseveró así todos los días durante un año entero sin pescar nada. Por fin, de repente, un enorme pez se tragó su anzuelo. Debidamente enganchado, intentó en vano hundirse en las profundidades, pero fue llevado a la superficie, golpeó el agua con sus aletas para hacerla espumosa, hizo un ruido diabólico que se escuchó a lo lejos; finalmente fue descuartizado, y todo el país lo comió, y esta historia fue contada, cantada y admirada en las siguientes eras. Ahora bien, supongamos que *Ren Gongzi*, cansado de su larga espera junto al mar, hubiera ido a pescar gobios en los estanques, nunca habría capturado esta hermosa pieza, ni adquirido su fama. Así son quienes que, abandonando el ideal, se rebajan a halagar a pequeños señores.

D. *Algunos son víctimas del destino, incluso después de su muerte.* Unos jóvenes eruditos estaban violando una antigua tumba, para comprobar si los ancianos realmente hacían por los muertos, todo lo que se dice en las Odas y Rituales. Su maestro, que montaba guardia fuera, les gritó:

— ¡Deprisa! ¡El este está blanqueando! ¿Que están haciendo?

Desde el interior, los jóvenes respondieron:

— Todavía tenemos que inspeccionar su ropa. Pero ya hemos visto que el cadáver tiene la perla en la boca de la que hablan las Odas en el texto: "verde, como el trigo en las colinas"; este hombre que no hizo ningún bien durante su vida, ¿por qué tiene, después de su muerte, una perla en la boca?

Luego, tras separar los labios del cadáver tirando de su barba y sus bigotes, le aflojaron las mandíbulas con el pico de un martillo de hierro; con cuidado, no por él, sino para no dañar la perla, que cogieron.

E. *Criticar, juzgar, atrae la desgracia.* Un discípulo de *Lao Lai Zi*, habiendo salido a recoger un poco de leña, se encontró con Confucio. Cuando regresó, le dijo a su amo:

— Vi a un erudito, de torso largo, piernas cortas, encorvado, con las orejas situadas bastante atrás, con aspecto de estar apenado por todo el universo. No sé a qué escuela pertenece.

— Es *Qiu* —dijo *Lao Lai Zi*—; llámalo.

Cuando Confucio llegó, *Lao Lai Zi* le dijo:

— *Qiu*, abandona tu terquedad y tus ideas particulares; piensa y actúa como los demás eruditos.

Confucio se inclinó, en agradecimiento por el consejo recibido, como exigen los ritos; luego, cuando la sonrisa ritual se desvaneció, su rostro apareció triste y preguntó:

— ¿Crees que mis planes de reforma no tendrán éxito?

— Por supuesto que no tendrán éxito —dijo *Lao Lai Zi*—. Ya que eres incapaz de soportar las críticas de tus contemporáneos, ¿por qué provocas las de toda la posteridad? ¿Intentas deliberadamente hacerte miserable, o no te das cuenta de lo que haces? Solicitar el favor de los grandes, buscar el afecto de los jóvenes, como tu haces, es actuar de una manera muy vulgar. Tus juicios y críticas te crean muchos enemigos. Los verdaderos Sabios son mucho más reservados que tú, y logran algo gracias a esta reserva. ¡Ay de ti, que te has dado la misión de provocar a todo el mundo, y que perseveras obstinadamente en este peligroso camino!

F. *Hay quienes saben prever la fatalidad que amenaza a los demás, y no repara en la que los amenaza a ellos mismos.* Una noche, el príncipe *Yuan* de *Song* vio en sueños una figura humana afligida que se acercaba a la puerta de su habitación y le decía

— Vengo del abismo de *Zai Lu*. El genio de *Ceng Jiang* me encomendó al genio del río Amarillo. En el camino, me llevó el pescador *Yu Ju*.

Cuando se despertó, el Príncipe *Yuan* ordenó a los adivinos que examinaran su sueño. Ellos respondieron:

— El ser que se te apareció, es una tortuga trascendente.

El príncipe preguntó:

— ¿Hay entre los pescadores de aquí un hombre llamado *Yu Ju*?

— Sí —dijeron los presentes.

— Que se presente ante mí —dijo el príncipe.

Al día siguiente, en la audiencia oficial, el pescador se presentó.

— ¿Qué has cogido? —preguntó el príncipe.

— Encontré en mi red —dijo el pescador—, una tortuga blanca, cuyo caparazón tiene un metro y medio de circunferencia.

— Preséntame tu tortuga —ordenó el príncipe.

Cuando la trajeron, el príncipe se preguntó a sí mismo si debía matarla o mantenerla con vida. Le pidió a las suertes la solución a su duda. La respuesta fue: "matar a la tortuga será ventajoso para la adivinación". De modo que mataron a la tortuga. Su caparazón fue perforado en setenta y dos lugares. Nunca se cayó ninguna varilla de milenrama.[95]

Habiendo escuchado sobre este hecho, Confucio dijo:

— ¡Así, esta tortuga trascendental pudo aparecer después de su captura al Príncipe Yuan, pero no pudo prever y evitar su captura! Después de su muerte, su caparazón siguió haciendo predicciones infalibles a los demás, ¡y no había logrado predecirse a sí misma que sería asesinada! Está claro que la ciencia tiene sus límites, que incluso la trascendencia no llega a todo.

Incluso el hombre más sabio, si ha hecho muchos enemigos, acaba convirtiéndose en su víctima. El pez que ha escapado de los cormoranes es atrapado en una red. ¿Qué sentido tiene inquietarse con tantas preocupaciones estériles, en lugar de limitarse a mirar las cosas desde arriba? ¿De qué sirve entrometerse y hablar en lugar de atenerse a la prudencia natural? El niño recién nacido no aprende a hablar artificialmente por las lecciones de un maestro; lo aprende naturalmente por su contacto con sus padres que hablan. Así, la prudencia natural se adquiere por experiencia común, sin esfuerzo. En cuanto a los accidentes extraordinarios, no tiene sentido intentar calcularlos, ya que nada puede evitarlos. ¡Esto es el destino!

Los fragmentos siguientes, hasta el final del capítulo, están dislocados, dice el comentario, con razón.

G. El sofista *Hui Zi*, le dijo a *Zhuang Zhou*:

---

95   Quiere decir que ninguno de sus oráculos otorgó una falsa respuesta (N. del T.).

— Sólo hablas de cosas inútiles.

Pagándole en su misma moneda, *Zhuang Zhou* dijo:

— Si sabes lo que es inútil, también debes saber, creo, lo que es útil. La tierra es útil para el hombre, ya que sostiene sus pasos, ¿no es así?

— Sí —dijo *Hui Zi*.

— Supongamos que se abre un abismo ante tus pies, ¿seguirá siendo útil para ti? —preguntó *Zhuang Zhou*.

— No —dijo *Hui Zi*.

— Entonces —dijo *Zhuang Zhou*— queda demostrado que inútil y útil son sinónimos, ya que acabas de llamar a la misma tierra útil e inútil. Así que sólo hablo de cosas útiles.

H. *Zhuang Zhou* dijo:

— Las disposiciones naturales de los hombres son diversas. Quien está hecho para conversar con los hombres no estará hecho para vivir en soledad; quien está hecho para la soledad no estará hecho para conversar con los hombres. Pero la soledad absoluta y la conversación inmoderada son un exceso, no algo natural. El misántropo se entierra vivo, el intrigante se lanza al fuego. Hay que evitar los extremos.

Tampoco hay que realizar actos extraordinarios, pues una vez olvidadas las circunstancias en las que se llevaron a cabo, la historia puede juzgarlos como excéntricos más que como heroicos.

No hay que exaltar siempre la antigüedad y depreciar el tiempo presente, como hacen los hombres de los libros (Confucio). Desde *Xi Wei*, sabemos que nadie puede retroceder en el tiempo. Así que sigamos el hilo del tiempo.

El hombre superior se acomoda a los tiempos y a las circunstancias. No es excéntrico, ni misántropo, ni intrigante. Se presta a los hombres, sin delatarse. Deja que la gente piense y se exprese, no los contradice, pero mantiene su propia opinión.

I. Siempre que no haya obstáculos, el ojo ve, el oído oye, la nariz huele, la boca saborea, el corazón percibe, la mente produce los actos adecuados. En cualquier camino, lo esencial es que no haya ningún obstáculo. Cualquier obstrucción produce estrangulamiento, cese de funciones, lesión de la vida. Para sus actos vitales, los seres dependen del aliento. Si este aliento no es abundante en un hombre, la culpa no es del cielo, que día y noche lo penetra; está en él, que obstruye sus caminos con obstáculos físicos o morales.

Para la concepción, el hueco del vientre debe ser bien permeable a la influencia del cielo, lo que presupone la permeabilidad de sus dos avenidas, las dos trompas (de Falopio). Para el mantenimiento de la vida, el hueco del corazón debe ser bien permeable a la influencia del cielo, lo que supone la permeabilidad de sus seis válvulas. Cuando una casa está desordenada, la suegra y la nuera, a falta de espacio, se pelean. Cuando los orificios del corazón están obstruidos, su funcionamiento se vuelve irregular.

La visión de la belleza seduce la mente. El valor degenera en ambición, la ambición en brutalidad, la prudencia en obstinación, la ciencia en disputas, la plenitud en exceso. El bien público ha producido la administración y la burocracia.

En primavera, bajo la acción combinada de la lluvia y el sol, la hierba y los árboles crecen exuberantes. La guadaña y la podadera cortan la mitad de ellos; la otra mitad permanece. Ni los que han sido cortados ni los que han quedado saben la razón de su destino. ¡Fatalidad!

J. El descanso restaura la salud, la continencia repara el desgaste, la paz remedia el nerviosismo. Son remedios curativos. Los preventivos serían mejores.

Los procedimientos son diferentes. El hombre trascendente tiene los suyos. El sabio ordinario tiene sus propios procedimientos. La gente hábil tiene los suyos. Los gobernantes y los gobernados tienen sus principios.

K. El mismo proceso no siempre produce el mismo resultado. En la capital de *Song*, habiendo fallecido el padre de *Yen Men*, el guardián de la puerta, murió; su hijo adelgazó tanto de pena que se consideró necesario dar el cargo de Maestro de Oficiales a este dechado de piedad filial. Cuando los demás vieron esto, lo imitaron, pero no obtuvieron ningún cargo y murieron de tisis.

Para evitar el trono, *Xu You* se contentó con huir, mientras que *Wu Gang* pensó que debía suicidarse. Decepcionado de su ambición, *Ji Tuo* se exilió, y *Shen Tu Di* se ahogó a sí mismo.

L. Cuando se atrapa el pez, la red se olvida. Cuando la liebre es atrapada, la trampa deja de tener interés. Cuando la idea se transmite, no importa qué palabras se hayan utilizado para transmitirla. Cuánto me gustaría (*Zhuang Zhou*) tratar sólo con hombres para los que las ideas lo fueran todo, siendo las palabras nada[96].

Capítulo 27 - Habla y palabras

A. — De mis palabras, dijo Zhuang Zhou[97], muchas son alegorías, muchas son relaciones del discurso de otros. He dicho, de un día para otro, lo que he creído conveniente decir, según mi sentido natural.

He utilizado alegorías tomadas de objetos externos, para hacer entender cosas abstractas. No diré que todas son perfectas, ya que un padre no debe alabar a su hijo. Los elogios sólo valen la pena cuando provienen de un tercero. Sin embargo, creo que son convincentes. Tanto peor para los que no se convencen.

He relatado los discursos de otros, para sacar a la luz ciertas controversias; los que argumentan se inclinan a valuar mucho la tesis de su partido, y a ignorar demasiado la del partido contrario. Los hombres que he citado de esta manera son mis mayores, mis predecesores. No es que considere a ningún anciano como una

---

96   Este párrafo es el inicio dislocado del capítulo siguiente.

97   Algunos críticos ven en este párrafo el prefacio o apéndice de la obra de *Zhuang Zhou*, que se ha trastocado aquí.

autoridad. Ni mucho menos. El que no ha llegado al fondo de las cosas, por muy viejo que sea, no es una autoridad a mis ojos, ni debe tener ninguna influencia en mi opinión. Puede ser un narrador de cosas antiguas (Confucio), pero no es un maestro de cosas antiguas.

He hablado sin artificios, con naturalidad, siguiendo el impulso de mi sentido interno; porque sólo tales palabras agradan y perduran. Porque antes de todo discurso, hay una armonía innata en todos los seres, su naturaleza. Debido a esta armonía preexistente, mi palabra, si es natural, hará vibrar a los demás, con pocas o ninguna palabra. De ahí el conocido axioma: Hay un habla sin palabras... A veces no son necesarias las palabras... Algunas personas han hablado toda su vida sin decir nada... Algunos que han estado callados toda su vida han hablado mucho.

Al mismo sentido natural se une el hecho de la experiencia, ya que todos los hombres perciben espontáneamente si una cosa está bien o mal, si es así o no es así. Esta percepción no puede explicarse de otro modo. Es así, porque es así; no es así, porque no es así. Se ajusta, porque se ajusta; no se ajusta, porque no se ajusta. Todo hombre está dotado de este sentido de aprobación y desaprobación. Vibra al unísono en todos los hombres. Las palabras que se ajustan a él son aceptadas porque suenan bien, y perduran porque son naturales.

¿Y de dónde procede esta unidad del sentido natural? Proviene de la unidad de todas las naturalezas. Bajo las múltiples distinciones específicas e individuales, bajo las innumerables e incesantes transformaciones, en el fondo de la evolución circular sin principio ni fin, se esconde una ley, que se ha llamado la rueda natural (del alfarero), o simplemente la naturaleza (una, participada por todos los seres, en la que esta participación común produce un fondo común de armonía).

B. *Zhuang Zhou* le dijo a *Hui Zi*:

— En su sexagésimo año, Confucio se convirtió. Negó lo que había afirmado hasta entonces (la bondad y la equidad artificiales). Pero, ¿creía lo que entonces afirmaba con más firmeza que lo que había afirmado antes?

— Creo —dijo *Hui Zi*—, que Confucio siempre actuó según sus convicciones.

— Lo dudo —dijo *Zhuang Zhou*—. Pero, en cualquier caso, después de su conversión enseñó que todo le viene al hombre de la gran matriz; que su canto debe estar de acuerdo con la escala y su conducta con la ley; que, en la duda moral especulativa o práctica, uno debe decidirse sobre lo que va a decir; que uno debe someterse de todo corazón a las costumbres establecidas por el estado, sean las que sean; etc. No puedo seguirlo tan lejos.

Para que le vaya bien, el hombre debe seguir su instinto natural.

C. *Zeng Zi* fue dos veces funcionario, bajo distintos estados de ánimo que él mismo explica como sigue:

— Durante mi primer puesto, tenía un salario de sólo algo más de treinta fanegas de grano; pero, como mis padres que aún vivían podían beneficiarse de ello, ocupé este puesto con gusto. En mi segundo puesto tenía un sueldo de ciento noventa y dos mil fanegas; pero como mis parientes fallecidos ya no podían beneficiarse de él, ocupé este puesto con desagrado.

Sus discípulos le preguntaron a Confucio:

— ¿No hay, en esta conducta de *Zeng Shen*, algún apego vicioso del corazón?

— Sin duda; un apego sincero a su paga —dijo Confucio—, que no debería haber mirado más que a un mosquito o una grulla pasando ante sus ojos.

En realidad, era apego de corazón a sus padres. Pero siendo la piedad filial la base de su sistema, Confucio no quiso decirlo. *Zhuang Zhou* lo pone en evidencia, e insinúa que incluso el apego a los padres va en contra de la naturaleza pura, ya que causa placer o tristeza.

D. *Yen Cheng Zi You* le dijo a *Dong Guo Zi Qi*:

— Desde que soy tu discípulo, he pasado por los siguientes estados. Al cabo de un año, recuperé mi sencillez nativa. Después de tres años, perdí el sentido de "tu" y "yo". Después de cuatro años, era indiferente e insensible. Después de cinco años, empecé a vivir una vida más elevada. Después de seis años, mi mente, totalmente concentrada en mi cuerpo, no divagaba. Después de siete años, entré en comunicación con la naturaleza universal. Después de ocho años, dejé de preocuparme por la vida y la muerte. Por fin, después de nueve años, el misterio se cumplió; me encontré unido al Principio. Es la actividad durante la vida la que causa la muerte. Es el principio *yang* (naturaleza), que causa la vida. Así que la vida y la muerte son cosas vulgares. ¿Hay alguna razón para preocuparse tanto por ellas?

Calculamos fenómenos celestes, medimos superficies terrestres; ciencias superficiales, que no llegan a la razón más profunda del universo. Sin conocer el principio y el fin, ¿podemos saber si el mundo se rige o no por una ley, lo que presupone un autor? Lo que a veces se da por sancionado puede ser sólo un juego de azar, así que ¿cómo podemos saber si existen o no los espíritus sutiles? El significado es que no podemos saber nada de una causa fuera de nosotros mismos; la vida es una cuestión de evolución; la muerte es el hecho del desgaste.

E. La Penumbra (que simboliza a los semi-sabios) le dijo a la Sombra (la ignorancia daoísta):

— A veces estás encorvada y luego erguida, reunida y luego dispersa, sentada y luego de pie, moviéndote y descansando; ¿cuál es la razón de todos estos cambios?

— No lo sé —dijo la Sombra—. Soy así, sin saber por qué. Soy, como la envoltura de la que ha salido una cigarra, como la piel de la que se ha desprendido la serpiente, un accesorio, una cosa que no tiene existencia propia. Soy aún menos real que estos objetos. Aparezco a la luz del día o del fuego, en cuanto la luz se desvanece, desaparezco. Yo dependo, en cuanto a mi ser, de un objeto, que depende, en cuanto a su ser, del ser universal. Cuando aparece, yo también aparezco; cuando desaparece, yo también desaparezco; cuando muere, yo muero con él. No puedo dar cuenta de mis movimientos.

Así pues, todo es pasivo, existe a través del Principio y depende del Principio. Sabiendo esto, el discípulo de la sabiduría debe ser ante todo profundamente humilde[98].

F. *Yang Ziju*, que se dirigía a *Pei*, se encontró con *Lao Zi*, que iba a *Qin*, en *Liang*. Sorprendido por el aire engreído de *Yang Ziju*, *Lao Zi* miró al cielo y dijo con un suspiro:

— No creo que deba perder mi tiempo enseñándote.

Yang Ziju no respondió. Cuando llegaron a la posada, *Yang Ziju* llevó primero él mismo todos los artículos de aseo necesarios. Entonces, tras dejar sus zapatos delante de la puerta, se dirigió de rodillas hacia *Lao Zi* y le dijo

— Hace tiempo que espero con ansias tus instrucciones. No me atreví a detenerte en el camino para preguntar por ellas; pero ahora que tienes algo de tiempo libre, por favor, explícame el significado de lo que me dijiste cuando te vi.

Lao Zi dijo:

— Tienes una mirada altiva que hace huir a la gente; mientras que el discípulo de la sabiduría parece confundido, por muy intachable que sea, y siente su insuficiencia, por muy avanzado que esté.

Yang Ziju quedó muy impresionado y dijo:

— Aprovecharé tu lección.

Lo aprovechó tan bien, y se humilló tanto en el espacio de la única noche que pasó en la posada, que toda la gente de la casa que le había servido con temor y reverencia a su llegada, ya no le tuvo ninguna consideración antes de su partida, (en China la consideración es proporcional a la insolencia del viajero)[99].

Capítulo 28 - Independencia[100]

A. Cuando *Yao* quiso cederle su trono a *Xu You*, éste se negó. Entonces *Yao* se lo ofreció a *Zhou Zi Fu*, quien también lo rechazó, no porque se considerara incapaz, sino porque sufría una enfermedad, que los cuidados del gobierno habrían agravado. Prefirió el cuidado de su vida al cuidado del imperio. ¿Cuánto más hubiera preferido el cuidado de su vida a un cuidado menor?

A su vez, *Shun* ofreció su trono a *Zi Zhou Zhi Bo*. Este último se negó con el pretexto de su melancolía, que las preocupaciones agravarían. Por supuesto que no habría perjudicado su vida en lo más mínimo. Así es como los discípulos del Principio se diferencian del hombre común (manteniendo su vida, que el vulgo desgasta por la ambición). Entonces *Shun* le ofreció el imperio a *Shen Quan*, que lo rechazó, diciendo:

— Como un habitante del universo y sujeto a sus revoluciones, en invierno me visto con pieles y en verano con muselina; en primavera cultivo sin cansarme demasiado, y en otoño cosecho lo necesario para mí; actúo de día y descanso de

98   Compárese *Zhuang Zhou*, capítulo 2 I.
99   Comparar *Lie Zi*, capítulo 2 N.
100 Existen dudas sobre la autenticidad de este capítulo.

noche. Vivo así, sin apego, entre el cielo y la tierra, satisfecho y contento. ¿Por qué debería molestarme con el imperio? Me lo has ofrecido porque me conoces muy mal.

Dicho esto, para evitar cualquier otra súplica, se marchó y se retiró a las profundidades de las montañas. Nadie supo dónde se había instalado.

Entonces *Shun* le ofreció el imperio al antiguo amigo, el agricultor arrendatario *Zhou Hu*, que lo rechazó, en estos términos:

— Si tú, que eres fuerte y hábil, no lo asumes, cuánto menos yo, que no valgo tanto como tu…

Dicho esto, para no verse obligado, se embarcó en el mar con su mujer y sus hijos, y nunca regresó.

Tai Wang Dan Fu, el antepasado de los *Zhou*, cuando estaba establecido en *Bin*, era constantemente atacado por los nómadas *Di*. Cualquiera que fuera el tributo que les pagara, pieles y sedas, perros y caballos, perlas y jade, nunca quedaban satisfechos, porque codiciaban sus tierras. *Dan Fu* se dijo a sí mismo:

— Mis súbditos son mis hermanos, mis hijos; no quiero ser la causa de su pérdida.

Así que convocó a su gente y les dijo:

— Sométanse a los *Di*, y los tratarán bien. ¿Por qué deberían preocuparse por mí? Tampoco quiero vivir a vuestra costa, a riesgo de vuestra vida…

Dicho esto, cogió su bastón y se fue. Toda su gente lo siguió y se instaló con él al pie del monte *Qi*[101]. Este es un bello ejemplo del respeto que el Sabio tiene por la vida de los demás.

Quien entiende el respeto que se debe tener por la vida no expone la suya por la riqueza o por el horror a la pobreza. No la expone para progresar. Permanece en su condición, en su parcela; mientras que el vulgo se expone con ligereza, por un pequeño e insignificante beneficio.

Tres veces seguidas, el pueblo de *Yue* asesinó a su rey. Para evitar el mismo destino, el príncipe *Sou* huyó y se escondió en la cueva de *Dan Xue*. Al verse sin rey, el pueblo de *Yue* fue en su busca, descubrió su retiro, lo ahumaron para obligarlo a salir, y lo izaron en el carro real, mientras el príncipe clamaba al cielo…

— Si esta gente necesitaba un príncipe, ¿por qué tenía que ser yo?

No era la dignidad de rey lo que temía el príncipe *Sou*, sino las desgracias a las que le exponía. El trono de un principado no valía el riesgo de su vida a sus ojos. Así, el pueblo de *Yue* tenía razón al insistir en tenerlo como rey.

B. Los dos principados de *Han* y *Wei* se disputaban un terreno situado entre sus tierras. *Zi Hua Zi* fue a visitar al marqués *Zhao Xi* de *Han*, y al encontrarlo muy preocupado por este asunto, le dijo:

— Suponiendo que hubiera un decreto inexorable así concebido… quien ponga su mano en el imperio, obtendrá el imperio, pero perderá la mano, izquierda o derecha, la que haya puesto en él… en ese caso, ¿pondrías tu mano en el imperio?

---

101 En el año 1325 a.C.

— No —dijo el marqués.

— ¡Perfecto! —dijo *Zi Hua Zi*—. Así que prefieres tus dos manos al imperio. Ahora tu vida vale aún más que tus dos manos, *Han* vale menos que el imperio, y el pedazo de tierra contiguo que es la causa de la disputa vale aún menos que *Han*. Entonces, ¿por qué te enfermas de tristeza, hasta el punto de comprometer tu vida, por un objeto tan trivial?

— Nadie me ha hablado hasta ahora con tanta sabiduría como tú —dijo el marqués.

De hecho, *Zi Hua Zi* había distinguido claramente lo fútil (aumento del territorio) de lo importante (conservación de la vida).

C. El príncipe de *Lu*, habiendo oído que *Yen He* poseía la ciencia del Principio, envió un mensajero para llevarle un pliego de seda como regalo. Vestido con burdas telas, *Yen He* alimentaba a su buey en la puerta de su casa. Fue a él mismo a quien el mensajero del príncipe, que no lo conocía, preguntó:

— ¿Es aquí donde vive *Yen He*?

— Sí —dijo este último—, soy yo.

Mientras el mensajero le mostraba las sedas, *Yen He* le dijo:

— Amigo mío, habrás entendido mal tus instrucciones; infórmate, no sea que te metas en una mala situación.

Por ello, el mensajero regresó a la ciudad e hizo averiguaciones. Cuando regresó, *Yen He* no estaba en ninguna parte.

Este es un ejemplo de verdadero desprecio por la riqueza. Para el discípulo del Principio, lo principal es la conservación de su vida. Se dedica al gobierno de un principado o del imperio, cuando se ve obligado a ello, y sólo utiliza el excedente de su energía vital, considerando su cargo como algo accesorio, siendo su principal interés el cuidado de su vida. Los hombres vulgares de este tiempo, por el contrario, comprometen su vida por su interés; ¡es lamentable!

Antes de hacer algo, un verdadero Sabio examina el objetivo y elige los medios. Nuestros modernos, por el contrario, son tan irreflexivos que, tomando la perla del marqués de *Sui* como proyectil, disparan a un gorrión a mil metros de distancia, convirtiéndose en el hazmerreír de todos, porque exponen un objeto tan precioso para un resultado tan mediocre e incierto. En realidad, lo hacen aún peor, porque la vida que exponen es más preciosa que la perla del marqués de *Sui*[102].

D. *Lie Zi* estaba reducido a una negra miseria, y los sufrimientos del hambre eran visibles en su rostro. Un visitante le habló de él a *Zi Yang*, ministro del principado de *Zheng*, en estos términos:

— *Lie Yukou* es un erudito versado en la ciencia del Principio. Su miseria hará que se diga que el príncipe de *Zheng* no se ocupa de los doctos.

---

102 La leyenda dice que después que el marqués de *Sui*, curó a una serpiente herida, la serpiente le trajo una perla de valor incalculable.

Indignado por esta observación, *Zi Yang* ordenó inmediatamente al oficial de su distrito que enviara grano a *Lie Yukou*. Cuando el enviado del oficial llegó a su casa, *Lie Zi* le saludó muy civilizadamente, pero rechazó el regalo. Cuando se marchó, la mujer de *Lie Zi*, golpeándose el pecho de dolor, le dijo

— La esposa y los hijos de un Sabio, deben vivir a gusto y felices. Hasta ahora hemos sufrido de hambre, porque el príncipe nos ha olvidado. Pero ahora, acordándose de nosotros, nos ha enviado comida. ¡Y tú lo rechazaste! ¿No has actuado contra el destino?

— No —dijo *Lie Zi*, riendo—, no he actuado contra el destino, pues no fue el príncipe quien nos envió este grano. Alguien habló favorablemente de mí al ministro, que envió este grano; si ese alguien hubiera hablado desfavorablemente de mí, habría enviado a sus esbirros, con la misma estupidez. Por casualidad y no por el destino, por eso me negué. No quiero deberle nada a *Zi Yang*.

Poco después, *Zi Yang* fue asesinado por el pueblo en un motín[103].

E. El rey *Zhao* de *Chu* había sido expulsado de su reino, y *Yue* el carnicero de la corte le acompañó en su huida Cuando el rey hubo recuperado su reino, hizo distribuir recompensas a los que le habían seguido. Cuando le tocó el turno a *Yue* el carnicero, rechazó cualquier recompensa.

— Había perdido mi cargo con la partida del rey —dijo—; lo he recuperado con su regreso; estoy, pues, compensado; ¿por qué darme más recompensa?

El rey ordenó a los oficiales que insistieran, el carnicero dijo:

— No habiendo merecido la muerte por ninguna falta, no quise ser asesinado por los rebeldes, por lo que seguí al rey; salvé mi propia vida, y no hice nada que fuera útil para el rey; ¿por qué iba a aceptar una recompensa?

Entonces el rey ordenó llevar al carnicero a su presencia, con la esperanza de convencerlo de que aceptara. Cuando el carnicero escuchó esto, dijo:

— Según la ley de *Chu*, sólo las grandes recompensas por méritos extraordinarios son conferidas por el propio rey. Ahora yo, en términos de sabiduría, no impedí la pérdida del reino, en términos de valentía huí por mi vida. En rigor, ni siquiera merezco el crédito de haber seguido al rey en su desgracia. Y ahora el rey quiere, contra la ley y la costumbre, recibirme en audiencia y recompensarme él mismo. No, no quiero que se diga esto de él y de mí.

Informado el rey de estas palabras, le dijo al generalísimo *Zi Qi*:

— En su humilde condición, este carnicero tiene sentimientos sublimes. Ofrécele un lugar en la jerarquía de los grandes vasallos en mi nombre.

Al hacerle esta oferta *Zi Qi*, *Yue* respondió:

— Sé que un vasallo es más noble que un carnicero, y que los ingresos de un feudo son más que los que yo gano. Pero no quiero un favor, que sería reprochado a mi príncipe como ilegal. ¡Déjame en mi carnicería!

Hicieran lo que hicieran, *Yue* se mantuvo firme y siguió siendo un carnicero. *Ejemplo de independencia moral daoísta.*

---

103 Compárese *Lie Zi*, cap. 8 D

F. *Xun Xian* vivía en el país de *Lu* en una cabaña redonda de adobe, rodeada de un seto de espinas, y en cuyo techo crecía la hierba. Una estera atada a una rama de morera cerraba malamente el agujero utilizado como puerta. Dos jarras rotas, empotradas en la pared, cerradas con una tela ligera estirada, formaban las ventanas de sus dos celdas. El techo goteaba, el suelo estaba húmedo. En esta miserable guarida, *Xun Xian* se sentó a tocar la cítara, contento.

Zi Gong fue a visitarlo, montado en un carro tan ancho que no podía entrar en su callejón, vestido con una túnica blanca forrada de púrpura. *Xun Xian* lo recibió, con una gorra rota en la cabeza, zapatos gastados en los pies y apoyado en la rama de un árbol a modo de bastón. Al verlo, *Zi Gong* exclamó:

— ¡Qué desafortunado eres!

— Lo siento", dijo *Xun Xian*. Carecer de bienes es ser pobre. Saber y no hacer es ser infeliz. Soy muy pobre; no soy infeliz.

Zi Gong permaneció en silencio. *Xun Xian* añadió:

— Actuar para complacer al mundo, hacer amigos particulares bajo el disfraz del bien general, estudiar para ser admirado, enseñar para enriquecerse, vestirse con un disfraz de bondad y justicia, ir por ahí con un traje suntuoso, todas estas cosas que tú haces son cosas que yo nunca me resolveré a hacer.

Zeng Zi vivía en el país de *Wei*. Llevaba una túnica de tela burda sin forro. Su rostro delataba sufrimiento y hambre. Los callos de sus manos y pies mostraban lo mucho que trabajaba para vivir. No podía tener una comida caliente ni una vez cada tres días. Había usado la misma prenda por diez años. Si hubiera intentado atarse el pelo, las correas gastadas se habrían roto. Si hubiera intentado meter todo el pie en los zapatos, el talón se habría separado del resto. Si hubiera tirado de las mangas de su vestido, se le habrían pegado en las manos. Y, sin embargo, vestido con harapos y calzando zapatillas, entonaba los himnos de la dinastía *Shang* con una voz que resonaba en el espacio como el sonido de un instrumento de bronce o sílex. El emperador no pudo persuadirle de que le sirviera como ministro, los grandes feudatarios no pudieron persuadirle de que se hiciera amigo de ellos. Era del tipo de espíritus independientes y libres. Quien valora su libertad debe renunciar a las comodidades del cuerpo. El que valora su vida debe renunciar a las dignidades. El que valora la unión con el Principio debe renunciar a todos los apegos.

Confucio le dijo a *Yen Hui*:

— ¡Hui, escúchame! Tu familia es pobre; ¿por qué no vas a buscar algún cargo?

— No —dijo *Yen Hui*—, no quiero ningún cargo. Tengo cincuenta acres en el campo, que me proporcionan comida, y diez acres en los suburbios, que me proporcionan ropa[104]. Meditar en tus enseñanzas mientras toco mi cítara es suficiente para mi felicidad. No, no buscaré un cargo.

Estas palabras impresionaron mucho a Confucio, que dijo:

— ¡Qué buena mente tiene *Hui*! Yo sabía bien, que, en teoría, quien tiene gustos modestos, no se mete en aprietos; que quien se preocupa sólo de su progreso inte-

---

104 Las plantas textiles se cultivaban cerca de las casas, para que no fueran cortadas y robadas por la noche. El robo de grano es menos fácil.

rior, no es afectado por ninguna privación; que quien tiende sólo a la perfección, desprecia los cargos. Aunque he enseñado estos principios durante mucho tiempo, sólo ahora los he visto aplicados por *Hui*. Hoy yo, el teórico, he recibido una lección práctica.

G. *Mou*, el hijo del marqués de *Wei*, habiendo sido designado a un puesto en *Zhong Shan* (cerca del mar), le dijo a *Zhan Zi*:

— He venido aquí al mar, pero mi corazón ha permanecido en la corte de *Wei*. *Zhan Zi* dijo:

— Sofoca tu dolor, para que no te desgaste la vida.

El Príncipe *Mou* respondió:

— Lo he intentado, pero sin éxito. Mi dolor es invencible.

— Entonces —dijo *Zhan Zi*—, dale rienda suelta (llorando, gritando, etc.). Porque reaccionar violentamente contra un sentimiento invencible es infligir un doble desgaste a uno mismo (el dolor más la reacción). Ninguno de los que lo hacen vive mucho tiempo.

Para este príncipe, acostumbrado a la corte, tener que vivir en un país de rocas y cuevas, fue sin duda más duro de lo que hubiera sido para un hombre de baja casta. Sin embargo, es lamentable para él que, habiendo tenido lo necesario para tender hacia el Principio, no lo haya alcanzado. Allí habría encontrado la paz en la indiferencia.

H. Cuando Confucio fue asediado y bloqueado entre *Chen* y *Cai*, estuvo sin carne ni grano durante siete días, reducido a vivir de hierbas silvestres. A pesar de su agotamiento, nunca dejó de tocar la cítara en la casa donde se había refugiado.

Yen Hui, que estaba recogiendo hierbas fuera, oyó a los discípulos *Zi Lu* y *Zi Gong* decir entre ellos:

— El Maestro ha sido expulsado de *Lu* dos veces, interceptado en *Wei* una vez. El árbol que lo cobijaba en *Song* fue cortado. Ha estado en gran peligro en *Shang* y *Zhou*. Ahora está asediado aquí. Quieren que perezca, sin atreverse a matarlo, pero el que lo haga ciertamente no será castigado. El Maestro lo sabe y toca la cítara. ¿Es un hombre sabio el que no es consciente de su situación?

Yen Hui le contó estas palabras a Confucio, que dejo de tocar, suspiró y dijo:

— Son mentes que tienen poco alcance. ¡Llámalos para que pueda hablar con ellos!

Cuando hubieron entrado, *Zi Lu* le dijo a Confucio:

— ¡Esta vez estás acabado!

— No —dijo Confucio—. Mientras la doctrina de un Sabio no haya sido refutada, no se ha acabado con él. Cuando entro en la lucha por el bien y la equidad en un tiempo de pasiones y problemas, es natural que experimente una oposición violenta, pero eso no significa que esté acabado. Mi doctrina es irrefutable, y no me desviaré de ella por ninguna persecución. Las heladas invernales no hacen más que poner de manifiesto la fuerza de resistencia del ciprés, que no pierde sus hojas. Lo mismo será, con mi doctrina, pese a este incidente entre *Chen* y *Cai*...

Dicho esto, Confucio volvió a tocar su cítara y cantó con aire digno. *Zi Lu*, convencido, tomó un escudo y bailó la pantomima. *Zi Gong* dijo:

— No sabía cuan alto está el cielo sobre la tierra (el Sabio sobre el vulgo).

Los antiguos que poseían la ciencia del Principio eran igualmente felices en el éxito y en el fracaso. Porque el éxito y el fracaso les eran igualmente indiferentes. Su satisfacción provenía de una causa superior, del conocimiento de que el éxito y el fracaso proceden igualmente del Principio, fatalmente, inevitablemente, como el frío y el calor, como el viento y la lluvia, en una sucesión y alternancia a la que sólo hay que someterse. Fue en virtud de esta ciencia que *Xu You* se contentó al norte del río *Ying*, y *Gong Bo* al pie del monte *Qiu Shou* (párrafo sospechoso, probablemente interpolado. Comparar *Zhuang Zhou*, cap. 17 C; cap. 20 G y cap. 20 D).

I. Cuando Shun[105] le ofreció su imperio a su antiguo amigo *Wu Ze*, este dijo:

— ¡Oh no! Has dejado los campos por la corte, y ahora quieres que yo también me degrade. ¡Ya no te conozco!...

Dicho esto, *Wu Ze* fue a lanzarse al abismo de *Qing Ling*.

Antes de atacar a (el tirano) *Jie*, *Tang* (el futuro emperador) consultó a *Bian Sui*, que le respondió:

— Eso no es de mi incumbencia...

— Entonces, ¿a quién debo consultar?" —, preguntó *Tang*...

— No lo sé —dijo *Bian Sui*.

Tang se dirigió a *Wu Wuang*, que también respondió: No es asunto mío, no lo sé... Entonces *Tang* dijo:

— ¿Y si le pido consejo a *Yi Yin*?..

— ¡Perfecto!", dijo *Wu Wang*. Tosco y sin brillo, ese hombre tiene lo necesario para servir a tus propósitos; además, sólo tiene eso.

Aconsejado por *Yi Yin*, *Tang* atacó a *Jie*, lo derrotó y luego ofreció el trono a *Bian Sui*. Este último le dijo:

— Mi negativa a darte un consejo, debería haberte hecho entender que no quiero tener nada que ver con un ladrón; ¡y ahora me ofreces tu botín! ¡Qué perverso debe ser este siglo, para que un hombre sin conciencia venga dos veces a intentar mancillarme con su toque! No voy a ser insultado una tercera vez...

Dicho esto, *Bian Sui* se ahogó a sí mismo en el río *Chou*.

Entonces *Tang* le ofreció el trono a *Wu Guang*, con este argumento:

— Un hombre sabio (*Yi Yin*) hizo el plan (para el destronamiento de *Jie*); un hombre valiente (*Tang*) lo llevó a cabo; ahora le toca a un hombre bueno (*Wu Guang*) subir al trono, de acuerdo con las tradiciones de los antiguos...

Wu Guang se negó, diciendo:

— Destronar a un emperador es una falta de equidad; matar a sus súbditos es una falta de bondad; beneficiarse de los crímenes de otros es una falta de modestia. Me aferro a las máximas tradicionales, que prohíben aceptar cualquier cargo de un

---

105 Demolición sistemática de los parangones confucianos.

amo injusto, y pisar el suelo de un imperio sin principios. Me niego a ser honrado por ti, y no quiero volver a verte...

Dicho esto, *Wu Guang* se ató una gran piedra a la espalda y se lanzó al río *Lu*.

J. En el pasado, en el origen de la dinastía *Zhou*, los dos príncipes eruditos, *Bo Yi* y *Shu Qi*, vivían en *Gu Zhu*. Al conocer la noticia del cambio de dinastía, se dijeron:

— Parece que en Occidente hay un hombre que es un Sabio; ¡vamos a verlo!

Cuando llegaron al sur del monte *Qi* (en la capital de los *Zhou*), el emperador *Wu* los hizo recibir por su hermano *Dan*, que les prometió riquezas y honores bajo juramento si servían a su casa. Los dos hermanos se miraron, sonrieron con desprecio y dijeron:

— ¡Nos equivocamos! Esto no es lo que buscábamos...

Mientras tanto, se habían enterado de cómo se había producido el cambio de dinastía, por lo que añadieron:

— En tiempos pasados el emperador *Shen Nong*, tan devoto y reverente, ofrecía sus sacrificios por su pueblo, sin hacer ninguna petición especial para sí mismo. Del gobierno de sus súbditos, al que se aplicó tan concienzudamente, no obtuvo ni gloria ni beneficio para sí mismo. Los *Zhou* que se aprovecharon de la decadencia de los *Yin* para invadir el imperio, son hombres muy diferentes. Conspiraron contra el emperador, se ganaron a sus súbditos y utilizaron la fuerza. Juran para que se les crea (lo que va en contra de la simplicidad daoísta), presumen para agradar, hacen la guerra en su propio beneficio. Está claro que el cambio en el imperio ha ido de mal en peor. En el pasado los ancianos servían en tiempos de orden, y se retiraban en tiempos de desorden. Actualmente el imperio está en la oscuridad, los *Zhou* no tienen virtud. Es mejor que nos retiremos para permanecer puros, antes que ensuciarnos con el contacto de estos usurpadores.

Una vez tomada esta decisión, los dos sabios se dirigieron al norte, al monte *Shou Yang*, donde murieron de hambre. El ejemplo de estos dos hombres es admirable. Al ofrecérseles inesperadamente riquezas y honores, no se dejaron seducir, no se desviaron de sus nobles sentimientos, que pueden resumirse en esta máxima: no te esclavices al mundo.

Capítulo 29 - Políticos

A. Confucio era amigo de Qi de Lua Xia106. Este tenía un hermano menor, que era conocido como el Bandido Zhi. Este individuo había organizado una asociación de nueve mil seguidores, que hacían lo que les daba la gana en el imperio, secuestrando príncipes, saqueando individuos, apoderándose de ganado, secuestrando mujeres y niñas, sin perdonar siquiera a sus parientes cercanos, impulsando la impiedad hasta el punto de no hacer ofrendas a sus antepasados. En cuanto aparecían, las ciudades se ponían en estado de defensa y los habitantes se atrin-

---

106 El digno *Zhan He*, alias *Zhan Ji*, nombre póstumo *Zhan Hui*. Más conocido como *Liuxia Hui* o *Liuxia Ji*, por su país.

cheraban. Todo el mundo tenía que sufrir a estos malhechores. Confucio le dijo a Liuxia Ji:

— Los padres deben aleccionar a sus hijos, los hermanos mayores deben aleccionar a sus hermanos menores. Si no lo hacen, es porque no se toman en serio su deber. Tu eres uno de los mejores oficiales de este tiempo, y tu hermano menor es el bandido *Zhi*. Este hombre es el azote del imperio, y tu no le das lecciones. Estoy avergonzado de ti. Te advierto que iré a darle un sermón en tu lugar.

Liuxia Ji dijo:

— Es cierto que los padres y los mayores deben dar lecciones a los hijos y a los hermanos menores; pero, cuando los hijos y los hermanos menores se niegan a escuchar, aunque el padre o el hermano mayor sean tan elocuentes como tú, el resultado será nulo. Ahora bien, mi hermano menor, *Zhi*, es naturalmente fiero y arrebatado. Además, es tan fuerte que no le teme a nadie, y tan elocuente que sabe mostrar sus fechorías como si fueran buenas obras. Sólo quiere a los que le halagan, se enfada en cuanto alguien le contradice y no duda en insultar. Créeme, no te metas con él.

Confucio no siguió este consejo. Se puso en marcha, con *Yen Hui* conduciendo su carro y *Zi Gong* haciendo de contrapeso. Encontró a *Zhi* sentado al sur del monte *Tai Shu*, con su banda picando hígados humanos para su cena. Bajando de su carro, Confucio se dirigió solo al hombre de la guardia y le dijo

— Yo, *Kong Qiu* de *Lu*, he oído hablar de los altos sentimientos de su general; deseo hablar con él…

Y, habiendo dicho esto, saludó al guarda con reverencia. Éste fue a avisar al ladrón *Zhi*, que se enfureció tanto con esta noticia que sus ojos brillaron como estrellas y su pelo erizado levantó la gorra.

— Este *Kong Qiu* —dijo—, ¿no es el hablador de *Lu*? Dile de mi parte: Charlatán, que atribuye sus bufonadas al rey *Wen* y al emperador *Wu*. Tú que llevas un tocado de tela tejida, y un cinturón de cuero. Tú que dices tantas tonterías como palabras. Tú que comes sin arar, y te vistes sin hilar. Tú que dices que con sólo abrir los labios y decir unas pocas palabras, puedes distinguir entre el bien y el mal. Tú, que has llevado a todos los príncipes al error, y desviado de su camino a todos los sabios del imperio. Tú que, bajo la apariencia de predicar la piedad, adulas a los poderosos, a los nobles y a los ricos. ¡Tú, el peor de los malhechores! ¡Vete rápido! De lo contrario, haré que tu hígado se añada a la carne picada que se está preparando para nuestra cena.

Cuando el guarda le informó de estas palabras, Confucio insistió y le dijo a *Zhi*:

— Como amigo de tu hermano, deseo ser recibido en tu tienda.

El vigilante notificó a *Zhi*:

— Que venga —dijo este último.

A Confucio no necesitó que se lo dijeran dos veces. Caminó rápidamente, fue directo a *Zhi* y lo saludó.

En el punto álgido de su furia, *Zhi* estiró las dos piernas, colocó su espada de forma transversal, volvió los ojos hacia Confucio y, con el tono de una tigresa perturbada mientras amamanta a sus cachorros, dijo

— ¡Ten cuidado *Qiu*! Si dices cosas que me agradan, vivirás. ¡Si dices algo que me desagrade, morirás!

Confucio dijo:

— Tres cualidades son especialmente apreciadas en los hombres: buena apariencia, gran inteligencia y valor militar. Quien posea alguna de estas tres cualidades en alto grado, es digno de mandar a los hombres. Ahora, general, veo que usted posee estas tres cualidades en un grado eminente. ¡Mides ocho pies y dos pulgadas, tus ojos son brillantes, tus labios son rubicundos, tus dientes son blancos como cauríes, tu voz es tan sonora como una campana; y un hombre que combina todas estas cualidades es llamado el bandido *Zhi*! ¡General, estoy indignado! Si quisieras tomarme como consejero, utilizaría mi crédito para ganar el favor de todos los príncipes vecinos; construiría una gran ciudad, para que fuera tu capital; reuniría cientos de miles de hombres, para que fueran tus súbditos; te convertiría en un poderoso y respetado príncipe feudal. General, créeme, devuelve la vida al imperio, deja de hacer la guerra, despide a tus soldados, para que las familias puedan ir en paz a su subsistencia y a las ofrendas de los antepasados. Sigue mi consejo y adquirirás la reputación de hombre sabio y valiente; todo el imperio te aplaudirá.

Todavía furioso —*Zhi* respondió:

— Ven aquí, *Qiu*, y sabe que sólo puedes embaucar a los espíritus pequeños. ¿Necesito que me enseñes que el cuerpo que me dieron mis padres está bien hecho? ¿Crees que tus cumplidos me conmueven, cuando sé que me denigrarás en otra parte más de lo que me has halagado aquí? Y además, el cebo quimérico con el que quieres atraparme, es realmente demasiado burdo. Pero supongamos que obtengo lo que me prometiste, ¿cuánto tiempo lo conservaré? ¿No se ha escapado el imperio de los descendientes de *Yao* y *Shun*, y no se ha extinguido la posteridad de los emperadores *Tang* y *Wu*, precisamente porque sus antepasados les habían dejado una herencia muy rica y, en consecuencia, muy codiciada? El poder no dura, y la felicidad no consiste, como tu y tus compañeros políticos quieren hacernos creer, en esta cosa. Al principio había muchos animales y pocos hombres. Durante el día, éstos recogían bellotas y castañas; por la noche, se refugiaban en los árboles, por miedo a las fieras. Este fue el período conocido como el período de anidación… Luego vino la época de las cuevas, durante la cual los hombres, todavía desnudos, recogían combustible en verano para calentarse en invierno, la primera manifestación de cuidado para el mantenimiento de la vida… Luego llegó la época de *Shen Nong*, el primer agricultor, una época de absoluta despreocupación. Los hombres sólo conocían a su madre, no a su padre (no había matrimonio). Vivían en paz, con los alces y los ciervos. Cultivaban suficientes alimentos para comer e hilaban suficiente ropa para vestir. Nadie hacía daño a nadie más. Era la época en que todo seguía su curso natural, en la perfección… *Huang Di* puso fin a esta feliz época. Fue el primero en asumir el poder imperial, en hacer la guerra, en dar batalla a *Chi You* en la llanura de *Zhuo Lu*, y en derramar sangre en un espacio de cien estadios (al perseguir a los vencidos). Entonces *Yao* y *Shun* inventaron los ministros de Estado y la maquinaria administrativa. Entonces *Tang* derrocó y exilió a su soberano *Jie*, *Wu* destronó y dio muerte al emperador *Zhou*. Desde entonces, hasta ahora, los fuertes han oprimido a los débiles, la mayoría ha tiranizado a la minoría. Todos los emperadores y príncipes han turbado al mundo, como el primero de su clase. Y tú, *Qiu*, te has propuesto propagar los principios del rey *Wen* y del emperador *Wu*, y pretendes imponer estos principios a la posteridad. Es por ello que te vistes y te ciñes de forma diferente al común de los mortales, que das peroratas y posas, engañando a los príncipes, impulsando tus intereses personales. Eres indiscutiblemente el primero de los malhechores, y, en lugar de llamarme a mí, por excelencia, el ladrón *Zhi*, el pueblo debería llamarte a ti, el ladrón *Qiu*... Apelo a los resultados de tu enseñanza. Después de haber engatusado a *Zi Lu*, le hiciste deponer las armas, le hiciste estudiar. El mundo asombrado dijo: *Qiu* sabe cómo suavizar a los violentos. La ilusión no duró. Habiendo intentado asesinar al príncipe de *Wei*, *Zi Lu* pereció, y su cadáver salado (para que durara más) fue expuesto en la puerta oriental de la capital de *Wei*. ¿Debo seguir enumerando los éxitos del hombre de talento, del gran Sabio, que te imaginas ser? En *Lu* fuiste derrotado dos veces. En *Wei* fuiste expulsado. En *Qi* casi te maltrataron. Entre *Chen* y *Cai*, fuiste asediado. Todo el imperio se negó a dar asilo al maestro que hizo salar a su discípulo *Zi Lu*. En definitiva, no has sido capaz de ser útil, ni a ti mismo ni a los demás, ¡y pretendes que tu doctrina sea estimada! Esta doctrina, dices, no es mi doctrina. Se remonta, a través de los antiguos soberanos, a *Huang Di*. Paragones famosos, por los que sólo puedes engañar al vulgo. Desatando sus salvajes pasiones, *Huang Di* emprendió la primera guerra y ensangrentó la llanura de *Zhuo Lu*. *Yao* fue un mal padre. *Shun* era un mal hijo. *Yu* robó el imperio para dárselo a su familia. *Tang* desterró a su soberano. *Wu* mató a los suyos. El rey *Wen* encarceló a *You-li*. Estos son los seis parangones, cuya admiración impones al vulgo. Considerados de cerca, eran hombres cuyo amor a sus intereses les hacía actuar contra su conciencia y contra la naturaleza; hombres cuyos actos son dignos del más profundo desprecio... Y tus otros grandes hombres, ¿no perecieron todos como víctimas de su estupidez? Sus utopías hicieron que *Bo Yi* y *Shu Qi* murieran de hambre y permanecieran sin enterrar. Su idealismo hizo que *Bao Jiao* se retirara a los bosques, donde fue encontrado muerto, de rodillas, besando el tronco de un árbol. Su frustración por no ser escuchado hizo que *Shen Tu Di* se atara una piedra a la espalda y se arrojara al río, donde los peces y las tortugas lo devoraron. El fiel *Jie Zi Tui*, que había llegado a alimentar a su duque *Wen* con un trozo de su muslo, fue tan sensible a la ingratitud de éste que se retiró al bosque, donde pereció en el fuego. *Wei Shang*, habiendo concertado una cita con una hermosa mujer bajo un puente, se dejó ahogar por la crecida del agua antes que faltar a su palabra. ¿En qué sentido, te pregunto, difiere el destino de estos seis hombres del de un perro aplastado, un cerdo sacrificado o un mendigo que murió de miseria? Sus pasiones les causaron la muerte. Habrían hecho mejor en vivir sus vidas en paz... Sigues poniendo como ejemplo a ministros fieles como *Bin Gan* y *Wu Zixu*. Ahora *Bin Gan* fue condenado a muerte y se le arrancó el corazón; *Wu Zixu* tuvo que suicidarse y su cuerpo fue arrojado al río. Esto es lo que les valió a estos seguidores su fidelidad, convertirse en el hazmerreír de la opinión pública... Así que, de todos los ejemplos de la vida real que invocas como prueba de tu sistema, ninguno me convence, sino todo lo contrario. Y si invocas argumentos de ultratumba, estas cosas no demuestran nada...

A mi vez, te daré una lección práctica, sobre lo que es, de hecho, la humanidad. El hombre ama la satisfacción de sus ojos, sus oídos, su boca, sus instintos. Sólo tiene, para satisfacer sus inclinaciones, la duración de su vida, sesenta años de media, a veces ochenta, raramente cien. Y de estos años hay que restar los tiempos de enfermedad, tristeza y desgracia. Tanto es así que, en un mes de vida, un hombre apenas tiene cuatro o cinco días de verdadera satisfacción y risa franca. El curso del tiempo es infinito, pero la suerte de la vida asignada a cada persona es finita, y la muerte le pone fin a su tiempo. Una existencia es, en el transcurso de los siglos, sólo el salto de un caballo sobre una zanja. Ahora bien, mi opinión es que quien no sabe cómo hacer que esta corta vida dure lo más posible, y no satisface durante este tiempo todas las inclinaciones de su naturaleza, no entiende nada de lo que es realmente la humanidad... Conclusión: Niego, *Qiu*, todo lo que afirmas, y apoyo todo lo que niegas. ¡No respondas a una sola palabra! ¡Vete rápido! Eres un tonto, un fanfarrón, un utópico, un mentiroso, y no ofreces nada que pueda encaminar bien a los hombres. No te hablaré más.

Confucio se inclinó humildemente y se apresuró a retirarse. Cuando quiso subir a su carruaje, tuvo que intentarlo tres veces hasta que puedo aferrar la barandilla, tan desconcertado estaba. Tenía los ojos desorbitados, la cara lívida, y se apoyaba en la barandilla, con la cabeza balanceándose y jadeando. Cuando regresaba a la ciudad, se encontró con *Liuxia Ji* en la puerta oriental.

— Ah, ahí estás —dijo este último–. Hace tiempo que no te veo. Pareces cansado. ¿Por casualidad has ido a ver a *Zhi*?

— He ido a verlo —dijo Confucio—, mirando al cielo y suspirando profundamente.

— Ah —dijo *Liuxia Ji*—, ¿y admitió alguna de las cosas que le dijiste?

— No admitió ninguna —dijo Confucio—. Tenías mucha razón. Esta vez yo, *Qiu*, actué como el hombre que se cauteriza a sí mismo cuando no está enfermo (me esmeré y me puse en peligro, en vano). He tirado del bigote del tigre, y tengo suerte de haber escapado de sus dientes.

B. *Zi Zhang*, que estudiaba con vistas a introducirse en la política, le preguntó a *Man Gou De*:

— ¿Por qué no entras en el camino del oportunismo (el de Confucio y los políticos de la época)? Si no lo haces, nadie te dará un cargo, nunca lograrás nada. Este es el camino más seguro hacia la fama y la fortuna. Y te encontrarás en compañía distinguida.

— ¿Realmente? —dijo *Man Gou De*–. Los políticos me perturban por la desvergüenza con la que mienten, por sus intrigas para atraer a sus partidarios. Prefiero la libertad natural a su falso oportunismo.

— La libertad —dijo *Zi Zhang*—, fue abusada por *Jie* y *Zhou* en todas las cosas. Ambos eran emperadores y, sin embargo, si ahora se le dijera a un ladrón: eres un *Jie*, o eres un *Zhou*, ese ladrón se ofendería mucho, tanto fue su abuso de la libertad que *Jie* y *Zhou* fueron despreciados por la gente menor… Mientras que los Confucio y los *Mo Zi*, plebeyos y pobres, han adquirido tal reputación por su uso del oportunismo, que si le dices a cualquier ministro de Estado, eres un Confucio, o eres un *Mo Zi*, este gran personaje se enorgullecerá de sí mismo, teniéndose en gran honor. Esto demuestra que no es la nobleza del rango lo que se impone a los hombres, sino la sabiduría de la conducta.

— ¿Es eso realmente cierto? —dijo *Man Gou De*—. Los que han robado poco están encerrados en las cárceles. Los que han robado mucho se sientan en los tronos. ¿Es oportunismo y sabiduría robar mucho? Y entonces, ¿son los políticos realmente tan puros como dices que son? Es en la puerta de los grandes ladrones (príncipes feudales), donde los encontramos apostados, mendigando. *Xiao Bo*, el duque *Huan* de *Qi*, mató a su hermano mayor para casarse con su viuda; a pesar de ello, *Guan Zhong* consintió en convertirse en su ministro y le procuró, a como diera lugar, la precedencia, como hegemón, sobre los demás feudatarios. Confucio aceptó un regalo de sedas de *Tian Cheng Zi*, el asesino de su príncipe y usurpador de su principado. La moral natural exigía que estos dos políticos censuraran a sus patrocinadores. En cambio, actuaron como perros falderos ante ellos. Fue su oportunismo (egoísmo, buscando el beneficio personal), lo que les hizo descender hasta asfixiar su conciencia. De ellos se escribió este texto: ¡Oh! los buenos; ¡oh! los malos… Los que han triunfado son los primeros; los que no han triunfado son los últimos.

Zi Zhang continuó:

— Si abandonas todas las cosas a la libertad natural, si no admites ninguna institución artificial, todo el orden del mundo desaparecerá; no habrá más rangos, no más grados, ni siquiera el parentesco.

Man Gou De dijo:

— ¿Tus políticos, que tanta importancia le dan a estas cosas, las han observado bien? ¡Déjanos ver tus paragones! *Yao* mató a su hijo mayor. *Shun* exilió a su tío materno. ¡Qué respeto por el parentesco!. *Tang* exilió a su soberano *Jie*, *Wu* mató a *Zhou*. ¡Qué respeto por las jerarquías! El rey *Qi* suplantó a su hermano mayor, el duque de *Zhou* mató a los suyos. Qué respeto por la precedencia… Ah, sí, los discípulos de Confucio hablan en voz baja, los discípulos de *Mo Zi* predican la caridad universal, y así es como actúan en la práctica.

Al fracasar la discusión, *Zi Zhang* y *Man Gou De* recurrieron a un árbitro, que dijo

— Ambos tienen razón y también se equivocan, como ocurre cuando alguien toma una postura demasiado extrema. El vulgo sólo ve la riqueza; el político sólo estima la reputación. Para alcanzar su objetivo, luchan y se desgastan. Sabio es el que considera el sí y el no, desde el centro de la circunferencia (compárese con el cap. 2 C), y deja girar la rueda. Sabio es el que actúa cuando las circunstancias son favorables, el que deja de actuar cuando es el momento. Sabio es el que no se apasiona por ningún ideal. Cualquier búsqueda de un ideal es fatal. Su obstinada lealtad hizo que *Bin Gan* se arrancara el corazón y *Wu Zixu* se sacara los ojos. Su determinación de decir la verdad, de mantener su palabra, hizo que *Zhi Gong* testificara ante el tribunal contra su padre, y que *Wei Sheng* se ahogara bajo un puente. Su inflexible desinterés hizo que *Bao Zi* muriera de rodillas al pie de un árbol, y que *Shen Zi* se arruinara por los artificios de *Ji* de *Li*. Confucio no honró la memoria de su madre, *Kuang Zhang* fue perseguido por su padre debido a sus exagerados escrúpulos rituales. Estos son hechos históricos conocidos. Demuestran que cualquier posición extrema se vuelve falsa, que cualquier obstinación exagerada arruina. La sabiduría consiste en permanecer en el centro, neutral e indiferente.

C. Preocupado le dijo a Tranquilo:
— Todo el mundo valora la reputación y la fortuna. La multitud corteja a los triunfadores, se arrastra ante ellos y los exalta. La satisfacción que sienten por ello les hace vivir mucho tiempo. ¿Por qué no te esfuerzas? ¿Es tu apatía una falta de inteligencia, una falta de capacidad, o una obstinación en ciertos principios que te son propios?

Tranquilo respondió:
— No deseo ni la reputación ni la fortuna, porque estas cosas no dan la felicidad. Es demasiado obvio que los hombres que siempre empujan hacia adelante, haciendo caso omiso de todos los principios inconvenientes, formando su conciencia sobre cualquier precedente histórico; claramente no llegan a disfrutar de una vida larga y feliz. Su vida es, como la del más vulgar, sólo un tejido de trabajo y descanso, de penas y alegrías, de tanteos e incertidumbres. Por mucho que progresen, siguen expuestos a contratiempos y desgracias.

— Así sea —dijo Preocupado—; pero aun así, mientras poseen, disfrutan. Pueden conseguir lo que el hombre superior y el sabio no tienen. Quien ha alcanzado una posición elevada, depende de quien le preste sus armas, su inteligencia, sus talentos. Incluso en una posición menor, el advenedizo sigue siendo privilegiado. Disfruta de todos los placeres de los sentidos, todas las satisfacciones de la naturaleza.

— Egoísmo —dijo Tranquilo—. ¿Es eso la felicidad? En mi opinión, el Sabio toma para sí sólo lo estrictamente necesario, y deja el resto a los demás. No se agita, no lucha. Toda agitación, toda competencia, es un signo de pasión morbosa. Luego de lograr algo, el sabio se retira, renuncia, sin atribuirse el mérito, sin esperar a que le obliguen a hacerlo. Cuando el destino lo ha elevado a la cúspide, no se impone a nadie, no pesa sobre nadie; piensa en el cambio que se avecina, en el eventual giro de la rueda, y por eso es modesto. *Yao* y *Shun* actuaron de esa forma. No trataron a la gente con amabilidad, pero tampoco les hicieron daño, por abstracción y precaución. *Shan Quan* y *Xu You* rechazaron el trono en aras de la seguridad y la paz. El mundo alaba a estos cuatro hombres, que nunca actuaron en contra de sus principios. Ganaron fama, sin haberla buscado.

— En cualquier caso —dijo Preocupado—, no les salió gratis. En lugar de los sufrimientos de la administración, se infligieron los de la abstinencia y la privación, una forma de vida equivalente a una muerte prolongada.

— No, en absoluto —dijo Tranquilo—. Llevaban una vida en común. Y una vida juntos es la única felicidad posible. Cualquier otra cosa te hace infeliz. Con los oídos llenos de música y la boca llena de comida, el advenedizo no está contento. La preocupación por mantener su posición hace que sea como una bestia de carga que sube la misma pendiente una y otra vez, sudando y soplando. Todas las riquezas, todas las dignidades, no apagarán el hambre y la sed que le atormentan, la fiebre interior que le devora. Estando sus almacenes llenos a rebosar, no dejará de desear más, no consentirá en renunciar a nada. Su vida transcurrirá en guardia alrededor de esas acumulaciones inútiles, en la preocupación, en el miedo. Se atrincherará en su casa, y no se atreverá a salir sin escolta (por miedo a que lo secuestren). ¿No es esto una verdadera miseria? Pues los que la sufren, no lo notan. Inconscientes del presente, tampoco pueden prever el futuro. Cuando llegue la hora de la desgracia, se verán sorprendidos, y todas sus posesiones no valdrán ni un día de respiro. Es un tonto que cansa su mente y desgasta su cuerpo para llegar a tal fin.

Capítulo 30 - Espadachines

A. El rey Wen de Zhao era un apasionado de la esgrima. Los espadachines profesionales acudían a su corte. Le dio hospitalidad a más de tres mil hombres de este tipo, que luchaban ante él siempre que lo solicitaba, de día o de noche. Cada año, más de un centenar de personas morían o resultaban gravemente heridas en estas justas. Pero estos accidentes no enfriaron la pasión del rey. Al estar el reino muy abandonado, sus vecinos juzgaron el momento propicio para apoderarse de él. Cuando el príncipe heredero Li escuchó esto, se afligió mucho. Reunió a sus amigos y les dijo:

— Le daré mil taels como recompensa a quien pueda persuadir al rey para que ponga fin a estas peleas de espadachines…

— Sólo *Zhuang Zhou* es capaz de hacerlo —dijeron los amigos del príncipe.

Inmediatamente, el príncipe envió mensajeros para invitar a *Zhuang Zhou* y ofrecerle mil taels. *Zhuang Zhou* rechazó el dinero, pero siguió a los enviados.

— ¿Qué quieres de mí, y por qué me ofreces mil taels? —le preguntó al príncipe.

— He oído que eres un sabio —dijo éste—, así que empecé enviándote respetuosamente mil taels, en previsión de lo que vendría después. Rechazaste mi regalo. ¿Cómo me atrevo entonces a decirte lo que deseo de ti?

— He oído —dijo *Zhuang Zhou*—, que deseas que cure al rey tu padre de cierta pasión. Si le ofendo, me matará; si no lo consigo, quizás tu mismo lo harás; en cualquier caso, tus mil taels me sobrarán (no me servirán). Si yo complazco al rey y tú estás complacido, entonces tus mil taels serán demasiado poco. Por eso he rechazado tu dinero.

— Bueno —dijo el príncipe—. A nuestro rey sólo le gustan los espadachines.

— Lo sé —dijo *Zhuang Zhou*—. Soy un muy buen espadachín.

— Perfecto —dijo el príncipe—. Sólo que los espadachines del rey llevan todos un turbante con borla y un jubón estrecho; tienen caras feroces y son muy ruidosos. El rey sólo acepta este tipo. Si te presentas ante él vestido de erudito, ni siquiera te mirará.

— Entonces —dijo *Zhuang Zhou*—, manda a hacer un traje para mí.

Tres días después, el príncipe presentó a *Zhuang Zhou* al rey, vestido de espadachín. El rey lo recibió con una espada desnuda en la mano. *Zhuang Zhou* avanzó hacia él lentamente (para evitar ser tomado por un asesino disfrazado), y no lo saludó (por la misma razón).

— ¿Por qué —preguntó el rey— te ha presentado mi hijo?

— He oído —dijo *Zhuang Zhou*—, que te gustan los duelos con espadas. Me gustaría mostrarte lo que puedo hacer en este tipo de combate.

— ¿Qué tan fuerte eres? —preguntó el rey.

— Coloca un espadachín tras otro, a diez pasos de distancia —dijo *Zhuang Zhou*—, a lo largo de mil estadios de longitud; pasaré por encima de los cuerpos de todos ellos en fila.

— El rey estaba encantado.

— No tienes igual —dijo.

— Y esta es mi teoría —dijo *Zhuang Zhou*—. Ataco suavemente, dejo que mi adversario se acerque, que se excite, finjo retirarme, se deja llevar, lo ensarto. ¿Me permitirías mostrarte como lo hago?

— No tan rápido, maestro —dijo el rey preocupado—. Ve y descansa primero. Cuando se hayan hecho los preparativos, enviaré a buscarte.

B. Entonces el rey hizo que sus soldados se ejercitaran durante siete días seguidos. Más de sesenta murieron o resultaron heridos. El rey eligió a los cinco o seis más hábiles y los colocó en el fondo de la gran sala, espada en mano, listos para luchar, y después de llamar a *Zhuang Zhou*, le dijo

— Voy a ponerte en presencia de estos maestros...

— Ya he tenido que esperar bastante —dijo *Zhuang Zhou*.

— ¿Cuáles son las dimensiones de tu espada? —preguntó el rey.

— Cualquier espada es buena para mí —dijo *Zhuang Zhou*—. Sin embargo, hay tres que prefiero. Tú eliges.

— Explícate —dijo el rey.

— Estas son —dijo *Zhuang Zhou*—, la espada del emperador, la espada del vasallo y la espada del plebeyo.

— ¿Qué es la espada del emperador? —preguntó el rey.

— Es la que cubre todo dentro de las cuatro fronteras —dijo *Zhuang Zhou*—, la que se extiende a los bárbaros fronterizos, la que reina desde las montañas occidentales hasta el mar oriental. Siguiendo el curso de los dos principios y los cinco elementos, de las leyes de la justicia y la clemencia, descansa en primavera y verano (estaciones de trabajo), se enfurece en otoño e invierno (estaciones de ejecuciones y guerras). Nada se resiste a esta espada cuando es sacada de su vaina y blandida. Obliga a todos los seres a someterse. Esta es la espada del emperador.

Sorprendido, el rey preguntó:

— ¿Qué es la espada del vasallo?

— Es —dijo *Zhuang Zhou*—, un arma hecha de valentía, fidelidad, coraje, lealtad y sabiduría. Blandida sobre un principado, de acuerdo con las leyes del cielo, la tierra y el tiempo, esta espada mantiene la paz y el orden. Temida como un rayo, impide toda rebelión. Esta es la espada del vasallo.

— Y la espada del plebeyo, ¿qué es? —preguntó el rey.

— Es el hierro en las manos de ciertos hombres que llevan un turbante con borla y un jubón estrecho —dijo *Zhuang Zhou*—; que ponen los ojos en blanco y hablan muy alto; que se cortan la garganta, se perforan el hígado o los pulmones, en duelos sin sentido; que se matan entre sí, como los gallos de pelea, sin ninguna utilidad para su país. Oh, rey, tú, que tal vez estés predestinado a convertirte en el amo del imperio, ¿no es indigno de ti valorar tanto esta arma?

El rey lo entendió. Cogió a *Zhuang Zhou* del brazo y lo llevó a la parte superior de la sala, donde se estaba sirviendo un banquete. El rey estaba fuera de sí mientras recorría la mesa... *Zhuang Zhou* le dijo:

— Regresa y toma asiento; no diré más sobre las espadas (y no te avergonzaré más).

Entonces el rey *Wen* se encerró en sus apartamentos durante tres meses, reflexionando sobre su conducta. Durante este tiempo sus espadachines terminaron de matarse. (Algunos comentaristas explican que todos se suicidaron por despecho. En cualquier caso, la especie se extinguió y el abuso cesó).

Capítulo 31 - El viejo pescador

A. Confucio, caminando por el bosque de Zi Wei, se sentó a descansar cerca del cerro Xiang Tan. Los discípulos tomaron sus libros. El maestro tocó su cítara y comenzó a cantar.

El canto atrajo a un viejo pescador. Con el pelo canoso suelto y las mangas remangadas, el anciano bajó de su barca, subió a la orilla, se acercó, puso la mano izquierda sobre la rodilla, apoyó la barbilla en su mano derecha y escuchó atentamente. Cuando terminó la canción, agitó la mano hacia *Zi Gong* y *Zi Lu*. Ambos se acercaron a él:

— ¿Quién es él? —preguntó el anciano, señalando a Confucio.

— Es el Sabio de *Lu* —dijo *Zi Lu*.

— ¿Cuál es su nombre? —preguntó el anciano.

— Se llama *Kong* —dijo *Zi Lu*.

— ¿Y qué hace este *Kong?* —preguntó el anciano.

— Se esfuerza —dijo *Zi Gong*— por revivir la sinceridad, la lealtad, la bondad y la equidad, los ritos y la música, para el mayor bien del principado de *Lu* y del imperio.

— ¿Es un príncipe? —preguntó el anciano.

— No —dijo *Zi Gong*.

— ¿Es un ministro? —preguntó el anciano.

— No —dijo *Zi Gong*.

El anciano sonrió y se retiró. *Zi Gong* le oyó murmurar:

— ¡Bondad! ¡Equidad! es muy bonito, sin duda, pero tendrá suerte si no se pierde en este juego. En cualquier caso, las preocupaciones y las molestias que se tome, al desgastar su mente y su cuerpo, perjudicarán su verdadera perfección. ¡Qué lejos está de la ciencia del Principio!

Zi Gong informó de estas palabras a Confucio, que apartó rápidamente la cítara de su regazo, se levantó y dijo:

— Es es un Sabio —y bajó al banco para pedirle al viejo una entrevista. Este último estaba empujando la pértiga de su bote para desatracarlo. Cuando vio a Confucio, se detuvo y se volvió hacia él. Confucio se acercó y saludó.

— ¿Qué quieres de mí? —preguntó el anciano.

— Acabas de decir palabras cuyo significado no entiendo —dijo Confucio—. Te ruego respetuosamente que me instruyas por mi propio bien.

— Ese deseo es muy loable —dijo el anciano.

B. Confucio se postró, luego, habiéndose levantado, dijo:

— Desde mi juventud hasta esta edad de sesenta y nueve años (el penúltimo año de su vida), yo *Qiu* he estudiado sin cesar, sin ser instruido en la ciencia suprema (el daoísmo). Ahora que tengo la oportunidad, juzga con qué entusiasmo te escucharé.

El anciano dijo:

— No sé si nos llevaremos bien; porque la ley común es que sólo se llevan bien aquellos cuyos sentimientos son similares. En cualquier caso te diré mis principios, y los aplicaré a tu conducta... Te ocupas exclusivamente de los asuntos de los hombres. El emperador, los señores, los oficiales y la plebe, estos son tus intereses; hablemos de ellos. Pretendes amonestar estos cuatro tipos de hombres, para obligarlos a comportarse bien, siendo el resultado final un orden perfecto, en el que todos vivirán felices y contentos. ¿Conseguirás realmente crear un mundo sin males ni quejas? Basta con afligir al plebeyo si su campo no rinde, si su techo gotea, si le falta comida o ropa, si se le impone un nuevo impuesto, si las mujeres de la casa se pelean, si los jóvenes faltan al respeto a los viejos. ¿Realmente esperas deshacerte de todas estas cosas? Los oficiales se lamentan de las dificultades de sus funciones, de sus fracasos, de la negligencia de sus subordinados, de que no se reconozcan sus méritos, de que no avancen. ¿Puedes realmente cambiar todo esto? Los señores se quejan de la deslealtad de sus oficiales, de las rebeliones de sus súbditos, de la torpeza de sus artesanos, de la mala calidad de las regalías que se les pagan en especie, de que a menudo tienen que presentarse en la corte con las manos llenas y que el emperador no está contento con sus regalos. ¿Realmente vas a acabar con todo esto? El emperador se lamenta de los desórdenes del *yin* y el *yang*, el frío y el calor, que perjudican la agricultura y hacen sufrir al pueblo. Se lamenta de las disputas y guerras de sus feudatarios, que han costado la vida a muchos hombres. Se lamenta de que sus reglamentos sobre los ritos y la música sean mal observados, de que sus finanzas estén agotadas, de que las relaciones sean poco respetadas, de que el pueblo se comporte mal. ¿Cómo vas a eliminar todos estos trastornos? ¿Tienes la capacidad, el poder, para hacerlo? Tú que no eres ni emperador, ni señor, ni siquiera ministro; un simple particular, pretendes reformar la humanidad. Antes de ver realizado tu sueño, tendrías que liberar a los hombres de las ocho manías que te voy a enumerar: la manía de entrometerse en lo que no le incumbe a uno; la manía de hablar sin consideración previa; la manía de mentir; la manía de adular; la manía de denigrar; la manía de sembrar la discordia; la manía de dar a los amigos una falsa reputación; la manía de intrigar e insinuar. ¿Eres un hombre que puede acabar con todos estos vicios? Y los cuatro abusos siguientes: el prurito de innovar para hacerse famoso; la usurpación del mérito ajeno para progresar uno mismo; la terquedad en las faltas a pesar de las amonestaciones; la obstinación en las ideas a pesar de las advertencias; ¿cambiarás todo esto? Cuando lo hayas hecho, entonces podrás empezar a exponer tus teorías sobre la bondad y la equidad a los hombres, con alguna posibilidad de que entiendan algo de ellas.

C. Con el rostro alterado y suspirando de emoción, Confucio se inclinó en agradecimiento por la lección, se levantó y dijo:

— Puede que sea un utópico, pero no soy un malvado. Entonces, ¿por qué soy tan universalmente vilipendiado, perseguido y expulsado? ¿Qué es lo que me trae todos estos males? No lo entiendo.

— No entiendes nada —dijo el anciano asombrado—; realmente eres muy limitado. Es tu manía de ocuparte de todos y de todo, de hacerte pasar por censor y maestro universal, lo que te está causando estas tribulaciones. Escucha esta historia: Un hombre tenía miedo de la sombra de su cuerpo y del rastro de sus pasos. Para deshacerse de ellos, empezó a huir. Pero cuantos más pasos daba, más huellas dejaba; por muy rápido que corriera, su sombra no le abandonaba. Aun así, creyó que acabaría superándolos, y por eso corrió tanto que murió. ¡El tonto! Si se hubiera sentado en un lugar cubierto, su cuerpo no habría proyectado una sombra; si se hubiera quedado quieto, sus pies no habrían hecho más huellas; sólo tenía que quedarse en paz, y todos sus males desaparecerían... Y tú que, en lugar de mantener la paz, te dedicas a discutir sobre la bondad y la equidad, sobre las semejanzas y las desemejanzas, sobre no sé qué sutilezas ociosas, ¿te sorprenden las consecuencias de esta manía, no comprendes que es por molestar a todo el mundo por lo que has atraído el odio universal? Créeme, a partir del día en que sólo te ocupes de ti mismo y te apliques a cultivar tu fondo natural; desde el día en que, dando a los demás lo que se merecen, los dejes en paz; desde ese día, ya no tendrás ningún problema. Por negarte a verte a ti mismo, y observando demasiado a los demás, atraes todas tus desgracias.

D. Descompuesto, Confucio preguntó:
— ¿Cuál es mi base natural?
— La base natural —dijo el anciano— es la sencillez, la sinceridad y la rectitud que cada uno trae consigo cuando nace. Sólo esto influye en los hombres. A nadie le conmueve la verborrea espuria, las lágrimas, los arrebatos, el patetismo de un actor. Los verdaderos sentimientos se comunican a los demás sin el artificio de las palabras o los gestos. Es porque emanan de las profundidades naturales, de la verdad nativa. De esta base nacen todas las verdaderas virtudes, el afecto de los padres y la piedad de los hijos, la lealtad al príncipe, la alegría comunicativa en las fiestas,

la compasión sincera en los funerales. Estos sentimientos son espontáneos y no tienen nada de artificial, mientras que los rituales en los que pretendes encerrar todos los actos de la vida son una farsa. La base natural es la parte que cada hombre ha recibido de la naturaleza universal. Su dictamen es invariable. Es la única regla de conducta para el Sabio, que desprecia toda influencia humana. Los tontos hacen todo lo contrario. No sacan nada de su propia base, y están a merced de la influencia de otros. No valoran la verdad que hay en ellos, sino que comparten los afectos frívolos y volubles del vulgo. Es una pena, Maestro, que hayas pasado toda tu vida en la mentira, y sólo hayas escuchado la verdad expuesta tan tarde.

E. Confucio se postró, se levantó, saludó y dijo:
— ¡Qué feliz soy de haberte conocido! ¡Qué favor del cielo! Ah, maestro, no me consideres indigno de convertirme en tu siervo, para que sirviéndote tenga la oportunidad de aprender más. Dime, por favor, dónde vives. Iré y me quedaré contigo, para poder completar mi educación.
— No —dijo el anciano—. Dice el refrán: revela los misterios sólo a quienes puedan seguirte; no los reveles a quienes no puedan entenderlos. Tus prejuicios son demasiado inveterados para ser curables. Busca en otra parte. Te dejo.
Y mientras decía esto, el anciano hizo girar su barca y desapareció con ella entre los verdes juncos.

F. Aunque *Yen Yuan* había preparado el carro para el viaje de vuelta, y *Zi Lu* asía las riendas, Confucio no pudo separarse de la orilla. Por fin, cuando la estela dejada por la embarcación se había borrado, cuando no llegaba a sus oídos ningún ruido de la pértiga, decidió, como si lo lamentara, ocupar su lugar en el carro. *Zi Lu*, que caminaba a su lado, le dijo:
— Maestro, te he servido durante mucho tiempo. Nunca te he visto mostrar tanto respeto y deferencia hacia nadie. Siempre has sido altivo y desdeñoso cuando te recibían príncipes y señores y te trataban como a un igual. Y ahora, ante este anciano apoyado en su pértiga, has doblado la espalda en ángulo recto para escucharle, te has inclinado antes de responderle. ¿No hubo algo excesivo en esta muestra de reverencia? Los discípulos nos sorprendemos. ¿Cómo fue este viejo pescador digno de tales demostraciones?
Apoyado en la baranda, Confucio suspiró y dijo:
— Eres decididamente incorregible; mis enseñanzas resbalan, sin efecto, sobre tu mente demasiado tosca. Escúchame, no venerar a un anciano es faltar a los ritos. No honrar a un Sabio es no tener criterio. No inclinarse ante la virtud que brilla en otro es hacerse daño a sí mismo. ¡Recuerda eso, tonto!. Y si esto es cierto de toda virtud, cuánto más lo es del conocimiento del Principio, por el que todo lo que es subsiste, cuyo conocimiento es vida y la ignorancia muerte. Conformarse con el Principio da éxito, oponerse a él es la ruina segura. El deber del Sabio es honrar la ciencia del Principio dondequiera que la encuentre. Ahora este viejo pescador lo tiene. ¿No podría honrarlo como lo hice?

CAPÍTULO 32 - SABIDURÍA

A. Lie Yukou (Lie Zi) iba de camino a Qi cuando regresó a mitad de camino. Se encontró con Bo Hun Wu Ren que le preguntó:

— ¿Por qué vuelves de esta manera?

— Porque tenía miedo —dijo *Lie Yukou*.

— ¿Miedo a qué? —dijo *Bo Hun Wu Ren*.

— Entré en diez cocinas de sopa —dijo *Lie Yukou*— y cinco veces me atendieron el primero.

— Y tú tenías miedo —dijo *Bo Hun Wu Ren*—, ¿de qué?

— Pensé —dijo *Lie Yukou*—, que a pesar de mi estricto incógnito, mis cualidades se mostraban sin duda a través de mi cuerpo. Porque, ¿de qué otra manera podría explicar esta deferencia por parte de gente tan vulgar? Si hubiera llegado hasta *Qi*, tal vez el príncipe, al saber también de mi capacidad, me habría confiado el cuidado de su principado, que lo está agotando. Fue esta posibilidad la que me asustó y me hizo volver sobre mis pasos.

— Está bien pensado —dijo *Bo Hun Wu Ren*—, pero me temo que eso se repetirá cuando vuelvas a tu casa.

De hecho, poco después, *Bo Hun Wu Ren*, que había ido a visitar a *Lie Yukou*, vio una cantidad de zapatos ante su puerta. Se detuvo, apoyó la barbilla en el extremo de su bastón, pensó durante mucho tiempo y se retiró. Sin embargo, el portero había advertido a *Lie Yukou* de su presencia, quien, sin tomarse el tiempo de ponérselas, cogió sus sandalias y corrió tras su amigo. Tras alcanzarlo en la puerta exterior, le dijo:

— ¿Así es como te vas sin darme ningún consejo?

— ¿De qué sirve ahora? —dijo *Bo Hun Wu Ren*—. ¿No te advertí que todo se repetiría de nuevo en tu casa? Sé que no has hecho nada para atraer a toda esa gente, pero tampoco has hecho nada para alejarlos. Ahora que te has entregado a la disipación, ¿de qué te servirían mis consejos? Sin duda tus visitantes se beneficiarán de tus cualidades, pero tu sufrirá con su conversación. Esa gente no te enseñará nada. La charla del vulgo es veneno, no alimento, para un hombre como tú. ¿De qué sirve la intimidad con personas que sienten y piensan de forma diferente? Es habitual que los hábiles se desgasten, que los doctos se cansen, como tú. ¿Y para quién? Para seres frívolos que sólo saben deambular entre sus comidas, vagando a la ventura como un barco que se ha puesto en marcha y se va por el desagüe, comprándose de vez en cuando una conversación con un Sabio para distraer su aburrimiento.

B. Un cierto *Huan* del principado de *Zheng*, tras leer los libros oficiales durante tres años, fue ascendido a erudito. Esta promoción hizo famosa a toda su familia. Para evitar que su hermano menor le hiciera sombra, el nuevo erudito le hizo abrazar las doctrinas de *Mo Zi*. Como resultado, los dos hermanos discutían constantemente, y el padre argumentaba a favor del hermano menor contra el mayor, de modo que había una disputa perpetua en casa. Tras diez años de esta vida, *Huan* no pudo soportar más y se suicidó. La animosidad del padre y del hermano sobrevivió a su muerte. No visitaron su tumba, ni le hicieron ofrendas. Un día *Huan* se le apareció en sueños a su padre y le dijo:

— ¿Por qué estás tan resentido conmigo? ¿No fui yo quien hizo de tu segundo hijo un seguidor de *Mo Zi*, cuya doctrina tanto amas? ¡Deberías estarme agradecido!

Desde entonces, *Huan* ha recibido sus ofrendas.

Esto demuestra que el autor de los hombres (el Principio), no premia tanto sus intenciones, como el cumplimiento por ellos del destino. *Huan*, al convertir a su hermano en seguidor de *Mo Zi*, se dejó llevar por un sentimiento de bajo egoísmo, como los que prohíben a otros beber agua de su pozo. Sin embargo, al hacerlo, hizo lo correcto, pues el destino quiso que su hermano se convirtiera en seguidor de *Mo Zi*, y todo lo que siguió a partir de eso. Así *Huan* escapó del castigo del cielo, como decían los antiguos. Su acción le fue imputada, pero su intención no lo fue.

C. El hombre sabio se diferencia del hombre común en que se mantiene callado y evita lo que le pueda molestar. El vulgo hace lo contrario, busca problemas y evita la paz.

— Para quien ha conocido el Principio, todavía es necesario evitar hablar de él, lo cual es difícil, dice *Zhuang Zhou*. Saber y no hablar es la perfección. Conocer y hablar es la imperfección. Los antiguos tendían a la perfección. *Zhu Pingman* aprendió de *Zhi Liyi* el arte de matar dragones. Pagó mil taels por la receta, toda su fortuna. Ejerció durante tres años. Cuando estaba seguro de su negocio, no hacía ni decía nada.

— Entonces, ¿qué sentido tiene? Cuando uno es capaz, es necesario demostrarlo, dice el vulgo…

El Sabio nunca dice "es necesario"… De ello nacen problemas, guerras y ruinas.

Enredado en múltiples detalles, avergonzado por las preocupaciones materiales, el hombre mediocre no puede tender hacia el Principio de todas las cosas, hacia la gran Unidad incorpórea. Al hombre superior le está reservado concentrar su energía en el estudio de lo que fue antes del principio, para disfrutar en la contemplación del oscuro e indeterminado ser primordial, tal como era cuando sólo existían las aguas sin forma, brotando en una pureza sin mezcla. Oh hombres, estudiáis las briznas de paja, e ignoráis el gran reposo (en la ciencia general del Principio).

D. Un cierto *Cao Shang*, político de *Song*, fue enviado por su príncipe al rey de *Qin*. Partió con una tripulación más bien modesta y regresó con cien carros, cargados de regalos recibidos del rey de *Qin*, a quien había complacido enormemente. Él le dijo a *Zhuang Zhou*:

— Nunca me atrevería a vivir como tú en un callejón de la aldea, mal vestido y calzado, delgado y demacrado por el hambre y la miseria. Prefiero cortejar a los príncipes. Esto me ha traído otros cien carros de regalos.

Zhuang Zhou respondió:

— Conozco el precio del rey de *Qin*. Al cirujano que le abre un absceso, le da un carro de regalos; al que se lame las hemorroides, le da cinco carros. Cuanto más vil es el servicio que se le presta, mejor paga. ¿Qué podrías haberle hecho, para recibir aún más que el que le lame las hemorroides? ¡fuera de mi presencia!

E. El Duque *Ai*, de *Lu*, le pidió a *Yen He*:

— Si hiciera a *Zhong Ni* (Confucio) mi primer ministro, ¿mi ducado estaría bien?

— Estaría en gran peligro —dijo *Yen He*—. *Zhong Ni* es un hombre de pequeños detalles (un pintor de abanicos), un fino hablador, que se viste para agradar, que se agita para hacer un efecto. Sólo admite sus propias ideas, y sólo sigue lo que está en su imaginación. Entonces, ¿qué bien podría hacer a tu gente? Si lo hicieras ministro, pronto te arrepentirías. No es bueno alejar a las personas de la verdad y enseñarles la falsedad. Y entonces, en lo que hace, este hombre busca su propia ventaja. Actuar así no es actuar como el cielo, por lo que no beneficia a nadie. Si introdujeras un comerciante en la jerarquía de tus oficiales, la opinión pública se ofendería. Se ofendería aún más si hicieras de este traficante un ministro de la política. Este hombre no tendrá éxito en nada, y no terminará bien. Hay delitos externos, que el verdugo castiga. Hay crímenes interiores (la ambición de Confucio), que el *yin* y el *yang* castigan (el desgaste del cuerpo, la muerte prematura). Sólo el Sabio escapa a la sanción penal.

F. Confucio dijo:

— El corazón humano es más difícil de abordar que las montañas y los ríos; sus sentimientos son más inciertos que los del cielo. Porque el cielo tiene movimientos exteriores, por los que se pueden conjeturar sus intenciones; mientras que el exterior del hombre no traiciona, cuando no quiere hacerlo, sus sentimientos interiores. Algunos parecen rectos, mientras que son apasionados; algunos parecen frustrados, mientras que son hábiles; algunos parecen simples, mientras que están llenos de ambición; algunos parecen firmes, mientras que son demasiado flexibles; algunos parecen lentos, mientras que son apresurados. Algunos que parecen sedientos de justicia, le temen como al fuego. Por eso, el Sabio nunca se fía de las apariencias. Pone a prueba a los hombres; cerca de él, para asegurar su reverencia; en una misión lejana, para asegurar su fidelidad. Al confiarles los asuntos a tratar, se da cuenta de su talento. Al hacer preguntas inesperadas, se da cuenta de sus conocimientos. Al asignarles una fecha, es consciente de su exactitud. Al enriquecerlos, conoce su espíritu caritativo. Al exponerlos al peligro, pone a prueba su compostura. Al emborracharlos, descubre sus sentimientos internos. Al ponerlos en contacto con las mujeres, comprueba el grado de su continencia. Las nueve pruebas anteriores distinguen al hombre superior del hombre vulgar[107].

G. Cuando *Kao Fu* el Recto recibió su primer puesto, inclinó la cabeza; ante el segundo, agachó la espalda; cuando se le impuso un tercero, huyó; este es un buen

---

107 Confucianismo cauteloso, astuto y meticuloso. Para el daoísta, es la unión con el Principio lo que hace al hombre superior, con la amplitud de miras consiguiente.

modelo. Los hombres vulgares hacen las cosas de manera diferente. En su primer puesto, levantan la cabeza; en el segundo, se dan grandes aires en su carro; en el tercero, empiezan a hablar con desprecio de los que son superiores a ellos en parentesco o edad; los antiguos nunca hicieron eso.

No hay nada más fatal que la conducta interesada, con intrigas y segundas intenciones.

Nada arruina tanto como la admiración de las obras propias, combinada con la depreciación de las ajenas.

Ocho cosas, que parecen ventajosas, son ruinosas; a saber, sobresalir en belleza, barba, altura, corpulencia, fuerza, elocuencia, valentía, audacia. Tres cosas, que parecen ser defectos, por el contrario suelen traer fortuna; a saber, la falta de carácter, la indecisión, la timidez. Seis cosas llenan la mente de pensamientos, recuerdos y preocupaciones; a saber, el comercio afable que crea amigos, la conducta violenta que hace enemigos, la preocupación por la bondad y la equidad que llena de distracciones, el cuidado de la salud que engendra la hipocondría, las relaciones con los eruditos que dan el gusto por el estudio, las relaciones con los grandes que despierta la ambición, y la compañía de los hombres vulgares que hace que uno quiera aprovechar cualquier oportunidad para hacer su propio negocio.

H. Un político en busca de un amo al que servir, habiendo cortejado al rey de *Song*, había recibido diez carros de regalos, que mostró a *Zhuang Zhou* con una ostentación infantil. *Zhuang Zhou* le dijo:

— A orillas del río, una pobre familia vivía penosamente tejiendo esteras, (un oficio muy poco rentable). Tras sumergirse en las aguas, el hijo de la familia sacó una perla que valía mil taeles. Cuando su padre la vio, le dijo: ¡Rápido, toma una piedra y rómpela! Las perlas de este tamaño sólo pueden encontrarse en el fondo del abismo, bajo la barbilla del dragón negro. Cuando la tomaste, el dragón probablemente estaba durmiendo. Cuando se despierte, la buscará, y si la encuentra aquí, será nuestra perdición... Pero el reino de *Song* también es un abismo, y su rey es peor que el dragón negro. Sin duda estaba distraído cuando te hiciste con esos diez carros de cosas bonitas. Si cambia de opinión, serás aplastado.

I. Un príncipe invitó a *Zhuang Zhou* a ser su ministro, y éste respondió al enviado:

— El buey[108] destinado al sacrificio es vestido con una tela bordada y recibe forraje selecto. Pero un día es llevado al gran templo (para ser sacrificado allí). En ese momento, preferiría ser el buey más común en el último de los pastos. Lo mismo ocurre con los ministros de los príncipes. Los honores primero, la desgracia y la muerte en su momento.

J. Cuando *Zhuang Zhou* estuvo a punto de morir, sus discípulos expresaron la intención de contribuir para que tuviera un funeral más decente.

---

108 Comparar con la tortuga, capítulo 17 E.

— ¡Nada de eso! —dijo el moribundo—. Tendré suficiente con el cielo y la tierra como féretro, el sol, la luna y las estrellas como joyas (solían ponerlas en los ataúdes), y toda la naturaleza como procesión. ¿Pueden darme algo mejor que este gran lujo?

— No dejaremos tu cadáver insepulto, para que lo depreden los cuervos y los buitres —dijeron los discípulos.

— Y para evitar este destino —dijo *Zhuang Zhou*—, lo enterrarán para que los devoren las hormigas. ¿Es correcto privar a las aves de él y dárselo a los insectos?

Con estas palabras supremas, *Zhuang Zhou* mostró su fe en la identidad de la vida y la muerte, su desprecio por todas las convenciones vanas e inútiles. ¿Qué sentido tiene intentar nivelar lo que no es plano? ¿Qué sentido tiene guardar las apariencias? ¿Qué proporción tienen los ritos y las ofrendas con el misterio del más allá? Los sentidos sólo son suficientes para la observación superficial; sólo la mente penetra y convence. Sin embargo, el vulgo sólo cree lo que ve con sus ojos y no utiliza su mente. De ahí los vanos rituales y las falsas pretensiones, por las que el Sabio sólo siente desprecio.

Capítulo 33 - Diversas escuelas

A. Diferentes autores han inventado muchas recetas para gobernar el mundo, cada uno dando la suya como la más perfecta. Pero resultó que todas ellas eran insuficientes. Sólo hay un procedimiento eficaz: dejar actuar al Principio, sin frustrarlo. Está en todas partes, lo penetra todo. Si los influjos trascendentes descienden del cielo y suben de la tierra, si se producen Sabios, es gracias a él, inmanente en el todo universal. Cuanto más estrecha es su unión con el Principio, más perfecto es el hombre. Los grados superiores de esta unión hacen los hombres celestiales, hombres trascendentes, hombres superiores. Luego vienen los Sabios, que saben especulativamente que el cielo, la manifestación sensible del Principio, es el origen de todo; que su acción es la raíz de todo; que todo sale del Principio, por vía de evolución, y vuelve a él. Por último, los príncipes aplican estas ideas en la práctica, mediante su bondad benéfica, su equidad racional, los ritos que regulan la conducta, la música que produce comprensión, un perfume de benevolencia que lo penetra todo. Así hacían los príncipes de la antigüedad, aconsejados por sus sabios. Distinguían los casos y les aplicaban las leyes. Ellos calificaban y designaban. Profundizaban en todas las cosas mediante la consideración y el examen. Finalmente, todo aclarado, tomaban medidas reguladas como uno puede contar uno dos tres cuatro. Porque la jerarquía de los oficiales funcionaba, los negocios seguían su curso y se preocupaban por el cuidado del pueblo, se fomentaba la cría de ganado; los ancianos y los niños, los huérfanos y las viudas, se convirtieron en objeto de gran solicitud; se hizo todo lo que había que hacer razonablemente por el bien común. Al tomarse esta molestia, los antiguos colaboraron con los influjos trascendentes celestes y terrestres, con la acción del cielo y de la tierra. Alimentaban a los vivos, mantenían la paz, extendían sus beneficios a todos. De los principios perfectamente sondeados, extrajeron variadas aplicaciones, actuando en todas las direcciones, sobre los más diversos seres. Las antiguas leyes transmitidas de generación en generación, que se conservan en gran número en las historias, dan testimonio de la ciencia teórica y práctica de los antiguos.

Luego vinieron las Odas, los Anales, los Ritos y los tratados de música, de los eruditos de *Zou* y *Lu*, los maestros oficiales de los principados. En su idea, las Odas son un código de moral, los Anales un repertorio de hechos, los Ritos una regla de conducta, la música un medio para producir concordia, las mutaciones un procedimiento para conocer los movimientos del *yin* y el *yang*, las crónicas un medio para distinguir las verdaderas reputaciones de las falsas. Estos escritos, que se extendieron desde las provincias centrales a todo el imperio, se convirtieron en el tema sobre el que se ejercitaban los eruditos.

Luego llegó una época en la que el imperio había caído en un gran desorden y estaba desprovisto de grandes sabios, se inventaron otros principios, se iniciaron discusiones y cada uno pretendió tener razón. Era como la discusión de los oídos y los ojos con la nariz y la boca, que nunca podían ponerse de acuerdo, pues cada sentido tenía razón, pero sólo en cuanto a su propio objeto. Así, las diversas escuelas tienen cada una su especialidad, buena en su tiempo y lugar; pero ninguna lo abarca todo, ni tiene derecho a excluir a las demás. ¿Cómo puede un solo erudito, acechando en un rincón, presumir de juzgar el universo y sus leyes, todo lo que hicieron y dijeron los antiguos? ¿Quién está capacitado para erigirse en juez de las cosas y de las inteligencias? Habiendo caído en el olvido la ciencia del Principio, los hombres sólo actuaron de acuerdo a sus pasiones, los dirigentes de las diversas escuelas se arrogaron el derecho de juzgar y condenar todo y a todos. Perdieron de vista la unidad primordial que había sido la gran regla de los antiguos. Con sus diferentes explicaciones, dividieron la otrora única doctrina del imperio.

B. Hablemos primero de los seguidores de *Mo Zi*. Transmitir a las generaciones futuras una moral íntegra, no excederse en el lujo y las ceremonias, evitar mediante una gran moderación los conflictos de la vida, todas estas son reglas de los antiguos. *Mo Zi* y su discípulo *Qin Huali* estaban apasionadamente enamorados de ellas y, en consecuencia, las exageraban. Proscribieron absolutamente la música. Con el pretexto de la economía, redujeron a la nada las reglas del luto. En nombre de la caridad universal, *Mo Zi* ordenó hacer el bien a todos, y prohibió todas las disputas y toda la ira. No condenó la ciencia, pero ordenó que los eruditos permanecieran sin distinción, en el mismo rango que el vulgo. Al hacerlo, ofendió a los antiguos y a sí mismo… Sus sinfonías, cuyos títulos se han conservado en la historia, son prueba suficiente de que los antiguos estimaban la música. Que querían, en los funerales, un lujo proporcionado a la condición, lo demuestran sus normas sobre los ataúdes. Por eso, cuando *Mo Zi* prohibió toda la música y quiso que todos los ataúdes fueran idénticos, ofendió a los antiguos. También violó su propia ley de caridad universal, pues violó la naturaleza humana al prohibir el canto y el llanto, que son para el hombre un alivio natural indispensable. ¿Es caridad pretender que el hombre sufra incesante y estoicamente, y que finalmente sea enterrado sumariamente? No, sin duda… Así que las teorías de *Mo Zi* no tuvieron tanto éxito como

las de otros Sabios, porque herían los corazones de los hombres, que las rechazaron… En vano *Mo Zi* apeló al ejemplo de *Yu* el Grande, que se dedicó estoicamente
al bien del imperio durante los largos años que dedicó a encauzar la tierra y deli-
mitar los feudos. Su doctrina no causó ninguna impresión en los hombres, que no
tenían ninguna inclinación a imitar a los discípulos de *Mo Zi* e ignoraban a esos
discípulos que se vestían con pieles y telas burdas, llevaban zuecos o zapatos toscos,
y se dedicaban sin descanso ni relajación, a perfeccionarse en el sufrimiento por el
bien del gran *Yu*.

Además, si al principio no se llevaban bien con los demás, pronto los seguidores de *Mo Zi* tampoco se llevaronn bien entre ellos. *Qin* de *Xiang Li, Ku Huo, Ji
Chin, Deng Lingzi* y otros, cada uno reclamaba ser el depositario de las verdaderas
ideas de *Mo Zi*, y se atacaban mutuamente. Al igual que los sofistas, disertaban
sobre la sustancia y los accidentes, sobre las semejanzas y las desemejanzas, sobre
lo compatible y lo incompatible. Sus discípulos más hábiles fundaron otras tantas
pequeñas sectas, que esperaban hacer perdurables. Sus discusiones continúan hasta el día de hoy.

En definitiva, las intenciones de *Mo Zi* y *Qin Huali* eran buenas, pero se equivocaron en la práctica. La obligación que impusieron a todos de entregarse y sacrificarse en extremo habría producido, si hubiera encontrado eco, algo superior
al vil egoísmo, pero inferior al sistema natural (no hacer nada y no intervenir). Sin
embargo, ¡honor a *Mo Zi*! Era el mejor hombre del imperio. Aunque sus esfuerzos
fueron infructuosos, su nombre no debe ser olvidado. Fue un erudito con talento.

C. Hablemos ahora de la escuela de *Song Xing* y *Yin Wen*… Desprecia los prejuicios vulgares, evita todo lujo, no ofendas a nadie, mantén la paz para la felicidad
del pueblo, no poseas más de lo que necesites, mantén tu mente y tu corazón libres, todo esto hacían y decían los antiguos. *Song Xing* y *Yin Wen* hicieron de estas
máximas la base de una nueva escuela, cuyos discípulos llevan un gorro de forma
especial para ser reconocidos. Trataban a todos los hombres con amabilidad, fueran quienes fueran, creyendo que el apoyo mutuo era el más noble de los actos morales. Esta conducta, pensaban, ganaría a todos los hombres y los haría hermanos,
que era su principal objetivo. Aceptaban todos los atropellos. Trataban de pacificar
todas las disputas. Maldecían toda la violencia, especialmente el uso de las armas.
Apóstoles del pacifismo, iban predicándolo por todas partes, reprendiendo a los
grandes y adoctrinando a los pequeños. Rechazados, no se desanimaban. Al ser
desairados, volvían a la carga y acabaron, a fuerza de insistir, consiguiendo que la
gente les escuchara.

En todo esto, sin duda hubo algo bueno, pero también algún error. Estos hombres generosos se olvidaron demasiado de sí mismos por el bien del prójimo. Por
el precio de sus servicios, sólo aceptaban su comida de aquellos que la merecían.
El resultado fue que los maestros de la secta tuvieron que ayunar frecuentemente.
Esto no asustó a sus jóvenes discípulos, que estaban entusiasmados por dedicarse
al bien común, diciéndose a sí mismos:

— ¿Por qué no voy a sacrificar mi vida, como hizo mi maestro, por la salvación del mundo?

Eran buenas personas, no criticaban a nadie, no hacían daño a nadie, sólo despreciaban a los egoístas que no hacían nada por el bien público. No sólo prohibieron la guerra, sino que, elevándose por encima de ella, descubrieron la causa en los apetitos y la lujuria, y el remedio en la templanza y la abnegación. Pero se detuvieron ahí, y en sus especulaciones no supieron elevarse al Principio (partiendo sus justas deducciones). Eran daoístas abortados.

D. Hablemos ahora de la escuela de *Peng Meng, Tian Pian, Shen Dao* y otros... La imparcialidad, el altruismo, la paciencia, la condescendencia, la tranquilidad, la indiferencia hacia la ciencia, la caridad hacia todos, todo esto lo practicaban los antiguos. *Peng Meng* y sus discípulos hicieron de estas máximas la base de su doctrina. Postularon, como primer principio, la unión universal. Cada uno, dijeron, necesita a los demás. El cielo cubre, pero no soporta; la tierra debe, pues, ayudarlo. La tierra soporta, pero no cubre; por lo tanto, el cielo debe ayudarla. Ningún ser se basta a sí mismo, ni se basta para todo. Como el cielo y la tierra, la gran doctrina debe abarcarlo todo y no excluir nada. en armonía, por acomodación y tolerancia mutuas.

Por lo tanto, *Shen Dao* declaró la guerra a todo egoísmo, a todo individualismo, a toda coacción de los demás. Exigió una perfecta abnegación en las relaciones. Declaró que toda la ciencia es inútil y peligrosa. Se burló de la estima del mundo por los inteligentes, y de su encaprichamiento con los sabios. Sin principios teóricos definidos, dio cabida a todos y a todo. Las distinciones de lo correcto y lo incorrecto, de lo lícito y lo ilícito, no existían para él. No aceptó los consejos de nadie, no tuvo en cuenta ningún precedente e ignoró todo consejo. Para actuar, esperaba a que una influencia externa lo pusiera en movimiento; igual que una pluma espera a que el viento la levante para volar, y una piedra de molino espera a ser girada para moler... *Shen Dao* tenía razón y estaba equivocado. Tenía razón cuando condenaba la ciencia, porque engendra la terquedad doctrinal, la opiniones superfluas, las camarillas y los partidos. Se equivocó, y con razón se rieron de él, cuando exigió que los hombres no hicieran más uso de su inteligencia que un terrón de tierra. Llevado a este grado de exageración, su sistema era más adecuado para los muertos que para los vivos.

Tian Pian sostuvo el mismo error, habiendo sido, como *Shen Dao*, un discípulo de *Peng Meng*, a quien consideraba como su maestro. Este maestro fue la causa de que creyeran que los antiguos no se habían elevado por encima de la negación práctica de la distinción entre el bien y el mal, entre la razón y el mal; porque omitió enseñarles que negaban esta distinción por haber descubierto la unidad primordial. Ahora bien, dado que si uno no se eleva a la unidad, no es posible realizar la no-distinción, el hecho de que *Peng Meng* y sus seguidores negaran la distinción sin dar pruebas, los puso en conflicto con todos los demás. Su doctrina era incompleta, defectuosa. Sin embargo, tenían alguna idea del Principio y se acercaron al daoísmo.

E. Hablemos ahora de la escuela de *Guan Yin Zi* y de *Lao Zi...* Buscar la causalidad pura en la raíz invisible de los seres sensibles, y considerar a estos seres
sensibles como productos brutos. Considerar su multitud como menos que su
Principio. Permanecer recogido en la mente en el vacío y la soledad. Estas son
las máximas de los antiguos maestros de la ciencia del Principio. Estas máximas
fueron propagadas por *Guan Yin* y *Lao Dan.* Les dieron un fundamento firme en
la preexistencia del ser infinito indeterminado, la unión de todo en la gran unidad.
Del principio del ser, de la unión universal, dedujeron que las reglas de la conducta
humana debían ser la sumisión, la aquiescencia, el no querer y el no actuar, el dejarse llevar para no dañar.

Guan Yin dijo:

— Para quien no está cegado por sus intereses, todas las cosas aparecen en su
verdad. Los movimientos de este hombre son naturales como los del agua. El reposo de su corazón lo convierte en un espejo en el que se concentra todo. Responde
a cada acontecimiento como un eco responde al sonido. Se retrae, se desvanece,
se acomoda a todo, no quiere nada para sí mismo. No tiene prioridad sobre nadie,
sino que insiste en ser siempre el último.

Lao Dan dijo:

— Conservando tu energía masculina, sométete como la hembra. Hazte la confluencia de las aguas. Siendo perfectamente puro, acepta aparentar no serlo. Ponte
a la altura del mundo. Mientras que cada uno desea ser el primero, desea ser el
último, como la basura del imperio. Mientras todos desean la abundancia, prefiere la indigencia, busca la privación y el aislamiento. No te gastes, no interfieras.
Ríete de los que el vulgo llama inteligentes. No consideres nada en ti mismo como
meritorio, sino conténtate con ser irreprochable. Rígete siempre por el Principio y
respeta sus leyes. Evita incluso la apariencia de fuerza y destreza, pues los fuertes
son quebrados y los agudos son embotados por sus enemigos y los envidiosos. Se
amplio y amigable con todos. Esta es la cúspide. — ¡Oh *Guan Yin*; oh *Lao Dan*, sois
los más grandes hombres de todas las épocas!

F. Hablemos ahora de *Zhuang Zhou...* Todos los antiguos daoístas se ocuparon
del oscuro e indistinto ser primitivo, de sus mutaciones alternas, de los dos estados
de vida y muerte, de la unión con el cielo y la tierra, de la salida del espíritu, de sus
idas y venidas. *Zhuang Zhou* se ocupó de estos temas y los convirtió en su deleite.
Habló de ellos, a su manera, en términos originales y atrevidos, con libertad pero
sin causar un cisma. Considerando que los hombres difícilmente entienden las
explicaciones abstractas, recurrió a las alegorías, a las comparaciones, a la puesta
en escena de los personajes y a la repetición del mismo tema en diversas formas.
Descuidando detalles de menor importancia, se centró en el punto crucial de la
unión del espíritu con el universo. Para evitar discusiones innecesarias, no aprobó
ni desaprobó a nadie. Sus escritos, llenos de brío, no ofenden. Sus palabras, llenas
de originalidad, son serias y dignas de atención. Todo lo que dice tiene sentido.
Dos tesis en particular tuvieron su preferencia, a saber, la naturaleza del autor de
los seres (el Principio), y la identidad (fases sucesivas) de la vida y la muerte. Ha-

bló sobre el origen, con amplitud y libertad; y sobre el ancestro (el Principio), con amplitud y elevación. Sus argumentos sobre la génesis de los seres y la evolución cósmica son ricos y sólidos. Juega en las oscuridades insondables.

G. Hablemos ahora del sofista *Hui Shi* (*Hui Zi*)… Era un hombre de fértil imaginación. Escribió lo suficiente como para cargar cinco carros (en aquella época se escribía en listones de madera). Pero sus principios eran falsos, y sus palabras no tenían sentido. Argumentaba como un retórico, apoyando o refutando proposiciones paradójicas como éstas: La gran unidad es aquella que es tan grande que no hay nada fuera; la pequeña unidad es aquella que es tan pequeña que no hay nada dentro. Lo más pequeño tiene mil estadios de extensión. El cielo es más bajo que la tierra; las montañas son más planas que los pantanos. El sol en su plenitud es el sol poniente. Un ser puede nacer y morir al mismo tiempo. La diferencia entre una gran y una pequeña semejanza es la pequeña semejanza-diferencia; cuando los seres son totalmente semejantes y diferentes, es la gran semejanza-diferencia. El Sur sin límites está acotado. Me fui a *Yue* hoy y volví ayer. Los anillos unidos son separables. El centro del mundo está al norte de *Yen* (país del norte) y al sur de *Yue* (país del sur). Ama a todos los seres, únete al cielo y a la tierra.

A *Hui Shi* le encantaban estas discusiones, que le valieron la reputación de hábil sofista en todo el imperio. A su imitación, otros practicaron las mismas justas. Estos son algunos ejemplos de sus temas favoritos: Un huevo tiene pelo. Un gallo tiene tres patas. *Ying* sostiene el imperio. Un perro puede ser llamado oveja. Los caballos ponen huevos. Las uñas tienen cola. El fuego no es caliente. Las montañas tienen boca. Las ruedas de un carro no tocan el suelo. El ojo no ve. El dedo no alcanza su objeto. La terminación no es el final. La tortuga es más larga que la serpiente. Debido a que la escuadra no es cuadrada, y el compás no es redondo, no pueden dibujar cuadrados y círculos. La mortaja no encierra la espiga. La sombra de un pájaro que vuela no se mueve. Una flecha que da en el blanco no avanza y no se detiene. Un perro no es un perro. Un caballo marrón más un buey negro son tres. Un perro blanco es negro. Un potro huérfano no ha tenido madre. Una longitud de un pie, que se reduce diariamente a la mitad, nunca se reducirá a cero.

Sobre estos y otros temas similares discutieron estos sofistas a lo largo de su vida, sin que nunca se les acabaran las palabras. *Huan Duan* y *Gongsun Long* se destacaron por dar falsas impresiones, sembrar dudas, poner en aprietos a la gente, pero sin llegar a convencer a nadie de nada, sólo envolvían a sus pacientes en la red de sus falacias, triunfantes al ver que no podían desenmarañarlas. *Hui Shi* empleó todo su tiempo e inteligencia en inventar paradojas más sutiles que las de sus emuladores. Esta era su gloria. Sabía que era muy fuerte, y de buena gana afirmaba no tener igual en el mundo. Por desgracia, si bien tenía la ventaja, *Hui Shi* no tenía razón… Un día, un inteligente sureño llamado *Huang Liao* le pidió que le explicara por qué el cielo no se derrumbaba, por qué la tierra no se hundía, por qué hacía viento, llovía, tronaba, etc. Con gravedad y valentía, *Hui Shi* se comprometió a satisfacer a este bromista. Sin pensarlo ni un momento, empezó a hablar y hablar y hablar, sin tomarse un respiro, sin llegar a nada. Contradecir era su felicidad, silenciar era su triunfo. Todos los sofistas y retóricos le temían… ¡Pobre hombre! Su fuerza era sólo debilidad, su camino era estrecho. Su prodigiosa actividad sólo era, para el universo, el zumbido de un mosquito, un ruido inútil. Si hubiera utilizado su energía para avanzar hacia el Principio, ¡cuánto mejor habría sido! Pero *Hui Shi* no era un hombre que encontrara la paz en consideraciones serias. Se dispersó en vanos esfuerzos y sólo fue un retórico verborrágico. Hizo lo contrario de lo que debería haber hecho. Gritó para silenciar el eco y corrió para alcanzar su sombra. ¡Pobre hombre!

Índice analítico

EL GRAN TODO

Continuidad, cohesión, consonancia: Lie h a 5 q. — Zhu 24 e.

De la música: Lie 5 j. Zhu 14 c.

El Universo: Lie 1 n, 5 a b. — Zhu 25 j.

Identidad de los opuestos: Lao 2 a. — Zhu 2 b c e h, 17 a, 25 j.

Repercusión recíproca entre el macrocosmos y el microcosmos: Lie 2 c.

Todas las distinciones irreales: Lie 1 b, 3 a b c.

Todo es uno; el cosmos: Lie 1 b, 3 a b c. — Zhu 2 b, 6 e, 6 f, 17 a, 23 e, 25 b j.

Unión con el todo: Lie 2 k, 3 b, 4 b. — Zhu 1 e, 2a-e, 6 c f g j, 11 c d, 22 e, 27 d.

LA NATURALEZA

Base natural, sentido natural: Zhu 27 a b, 31 d.

Convertirse nuevamente en un pequeño niño: Lao 55. — Zhu 23 c.

Ella sola es buena y verdadera: Zhu 8 a b e d, 9 tot, 19 j l, 21 g,

Estado natural: Lao 3, 65, 80. — Lie 2 j q. — Zhu 16 a, 29 a.

La conservación de su naturaleza y el conocimiento del principio, forma al hombre superior: Zhu 19 b, 20 f, 21 a, 21 d.

Pura, íntegra, calma: Lie 2 d e f…

Retorno a la naturaleza: Zhu 10 b c, 23 d, 27 d.

Se une con el cosmos: Lie 2 k, 3 b, 4 b. Zhu 19 j, 20 g, 21 j… …con los elementos: Lie 2d… …con el agua: Lie 2 h i, 8 g. Zhu 19 i… …con el fuego: Lie 2 k… …con los animales : Lie 2 j q, 2 g, 22 j.

ARTIFICIAL, CONVENCIONAL

Bondad y equidad confuciana: Lao 18, 19, 38. Zhu 8 b, d, 9 c, 10 b.

Su génesis: Lao 18, 19, 38. — Zhu 9c, 11b, 16a, 16b, 21b, 21e, 33a.

Sus consecuencias fatales: Zhu 8 a, b, c, d, 9 a, 9 b, 9 c, 10 d, 11 a, 12 o, 13 b, e, 17 a, 25 g.

Taoísmo natural, confucianismo artificial: Zhu 31 b c d, 32 f g.

CONTRA LA NATURALEZA

Y pura convención: los gustos: Zhu 8 a. — …las virtudes: Zhu 8 a. — …el arte: Zhu 9 a. — …las ciencias: Lao 20 a, 20 e. — Zhu 25 h. — …el gobierno: Zhu 9b. — …la política: Lao 27. Zhu 9 c, 10 a, 29 b. …todas las reglas o costumbres: Zhu 17 a, 24 e. — …todo esfuerzo: Lao 23.

EL SABIO

Abstinencia del corazón: Zhu 4 a, 4 h, 6 h g, 7 c.

El sabio aborrece la guerra: Lao 30, 31, 69.

La atracción que ejerce: Lao 22, 35.

La incapacidad preserva: Zhu 1 f, 4 d-i, 20 a.

No hace violencia a su propia naturaleza: Lie 7 b, 7 f g.

No se desgasta a sí mismo: Lao 10, 12, 13, 44, 52. — Zhu 3a b c, 15 b, 19 a, 19 k, 24 l.

No se impone a sí mismo, sino que deja todas las cosas libres: Lao 2 c, 2 d, 10 g, 27 c, 34 a, 51 c. — Lie 4 c.

Nunca disputa: Lao 79. — Zhu 7 a, 20 h, 221, 26 e.

Odia la vulgaridad y evita a los vulgares: Lie 2 m. — Zhu 6 b, 24 j, 32 a.

Perros de paja: Lao 5. Zhu 14 d.

Se pliega, se adapta: Lie 8 a. — Zhu 6 h, 14 f, 20 a, 26 h.

Se recupera con ejercicios respiratorios: Lao 52 b. — Zhu 15 a.

Su abstracción, concentración e indiferencia perfectas: Lao 52, 56… 20 d, 34 b, 50. — Lie 4 e g h n, 81. Zhu 1 a c, 2 g, 3 b, 11 d, 19 a, 19 c , 19 d, 19 h, 20 b, 23 c g.
Su afable impasibilidad: Lao 33. — Zhu 5 a d, 6b, 21 i j, 26 c.
Su camino: Lao 15. Zhu 15 a b, 16 b, 19 e, 22 e, 23 b c, 26 h.
Su desdeñoso desinterés, su abnegación sistemática, oscuridad voluntaria: Lao 7 a b, 9 c, 13, 8 c, 24, 28, 40, 61, 66, 68… 41 b c, 42 b, 54, 71, 72, 76, 77, 78. — Lie 2 n o p, 4 k, 8 i o p. — Zhu 20 b d, 27 f, 32 c.
Su frío altruismo, su caridad total: Lao 5 b, 49, 67, 81. Lie 2 q. Zhu 14 b, 31 c.
Su gobierno sin acción: Lao 17, 29, 37, 57, 63, 64. — Zhu 24 c.
Su incluencia trascendente: Lao 45, 47.
Su independencia: Lao 56. — Zhu 14 e, 17 b, 17 e, 28 a-j, 29 c.
Su indulgente grandez: Lie 8 f.
Su modelo es el agua: Lao 8 a b, 78.
Su no acción, el dejarse llevar: Lao 10 d. 43, 48, 73. Zhu 7 f, 11 f, 12 l, 13 b, 25 c.
Su simplicidad: Lao 39, 40. — Zhu 24 a.
Su unión con el Principio: Zhu 12i, 12k, 16b, 17a.
Su vista central, su ciencia total: Lie 4 h. — Zhu 2 c h, 5 e, 11 c, 25 b c, 32 c.
Toda la eficacia viene del vacío: Lao 11. — …en él se encuentra la verdadera felicidad: Lie 1 h, 1 l. Zhu 18 a.
Él sonríe ante todo: 6 c.

ESTADOS PSÍQUICOS

Hablar sin palabras: Zhu 27 a.
La inconsciencia, envoltura protectora: Lie 2 d, 3 f. — Zhu 19 h.

La paz mental y oral es indispensable para alcanzar el Principio; toda pasión y emoción hace que uno sea incapaz: Lao 1 c, 20 c, 55. Lie 2 m. Zhu 12 n, 19 d. — …reposo del agua y de la mente, Zhu 13 a.
Los sueños, vagabundeos del alma: Lie 2 c ; …real: Lie 3 d.
Muerte del corazón: Zhu 21 c.
Sugestión: Lie 8 z. Zhu 19 g.
Visión interior, hecha visible a otros: Lie 2l. Zhu 7 e.
Éxtasis y su preparación, eterificación: Lie 2 c, 3 a, 4 f. — Zhu 1 c, 2 a, 6 j, 7 c, 17 a, 21 d, 24 h.

—

Destino, fatalidad: Lie 4 a, 6 a-i, 8 e j k. — Zhu 6 f g k, 24 j, 25 i, 26 a-f, 32 b.
El yo, la personalidad, el haz de leña: Zhu 2 j, 3 c, 6 c h, 21 c.
Fortuna e infortunio, fases: Lao 9, 36 a. — Lie 4 i. — Zhu 21 k.
Reposo en la muerte: Lie 1 j, 7 e.
Sobrevivencia? Alma? Manes? El haz de leña: Lao 10 a b, 33 b. — Lie 3 b. — Zhu 3 c, 6 d, 13 a-i, 18 d f, 20 b, 23 d, 27 d.
Vida y muerte, fases: Lao 16. — Lie 1 e f i k, 3 b,7 b c. — Zhu 2h, 6 b c, 12 b, 21 c d, 22 a, 27 d.

—

El hombre superior: Lie 2 d. — Zhu 1 d e, 2 f, 6 g, 7 f, 13 g, 23 b, 23 c.
El Soberano: Lao 4e. — Lie 5 b. — Zhu 1 a, 3 c, 6 c d, g.
Hombres trascendentes: Lie 2 b. — Zhu 11 e, 12 c. — Su palacio celestial: Lie 3 a. — Sus islas: Lie 5 b. Zhu 1 d.
Hombres verdaderos: Zhu 6 b, 15 b.

—

Sistemas: Zhu 33. — de Mo Zi: 33 b. — de Song Xing: y

Sofistas y sofismas: Lie 2 r, 4 l. — Zhu 17 g, 25 d, 33 g.

— de Guan Yin Zi y Lao Dan: Zhu 33 e. — de Zhuang Zi: 33 f. — de Hui Zi, sofistas: 33 g.

Yin Wen: 33 c. — de Peng Meng, Tian Pian, Shen Dao: Zhu 33 d.

ANÉCDOTAS SIMPLES

Arquería: Lie 5 n, Lie 8 b, Lie 2 e. Zhu 21 i.

Autosugestión: Lie 8 z.

Bueyes sacrificiales: Zhu 32 i.

Cerdos sacrificiales: Zhu 19 f.

Ciervo muerto en un sueño: Lie 3 e.

Confucio rodeado: Zhu 17 c, Zhu 20 d, Zhu 20 g, Zhu 28 h.

Cuchara basculante: Zhu 12 k, Zhu 14 d.

El ave marina: Zhu 18 e.

El cadáver violado: Zhu 26 d.

El escrupuloso: Lie 8 q.

El gallo de pelea: Lie 2 q.

El lenguaje de los animales: Lie 2 q.

El placer de los peces: Zhu 17 g.

El rico y su sirviente: Lie 3 d.

El árbol inútil: Zhu 1 f, Zhu 4 d e f.

Espectros ; Zhu 19 g.

Guao y Xiang, el rico y el pobre: Lie 1 p.

Humo y hollín : Zhu 23 e.

Imaginación y sugestión: Lie 3 h.

Insensatez universal: Lie 3 g.

Intercambio de corazones: Lie 5 i.

La espada mágica: Lie 5 p.

La inundación otoñal: Zhu 17 a.

La isla de los monos : Zhu 24 g.

La mariposa: Zhu 2 j.

La operación del caos: Zhu 7 g.

La perla negra: Zhu 12 d.

La perla triturada: Zhu 32 h.

La pomada: Zhu 1 e.

La rana del pozo: Zhu 17 d.

La receta contra la muerte: Lie 8 w.

La simfonía de Huang Di: Zhu 14 c.

Las calabazas: Zhu 1 e.

Las marionetas del emperador Mu: Lie 5 m.

Libros, detritos de los ancianos: Zhu 13 i.

Los niños de Han Dan: Zhu 17 d.

Los tres doctores: Lie 6 e.

Robar a la naturaleza, robar a otros: Lie 1 p.

Sabios del Oeste: Lie 4 c.

Sombra y penumbra: Zhu 2 i, Zhu 27 e.

Tejido de amianto: Lie 5 q.

Tortuga de mar: Zhu 17 d.

Tortuga oracular capturada: Zhu 26 f.

Tortuga sacrificada: Zhu 17 e.

Tortugas gigantes: Lie 5 b.

ANÉCDOTAS REPETIDAS

Arquería: Lie 2 e. Zhu 21 i.

Cazando cigarras : Lie 2 j. Zhu 19 c.

El adivinador engañado : Lie 2 l Zhu 7 e.

El criador de monos : Lie 2 q. Zhu 2 e.

El gallo de pelea : Lie 2 q. Zhu 19 h.

La bella y la fea : Lie 2 o. Zhu 20 i.

La calavera: Lie 4 e. Zhu 18 d f.

La cascada de Lu Liang: Lie 2 i, 8 g. Zhu 19 d.

La muerte de Guang Zhong: Lie 6 c. Zhu 24 f.

Lie Zi se vuelve popular: Lie 2 m. Zhu 32 a.

Los rápidos de Shang: Lie 2 h. Zhu 19 d.

Reencuentro de Lao Dan y Yang Zhu: Lie 2 n. Zhu 27 f.

Regalo de grano para Lie Zi: Lie 8 d. Zhu 28 d.

Transformismo : Lie 1 e. Zhu 18 f.

Índice onomástico

Duan Gan Sheng: Lie 7 g.
Duan Mushu: Lie 7 g.

E

E Lai: Zhu 26 a.
Er Han, cantor: Lie 5 k.

F

Fei Wei, arquero: Lie 5 n.
Fu Xi, emperador legendario del quinto milenio a.C.: Lie 2 q, Zhu 4 a, 6 d, 10 c, 16 a, 21 j.
Fu Yue, ministro: Zhu 6 d.

G

Gan Ying, arquero: Lie 5 n.
Gao Bo Cheng: Zhu 12 g.
Geng Sang Chu: Zhu 23 a b.
Geng Sang Zi: Lie 4 b.
Gong Gong: Lie 5 a. Zhu 11 b.
Gong Hu: Lie 5 i.
Gong Sun Long, sofista: Lie 4 1. Zhu 17 d, 33 g.
Gong Sun Yen: Zhu 25 d.
Gong Yi: Lie 4 k.
Gong Yue Xiu: Zhu 25 a.
Guan Long Feng: Zhu 4 a, 26 a.
Guan Yin Zi: ver Yin Xi.
Guan Zhong, Guan Yi Wu, Guan Zi, ministro, siglo VII a.C. Lie 5 f, 6 c, 7 a e. Zhu 18 e, 19 g, 24 f, 29 b.
Guang Cheng: Zhu 11 c.

H

He Xu: Zhu 9 c.
Hei Luan, asesino: Lie 5 p.
Hong Meng: Zhu 11 d.
Hu Bu Xie: Zhu 6 b.
Hu Zi, Maestro Lin o Hu Qiu: Lie 1 a, 21, 4 e g, 8 a. Zhu 7 e.
Hua Jie: Zhu 18 c.
Hua Zi, hombre con amnesia: Lie 3 f.

Huan Dou: Zhu 11 b.
Huan, Duque de Lu: Lie 2 q.
Huang Di, Emperador Amarillo, fundador del Imperio Chino, posiblemente alrededor 3000 a.C.: Lie 1 b f, 2 a q, 3 e, 5 c, 6 f. Zhu 6 d, 10 c, 11 b c, 12 d, 14 g, 16 a, 18 c e, 21 j, 22 a l, 24 c f, 29 a.
Hui Ang, padre de Hui Zi: Lie 2 r.
Hui Zi, sofista: Zhu 1 e f, 2 d, 5 f, 17 f g, 18 b, 24 e, 25 d, 26 g, 27 b, 33 g.

J

Ji Chang, arquero: Lie 5 n.
Ji Chi: Zhu 33b.
Ji Liang: Lie 4 i, 6 e.
Ji Tuo: Zhu 6 b, 26 j.
Ji Xian, vidente: Lie 2 l. Zhu 7 e.
Ji Xing Zi, entrenador: Lie 2 q. Zhu 19 h.
Ji Zhen: Zhu 25 j.
Ji Zi, príncipe: Lie 6 a. Zhu 6 b, 25 d, 26 a.
Jian Wu: Zhu 1 d, 6 d, 7 b, 21 j.
Jie Yu, el loco: Zhu 1 d, 4 h, 7 b.
Jie Zi: Zhu 25 j.
Jie, último emperador Xia, tirano, destronado en 1766 a.C. Lie 2 q, 7 c j, 8 a. Zhu 4 a b c, 11 a b, 17 a c, 22 e, 26 a, 28 i.
Jin, músico: Zhu 14 d.
Jiu Fang Yin: Zhu 24 j.
Ju Boyu: Zhu 4 c, 25 h.

K

Kan Pi: Zhu 6 d.
Kao Fu: Zhu 32 g.
Kong Qiu, Kong Zi, ver Confucio.
Kong Zhou: Lie 5 p.
Ku Huo: Zhu 33 b.
Kuang Zhang: Zhu 29 b.
Kuang Zi, músico: Lie t j. Zhu 2 d, 8 a d.
Kui, conocido como Nan Bo: Zhu 6 e.

Shen Dao: Zhu 33 d.
Shen Nong, emperador, probablemente murió en 3078 a.C. Lie 2 q, 8 a. Zhu 10 c, 16 a, 18 e, 22 g, 28 j.
Shen Tu Di: Zhu 6 b, 26 j, 29 a.
Shen Tuo: Lie 5 p.
Shen Zi: Zhu 29 b.
Shi Cheng Qi: Zhu 13 f.
Shi Kuang, músico: Lie 5 j. Zhu 2 d, 8 a d.
Shi Qiu, abogado: Zhu 8 a d, 10 b, 11 a b, 12 o, 25 i.
Shi Wen, músico: Lie 5 j.
Shi Xiang, músico: Lie 5 j.
Shu Shan: Zhu 5 c.
Shun, emperador, murió en 2208 a.C. Lie 1 o, 7 a c j, 8 a. Zhu 2 e, 5 a, 7 a, 8 b c, 10 a, 11 b, 12 g j m, 13 a d, 14 b g, 16 a, 17 a c, 18 e, 20 e, 22 d 1, 23 a, 24 k, 25 d, 28 a i, 29 a b.
Song Xing: Zhu 33c.
Sun Shu Ao: Lie 8 n. Zhu 2 1 j, 24 i.

T

Tai Dou, cochero: Lie 5 o.
Tai Gong Diao: Zhu 2 5 j.
Tai Shi, soberano legendario: Zhu 7 a.
Tang, emperador, derribó a los Xia, fundó la dinastía Shang Yin, 1766-1754 a.C. Lie 5 a b, 8 a. Zhu 22 1, 23 g, 25 c, 28 i, 29 a b.
Tian Chang Zi: Zhu 10 a, 29 b.
Tian Gen: Zhu 7 c.
Tian Heng: Lie 6 a.
Tian Kai Zhi: Zhu 19 e.
Tian de Qi: Lie 7 a, 8 y.
Tian Pian: Zhu 33 d.
Tian Zifang: Zhu 21 a.
Tuo el Feo: Zhu 5 d.

W

Wang Guo: Zhu 25 a.
Wang Ni: Zhu 2 f, 7 a, 12 e.

Wang Tai: Zhu 5 a.
Wei Sheng: Zhu 29 a b.
Wei Zi, príncipe: Lie 6 a.
Wen Zhi, doctor: Lie 4 h.
Wen, el Rey Wen, padre de Wu Wang y Zhou Gong: Zhu 1 4 g, 21 h, 29 a.
Wu Guang: Zhu 6 b, 26 j, 28 i.
Wu Ming Ren: Zhu 7 c.
Wu Xian Tiao: Zhu 14 a.
Wu Yuan: Zhu 26 a.
Wu Ze: Zhu 28 i.
Wu Zixu: Zhu 29 a b.
Wu, emperador, derribó a los Yin y fundó la dinastía Zhou, 1122-1116 a.C. Lie 7 j, 8 a. Zhu 22 i, 28 j, 29 a b.

X

Xi Peng: Lie 5 f, 6 c.
Xi Shi: Zhu 14 d.
Xi Wang Mu, rey de las hadas: Lie 3 a. Zhu 6 d.
Xi Wei: Zhu 6 d, 22 l, 25 i, 26 h.
Xi Yong: Lie 5 f.
Xia Ji: Lie 5 a b f.
Xiao Yi: Zhu 26 a.
Xin Du Zi: Lie 8 t.
Xiong Yi Liao: Zhu 20 b.
Xu Wugui: Zhu 24 a b.
Xu You: Zhu 1 d, 6 i, 12 e, 24 k, 26 j, 28 a, 29 c.
Xuan, emperador, 827-782 a.C.: Lie 2 g q, 4 k. Zhu 19 h.
Xue Tan, cantor: Lie 5 k.

Y

Yang Bu, hermano de Yang Zhu: Lie 6 f, 8 u.
Yang Zhu, filósofo: Lie 2 n o, 4 i, 6 e f, 7 a b e d, 7 g-o, 8 s t u v. Zhu 7 d, 8 a, 1O b, 12 o, 17 c, 20 1, 27 f.
Yang Zi Ju: ver Yang Zhu.
Yao, emperador, 2357-2286 a.C.: Lie 4 m, 7 a c. Zhu 1 d, 2 e, 4 a, 6 c, 10 a, 11 a

www.ingramcontent.com/pod-product-compliance
Ingram Content Group UK Ltd.
Pitfield, Milton Keynes, MK11 3LW, UK
UKHW021509210125
4211UKWH00012B/92